Faire **aimer** et **apprendre**

l'histoire et la géographie

au primaire et au secondaire

Sous la direction de
Marc-André Éthier, David Lefrançois et Stéphanie Demers

Faire aimer et apprendre

L'histoire et la géographie

au primaire et au secondaire

ÉDITIONS
MULTIMONDES

Catalogage avant publication de Bibliothèque et Archives nationales du Québec et Bibliothèque et Archives Canada

Vedette principale au titre :

Faire aimer et apprendre l'histoire et la géographie au primaire et au secondaire

Comprend des références bibliographiques et un index

ISBN 978-2-89544-473-2

1. Histoire – Étude et enseignement (Primaire). 2. Géographie – Étude et enseignement (Primaire). 3. Histoire – Étude et enseignement (Secondaire). 4. Géographie – Étude et enseignement (Secondaire). I. Éthier, Marc-André, 1969- . II. Lefrançois, David, 1976- . III. Demers, Stéphanie, 1970- .

LB1581.F34 2014   372.89'044   C2014-941110-3

Les Éditions MultiMondes bénéficient du soutien financier du gouvernement du Québec par l'entremise du programme de crédit d'impôt pour l'édition de livres et de la Société de développement des entreprises culturelles du Québec (SODEC). L'éditeur remercie également le Conseil des arts du Canada de l'aide accordée à son programme de publication.

Financé par le gouvernement du Canada | **Canadä**

Première de couverture

En haut : détail de la fresque des Québécois située dans le quartier Champlain, à Québec (photo : CCNQ, Corinne Poirieux)

Au centre : dessin à la craie, iStock

En bas : capture écran du jeu de simulation Sim City

ISBN imprimé : 978-2-89544-473-2
ISBN PDF : 978-2-89544-523-4
ISBN EPUB : 978-2-89544-938-6

Dépôt légal : 2014
Bibliothèque et Archives nationales du Québec
Bibliothèque et Archives Canada

Diffusion/distribution au Canada :

Distribution HMH
1815, avenue De Lorimier
Montréal (Québec) H2K 3W6
www.distributionhmh.com

Diffusion/distribution en Europe :

Librairie du Québec à Paris/DNM
30, rue Gay-Lussac
75005, Paris, FRANCE
librairieduquebec.fr

Imprimé au Canada
www.editionsmultimondes.com

Table des matières

Liste des tableaux

Liste des figures

Liste des documents

PRÉSENTATION DES AUTEURS

Bouhon, Mathieu est professeur en didactique de l'histoire à l'Université catholique de Louvain (Belgique) et membre du Centre de recherche interuniversitaire sur la formation et la profession enseignante (CRIFPE). Ses recherches portent sur les représentations sociales des enseignants d'histoire et sur l'évaluation des apprentissages en histoire.

Boutonnet, Vincent est professeur de didactique des sciences humaines à l'Université du Québec en Outaouais. Il s'intéresse particulièrement à la manière dont les enseignants en univers social utilisent leurs ressources en classe : le manuel, le cahier d'exercices, les documents iconographiques, textuels, numériques et filmiques. Sa récente thèse de doctorat décrit et analyse les pratiques enseignantes en lien avec l'usage de ces ressources.

Cardin, Jean-François est professeur titulaire en didactique de l'histoire et des sciences sociales à la Faculté des sciences de l'éducation de l'Université Laval. Titulaire d'un doctorat en histoire, il est impliqué dans la formation des maitres dans cette discipline depuis 1997. Ses intérêts de recherche récents portent surtout sur les rapports entre l'histoire et l'éducation à la citoyenneté et sur l'histoire de l'enseignement de l'histoire.

Demers, Stéphanie a enseigné le français et les sciences sociales pendant six ans au secondaire. À titre de professeure, ses recherches se situent au carrefour de la sociologie structurationniste et de la didactique de l'histoire. Elles portent sur l'enseignement de l'histoire nationale et ses relations avec la construction de l'identité sociale et de la citoyenneté, sur l'apport de l'apprentissage de l'histoire locale à la conceptualisation en histoire et au développement de l'agentivité, ainsi que sur les dimensions épistémologiques de la culture enseignante.

Dubois-Roy, Étienne a obtenu une maitrise en enseignement de l'histoire au secondaire et au collégial en 2009 de l'Université de Sherbrooke. Son essai a porté sur la création d'un projet pédagogique utilisant les principes de la refonte du cursus scolaire de 2005 pour enseigner la Crise d'octobre au niveau secondaire.

Dubois, Natasha a enseigné 10 ans à la Commission scolaire Marie-Victorin en univers social à tous les niveaux du secondaire, puis a été conseillère pédagogique en univers social dans cette même commission scolaire pendant deux ans. Elle vient de terminer une maitrise en sciences de l'information.

Dumont, Micheline, professeure émérite de l'Université de Sherbrooke, a enseigné la didactique de l'histoire à l'École normale Cardinal-Léger (Montréal) de 1959 à 1968 et à l'Université de Sherbrooke de 1970 à 1990. Membre de la Société des professeurs d'histoire du Québec, elle a publié de nombreux articles dans le bulletin de cet organisme et a livré ses réflexions sur l'enseignement de l'histoire en 1979 dans *L'Histoire apprivoisée* (Boréal). Elle est très connue comme historienne prolifique de l'histoire des femmes.

Duquette, Catherine Ph. D. en éducation à l'Université Laval. Professeure à l'Université du Québec à Chicoutimi (UQAC), Catherine Duquette possède une expertise dans le champ de la didactique des sciences humaines et sociales. Ses travaux portent sur l'enseignement de l'apprentissage et l'évaluation de la pensée historique et de la conscience historique chez les élèves du primaire et du secondaire. Elle a aussi mené des recherches sur l'histoire de la didactique et sur l'usage des controverses historiques en classe.

Éthier, Marc-André est professeur de didactique à l'Université de Montréal. Il est membre du CRIFPE et de l'Association québécoise pour la didactique de l'histoire et de la géographie (AQDHG). Au cours des 20 dernières années, ses recherches ont porté sur quatre grands thèmes : l'analyse des outils didactiques ; le développement de la pensée critique en histoire ; le transfert des apprentissages dans la pratique politique et communautaire et la délibération démocratique en classe de sciences sociales.

Fink, Nadine est titulaire d'un doctorat en didactique de l'histoire. Sa thèse porte sur l'utilisation du témoignage oral dans l'enseignement de l'histoire et sa contribution au développement de la pensée historique des élèves. Elle est chargée d'enseignement en didactique de l'histoire à la Haute école pédagogique de Vaud.

Genevois, Sylvain est docteur en géographie et en sciences de l'éducation et enseignant-chercheur à l'université de Cergy-Pontoise (IUFM de l'académie de Versailles). Ses recherches portent notamment sur le changement des pratiques cartographiques et le renouvèlement de l'enseignement de la géographie, en lien avec les usages sociaux des outils de cartographie numérique (SIG, globes virtuels, outils de localisation de type GPS et jeux géolocalisés). Membre du Comité français de cartographie (commission enseignement) et co-fondateur de l'Observatoire de pratiques géomatiques de l'Institut français de l'Éducation, il a publié de nombreux articles sur l'usage des outils de cartographie numérique en contexte scolaire.

Goulet, Geneviève enseigne le cours d'Histoire et éducation à la citoyenneté à l'école Horizon Jeunesse à Laval. Diplômée en 2001 au baccalauréat en enseignement de l'histoire et de la géographie au secondaire à l'UQAM, elle poursuit actuellement ses études à la maitrise en éducation à l'UQO. Dans ses recherches, elle s'intéresse tout particulièrement au développement de la pensée historique chez les élèves du secondaire combiné à la visite de lieux historico-patrimoniaux. À titre d'auteure pédagogique, elle a participé à la réalisation de cahiers d'activités et de savoirs aux Éditions ERPI: *Espace Temps* (1er cycle) et *Le Québec en deux temps* (2e cycle).

Jean, Gaëtan est enseignant d'histoire au secondaire depuis plus de vingt ans dans différentes écoles de Laval. Il est aussi auteur de matériel pédagogique pour le primaire et le secondaire. Il a été chargé de cours en didactique et conseiller pédagogique.

Joly-Lavoie, Alexandre est étudiant à la maitrise en didactique à l'Université de Montréal. Ses champs d'intérêt en recherche sont l'usage des jeux vidéos dans le cadre des cours d'univers social ainsi que le développement de la pensée critique au secondaire.

Kaufmann, Lyonel est professeur-formateur de Didactique de l'histoire à la Haute école de pédagogie de Vaud, à Lausanne. Il s'intéresse particulièrement à la formation des enseignants et à l'intégration des technologies dans l'enseignement sous ses formes collaboratives.

Laferrière, Isabelle est enseignante au primaire. Elle est détentrice d'une maitrise-cours en didactique, orientation univers social. Au cours des dernières années, elle a été chargée de cours en didactique de l'univers social au primaire, assistante de recherche et auteure pour un cahier d'apprentissage.

Lanoix, Alexandre est candidat au doctorat en didactique de l'histoire. Historien de formation, il est actuellement chargé de cours en didactique de l'histoire et spécialiste en enseignement de l'histoire pour le Récit national de l'univers social. Ses champs d'intérêt en recherche sont les TIC, les débats sur l'enseignement de l'histoire et la pensée historique.

Laperle, Dominique enseigne au secondaire depuis 20 ans détient un doctorat en histoire de l'Université du Québec à Montréal. Il a publié plusieurs textes dans des revues d'histoire et ses champs de recherche sont principalement l'histoire socioreligieuse, l'histoire de l'éducation ainsi que l'histoire sociale de la Nouvelle-France.

Larose, Sylvain enseigne l'histoire depuis plus de 20 ans au secondaire. Fort de cette expérience, il a perfectionné l'usage des simulations et des jeux en classe. Détenteur d'une maîtrise en histoire, il s'investit dans la formation continue en partageant ses expériences d'enseignement dans le cadre de conférences avec les futurs maîtres. Il est aussi auteur de manuels et de jeux de tables grand public.

Larouche, Marie-Claude est titulaire d'une thèse en sciences de l'éducation (Sorbonne, 1999), professeure au Département des sciences de l'éducation de l'UQTR, responsable de la didactique des sciences humaines au primaire et à l'adaptation scolaire. De 2000 à 2010, elle a occupé diverses fonctions au Musée McCord d'histoire canadienne (à Montréal) en lien avec l'action éducative et culturelle et le développement des ressources numériques.

Lefrançois, David est professeur à l'UQO|Campus de Saint-Jérôme et chercheur associé au Centre de recherche interuniversitaire sur la formation et la profession enseignante (CRIFPE). Il est également responsable de l'équipe de recherche sur la Diversité scolaire et l'éducation citoyenne (DiSEC). Il a codirigé deux ouvrages collectifs, dont *Didactique de l'univers social au primaire* (ERPI, 2012), et coécrit de nombreux articles de nature scientifique et professionnelle avec Marc-André Éthier.

Lévesque, Jean-François est enseignant d'histoire au collège de l'Assomption et chargé de cours en didactique à l'Université de Montréal. Il détient une maitrise en didactique de l'histoire portant sur l'analyse de la présence et de la nature des sources premières dans les manuels scolaires.

Loubert, Sophie a enseigné huit ans au primaire et quatre ans au secondaire en univers social. Elle a ensuite été conseillère pédagogique en univers social à la Commission scolaire des Hautes-Rivières pendant cinq ans. Elle est actuellement directrice de deux écoles primaires en Montérégie.

Martel, Virginie est professeure au Département des sciences de l'éducation de l'Université du Québec à Rimouski (Campus de Lévis) depuis 2005, Virginie Martel est spécialiste de la didactique des sciences sociales au primaire. Elle s'intéresse à la lecture dans les disciplines des sciences humaines et aux différents supports d'apprentissage permettant l'acquisition de connaissances et le développement de la pensée critique.

Mérenne-Schoumaker, Bernadette est docteure en Sciences géographiques de l'Université de Liège (Belgique). Elle est l'auteure de plus de 350 publications (livres et articles) et de nombreux dossiers pédagogiques. Elle a fondé le LMG (Laboratoire de méthodologie de la Géographie) et l'a dirigé pendant 20 ans. Elle est aujourd'hui professeure invitée à l'Université de Liège en géographie économique et pédagogie universitaire et donne de nombreuses conférences et formations notamment aux enseignants du secondaire.

Moisan, Sabrina est professeure de didactique de l'histoire et de l'éducation à la citoyenneté à la Faculté d'éducation de l'Université de Sherbrooke. Elle a publié notamment sur la mémoire historique des jeunes Québécois, sur les représentations sociales des enseignants à l'égard de l'histoire et la citoyenneté, sur l'enseignement de l'Holocauste au Québec et sur le potentiel des musées et de l'histoire orale pour la formation historique.

Poyet, Julia est professeure en didactique au Département d'histoire de la Faculté des sciences humaines de l'Université du Québec à Montréal. Ses intérêts de recherche portent sur la didactique des sciences sociales du préscolaire à l'université et s'inscrivent dans des thématiques telles que les pratiques d'enseignement, l'enseignement-apprentissage des concepts, le développement de l'identité sociale et l'utilisation de l'audiovisuel et des TIC en classe.

Warren, Jean-Philippe est sociologue et titulaire de la Chaire d'études sur le Québec à l'Université Concordia. Il a écrit ou dirigé de nombreux ouvrages, dont *Ils voulaient changer le monde. Le militantisme marxiste-léniniste au Québec* (VLB, 2007), *L'Art vivant. Autour de Paul-Émile Borduas* (Boréal, 2011) et *Une histoire des sexualités au Québec* (VLB, 2012).

Yelle, Frédéric est étudiant en didactique de l'histoire au deuxième cycle à l'Université de Montréal. Ses champs d'intérêt en recherche sont le développement de la pensée historique, les jeux vidéos en enseignement de l'histoire et les pratiques didactiques en classe.

Zanazanian, Paul est professeur adjoint au Département d'éducation de l'Université McGill. Ses recherches s'intéressent au développement et au rôle de la conscience historique dans la compréhension et la construction d'une compréhension du monde. Il s'intéresse aussi à la place de la conscience historique dans la construction d'une identité nationale et civique en fonction de l'appartenance ethnolinguistique et culturelle.

Introduction

Marc-André Éthier,
David Lefrançois
et Stéphanie Demers

Comment faire aimer et apprendre l'histoire et la géographie aux élèves du primaire et du secondaire? Comment faire de ces disciplines des matières à penser, à se questionner? Comment familiariser les enfants avec les résultats de recherches menées dans ces disciplines et cultiver chez eux les façons de penser et de comprendre des savants qui conduisent ces recherches? À quels savoirs devons-nous tenter de faire accéder ces élèves et dans quels buts? Comment leur enseigner à chercher, établir et utiliser – ou réfuter – des preuves historiques ou géographiques pour formuler ou évaluer des arguments politiques et en débattre avec discipline, honnêteté, rigueur et tolérance? Comment étayer leur travail pour qu'ils se bâtissent une pensée critique et autonome et acquièrent de façon durable et opérante des contenus? Devons-nous (et comment pouvons-nous) les engager dans les débats historiques, sociaux, philosophiques et politiques fondamentaux? Comment les conscientiser et les aider à agir ensemble de façon efficace, réfléchie et tenace contre les racines sociopolitiques de l'exploitation, l'oppression, la discrimination et l'exclusion ou pour les droits et libertés, l'identification au genre humain, la justice, la réciprocité et la paix, sans les endoctriner? Comment valoriser le dépassement de soi et la solidarité sans tomber dans le conformisme et la rectitude? Comment rendre visible et évaluer leur pensée historienne ou géographique? Comment mettre en place une éducation inclusive, qui vise la réussite et l'émancipation de tous? Comment concevoir et piloter des tâches en histoire ou en géographie adaptées aux effectifs hétérogènes et diversifiés des écoles québécoises? Comment créer, évaluer, perfectionner et partager des outils pour amener les élèves à acquérir des compétences favorisant leur participation avertie, libre et réfléchie à la vie sociopolitique et la réflexion à propos d'enjeux comme les pratiques et situations d'oppression, d'exploitation et de discrimination (directe ou systémique, en classe ou hors de la classe)?

***

Voilà de graves et importantes questions qui appellent des réponses ni exclusivement théoriques ni exclusivement pratiques. C'est pourquoi cet ouvrage prend le taureau par les cornes et examine les questions en en creusant à la fois les aspects théoriques et pratiques. Chacun des chapitres qui le constituent offre des éléments de réponse à ces questions, en mettant l'accent sur des façons d'enseigner éprouvées par la recherche et propres à aider à enseigner pour atteindre les objectifs ambitieux que les auteurs fixent à l'enseignement des sciences sociales.

Ainsi, après avoir exposé la nature, le contenu et l'esprit des programmes en sciences sociales au primaire et au secondaire passés et actuels, ainsi que des savoirs de références appropriés, cet ouvrage collectif fait le point sur ce que la recherche dit à propos de l'enseignement de diverses méthodes disciplinaires en histoire et en géographie, puis il présente des récits de pratiques d'enseignement qui tiennent compte de ces méthodes. Ces récits de pratique donnent un accès privilégié à des contextes d'enseignement et d'apprentissage inspirants, ainsi qu'à des suggestions pratiques qui peuvent être adaptées dans d'autres contextes.

Les différents auteurs qui ont relevé ce vaste défi viennent de plusieurs écoles (du primaire et du secondaire) et universités du Québec, mais aussi de Belgique, de France et de Suisse.

Leurs textes sont regroupés en quatre parties thématiques.

***

Les trois chapitres de la première partie s'intéressent à l'histoire et à la géographie comme telles.

Dans le **chapitre 1**, Micheline Dumont montre comment la nature, l'objet et la pratique de l'histoire ont évolué. Dans le **chapitre 2**, Bernadette Mérenne-Schoumaker explique en quoi consistent la lecture, l'analyse et la construction de cartes, de croquis et de schémas, toutes des techniques associées de façon centrale à la pratique de la géographie. Dans le **chapitre 3**, Sylvain Genevois souligne l'intérêt de la cartographie numérique en géographie, explique en quoi consiste un usage réflexif des outils géonumériques et montre comment ces outils contribuent à renouveler l'enseignement de la géographie.

***

Les six chapitres de cette partie présentent le domaine de l'univers social tel qu'il se transpose dans des programmes, des cours et des évaluations. Chaque chapitre théorique est illustré par un récit de pratique.

Ainsi, dans le **chapitre 4**, Jean-François Cardin décrit les programmes d'études obligatoires à l'école primaire et secondaire : la géographie, l'histoire et l'éducation à la citoyenneté. Il vise à en expliciter l'évolution, les objectifs généraux et les contenus, les enjeux éducatifs et didactiques. Il porte une attention particulière à la discipline qui, à l'école, occupe le plus de place dans la grille horaire, c'est-à-dire l'histoire. Quelques mois avant que ne soit publié cet ouvrage, la ministre de l'Éducation du Québec d'alors, Marie Malavoy, annonçait d'ailleurs des changements touchant au programme obligatoire pour le deuxième cycle du secondaire, qui porte sur l'histoire du Québec. Ces changements constituent des ajustements – significatifs pour certains éléments, mais, le plus souvent, mineurs – ne modifiant pas l'esprit général de ce programme et encore moins la pratique d'enseignement qui y est liée. Ces changements rappellent cependant combien l'histoire attire l'attention des médias. En somme, la lecture de ce chapitre permet de connaitre et d'analyser la commande officielle qui est donnée aux enseignants de sciences sociales. Pour sa part, dans le **chapitre 5**, Dominique Laperle donne un exemple d'usage, en classe, d'*Histoire et éducation à la citoyenneté* de la quatrième secondaire, de sources et de l'historiographie. Il explique comment il guide ses élèves dans une analyse des sources primaires et de leurs différentes interprétations dans une activité portant sur Dollard des Ormeaux et Lionel Groulx.

Dans le **chapitre 6**, Julia Poyet fait le point de façon plus spécifique sur ce qui est attendu des élèves du premier cycle du primaire, en univers social : construire leur représentation de l'espace, du temps et de la société. Elle propose une lecture de cette compétence et analyse le travail de planification de la part de l'enseignant que présuppose le développement de cette compétence. Par la suite, Natasha Dubois et Sophie Loubert présentent, dans le **chapitre 7**, une activité ayant pour but de susciter, chez les élèves, le questionnement et de les familiariser avec la problématisation.

Dans le **chapitre 8**, Mathieu Bouhon analyse quelques difficultés récurrentes à l'évaluation des apprentissages en sciences sociales dans le contexte de compétences à développer et donne quelques pistes et principes pour les surmonter. Son texte s'intéresse surtout à l'évaluation des productions d'élèves et celles de leurs démarches menant à ces productions. Dans le **chapitre 9**, Jean-Philippe Warren décrit l'évolution des programmes d'histoire révélée par l'analyse du contenu des épreuves uniques de 1970 à 2012. Selon l'auteur, ce corpus peut, avec des nuances, se distribuer en trois ensembles, lesquels peuvent schématiquement être associés à autant de périodes, que nous pourrions chacune rapprocher librement à un thème : l'édification de la nation (1970-1990), le recours à l'histoire sociale (1991-2008) et le postmodernisme (2009-2012).

***

Les six chapitres de la troisième partie portent exclusivement sur l'explication et l'illustration de techniques que les élèves doivent acquérir, durant leur scolarité obligatoire en sciences sociales, au primaire et au secondaire, pour constituer et analyser des corpus documentaires de première et de deuxième main : des sources écrites, orales et iconographiques. Comme dans la deuxième partie, les synthèses des recherches empiriques actuelles à propos des méthodes examinées alternent avec les récits de pratique mettant à profit ces méthodes.

Virginie Martel, dans le **chapitre 10**, se penche sur la lecture critique et interprétative des sources écrites de première main, ainsi que des manuels d'histoire, romans historiques et autres documents écrits. Dans le **chapitre 11**, Isabelle Laferrière et Virginie Martel fournissent un exemple de situation d'apprentissage exploitant, en sixième année du primaire, la littérature jeunesse pour comparer la Chine et le Québec, dans l'après-guerre.

Dans le **chapitre 12**, Nadine Fink décrit les courants et l'évolution de l'histoire orale, ainsi que les aspects méthodologiques inhérents à la procédure de recherche en histoire orale et leur potentiel didactique, alors que, dans le **chapitre 13**, Étienne Dubois-Roy donne un exemple d'une activité d'enquête orale que les élèves doivent mener avec une personne ayant traversé la Crise d'octobre.

Marie-Claude Larouche, dans le **chapitre 14**, explique comment repérer, décoder et interpréter des documents iconographiques, en particulier des images fixes, puis signale quelques obstacles d'ordre épistémique et didactique se dressant devant l'enseignant qui veut faire apprendre ces techniques à ses élèves, tandis que, dans le **chapitre 15**, Dominique Laperle donne un exemple d'enseignement exploitant des techniques en lien avec ce type de document, en l'occurrence des affiches de propagande canadienne diffusée de la Deuxième Guerre mondiale.

***

La quatrième partie est la plus volumineuse, avec dix chapitres. Elle porte sur les moyens et techniques d'enseignement de l'histoire et de la géographie, y compris l'usage qui peut être fait des moyens d'enseignement liés à l'histoire publique.

Les quatre chapitres ouvrant cette partie traitent en effet de ressources du milieu, pour reprendre l'expression de Chamberland, Lavoie et Marquis (1995, p. 139), considérées comme des sources aussi bien de première main que de deuxième main. Elles sont polymorphes, mais en géographie, l'on pense plus spontanément, à tort ou à raison, à des usines ou à des parcs que l'on visite souvent à l'occasion de sorties scolaires, par exemple, qu'à des artéfacts, des lieux de mémoire ou des porteurs de mémoire vivante (conférenciers ou panélistes), plus souvent exploités en histoire. Dans tous les cas, il ne s'agit pas seulement d'utiliser ces ressources comme des puits desquels tirer une vérité toute faite, mais comme un matériau brut qu'il faut travailler. Ce travail, c'est d'abord la problématisation: il faut aller au-delà des certitudes et des apparences, se poser des questions, puis tirer de ces sources des matériaux à partir desquels construire des réponses à ces questions et s'assurer que ces réponses soient solides, quel que soit le projet des mécènes ou conservateurs des musées ou encore des témoins ou documentaristes; en contrepartie, il faut accepter toute l'information qui est valide, pas seulement celle qui confirme nos idées. Faire des sciences humaines, c'est aussi apprendre non seulement à se poser ses propres questions, mais encore apprendre à constituer des documents en sources et à leur poser des questions auxquelles elles n'étaient pas destinées à répondre.

Sabrina Moisan, dans le **chapitre 16**, s'intéresse en particulier aux musées d'histoire et part de l'exemple du Musée commémoratif de l'Holocauste à Montréal, mais sans se cantonner à ces exemples. Dans le **chapitre 17**, Geneviève Goulet explique le déroulement d'une activité d'enseignement à partir d'une ressource patrimoniale industrielle, à savoir le Centre d'histoire Boréalis, l'ancienne usine de filtration de la *Canadian International Paper*, à Trois-Rivières.

Dans le **chapitre 18**, Vincent Boutonnet explique comment intégrer les films, documentaires et chansons en classe, ainsi que les limites, avantages et obstacles didactiques liés à la mise en œuvre de ces ressources. Virginie Martel, dans le **chapitre 19**, rapporte l'exemple d'un enseignement, à propos de la société québécoise entre 1905 et 1980, intégrant une diversité de technologies contemporaines de communication, comme la radio, la télévision, les films documentaires ou de fiction, la chanson et la bande dessinée.

Dans le **chapitre 20**, Vincent Boutonnet, Alexandre Joly-Lavoie et Frédéric Yelle examinent les apprentissages que les élèves du primaire et du secondaire peuvent réaliser en univers social à l'aide de jeux vidéo, ainsi que leur utilité et leur usage en contexte éducatif. Ils proposent pour terminer un modèle général d'intégration des jeux vidéo. D'autres types de jeux existent cependant. L'un d'eux est le jeu de rôle, dont Gaëtan Jean présente, dans le **chapitre 21**, un exemple probant qu'il a mis à l'épreuve en quatrième secondaire: *Le procès de Duplessis*.

Pour leur part, Lyonel Kaufmann et Alexandre Lanoix, dans le **chapitre 22**, s'intéressent aux possibilités du Web 2.0 dans l'enseignement et l'apprentissage de l'histoire, en se centrant sur les démarches d'apprentissage en lien avec l'histoire. Dans le **chapitre 23**, Jean-François Lévesque présente un exemple d'activité synthèse exploitant le Web 2.0: la création, par les élèves, d'une encyclopédie virtuelle multimédia faisant une large place aux sources primaires.

Dans le **chapitre 24**, Paul Zanazanian et Catherine Duquette présentent à leurs lecteurs un panorama de l'histoire, des théories et des stratégies de la différenciation en univers social. Dans le **chapitre 25**, Sylvain Larose donne un exemple d'activité permettant un enseignement différencié, le jeu de simulation, et une réflexion éthique à propos d'une question socialement vive: les politiques d'immigration.

***

Un fil directeur rattache tous ces textes: la recherche empirique. Les auteurs de ce collectif s'adossent en effet à un riche corpus de recherches menées notamment en didactique des sciences sociales à travers le monde depuis plus de 30 ans. Il ressort de ces recherches que les techniques disciplinaires pertinentes peuvent être enseignées de façon explicite quand la situation leur donne du sens et que les élèves ressentent un besoin de les apprendre, que ce sentiment soit provoqué par l'enseignement ou, ce qui est plus rare, soit déjà là. Le caractère inductif d'un bon enseignement inversé n'entre pas en contradiction avec un bon enseignement explicite, pour donner des exemples à la mode. De même, il est possible de «transmettre» la théorie aux élèves par un discours magistral, puis de la leur faire tester dans la pratique, tout en soutenant l'accomplissement d'opérations mentales de haut niveau; il faut cependant au préalable que les élèves comprennent et traitent l'information diffusée, mais également qu'ils reçoivent un soutien approprié, y compris par le modelage, la pratique guidée et l'objectivation (intégration). L'approche plus déductive peut en effet être aussi efficace que l'approche inductive. Dans les deux cas (inductif et déductif), l'enseignement doit être adapté à ceux à qui l'on enseigne (ce que l'on nomme les sujets de l'apprentissage, dans le triangle didactique) et à ce que l'on veut qu'ils apprennent (l'objet d'enseignement, c'est-à-dire la finalité poursuivie), qu'il y ait cohérence entre les moyens mis en œuvre et les fins choisies. On n'apprend pas à jouer du piano ou à peindre comme on apprend la littérature musicale ou la culture scientifique, ni comme on apprend à faire de la chimie, de la géographie ou de l'histoire. Cependant, un novice peut mieux apprendre à jouer du piano en écoutant et en observant jouer un expert, même si cela ne suffit pas, même s'il lui faut pratiquer ses gammes, sa technique, et ce, en interprétant les compositions des autres, c'est-à-dire en les recréant à partir de ses propres schèmes. De même, on peut mieux apprendre le français en apprenant la grammaire latine, mais il faut surtout faire du français, c'est-à-dire, entre autres, lire (des textes courants ou littéraires) et s'exprimer (par écrit ou à l'oral) en français!

Les auteurs ont également en commun de considérer que les cadres cognitifs ne sont pas innés et que les connaissances ne se reçoivent ni ne s'enregistrent directement. L'apprentissage résulte des efforts du sujet (la personne qui pense, l'élève, etc.) pour donner un sens à l'objet (le monde, la réalité extérieure, l'évolution de la démocratie, etc.). Le sujet construit ses connaissances de façon active avec tous les outils dont il dispose. Par conséquent, ce qu'un élève apprend – et comment il l'apprend – découle autant de ses connaissances antérieures, de l'interaction avec ses pairs ou avec l'environnement physique, de ses expériences empiriques ou logiques que de la transmission sociale (famille, école, culture, rapports sociaux de production, etc.) ou des facteurs biologiques (la maturation de l'arbre dendritique, les conditions endocriniennes, etc.).

Ces modèles s'opposent donc à ceux qui postulent l'immanence de la connaissance à l'observation ou à l'écoute. Autrement dit, ils contredisent ceux qui tiennent l'apprentissage pour le fruit de la seule transmission d'un savoir déjà construit et extérieur aux élèves: ceux-ci doivent percevoir et traiter l'information (ce qui inclut toute sorte de stimuli, notamment ceux tirés de l'expérience quotidienne), par l'intermédiaire d'outils culturels socialement situés, comme la langue, eux-mêmes construits par les apprenants (psychogenèse) et historiquement (ontogenèse).

7

Cela signifie en outre que la façon de voir et de comprendre le monde qu'ont les élèves s'élabore à travers une négociation collective de sens. Pour l'enseignant, cela peut prendre plusieurs formes, comme l'usage de questions, l'émission d'information, la démonstration de démarches ou encore l'enseignement de moyens adaptés à la construction cognitive en cours, ce qui n'exclut pas l'enseignement de manière explicite de concepts, de méthodes d'analyse, etc., lorsque l'élève fait face à des obstacles en situation d'apprentissage.

Toutefois, affirmer devant des élèves le caractère erroné ou boiteux de leur système d'explication ne les persuadera pas forcément de se défaire de ce système. C'est pourquoi il ne suffit pas de les exposer à une conception homologuée comme un savoir scientifique pour qu'ils apprennent ladite conception et la transfèrent hors de la classe. Ils ne changeront pas de conception si celle qu'ils ont les satisfait dans les situations où ils peuvent s'en servir, même si elle est insuffisante pour expliquer des phénomènes plus complexes, mais qui ne les concernent pas. En fait, la conception scientifique risque plus d'être ignorée ou de voir certains de ses éléments être assimilés à la conception erronée, surtout si celle-ci est socialement partagée. Pour rompre avec cette conception, les élèves doivent notamment éprouver eux-mêmes la nécessité de la réviser sous la pression de la conscience d'un conflit qu'ils ignoraient entre certaines de leurs croyances ou d'un conflit entre leurs conceptions anciennes et de nouveaux éléments, comme l'expérience de l'inefficacité de la conception ancienne dans un contexte déterminé, authentique, signifiant.

Il faut donc parfois confronter les élèves à un conflit cognitif ou à un conflit sociocognitif pour faire évoluer leurs conceptions. Un conflit cognitif est une expérience qui prouve aux élèves que leur conception est insuffisante dans une situation courante et qu'une autre conception est plus efficace ou plus opératoire dans plus de situations. Un conflit sociocognitif confronte les élèves entre eux, les différentes réponses les invitant à remettre en doute leurs certitudes.

Dans les deux cas, la comparaison de témoignages d'époque ou d'interprétations historiques contradictoires, pour prendre l'exemple de l'histoire, peut jouer un rôle important, en montrant qu'il y a une contradiction à lever, un mystère à éclaircir, un problème authentique à résoudre.

Apprendre les sciences sociales, c'est développer une culture et une perspective axées sur une démarche de recherche et la mobilisation d'euristiques (y compris les techniques) et de modèles explicatifs abstraits construits délibérément. Parmi ces modèles abstraits, on compte les concepts et les modèles explicatifs. En histoire, on distingue parfois les concepts plus liés à la sémantique disciplinaire, à son contenu (Antiquité, féodalité, seigneurie, révolution, État, liberté, etc.) des concepts plus liés à la syntaxe disciplinaire, à ses procédures (périodisation, preuve, etc.) et des faits (comme les dates, bien que leur sens et leur pertinence puissent varier, tout comme leur valeur : certains faits sont remis en question par d'autres recherches, d'autres perdent de l'importance ou de la pertinence si on change de paradigme, etc.).

Il en ressort que le socioconstructivisme, comme paradigme scientifique, n'est ni une idéologie ni un ensemble de prescriptions normatives. Il s'agit simplement d'un modèle qui explique tout apprentissage par le fait que les élèves ne sont pas des contenants vides qu'il faut remplir, mais bien des agents issus de leur société et de leur époque, des sujets possédant, dès leur entrée à l'école, un vaste éventail de conceptions (représentations sociales) que l'enseignant a intérêt à prendre en considération dans son enseignement pour augmenter les probabilités qu'ils donnent un sens aux apprentissages qu'ils doivent réaliser et pour qu'ils s'engagent cognitivement, de sorte que le temps investi en classe soit rentable en termes d'apprentissages, car, en règle générale, plus les élèves consentent un effort soutenu, plus ils apprennent (Dalongeville, 2006 ; De Vecchi et Carmona-Magnaldi, 2008). Cela, bien sûr, a des impacts sur la planification des ressources à déployer pour faire apprendre : en ayant en tête qui sont ses élèves, ce qu'ils doivent apprendre et quels sont les avantages et les limites des formules pédagogiques et du matériel à leur disposition, l'enseignant peut mieux distribuer leur temps, mieux prévoir leurs interventions et mieux penser les tâches des élèves. Cela influence aussi l'évaluation, qui devient dès lors davantage un moyen de réguler son enseignement selon ses effets sur l'apprentissage des élèves.

***

À quoi les sciences sociales servent-elles ? À comprendre mieux, au moyen de la pensée historienne et de la réflexion géographique, ce qu'est le monde, comment il est devenu ce qu'il est aujourd'hui et, si l'on veut le changer ou le conserver, à réfléchir à la façon d'agir en conformité avec ces buts, à analyser les arguments et les preuves des autres, voire à argumenter soi-même. Les sciences sociales, en effet, expliquent le présent en permettant de déblayer ses racines.

Ainsi, la Shoah, dont traite le Musée commémoratif de l'Holocauste à Montréal, aussi douloureuse et grave cette question soit-elle, peut paraitre bien étrangère aux préoccupations des élèves québécois du 21e siècle. Or, aborder la Shoah et visiter ce musée permet non seulement d'accéder à des témoignages de personnes ayant vécu la barbarie la plus cruelle il y a plus de 60 ans, mais aussi de parler du présent. Certes, le Musée véhicule le point de vue de ceux qui subirent le nazisme ou s'y opposèrent (en Allemagne comme au Canada), et non de ceux qui en bénéficiaient (notamment de certains boutiquiers, hauts fonctionnaires, politiciens et industriels d'Europe et d'Amérique qui ont été identifiés), mais il permet néanmoins de voir que deux groupes s'opposaient et que ces groupes ne sont pas les Juifs et les autres, mais les racistes et les autres. Il permet même d'explorer l'hypothèse voulant que le racisme servît (parfois directement) des intérêts sociaux et économiques (liés à l'exploitation), en plus de subjuguer ou de diviser ceux qui avaient intérêt à lutter contre le racisme. C'est donc une question éminemment contemporaine.

Dans ce cas, comme dans les autres, il s'agit d'apprendre à lire et écrire l'histoire et la géographie, à devenir un lecteur capable de faire preuve de distance critique devant un éditorial ou une monographie, à devenir un citoyen rationnel, capable de suspendre son jugement ou de tenir à ses idées. En somme, l'enseignement de l'histoire et de la géographie sert moins à retenir des notions le temps d'un examen que d'apprendre à se servir de ces disciplines pour faire l'histoire.

***

Si plusieurs grands principes qui ressortent de la recherche peuvent aider les enseignants et futurs enseignants à mieux choisir leurs stratégies et moyens d'enseignement, il existe néanmoins un besoin de conduire encore plus de recherches empiriques sur la nature des compétences disciplinaires et des opérations intellectuelles qu'elles recèlent, sur les meilleures façons d'enseigner de tels objets (c'est-à-dire, par exemple, l'efficacité de telle situation problème dans telle famille de circonstances pour atteindre tels objectifs-obstacles) et sur leur évaluation. Les chapitres qui constituent cet ouvrage pointent certaines directions que la recherche pourrait emprunter à cet égard.

***

Les lecteurs noteront que les chapitres théoriques adoptent géné-ralement une structure semblable: le texte d'auteur est centré sur trois moments d'une situation d'apprentissage et d'évaluation (la préparation, la réalisation et l'intégration des apprentissages) et est suivi par une section intitulée Pour en savoir plus, dans laquelle sont présentés les principaux ouvrages à consulter pour aller plus loin ou des suggestions de ressources à utiliser en classe, alors que les références sont reportées à la fin de l'ouvrage, dans une bibliographie commune, suivant en cela les normes habituelles en éducation (celles de l'APA). Des hyperliens sont fournis. Les lecteurs remarqueront également que nous avons utilisé l'orthographe française rectifiée.

***

La codirectrice et les deux codirecteurs de cet ouvrage collectif tiennent à exprimer toute leur reconnaissance et leur gratitude envers Alexandre Joly-Lavoie et Frédéric Yelle : l'énorme et fastidieux travail de révision, de mise en page et d'indexation qu'ils ont accompli avec diligence et minutie a rendu possible la réalisation de ce livre.

PREMIÈRE PARTIE

L'HISTOIRE ET LA GÉOGRAPHIE,
DEUX DISCIPLINES DE RÉFÉRENCE
EN SCIENCES SOCIALES

1 – La nature, l'objet et la pratique de l'histoire

Micheline Dumont

L e mot «histoire» et son adjectif «historique», mots polysémiques entre tous, désignent, d'une part, la réalité du passé, le déroulement des évènements, le devenir de l'humanité, mais aussi, d'autre part, la connaissance que nous en avons. La majorité des ouvrages de théorie de l'histoire commencent par ce constat qui demeure aussi complexe qu'incontournable (Hours, 1953; Aron, 1961; Perrot, 1984; Le Goff, 1996). Entre les deux significations, un gouffre, celui de la difficulté d'atteindre directement l'objet d'étude, d'appréhender dans sa globalité la marche du temps, de proposer une interprétation qui échappe à l'idéologie. L'«histoire-connaissance» n'est pas un donné, mais un construit. L'évènement historique n'existe pas en soi: il a été déterminé par la recherche historique (Carr, 1988/1961). Le passé est là, derrière nous, dans toute sa diversité, sa profondeur, sa polyvalence, pratiquement inconnaissable, puisqu'il est disparu. Nous ne parlerons ici que de la connaissance que nous avons du passé, des stratégies et des efforts qui ont été faits pour faire de l'histoire une discipline scientifique et rigoureuse. Il faut résister à l'image puérile d'une discipline qui apparaitrait à l'aube de notre civilisation et se perfectionnerait progressivement au cours des siècles, pour aboutir à la pratique actuelle, laquelle serait presque parfaite. Chaque époque adopte une conception de l'histoire qui la caractérise et répond à ses besoins. N'en doutons pas, dans un siècle, notre façon de faire l'histoire sera critiquée et remise en question. La conception de l'histoire est d'ailleurs plurielle: l'on se dispute à qui mieux mieux sur ce qu'elle devrait être. Entre les demandeurs d'histoire (gouvernements, programmes scolaires, oubliés de l'histoire, partis politiques, promoteurs variés), les historiennes et les historiens, le courant ne passe pas toujours.

Les visages actuels de l'histoire sont multiples: sites historiques, parcours patrimoniaux, musées, films, romans, émissions de télévision, thèses savantes, dictionnaires, monographies, biographies, ouvrages de synthèse, ouvrages de vulgarisation, collection de documents, encyclopédies, albums d'art, etc. Par ailleurs, l'histoire est mobilisée par tous les États et leurs adversaires. (En 2013, les exemples de mobilisations de l'histoire comptent notamment les interventions du Parti conservateur à Ottawa et du Parti québécois à Québec, pour modifier les programmes d'enseignement de l'histoire.) Les traces de l'histoire constituent un des moteurs de l'industrie touristique à travers le monde. L'histoire est un objet de consommation. Vaste programme!

Nous ne traiterons ici que de l'histoire savante, base de toutes les connaissances historiques, car l'histoire est avant tout une science, rien de plus, mais rien de moins. L'histoire est la plus ancienne des sciences sociales. Les Grecs l'avaient élevée au rang de muse, Clio, qui présidait avec ses sœurs aux rapports avec les dieux. Clio, muse de l'histoire. Les autres sciences sociales: la sociologie, l'économique, l'ethnologie, la démographie, etc. sont apparues au 19e siècle. L'histoire savante se présente donc comme une discipline complexe, qui s'appuie désormais sur les sciences auxiliaires de l'histoire pour déterminer la validité et la signification des traces laissées par le passé: documents, images, inscriptions, objets, etc., et sur les autres sciences sociales, pour examiner et interpréter la réalité historique.

«Chaque civilisation a sa propre forme d'histoire et peut-être même que la conception de l'histoire définit une civilisation» (Hours, 1951, p. 18). Forcément, nous examinerons ici la tradition de l'Occident. Elle a été pratiquée sous diverses formes durant plusieurs siècles avant que l'on élabore une théorie de l'histoire et que s'implante une science historique, dotée d'une méthode spécifique. Sous ces concepts, «théorie de l'histoire» et «méthode historique», de nombreux débats se sont succédé, principalement au cours des deux derniers siècles. Nous en donnerons quelques exemples dans les pages qui suivent. L'histoire savante du 21e siècle est le résultat de toute cette ébullition intellectuelle. Sa perspective fondamentale demeure une position critique.

Par ailleurs, l'histoire nous permet d'appréhender les multiples rapports de l'humanité au temps. «L'histoire est la science [...] des hommes dans le temps», affirmait Bloch (1974, p. 36) au milieu du 20e siècle. Cet angle d'analyse nous permettra de synthétiser ce qu'il importe de comprendre sur la nature de l'histoire, sa méthode, son objet, ainsi que sur la question difficile et centrale du sujet de l'histoire. Bien qu'étroitement liés, ces quatre thèmes seront traités séparément pour la clarté de l'exposé.

1. La nature de l'histoire

L'histoire a été tour à tour récit, discours, chroniques, explication, démonstration. Une tradition séculaire a abusé de la terminologie des causes et des conséquences. L'histoire se présentait ainsi souvent comme une série d'évènements qui avait été préparés par des «causes», évènements qui produisaient à leur tour des «conséquences», qui devenaient ensuite «causes» de l'évènement suivant. Une sorte de logique interne se dégageait de cette démonstration, comme si la chronologie (l'avant et l'après) se suffisait à elle-même pour tout expliquer. De là, la périodisation occidentale : Antiquité, Moyen-Âge, Époque moderne, Temps présent. Ces termes, il faut le dire, sont des conventions. Les gens de l'«Antiquité» ne se voyaient pas comme «antiques». Ils étaient l'actualité du monde connu d'alors. Le terme «Moyen-Âge» a été inventé au 16e siècle pour désigner péjorativement l'espace temporel qui sépare l'«Antiquité» de la «Renaissance» au 14e siècle. Ce mot de «Renaissance» n'a lui-même été répandu qu'au début du 19e siècle (Cadiou, 2005). Les peuples du «Moyen-Âge» occidental se considéraient comme des chrétiens. Durant les siècles subséquents, intellectuels, artistes et hommes politiques se sont définis comme «modernes». Mais la modernité n'en finit plus de se réaliser. On continue d'utiliser le concept de modernisme au 19e siècle et, au 20e siècle, modernité et modernisation (Le Goff, 1996).

Les historiens du 19e siècle, en France, estimaient qu'il n'était pas possible de faire l'histoire du temps actuel, puisqu'il fallait attendre l'accès aux archives pour la constituer. De 1850 à 1950, ils ont parlé de «Période contemporaine», période qui commençait avec la Révolution française. (Ailleurs en Occident, l'on a conservé l'adjectif «Moderne» pour caractériser l'histoire du 20e siècle.) On conviendra que ce concept n'est plus opératoire au 21e siècle (même si de nombreux éditeurs continuent de l'utiliser) : cet évènement est vieux de plus de 200 ans, il n'est pas contemporain! Il faut noter également que les spécialistes de tout acabit ont le plus grand mal actuellement à «nommer» ou à caractériser la période actuelle. Ils font grand usage des préfixes «post» et «néo» (postcolonialisme, néolibéralisme, postcommunisme, postféminisme, postcapitalisme et surtout postmodernité, avec toutes ses déclinaisons : modernité tardive, seconde modernité, hypermodernité, etc.) dans l'impossibilité où ils sont de «voir» ce qui est en train de se passer et de lui donner un sens.

Depuis la fin de la Seconde Guerre mondiale, l'on parle d'«Histoire des Temps présents». Ce pluriel est significatif et il est fort troublant de constater que c'est le concept de «postmodernité» qui est le plus souvent utilisé pour désigner la période actuelle. Comme de juste, personne n'est d'accord pour en donner une signification univoque. Les bibliographies sont interminables sur cette question. Cette terminologie désignant les grandes périodes historiques est essentiellement pédagogique. Elle est devenue incontournable et son usage offre, au demeurant, l'occasion de développer la pensée critique.

À cette nomenclature des périodes successives se joignent les chronologies, les tableaux synchroniques, les lignes du temps. Il est bien évident que l'évolution de l'humanité est beaucoup plus complexe que cette simple linéarité temporelle: mais l'on n'y échappe pas et les élèves en retiennent cet aphorisme qu'il importe de déconstruire: «L'histoire, ce n'est rien que des dates!». Cette référence au temps est pourtant centrale, car la structure temporelle pose la question du sens de l'histoire. Notons ici que ce mot «sens» a deux significations: il signifie «direction» et il signifie aussi «signification», justement.

Les Anciens avaient conceptualisé un temps cyclique, qui tournait en rond, au rythme des empires successifs. Les Chrétiens ont opposé à cette conception une direction théologique et téléologique, l'histoire devenant objet de foi, depuis son origine telle que rapportée dans la Bible jusqu'à la parousie de la Vie éternelle attendue par l'Église, institution centrale de l'Occident à partir du 4e siècle. Cette conception millénaire est toutefois remise en question autour du 15e siècle. La conception du «temps des Réformateurs et des Humanistes est cyclique: à une époque qui avait atteint la plénitude [l'Antiquité] a succédé la chute, soit de l'art et des lettres, soit de la religion [le Moyen-Âge]. Maintenant, on assiste à une renaissance ou à un retour, mais on ne pourra jamais dépasser le niveau des Anciens» (Pomian, 1999, p. 149). Mais leurs contemporains élaborent alors les différentes étapes de la connaissance scientifique.

> Le temps des savants, des techniciens et des érudits, est linéaire et cumulatif: les inventions et les découvertes y introduisent quelque chose de fondamentalement neuf et elles ouvrent la voie à d'autres inventions et découvertes. On ne voit pas de cause qui interdirait à ce processus de se poursuivre indéfiniment. Deux manières de concevoir le *temps de l'histoire* renvoient donc à deux attitudes opposées face aux possibilités des

hommes: elles sont limitées dans un cas, illimitées dans l'autre. [...] L'Idée d'un progrès généralisé à tous les aspects de l'activité humaine est une invention tardive du 18e siècle (p. 150).

[...]

C'est ce qui leur [aux savants] inspire un sentiment de supériorité par rapport au passé et une volonté de combattre les superstitions, définies au demeurant de façon très variable, mais parmi lesquelles une place revient aux récits ethnogénétiques que les érudits relèguent définitivement au rang de fables (p. 107).

Les procès intentés à divers savants (Bruno, Galilée, etc.) qui mettaient en doute les «vérités éternelles» illustrent le bouleversement profond qu'a représenté cette irruption de la Science et de la Raison, dans ce qui était jusqu'alors un objet de dogme et de croyance à la sincérité des auteurs. En effet, historiens et érudits de la Renaissance, et après eux, les représentants des Lumières, ont progressivement envisagé plusieurs «sens» à mesure que la réflexion sur l'histoire s'approfondissait: l'utopie, l'humanisme, le progrès, la démocratie, la lutte des classes, la liberté, les droits humains. Si ces concepts coloraient la majorité des ouvrages d'histoire en Occident, l'interprétation de l'histoire du Québec a été, durant plusieurs décennies, présentée de manière anachronique comme un signe «de la protection visible de la Providence sur la survivance de notre patrie»! (Cette expression figurait dans le programme officiel de l'enseignement de l'histoire jusqu'en 1965.)

Au demeurant, dans tous les pays, l'enseignement de l'histoire à l'école a contribué à constituer des récits codés, farcis de «faits», d'images et d'interprétations qui ont réussi à enfermer les histoires nationales dans des cadres rigides qui ont imprégné les consciences individuelles et collectives. Il a été facile, par après, d'en dénoncer les stéréotypes, les biais et les préjugés (Ferro, 1981, 1985): des bibliographies considérables peuvent être constituées dans tous les pays. D'autre part, l'habitude incite à se scandaliser de l'ignorance de ce «récit» par les nouvelles générations. Et si l'histoire était autre chose que ce «récit»?

Les désastres du 20e siècle se sont chargés de briser toutes les illusions sur l'avenir de l'Histoire. Les historiens, après avoir compris que «l'histoire était le produit le plus dangereux que la chimie de l'intellect ait élaboré» (Valéry, 1924, p. 35), ont plus humblement fait le constat que «l'histoire est une science difficile, condamnée à n'atteindre que par des chemins malaisés, une vérité toujours relative»; mais aussi que «l'histoire est un besoin profond de l'humanité pensante et que, si elle n'existait pas, il faudrait l'inventer» (Samaran, 1961, p. VII). L'histoire du troisième millénaire pourra-t-elle répondre à la question: «Où va l'HISTOIRE?»

Malgré tout, l'histoire savante se présente au 21e siècle comme un exposé qui fait état de toutes ses preuves, ce qu'on appelle l'appareil critique. Ce dernier figure en bonne place dans les notes qui indiquent méticuleusement l'origine de la source (document, inscription, statistique, etc.) ainsi que l'endroit où on peut la trouver. L'exposé se situe également dans un cadre théorique, le plus souvent emprunté à une science sociale (économie, sociologie, démographie, sémiologie, etc.), et fait grand usage de concepts dont la compréhension pose des difficultés constantes. L'histoire savante précise toujours la signification des concepts. Mais les concepts «savants», le plus souvent empruntés aux sciences sociales, sont plus faciles à cerner que les mots les plus simples qui changent de signification selon les époques: paysan, ouvrier, marchand, terre, taxe, état, nation, etc. Ces mots sont les plus difficiles de tous, car ils se réfèrent souvent à une signification actuelle, mais désignent, pour les périodes historiques, une réalité fort différente. Un «ouvrier» au 19e siècle, qui survit à peine au jour le jour dans des conditions misérables, n'a rien à voir avec un «ouvrier» actuel, le plus souvent propriétaire d'une voiture, d'un logement décent, d'électroménagers, d'un plan de pension et d'une carte syndicale. Le vocabulaire technique et matériel ne pose pas ce genre de problème. On ne discute pas longtemps sur le sens d'«astrolabe» ou de «catapulte».

Il y a plus grave. Un nombre infime de personnages du passé ont laissé des écrits qui nous permettent de connaitre leurs pensées, leurs opinions ou leurs sentiments. Encore, ainsi qu'on le verra, que ces écrits, quand ils existent, doivent toujours être soumis à une critique systématique et rigoureuse. Que faire avec la majorité des populations dont on peut présumer les gestes, mais qui n'ont laissé aucun écrit? Que pense le soldat soumis à la discipline militaire et qui doit avancer devant le feu de l'armée adverse? Que ressent la mère de famille qui voit tant de ses nourrissons mourir au berceau? Quelles idées formule le vagabond emprisonné dans les fers? Les personnes du 21e siècle ne sont-elles pas enclines à leur prêter leurs propres idées, sentiments et opinions?

En 2013, l'on célébra le 350e anniversaire de la venue en Nouvelle-France des Filles du Roy. On parla avec enthousiasme de ces jeunes femmes «venues construire un pays» et qui manifestaient une «étonnante autonomie». Anachronismes sans doute, puisqu'au 17e siècle, la majorité des femmes étaient soumises au destin du mariage, à la fonction procréative et à la survie économique de la famille. Une fois le mari trouvé, et même si c'étaient elles qui choisissaient, le destin féminin des «Filles du Roy» reprenait ses droits.

1.1 La méthode de l'histoire

À partir du 14e siècle, un mouvement profond affecte toutes les sphères de l'activité intellectuelle en adoptant une position critique face à tous les principes d'autorité: autorité de la Bible, autorité de la tradition, autorité des Anciens, autorité de l'Église. C'est au cours de ces siècles stratégiques (16e-19e siècles) qu'a commencé à s'élaborer la méthode historique. D'une part, l'enthousiasme des humanistes de la «Renaissance» a mené des légions d'érudits à la recherche des trésors, des textes et des œuvres d'art de l'Antiquité. Par ailleurs, l'argument de preuve documentaire vient supplanter le «ouï-dire», l'observation directe, l'argument d'autorité qui faisait loi depuis les Grecs. Les récits d'Hérodote, Thucydide, Tacite ou César avaient valeur de vérité pour ne rien dire des récits de la Bible. On ne s'émouvait même pas des versions contradictoires, retrouvées chez des auteurs différents. Le doute est venu des recherches variées suscitées par les intellectuels du 16e siècle et des discussions théologiques suscitées par la Réforme protestante. Il ne s'agit pas d'un chantier cohérent: de multiples «spécialités» apparaissent au hasard des découvertes des textes, des sites archéologiques, des monuments et des débats que toutes ces découvertes suscitent. Ce sont les sciences auxiliaires de l'histoire: la chronologie (comparaison des divers calendriers; le calendrier julien adopté à Rome à l'époque de César fut remplacé en 1582 par le calendrier grégorien, pour corriger l'erreur d'évaluation de l'année solaire qui en faisait la base, ce qui n'empêchait pas l'existence de calendriers différents dans les autres civilisations: il fallait les confronter), l'épigraphie (interprétation des inscriptions), la sigillographie (interprétation des sceaux), l'archéologie (interprétation des ruines antiques ou médiévales), la numismatique (interprétation des monnaies), la philologie (compréhension des langues anciennes), la papyrologie (interprétation des papyrus), la paléographie (interprétation des écritures anciennes), la cryptographie (interprétation des messages codés) et surtout la diplomatique (étude de l'authenticité des chartes et autres documents officiels de l'Église, des abbayes, des évêchés, des familles royales ou de diverses noblesses). Une brève visite dans l'ouvrage classique dirigé par Samaran (1961) pourra donner une idée du raffinement et de la rigueur de toutes les sciences auxiliaires de l'histoire. On y trouve également un tableau synchronique des principales innovations méthodiques (Samaran, 1961). Sans elles, la connaissance historique savante n'existerait pas. Enfin, l'on s'accorde désormais pour désigner sous le nom de préhistoire tous les espaces temporels qui ont précédé l'invention de l'écriture. C'est dire l'importance centrale qu'on accorde à l'écriture dans la recherche historique.

Lorsque l'humaniste Lorenzo Valla établit, en 1440, la fausseté du document nommé «La donation de Constantin», qui établissait le pouvoir de l'Église de Rome sur l'Église d'Orient et le pouvoir de l'Église sur l'Empire romain, une césure majeure est entamée et progressivement «les sources narratives perdent leur place privilégiée qu'occupent dorénavant les documents» (Pomian, 1999, p. 153). Les documents doivent être critiqués. Les faits doivent être établis par des preuves, à savoir des documents pertinents. Lorsqu'un érudit établit que le dernier livre du *Deutéronome*, traditionnellement attribué à Moïse, a été écrit plusieurs siècles après la mort du prophète, le doute remet en question tous les récits qui, jusqu'alors, avaient été objet de foi.

Il serait trop long de rapporter tous les méandres de cette longue évolution. La méthode historique est apparue dans sa forme actuelle à la fin du 19e siècle. On distingue habituellement la critique interne (critique de provenance, d'exactitude, de sincérité de l'auteur) et la critique externe (critique du soutien matériel du document, de l'écriture, des conditions de conservation). On peut en donner rapidement deux exemples.

L'exploit de Madeleine de Verchères en 1692 est bien connu : elle s'est défendue seule, à l'âge de 14 ans, dans le fort de Verchères, contre une attaque iroquoise. L'évènement aurait sans doute été oublié si elle n'avait décidé, en 1699, de réclamer une pension au roi pour son acte héroïque. Puis, elle revient à la charge à une date incertaine, qu'on situe entre 1722 et 1730, donc un quart de siècle plus tard, toujours pour réclamer une pension au roi. Ce second récit est beaucoup plus dramatique et enjolivé et c'est celui que les manuels d'histoire ont retenu. La sincérité de l'auteure peut raisonnablement être mise en doute, puisque son objectif est de réclamer une pension. Non pas que l'évènement n'ait pas eu lieu, mais les motivations de l'héroïne sont suspectes. Il n'a pas eu l'importance qu'elle lui accorde et ne s'est sans doute pas déroulé comme elle le raconte. (Voir l'analyse qu'en fait le Collectif Clio dans *Histoire des femmes au Québec depuis quatre siècles* [1992, p. 38-39].)

À la fin du siècle dernier, un débat a divisé les historiens, amateurs et professionnels, sur les débuts de la ville de Sherbrooke. Une tradition fixait ce début à 1796, dans un endroit nommé Hyatt's Mill. L'historien Kesteman (1992), par l'étude systématique des concessions de lots, a pu établir que le pionnier Gilbert Hyatt s'était établi quelques kilomètres plus au sud de l'emplacement actuel de Sherbrooke et à une date plus tardive. Il a ainsi pu fixer le début de la ville à l'année 1802. Il a également démontré, par la critique externe, que la lettre rognée et déchirée qui servait de «preuve» à la tradition était un faux: analyse de l'écriture, du papier et de la forme épistolaire utilisée (Kesteman, 1992).

Par ailleurs, la pratique de l'histoire orale (témoignages de personnes ayant vécu les évènements plus récents) a généré toute une méthodologie empruntée habituellement à la sociologie ou à l'anthropologie. Depuis lors, l'on n'a de cesse de raffiner toujours davantage la critique historique en soumettant les diverses opérations critiques à des questionnements de nature épistémologique. Car l'établissement de la connaissance historique est une chose, mais cette connaissance doit être confrontée aux différents usages que l'on en fait. Nous reviendrons dans la dernière partie du chapitre sur cet aspect de la question.

À partir du 18e siècle, les multiples découvertes des sciences naturelles et physiques ont achevé de réduire à néant les soi-disant connaissances sur l'origine du monde. La découverte des fossiles n'a cessé de repousser plus avant cette origine, puisque les savants démontraient l'existence d'êtres vivants bien antérieurs aux durées présumées de la Bible. Les découvertes de la paléontologie, de la préhistoire et de l'astrophysique, tout comme la théorie de l'évolution, ont toutefois mis du temps à détrôner l'autorité des récits bibliques. Malgré tout, l'on sait que le «créationnisme» possède encore ses adeptes, en ce début du 21e siècle.

Les méthodes empruntées aux sciences sociales ont pu être appliquées à des corpus de données historiques: listes variées, livres de comptes, actes d'état civil, archives judiciaires, contenu de bibliothèques, journaux anciens, etc., de sorte que les historiens sont désormais en mesure de proposer des données plus rigoureuses sur les phénomènes passés. En voici un exemple. Le territoire du Québec, relativement récent, ayant donné lieu à l'enregistrement systématique de presque toute la population (naissances, mariages, décès), les travaux de démographie historique ont à leur service des instruments de mesure d'une grande exactitude : la banque de données «Parchemin», pour la période de la Nouvelle-France, ou le fichier BALSAC, pour la population de la région du Saguenay–Lac-Saint-Jean. Comme ces banques de données peuvent être consultées par ordinateur, les informations trouvées sont d'une grande précision, permettant de mesurer la nuptialité, l'exogamie villageoise, la mortalité infantile, les conceptions prénuptiales, l'espérance de vie, la pratique de la contraception, les épidémies, etc. Mais, même dans l'univers aseptisé des chiffres et des tableaux statistiques, l'idéologie peut se faufiler. N'est-il pas étonnant que les spécialistes de la démographie historique utilisent le concept de «durée utile du mariage», pour désigner la période de fécondité d'une femme mariée?

Il est certain que la richesse de la recherche historique ne pourrait pas fonctionner sans la pertinence des questions que les historiens posent à la masse documentaire colossale qui est désormais à leur disposition : textes, images, traces, films, témoignages, etc. C'est le travail de l'historien de faire «parler» les documents. Une liste de documents, qui atteste de la réalité de faits plus ou moins anciens, ne constitue pas plus de l'histoire qu'un tas de pierres ne constitue une maison ou une muraille. Il y faut beaucoup de travail, de patience et d'humilité. L'histoire-connaissance, c'est le sens, c'est la mise en perspective, c'est le choix qui est effectué à partir des éléments (les documents) de l'histoire-réalité. Le grand historien Marrou (1961) l'a bien démontré : «L'histoire est inséparable de l'historien» (p. 51-67). Nous oserions ajouter : «et de l'historienne». Ce qui pose la question du sujet de l'histoire. Nous y reviendrons.

2. L'objet de l'histoire

Pendant longtemps, l'histoire a eu pour objet presque exclusif les institutions politiques, les États, les Empires, les gouvernements, les systèmes dynastiques, les guerres et les conquêtes. Un classique allemand de l'histoire, *Auszug aus der Alten, Mittleren und Neueren Geschichte*, connut 24 éditions avant 1905 et fut traduit dans plusieurs langues. Il présentait une sorte de chronologie soi-disant universelle. En 1950, il était encore édité, notamment en anglais, sous le titre d'*Encyclopedia of World History*, un ouvrage de 1270 pages. Cette majestueuse publication trouvait le moyen de traverser l'histoire du monde sans mentionner le Parthénon, Léonard de Vinci ou l'invention de la machine à vapeur et les autres découvertes de la technologie. On y faisait une grande utilisation des tableaux généalogiques des familles royales, 95, dont 90% étaient européennes. Les différentes guerres occupaient plus de la moitié de l'espace. On publie encore régulièrement des tableaux synchroniques des différentes civilisations, dont la trame demeure exclusivement politique avec, parfois, des annexes culturelles et scientifiques.

Les usages actuels de l'histoire-spectacle contribuent à conforter cette image : les chaines de télévision spécialisées en histoire font grand usage de documentaires, de reportages et de films sur divers épisodes des guerres anciennes et récentes ou de dossiers politiques. Pas étonnant que la conception populaire de l'histoire demeure encore exclusivement politique et militaire.

Comme les sources écrites ont toujours été abondantes sur ces diverses questions, les recherches étaient nombreuses et l'ambition de tout savoir et de tout comprendre, démesurée. Lord Acton écrivait en 1907 : «L'histoire définitive, nous ne pourrons l'atteindre au cours de cette génération, mais nous pouvons laisser derrière nous l'histoire classique et montrer jusqu'où nous avons avancé de l'une à l'autre [de l'histoire classique à l'histoire définitive], à présent que tous les renseignements sont à notre portée et que chaque problème est susceptible d'être résolu» (cité dans Carr, 1988/1961, p. 52). Il croyait que la *Cambridge Modern History*, à laquelle il travaillait avec ses collègues, ne pourrait plus être remise en question. Un demi-siècle plus tard, cette noble ambition était réduite en miettes.

Car le développement de l'histoire méthodique, celle qui s'appuie sur la critique interne et externe des sources et qui a pu compter sur la conservation systématique de ces sources dans des centres spécialisés d'archives, était concomitant avec l'émergence de nouvelles sciences humaines qui avaient pour objet, elles aussi, les activités humaines. Leurs découvertes méritaient elles aussi d'être examinées historiquement. L'économique a mis l'accent sur les phénomènes économiques, justement omniprésents à cause de la révolution industrielle qui avait entraîné des changements profonds dans la civilisation. La sociologie fixait l'œil de sa lorgnette sur les mouvements perceptibles au sein même des institutions sociales et posait de nouvelles questions redoutables pour les historiens : les phénomènes de l'urbanisation, de la mobilité sociale, de l'alphabétisation, de la régulation des populations marginales, de l'émigration, de l'intervention de l'État dans la protection de ses citoyens, du vaste mouvement de réforme sociale qui traversait l'Occident au 19e siècle. De nouveaux groupes sociaux cherchaient dans l'histoire la justification de leurs revendications : esclaves, femmes, nations dominées, peuples soumis aux exactions du colonialisme international, minorités raciales. L'histoire est devenue davantage économique et sociale.

Depuis le milieu du 20e siècle, la curiosité des historiens n'a plus eu de bornes. Elle s'est intéressée aux mœurs, à la vie quotidienne, à la civilisation matérielle (costumes, maisons, meubles, transports, outillage technique, etc.), aux mentalités, à l'outillage mental, aux crimes, aux normes de politesse, etc. Peu à peu s'est imposé le nouveau concept de la «nouvelle histoire», pour laquelle tout pouvait devenir objet d'histoire : le plaisir, la peur, le viol, les odeurs, la propreté, le climat, etc. Corbin (1998) a même réalisé l'exploit d'écrire un livre complet sur la vie d'un obscur inconnu d'un village français, *Le monde retrouvé de Louis-François Pinagot : sur les traces d'un inconnu, 1798-1876*, ce qui lui a permis de présenter un tableau inédit de la vie quotidienne des absents de l'histoire. Les étudiants en histoire sont habituellement désarçonnés par les tables des matières des revues savantes qui proposent désormais des recherches sur des questions inimaginables il y a un demi-siècle.

Toutefois, à la fin du 20e siècle, l'on critiquait ce déplacement de l'objet de l'histoire et déplorait que l'histoire soit désormais «en miettes» (Dosse, 1987). Les tenants de l'histoire politique regrettaient leur position naguère dominante et estimaient que la recherche historique se perdait dans des détails inutiles. Les amateurs d'histoire étaient désappointés par le caractère pointu et parfois ésotérique des articles savants publiés. Empruntant leur vocabulaire aux sciences sociales, à la linguistique, historiennes et historiens semblaient fréquenter des avenues fort étrangères à celles de l'histoire traditionnelle. L'objet de l'histoire était-il dissous dans le superflu ou l'hermétisme ? Ce débat est toujours actuel et les tenants de la «nouvelle histoire» croisent régulièrement le fer avec les partisans de l'histoire exclusivement politique.

Par ailleurs, un historien français, Braudel (1949), a proposé un nouveau cadre temporel pour examiner le déroulement du temps. À la suite des avancées de l'histoire économique et sociale, qui ne trouve vraiment sa vitesse de croisière qu'après la Deuxième Guerre mondiale, l'ensemble des historiens a abandonné

[...] l'idée simple du temps de l'histoire qui le supposait unidimensionnel et uniformément progressif au profit d'une distinction – apport majeur de Fernand Braudel – entre la longue durée des structures, ponctuée par des changements irréversibles, des révolutions; les variations plus rapides et cycliques des conjonctures et le temps saccadé et linéaire des évènements. Le premier se mesure en siècles, voire en millénaires; le deuxième en décennies; le troisième en années, mois, jours et heures (Pomian, 1999, p. 366).

Il est vite apparu que l'histoire structurale, beaucoup plus difficile à appréhender, mais beaucoup plus profonde, était la plus valable et la plus susceptible de proposer des connaissances pertinentes; et que l'histoire dite «évènementielle», si longtemps présente dans les manuels destinés aux étudiants et dans les ouvrages de vulgarisation et se limitant le plus souvent à l'histoire politique, était la moins instructive et la moins formatrice. La «durée» et le «changement» opèrent dans chaque épisode historique; il importe de les appréhender et de les distinguer.

L'histoire du Québec et du Canada nous en donne un bon exemple. Pendant des décennies, l'on proposait trois périodes: le régime français (1534-1760), le régime anglais (1760-1867) et le régime canadien (depuis 1867), dont la trame temporelle ne sortait guère du politique. Parfois, des chapitres thématiques intitulés: «développement économique» ou «développement culturel» proposaient des informations ponctuelles sans véritables liens avec la trame narrative. Groulx a écrit ses ouvrages de synthèse sur l'histoire du Québec sans même mentionner l'existence de la révolution industrielle, de l'immigration, du syndicalisme, etc.

Par contre, lorsque Linteau, Durocher et Robert (1989) ont publié leur *Histoire du Québec contemporain*, ils proposaient une trame narrative complètement différente. Ils accordaient la première place aux phénomènes économiques, la seconde aux phénomènes sociaux, refoulant le politique en troisième place, mais donnant également de l'espace aux évènements culturels. Les grandes césures temporelles étaient économiques.

À la fin du 20e siècle, quelques publications ont proposé d'audacieuses synthèses qui se situaient dans cette perspective. Zinn (1980/2002) a publié *Une histoire populaire des États-Unis de 1492 à nos jours*, véritable succès de librairie qui a été traduit en plusieurs langues. Cet ouvrage parlait exclusivement des autochtones, des esclaves, des immigrants, des femmes, des ouvriers, des révoltes populaires. Un historien britannique, Harman (1999/2013), a publié *Une histoire populaire de l'humanité: de l'âge de pierre au nouveau millénaire*, un ouvrage presque sans empires, sans rois, ni généraux et n'abordant les diverses guerres que du point de vue des fantassins.

> Calquant la chronique classique de l'histoire, selon la perspective évolu-tionniste de la civilisation contemporaine, Harman essaie, avec une habileté intellectuelle et un talent pédagogique certains, de se décentrer de l'univers de référence occidental pour décrire comment d'autres civilisations (médi-terranéennes, amérindiennes, asiatiques, africaines, islamique…) connurent les mêmes rapports conflictuels de classes, et combien elles offrent à voir d'innombrables similitudes qui sont autant d'arguments plaidant en faveur d'un universalisme historique (Yassine, 2010).

Ces deux ouvrages ont été fortement inspirés par la perspective marxiste.

Considérant l'objet de l'histoire, il faut examiner une autre question: l'ampleur plus ou moins grande de l'espace étudié. L'histoire peut être locale, régionale, nationale, etc. Dès lors, l'on peut raisonnablement se demander: l'histoire universelle est-elle possible? On a vu plus haut que les «Histoires universelles» d'autrefois ne sortaient guère de l'Europe. Cette question va nous amener au dernier problème que ce chapitre voudrait traiter, celui du sujet de l'histoire. En effet, l'histoire universelle qui nous est familière n'est-elle pas toujours traitée du point de vue de l'Occident?

3. Le sujet de l'histoire

Dans le langage courant, on confond souvent «objet» et «sujet». Le sujet de l'histoire désigne non pas la question qui sera traitée, mais la personne ou le groupe de personnes qui représente le point de vue au nom duquel le récit ou l'explication sera conduit. Un exemple pourra le faire comprendre. Vers la fin des années 1980, le délégué de l'Espagne à l'ONU a présenté à ses collègues un projet pour souligner dignement les 500 ans de la découverte de l'Amérique en 1992. Les délégués en provenance des pays africains ou asiatiques ou même latino-américains ont poliment fait remarquer qu'ils n'avaient aucunement l'intention ni le désir de célébrer le début de la mainmise de l'Europe sur leurs ressources et leurs populations. Manifestement, le délégué de l'Espagne posait l'Europe comme sujet de l'histoire de la découverte de l'Amérique, ce qui ne convenait guère aux représentants des autres continents. Pour eux, l'année 1492 marquait plutôt le début de la curée, de l'impérialisme européen et du colonialisme : ils n'y voyaient aucune raison de célébrer !

Le sujet de l'histoire a longtemps été l'homme blanc européen. Un exemple caricatural nous est fourni par les premiers ouvrages qui se sont intéressés à l'histoire des différents pays africains. L'histoire de ces pays commençait lorsqu'un Européen y mettait les pieds ! Le déroulement de l'histoire était toujours vu du point de vue européen.

Présentement, le premier ministre du Canada se prépare à célébrer dignement le 150e anniversaire du Canada. Comment ? Le Canada n'aurait que 150 ans ? Les Premières Nations de l'Amérique septentrionale sont certainement en droit de protester, installées dans ce territoire depuis plusieurs millénaires, tout comme les Québécois, pour qui cette réalité qui se nomme «Canada» existait dès le 17e siècle, dans le cadre de la Nouvelle-France.

Nous avons vu plus haut qu'au moment de la Renaissance, les spécialistes de la chronologie ont fini par imposer un calendrier qui prenait son départ au moment de la naissance du Christ. Toute l'histoire de l'humanité pouvait dès lors s'y référer, puisque les périodes précédant cette date pouvaient être mesurées par des dates négatives. Les Chrétiens ont donc imposé leur calendrier à l'ensemble de l'humanité. Certes, ce calendrier est devenu une convention comme une autre, et il se prétend universel ; mais il n'empêche qu'il est désormais imposé aux civilisations non chrétiennes de tous les millénaires. (Les recherches ultérieures ont pu établir que le Christ était vraisemblablement né quatre ans avant Jésus-Christ !)

Européen et chrétien, le sujet de l'histoire est également masculin. C'est que l'on avait longtemps donné de l'histoire, nous rappelle Degler (1980), une définition qui ne retenait comme proprement historiques que les aspects de l'expérience humaine qui constitue l'activité des hommes. Et pourtant, depuis un demi-siècle, des historiennes ont sérieusement établi que les femmes *sont* dans l'histoire, qu'elles *ont* une histoire et qu'elles *font* l'histoire (Dumont, 2001). Scott (1988b) a même proposé un cadre général, le genre, dont les significations sont globales. Elle soutient que le genre est composé de quatre éléments distincts : des symboles, des cadres juridiques et normatifs, des rapports avec le pouvoir et des processus d'identification personnelle (Scott, 1988a). Cette perspective permet de placer la réalité des femmes au centre de toutes les explications historiques. Malgré tout, l'on continue de penser que cette histoire se déroule en marge de l'histoire majoritaire, la refoulant généralement dans des chapitres spéciaux ou dans des encadrés (Dumont, 2013).

La subjectivité blanche, européenne et masculine a donc longtemps été considérée comme un point de vue objectif. L'émergence de nouveaux mouvements sociaux et politiques, la décolonisation, le «Black Power», les féminismes, etc. ont contribué à remettre en question cette soi-disant objectivité. Mais cette critique étant formulée, il faut réfléchir sur le concept de subjectivité.

> En histoire, et en général dans les sciences humaines, la personne du sujet demeure prépondérante dans l'élaboration du savoir. Est-ce une tare? L'objectif de l'histoire n'étant pas la résurrection du passé, mais la représentation présente de ce passé, la relation du sujet et de l'objet est l'histoire même. La richesse du savoir historien dépend de la richesse du sujet. Loin de l'appauvrir, la multiplicité des sujets et des points de vue enrichit la connaissance historienne. La subjectivité du savoir historien ne doit pas être honteuse ou voilée. Au contraire, il faut la déclarer. Elle est un élément du savoir. C'est cela, l'objectivation de la subjectivité. Objectivité et subjectivité ne sont donc pas contradictoires. Elles ont l'une et l'autre, une part légitime et féconde au savoir historien (Ségal, 1992, cité par Dumont, 1996, p. 19).

C'est pourquoi, depuis près d'un siècle, historiens et historiennes précisent les cadres idéologiques dans lesquels ils se situent. Auparavant, ces cadres étaient là, mais informulés et vraisemblablement inconscients. Le 20e siècle a donc vu défiler de nombreuses perspectives idéologiques: libérale, impérialiste, marxiste, nationaliste, millénariste, populiste, élitiste, etc. Chacune d'elles pouvait aisément être affirmée et démontrée, mais également dénoncée et déconstruite. L'éclatement du sujet de l'histoire y trouvait une illustration permanente. Dans le cadre d'un chapitre aussi bref, il est bien sûr impossible d'épiloguer longtemps sur cet aspect du sujet de l'histoire.

Il y a plus. Depuis une génération, de nouvelles perspectives critiques sont apparues que l'on réunit arbitrairement sous l'étiquette de «théories poststructuralistes». Il est devenu de plus en plus évident que l'histoire-connaissance est le résultat d'un ensemble d'influences, extérieures à l'objet lui-même de l'histoire. Les questions que pose l'historienne ou l'historien (le sujet) sont le fruit d'un enracinement social et personnel. Les documents consultés sont eux-mêmes porteurs de valeurs et d'idéologies. La détection de ces valeurs et de ces idéologies a donc inspiré un grand nombre de travaux d'histoire.

«L'histoire est toujours écrite par les vainqueurs», rappelle un proverbe populaire. L'histoire, comme la loi, la religion, la philosophie, etc. est devenue un matériau qui a contribué à maintenir en place de toutes les institutions reliées au pouvoir. La subordination des femmes, entre autres, se retrouve au centre de cette suprématie. «L'histoire a ainsi contribué à maintenir cette suprématie et à présenter cette suprématie comme naturelle» (Dumont, 2001, p. 122). Dans le même ordre d'idées, l'esclavage a été présenté comme une institution naturelle.

La mise en intrigue exigée par le fait de «raconter une histoire» pose par ailleurs la question de la narrativité de l'histoire. Cette constatation oblige à s'interroger sur les présupposés de l'intrigue, qui conditionne en quelque sorte l'organisation des matériaux historiques. Plusieurs travaux «traitent l'histoire comme un genre littéraire. [...] À la considérer sous cet angle, on la rapproche du roman, de la fiction. Veyne le dit explicitement: l'histoire est un roman, mais il ajoute, un roman vrai. Et c'est là tout le problème. Que devient le rapport à la réalité et à la vérité de l'histoire si elle n'est pas mise en intrigue? [...] La conclusion nécessaire à laquelle elle conduit est qu'il n'y a pas de vérité définitive en histoire, parce qu'il n'y a pas d'histoire définitive: Il n'y a que des histoires partielles. Toute vérité est relative à une intrigue» (Prost, 1996, p. 261). Les points de vue sont multiples, les récits sont multiples, ils sont tous «vrais», mais ils ne peuvent s'additionner. Cette prise de conscience est-elle suffisante pour remettre en question le caractère scientifique de l'histoire? Le débat est loin d'être résolu.

Enfin, l'histoire s'interroge désormais

> [...] sur la production des catégories et des identités et sur leur articulation. Elle discute la manière [avec laquelle] les grands historiens marxistes définissaient la notion de «classe» en faisant l'impasse sur le genre ou la race. Elle insiste également sur le fait que l'analyse des identités doit se concentrer sur les discontinuités, sur la transformation des catégories. C'est tout l'édifice classique de l'Histoire qui se trouve ainsi ébranlé. Scott [2009] propose de renouveler la pratique historique en la mettant au contact des instruments les plus radicaux issus de la psychanalyse, des études postcoloniales, des travaux sur le genre et la sexualité ou encore des œuvres de Foucault ou de Derrida. Contre la tendance actuelle à promouvoir les «faits» et se réclamant des valeurs d'impartialité et de neutralité, elle appelle à une Histoire résolument théorique et politique, c'est-à-dire critique (Scott, 2009, p. 4 de couverture).

Samaran (1961) avait raison: «L'histoire est une science difficile condamnée à n'atteindre que par des chemins malaisés une vérité toujours relative» (p. VII), malgré «l'intention de vérité», dont parle Ricœur (2000), et en raison autant de «l'impossible objectivité du chercheur», dont parle White (1973), que du fait qu'il est impossible de témoigner de la totalité de la réalité historique.

4. Conclusion

«L'insistance sur le double sens du mot histoire qui désigne à la fois les faits tels qu'ils se sont produits et le récit de ces faits adressés à la postérité, souligne [...] le caractère censé être constitutif de l'histoire qu'est, selon les uns, l'identité de la réalité et de la conscience, et selon d'autres, l'inséparabilité de l'action et de la réflexion, que seule l'écriture est censée rendre possible» (Pomian, 1999, p. 348). Les difficultés liées à l'interprétation de l'histoire ne semblent pas devoir être résolues: elles sont constitutives à l'activité historienne.

Dans son roman d'anticipation, *1984*, Orwell (2009/1950) écrit: «Celui qui contrôle le passé [...] a le contrôle du futur» (p. 329). L'histoire du 20e siècle en a montré des exemples flagrants, soit par la censure des documents historiques, notamment dans les pays du bloc soviétique avant son éclatement; soit par le négationnisme à l'endroit des chambres à gaz de l'Allemagne nazie; soit par l'accent mis sur les évènements militaires dans la culture patriotique de tous les pays (l'épisode récent de l'anniversaire de la «Guerre de 1812», célébré par le gouvernement Harper en est un bon exemple); soit par les disputes mémorables survenues autour des enjeux de la mémoire (Révolution française et guerre d'Algérie en France, guerre de Sécession aux États-Unis, crise d'Octobre au Canada, Luther en Allemagne, etc.); soit par la critique sévère de toute trame historique qui s'éloigne des grandes dates et des héros traditionnels; soit par les débats interminables suscités par l'enseignement de l'histoire.

Sur le plan de l'épistémologie, c'est la position critique qui est la plus exaltante et la plus féconde dans la pratique de l'histoire. Sur le plan de sa signification, l'histoire sera toujours un enjeu politique.

Pour en savoir plus

En théorie de l'histoire, les études sont nombreuses, souvent difficiles, car supposant la plupart du temps une bonne connaissance de l'histoire de la philosophie. Les ouvrages en français se présentent souvent comme fondamentaux, mais ignorent le plus souvent la production étrangère et sont écrits du point de vue de la pratique de l'histoire en France. Nous ne connaissons malheureusement pas d'ouvrage québécois qui aborde la majorité des questions discutées en théorie de l'histoire.

Carr, E. H. (1988/1961). *Qu'est-ce que l'histoire?* Paris: La Découverte.

De tous les grands classiques, celui d'Edward Carr, *Qu'est-ce que l'histoire?*, semble le plus éclairant pour expliquer le caractère « construit » de l'évènement historique.

Le Goff, J., Chartier, R. et Revel, J. (1978). *La Nouvelle Histoire.* Paris: Édition Retz.

L'encyclopédie, *La Nouvelle Histoire*, dirigée par Jacques Le Goff, Roger Chartier et Jacques Revel permet de faire rapidement le tour de toutes les questions qui ont bouleversé la pratique historienne depuis les années 1960: élargissement de l'objet de l'histoire, perspective braudélienne, marxisme, anthropologie historique, etc. L'ouvrage contient dix articles essentiels et un dictionnaire de 120 termes.

Samaran, C. (1961). *L'histoire et ses méthodes.* Paris: Gallimard.

L'ouvrage de Charles Samaran, *L'histoire et ses méthodes,* est déjà ancien, mais il reste ce qui s'est fait de mieux pour les sciences auxiliaires de l'histoire. C'est un livre à consulter plus qu'à lire.

Plusieurs livres de poche proposent des synthèses théoriques éclairantes, malgré le fait qu'ils se concentrent beaucoup sur la France:

Cadiou, F., Coulomb, C., Lemonde, A. et Santamaria, Y. (2005). *Comment se fait l'histoire. Pratiques et enjeux.* Paris: La Découverte.

Ce manuel destiné aux futurs enseignants en histoire, en France, propose d'excellents points de vue sur les pratiques et les enjeux de l'enseignement de l'histoire: vingt chapitres d'intérêt inégal. On consultera surtout le chapitre V: «Histoire contemporaine (sic): le temps des crises»; le chapitre XII: «Histoire et images»; le chapitre XIII «Histoire, temps et récit» et le chapitre IX: «Histoire et mémoire».

Bourdé, G. et Martin H. (1983). *Les écoles historiques.* Paris: Seuil.

Delacroix, C., Dosse, F., Garcia, P. et Offenstadt, N. (dir.). (2010). *Historiographies, I: concepts et débats.* Paris: Gallimard.

Prost, A. (1996). *Douze leçons sur l'histoire.* Paris: Seuil.

Pomian, K. (1999). *Sur l'histoire.* Paris: Gallimard.

Ces quatre ouvrages offrent, outre des informations pertinentes sur l'évolution de la pratique historienne, des résumés éclairants sur les débats théoriques des dernières décennies.

L'histoire des femmes a suscité une grande quantité d'ouvrages et d'articles dès le milieu des années 1970. Cette perspective est importante, car elle confronte la tradition androcentrique de l'histoire qui oblitère la moitié de l'humanité. En voici quelques-uns.

Dumont, M. (2001). *Découvrir la mémoire des femmes. Une historienne face à l'histoire des femmes.* Montréal: Remue-ménage.

Cet ouvrage résume la production en histoire des femmes réalisée depuis les années 1970.

Scott, W. J. (1988a). *Gender and the Politics of History.* New York: Columbia Univeristy Press.

Scott, W. J. (1988b). Le «genre»: une catégorie utile de l'analyse historique. *Les cahiers du GRIF, 37-38*, 125-153.

Scott, W. J. (2010). Fantasmes du millénaire: le futur du «genre» au 21e siècle. *CLIO – Histoire, femmes et sociétés, 32*, 89-117.

La théoricienne la plus aguerrie, Joan Wallach Scott, a publié: *Gender and the Politics of History.* Le chapitre le plus éclairant de ce livre avait déjà été traduit en français dans «Le "genre": une catégorie utile de l'analyse historique». Par la suite, ce concept de «genre» a déferlé sur la recherche historique, où il a été plus ou moins assimilé à «sexe», de sorte que l'on s'est mis à parler de l'histoire des genres, ce qui ne fait aucun sens. Joan Wallach Scott a réagi vigoureusement dans un article rapidement traduit en français: «Fantasmes du millénaire: le futur du "genre" au 21e siècle».

2 – Lire et réaliser des cartes et des croquis cartographiques

Bernadette Mérenne-Schoumaker

1. Les cartes

Les cartes sont les outils privilégiés de l'enseignant de géographie. Elles apparaissent même comme son outil spécifique, le géographe étant, pour beaucoup, d'abord un cartographe.

1.1 De l'utilité des cartes pour les citoyens et la société

Pour chacun d'entre nous, il est souvent difficile de se déplacer dans une ville ou de voyager sans consulter un plan ou une carte. Ceux-ci sont aussi des modes de communication très puissants (Brunet, 1987), utilisés quotidiennement par les médias pour montrer où un évènement se passe ou par la plupart des citoyens qui consultent chaque jour la carte météo pour se faire une idée du temps de la journée. Les firmes les utilisent également pour mettre en évidence leur «empire» dans le monde ou la distribution de leur réseau de magasins. En fait, les usages des cartes dans notre société sont multiples; nous en avons relevé huit: situer, voyager – explorer, construire, équiper – aménager, gérer, contrôler, entreprendre, mener à bien une recherche et rêver.

Pourquoi ce besoin de carte? La carte est le seul instrument qui permet de *positionner les objets les uns par rapport aux autres* en fonction de leurs coordonnées géographiques (latitude, longitude et parfois altitude). Cela facilite le repérage de leur localisation, la recherche des relations spatiales et le questionnement sur les proximités spatiales, sur les organisations territoriales. La carte permet enfin de se constituer des **repères spatiaux** bien utiles pour comprendre le Monde à différentes échelles.

Savoir lire une carte est donc une acquisition fondamentale que le cours de géographie doit soutenir. Il n'est guère étonnant que lire, utiliser et construire une carte soit considérée, dans beaucoup de pays, comme une compétence fondamentale du cours de géographie.

1.2 Une histoire déjà ancienne, mais en voie de renouveau

Il est impossible de raconter ici les grandes étapes de la cartographie. Soulignons seulement que son développement a toujours été lié, et ce, dès son origine (il y a sans doute 30 siècles), au développement de ses usages, ainsi qu'aux progrès des sciences et des techniques, d'où son essor chez les Grecs, puis au 15e siècle, lors des grandes découvertes maritimes, ou, plus récemment, grâce à la photographie aérienne, puis à la télédétection par satellite et les systèmes d'information géographique (SIG) (voir chapitre 3).

1.3 Les grands types de cartes

Les **cartes**, au sens strict du terme (donc sans prendre en compte les croquis), sont des représentations abstraites et conventionnelles de la réalité très dépendantes du système de projection adopté, de l'échelle choisie, des choix opérés en termes de sélection des objets représentés et du langage **cartographique**. Dans le cadre de cet ouvrage, nous ne dirons rien des multiples systèmes de **projection,** c'est-à-dire des différentes manières de passer de la représentation en 3D de la Terre (globe terrestre) à une représentation en 2D (la carte), manières qui engendrent la perte d'une dimension et l'altération dans l'évaluation des distances, ce qui conduit à son tour à une altération des angles et/ou une altération des superficies. En fait, plus la portion de surface terrestre est importante, plus les altérations sont importantes en bordure de carte (cas par exemple d'un **planisphère**). Aucune représentation cartographique en plan n'est donc conforme à la réalité.

Par contre, nous évoquerons la question de l'échelle de la carte qui permet d'introduire une première distinction entre les cartes à grande et petite échelle et présenterons deux grands groupes de cartes : les cartes de base et les cartes thématiques.

1.3.1 Des cartes à grande et petite échelle

L'échelle d'une carte est le rapport entre les distances linéaires mesurées sur la carte et les distances linéaires correspondantes mesurées sur le terrain. On distingue l'échelle numérique et l'échelle graphique. La première se présente sous forme d'une fraction exprimant ce rapport ; par exemple 1/50 000 signifie que l'unité un, sur la carte, représente 50 000 unités équivalentes sur le terrain. Ainsi, 1 cm sur la carte équivaut à 50 000 cm sur le terrain, soit 500 m. La seconde se présente sous la forme d'une ligne divisée, à la façon d'une règle, en intervalles égaux représentant des longueurs exprimées en mètres, en kilomètres. Il suffit alors de reporter une distance prise sur la carte pour obtenir sur la règle son correspondant sur le terrain. Attention, lors d'une réduction ou d'un agrandissement, l'échelle graphique est réduite ou agrandie automatiquement, tout comme la carte qu'elle accompagne; inversement, dans ce cas, l'échelle numérique se trouve modifiée.

La valeur de la fraction détermine l'échelle: le 1/100 000 est une échelle plus petite que le 1/10 000. On parlera ainsi de cartes à petite échelle pour les premières et de cartes à grande échelle, voire de **plans** pour les secondes. Le degré de précision de l'information contenue sur une carte dépend de l'échelle. Sur une carte à grande échelle, de multiples détails apparaissent (tel que maisons, usines, ruisseaux, sentiers) qui ne peuvent pas figurer sur une carte à petite échelle, très simplifiée et pour laquelle un tri des éléments à représenter est réalisé. Le choix de l'échelle est directement lié à l'usage que l'on veut faire de la carte: pour découvrir une ville avec ses monuments remarquables ou ses quartiers pittoresques, il faut utiliser une carte à grande échelle, un plan de ville par exemple au 1/5 000 (1 cm sur la carte vaut 50 m sur le terrain), mais, pour voyager au Canada de Québec à Montréal, il est préférable de choisir une carte à petite échelle, comme une carte routière au 1/250 000 (1 cm sur la carte vaut 2,5 km sur le terrain).

1.3.2 Des cartes de base

Au Québec, on range, sous ce vocable, trois grands groupes de cartes: les cartes topographiques, les cartes routières et les cartes d'atlas.

Les **cartes topographiques** sont des cartes qui décrivent la topographie d'un territoire, c'est-à-dire son relief, mais aussi tous les autres éléments du milieu physique (fleuves et rivières, lacs, etc.) et humains (bâtiments, cultures, forêts, routes, voies ferrées, aéroport, etc.), le tout généralement à la même échelle. Ces cartes ne sont toutefois pas neutres, car leur réalisation a imposé des choix, comme retenir ou non certains éléments ou accorder une préférence à certains symboles. Le relief est traduit par des **courbes de niveau**, ces lignes qui réunissent tous les points ayant la même altitude. Parfois pour mettre en évidence des pentes, on utilise un système d'ombrage. Dans tous les pays, ces cartes sont réalisées à une échelle bien spécifique (au Canada, par exemple au 1/50 000), puis agrandies ou réduites à d'autres échelles. Les cartes topographiques ont été pendant longtemps dressées par des instituts cartographiques militaires, d'où leur nom de cartes d'état-major, car elles étaient fondamentales pour les armées.

Les **cartes routières** ont pour objectif de représenter le réseau routier. Ce sont des cartes à petite échelle (1:100 000 à 1:1 000 000 en général) adaptées à la vitesse automobile. Les traits relatifs aux routes n'y sont plus proportionnels à l'échelle de la carte, mais agrandis pour faciliter leur lecture. On y trouve aussi les agglomérations, les sites et monuments remarquables... ainsi que des informations directement utiles pour un voyage comme les péages sur autoroutes, une indication des kilométrages séparant les principaux carrefours le long des tronçons de route. Leur légende répertorie toute l'information représentée à l'aide de signes souvent les plus lisibles et les plus intuitifs possible. Jusqu'il y a peu de temps, les cartes routières étaient imprimées sur des papiers grand format, en couleurs, pliées en accordéon pour conserver un format pratique et être manipulées facilement, parfois entoilées pour plus de solidité. Certaines ont été et sont regroupées dans des atlas de formats divers. De nos jours, ces cartes se retrouvent de plus en plus sous format numérique, diffusées sur Internet ou sur CD-ROM pour un usage accompagnant un **système GPS** (voir chapitre 3). Ce format numérique facilite sans conteste la remise à jour des informations, essentielle pour ce type de cartes.

Un **atlas** est un recueil de cartes le plus souvent thématiques. Il peut s'agir de cartes du Monde, d'un continent, d'un pays (comme les atlas nationaux qui émanent le plus souvent du monde scientifique national), d'une région, d'une ville. Dans un même atlas, les cartes peuvent être diverses ou focalisées sur une thématique précise, par exemple, atlas de la santé, ou atlas de la végétation. Certains atlas peuvent comprendre en tout ou en partie des images satellitaires, des photos aériennes ou des commentaires de cartes. Les atlas scolaires se caractérisent pour leur part par une grande diversité de cartes, tant au niveau des territoires représentés que des types de cartes thématiques. Les atlas scolaires numériques interactifs apparaissent de plus en plus sur le marché. Leur intérêt est de permettre une projection sur écran autorisant une réelle interaction entre l'enseignant et les élèves en offrant la possibilité de supprimer une couche d'informations (par exemple la toponymie), de zoomer sur certaines parties de la carte, d'y surligner certaines informations, d'y dessiner une coupe ou un trajet.

1.3.3 Des cartes thématiques

Ces cartes reposent sur des données quantitatives (nombres, pourcentages, taux) ou qualitatives (grandes branches industrielles, différentes affectations des sols, langues parlées). Leur objectif est de montrer la répartition spatiale d'un phénomène physique ou humain. Selon les cas, ces cartes font apparaitre des classements, des informations chiffrées, des différences entre différents sous-espaces, etc. Pour réaliser ces cartes, il faut utiliser un langage spécifique et jouer sur six grandes variables visuelles (la forme, l'orientation, la couleur, le grain, la valeur et la taille).

Figure 2.1
**Les six variables visuelles pouvant être utilisées
dans une carte thématique**

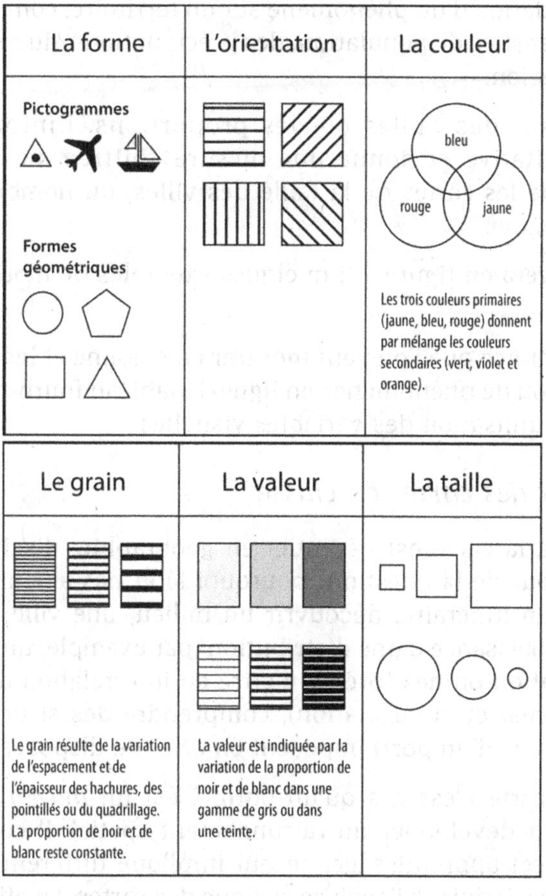

Source : D'après A.-M. Gérin-Grataloup, 2012, p. 114 ; adaptation en noir et blanc réalisée par C. Breuer, ULg, 2014.

La construction d'une carte thématique implique donc d'organiser d'abord les données de manière à faire apparaitre leur structure et les relations qui existent entre elles : que veut-on représenter ? Il faut aussi souvent les regrouper en classes d'intervalles constants ou variables ; c'est la **discrétisation** des données (voir à ce propos Dufault, 2001).

Il s'agit également de préciser les objectifs du travail à réaliser (Gérin-Grataloup, 2012, p. 114).

- montrer des différences. L'information est qualitative et porte sur l'extension d'un phénomène, ou l'implantation de phénomènes de différentes natures, comme les cartes de la végétation, de l'utilisation du sol, des langues, des religions.

- montrer un classement. L'information est ordonnée et porte sur la gradation d'un phénomène sur un territoire, comme les cartes des densités de population, des précipitations, du revenu moyen par région.

- montrer des tailles ou des proportions. L'information est quantitative et donne une mesure chiffrée du phénomène, comme les cartes de la taille des villes, du nombre d'emplois par région.

On trouvera en figure 2.2 quelques exemples de modes de représentation.

En croisant ce que l'on veut montrer en colonne et les trois modes d'implantation de phénomènes en ligne, le tableau fournit neuf modes différents d'utilisation des variables visuelles.

1.4 Utiliser des cartes en classe

Le recours à la carte est essentiel en géographie, discipline qui se focalise autour de la question : pourquoi là et pas ailleurs ? Localiser un lieu ou un itinéraire, découvrir un milieu, une ville, une région, prendre connaissance d'une distribution (par exemple, une répartition de la population ou des forêts), mettre en interrelation des faits (par exemple, climat et la végétation), comprendre des structures (d'une ville, d'un pays, d'un port) imposent en effet de disposer d'une carte.

Mais la carte n'est pas qu'un outil. C'est un *moyen pour penser l'espace*, pour développer un raisonnement spatial. Il convient donc d'organiser cet apprentissage, ce qui implique différentes étapes et devrait aussi conduire à l'analyse critique des cartes. En effet, certaines cartes n'apportent pas les informations recherchées et, surtout, sont incorrectes techniquement parlant ou sont tronquées de manière volontaire. Parmi les causes de ces erreurs, notons l'ignorance ou la maladresse, des raisons publicitaires, une volonté de séduire des responsables publics ou privés, des cartes au service de la propagande politique, des cartes pour tromper l'ennemi.

Figure 2.2
Choix possibles de variables visuelles

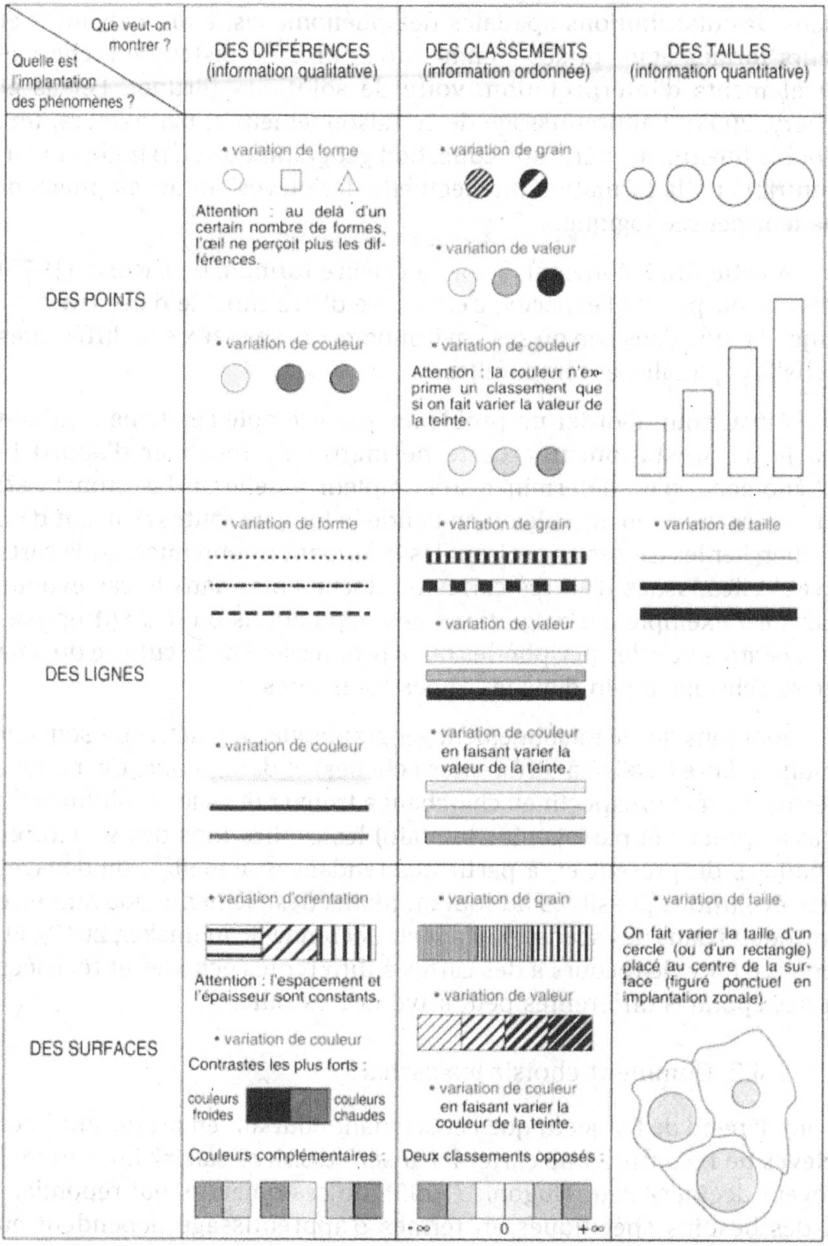

Quelle est l'implantation des phénomènes ? / Que veut-on montrer ?	DES DIFFÉRENCES (information qualitative)	DES CLASSEMENTS (information ordonnée)	DES TAILLES (information quantitative)
DES POINTS	• variation de forme Attention : au delà d'un certain nombre de formes, l'œil ne perçoit plus les différences. • variation de couleur	• variation de grain • variation de valeur • variation de couleur Attention : la couleur n'exprime un classement que si on fait varier la valeur de la teinte.	
DES LIGNES	• variation de forme • variation de couleur	• variation de grain • variation de valeur • variation de couleur en faisant varier la valeur de la teinte.	• variation de taille
DES SURFACES	• variation d'orientation Attention : l'espacement et l'épaisseur sont constants. • variation de couleur Contrastes les plus forts : couleurs froides / couleurs chaudes Couleurs complémentaires :	• variation de grain • variation de valeur • variation de couleur en faisant varier la couleur de la teinte. Deux classements opposés : - ∞ 0 + ∞	• variation de taille On fait varier la taille d'un cercle (ou d'un rectangle) placé au centre de la surface (figuré ponctuel en implantation zonale).

Source : D'après A.-M. Gérin-Grataloup, 2012, p. 115 ; adaptation en noir et blanc réalisée par C. Breuer, ULg, 2014.

41

1.4.1 Les cartes et le raisonnement géographique

Le raisonnement géographique est la «faculté de juger correctement et d'établir des relations rigoureuses, de déceler des rapports logiques dans des distributions spatiales des phénomènes, leurs inégalités et leurs formes étant prises comme ouvertures de pistes de recherche et éléments d'interprétation, voire de solution» (Brunet, Ferras et Théry, 2005). L'apprentissage de ce raisonnement a, par ailleurs, une double finalité : acquérir une éducation géographique et, parallèlement, contribuer à la formation intellectuelle des élèves, au développement de leur pensée logique.

À cette fin, il convient, selon la célèbre formule de Lacoste (1976) de «savoir penser l'espace», c'est-à-dire d'être capable d'inscrire tout sujet d'étude dans son ou ses environnements spatiaux et à différentes échelles spatiales et temporelles.

Ainsi, pour aborder un problème, par exemple l'étalement urbain ou la déforestation, une carte permettra de localiser d'abord le phénomène, d'en déterminer son ampleur (quelle surface touchée?) et sa structure (en auréole ou en bande le long de routes?), avant d'en rechercher les causes en croisant les informations obtenues sur la carte avec celles issues d'autres cartes ou documents : dans le cas évoqué dans cet exemple, les migrations des populations ou des entreprises des centres vers les périphéries ou la progression de la culture du soja et de l'élevage bovin dans les zones forestières.

Ajoutons que le raisonnement géographique doit aussi être souvent multiscalaire (réalisé à différentes échelles) et dynamique, c'est-à-dire rétrospectif et prospectif en cherchant à trouver dans les évolutions du passé (proche et parfois plus lointain) les explications des structures spatiales du présent et, à partir des tendances actuelles, de dégager des évolutions possibles ou tout au moins des éléments pouvant être introduits dans des scénarios d'avenir (Mérenne-Schoumaker, 2012). Et, pour ce faire, le recours à des cartes à différentes échelles et réalisées à des époques différentes peut s'avérer très utile.

1.4.2 Comment choisir les cartes?

Tout dépend de l'objectif que l'enseignant poursuit en proposant à ses élèves de recourir à une carte : localiser? décrire? saisir? interpréter? rêver? décider? Pour Hugonie (1995), de ces objectifs qui répondent à des besoins spécifiques en termes d'apprentissage dépendent en effet le type de carte choisi et les compétences exercées. Ainsi, si les élèves doivent pouvoir analyser la distribution des précipitations dans un pays, il convient de faire appel à une carte thématique montrant par exemple la répartition des précipitations moyennes annuelles qu'il conviendra d'abord de décrire puis de tenter d'expliquer en faisant appel à des facteurs tels que la proximité ou non de la mer ou des océans, la présence ou non de zones de relief... Par contre, s'il s'agit simplement de repérer une zone de relief particulière, on pourra se contenter de faire lire une carte orohydrographique.

Bien les choisir est de la responsabilité de l'enseignant. À cette fin, quelques principes :

- varier les documents cartographiques afin d'habituer les élèves aux différents types de cartes en tenant toutefois compte de leur niveau d'apprentissage ;

- faire de l'atlas l'outil de base auquel on recourt systématiquement ;

- alterner en classe l'analyse collective de documents et le travail individuel sur les cartes, les premiers (globe terrestre, cartes murales, cartes projetées sur écran) favorisant davantage les échanges entre les élèves et ceux entre professeur et élèves alors que les seconds (cartes de l'atlas, cartes du manuel, cartes distribuées pour un exercice) favorisent le travail individuel ou par petits groupes ;

- favoriser la comparaison entre plusieurs cartes pour multiplier les regards sur un même sujet ou le changement d'échelle ; dans certains cas, les superposer pour trouver des liens ou susciter des questions ;

- limiter cependant le nombre de cartes au cours d'une leçon ou d'une séquence et organiser l'ordre de passage selon une logique d'analyse (cartes analytiques avant carte de synthèse ou carte générale avant cartes détaillant certaines composantes), selon une logique d'échelle (de la plus petite à la plus grande ou réciproquement) ou selon les difficultés d'apprentissage ;

- être particulièrement attentif aux qualités des documents : précision des informations, choix de la projection, modes de représentation, légende, titre et autres éléments jugés pertinents.

1.4.3 Lire et analyser une carte existante

Ce travail comprend en fait *quatre étapes* qui peuvent être plus ou moins longues selon le niveau des élèves, le type de carte et la progression dans leurs apprentissages.

1. Découvrir la carte

   • Lire le titre : sujet de la carte, espace concerné, date du document, type de carte (si le titre le permet), objectif(s) de l'auteur.

   • Lire et comprendre l'échelle en vérifiant la compréhension des longueurs et des surfaces traduites par la carte (par exemple, 1 cm sur la carte vaut X km sur le terrain ou un carré de 1 cm^2 sur la carte vaut Y km^2 sur le terrain).

   • Découvrir les grandes rubriques de la légende : principaux phénomènes représentés et grands modes de représentation choisis.

2. Analyser la carte

   • Globalement : observer les contrastes, rechercher les grands ensembles homogènes, les faits majeurs.

   • De manière plus détaillée : rechercher des aspects plus précis ou originaux, quantifier certains phénomènes.

   • Cette analyse implique souvent un approfondissement des différentes rubriques de la légende : explicitation des termes et des unités choisies, recherche du mode d'implantation des informations (ponctuel, linéaire, surface), départage des informations selon leur caractère qualitatif ou quantitatif, analyse des figures ; si nécessaire, exercice de lecture en faisant exprimer pour un point de la carte toutes les données disponibles.

3. Comprendre et expliquer

   • Émettre des hypothèses, confronter les observations avec des connaissances acquises précédemment, avec celles fournies par d'autres documents (autres cartes, textes, images...).

   • Si nécessaire, simplifier la carte en réalisant un croquis ou au contraire compléter la carte en y reportant des informations complémentaires (par exemple, des noms de lieux ou de régions).

44

4. Critiquer le document en se posant par exemple les questions suivantes :

- le titre correspond-il bien au sujet traité ?
- la légende est-elle bien ordonnée, hiérarchisée, complète ?
- les figurés sont-ils bien adaptés à l'information ?
- le graphisme (figurés, écritures, teintes) de la carte correspond-il bien à la légende ?
- la lisibilité est-elle bonne (pas de surcharge, lecture aisée) ?
- la carte a-t-elle bien une échelle, des repères géographiques (parallèles, méridiens) ; la date et les sources des documents sont-elles mentionnées ?
- la carte est-elle soignée ?

1.4.4 Construire une nouvelle carte

On peut aussi apprendre aux élèves à réaliser eux-mêmes des cartes. Cela suppose la maitrise de quatre opérations : (1) le choix d'un fond de carte adéquat (carte muette existante) avec échelle et repères (réseaux hydrographiques, frontières, sommets, villes...), afin d'en faciliter l'utilisation ; (2) l'inclusion, dans le fond de carte, de l'ensemble des éléments d'identification nécessaires à la construction de la carte et dans tous les cas, ce fond de carte doit rester en retrait par rapport aux informations cartographiées ; (3) la rédaction du titre et de la légende : titre court et précis, légende organisée et tracée avec soin sans oublier la mention des sources ; (4) le choix des symboles et des écritures, ce qui implique de respecter les règles du langage cartographique énoncées ci-dessus.

La mise en page ne doit pas non plus oublier la **date** (des données, de réalisation), l'**échelle**, la **projection**, la **signature**.

Pour faciliter cette initiation, il semble utile de réaliser au préalable quelques croquis cartographiques (voir section 2 ci-après) qui permettent notamment d'apprendre à mettre en évidence l'essentiel, de réaliser l'importance des signes et des couleurs. En outre, on peut recourir à des programmes informatiques simples pour réaliser des cartes statistiques par exemple (voir chapitre 3).

Ajoutons qu'une carte est généralement orientée de sorte que le nord du territoire représenté soit en haut de la carte. Ce ne fut pas toujours le cas dans le passé et parfois certains plans ne respectent pas cette convention. Il est donc toujours recommandé d'indiquer sur une carte la direction du nord par une rose des vents ou par une flèche montrant le nord.

1.5 *Les difficultés rencontrées*

Si analyser une carte est un exercice plein d'écueils qui impose une méthode et un réel apprentissage, il est plus difficile encore d'apprendre à ses élèves à construire des cartes, ce qui explique qu'un peu partout l'exercice demandé au niveau de l'enseignement secondaire est davantage la construction d'un croquis que la construction d'une carte.

Un problème récurrent est celui de l'échelle d'une carte, particulièrement manifeste lorsqu'il s'agit de comparer des cartes à des échelles différentes, de transférer des informations d'une échelle à l'autre ou encore de choisir l'échelle qui convient pour représenter des données existantes ou collectées sur le terrain.

L'erreur la plus souvent commise par les élèves, comme par certains auteurs de cartes, est de transcrire des quantités absolues (telles les populations des villes) par des plages (surface d'écart entre deux mesures), alors qu'elles doivent l'être par des points. Seule la densité de population peut être reportée sur une plage, en faisant toutefois attention au fait qu'il s'agit d'une valeur moyenne pouvant cacher de fortes différences au sein de l'espace de référence qui est loin d'être toujours homogène.

2. Les croquis et schémas cartographiques

2.1 *De l'utilité de ces documents*

Les croquis sont de plus en plus utilisés en géographie, surtout pour souligner les faits essentiels d'un territoire (ville, région, pays), les liens entre ces faits ou les évolutions. De plus, pour de nombreux enseignants, le croquis cartographique est devenu l'outil permettant de mesurer la compréhension par les élèves du fonctionnement de l'espace étudié, d'où la place privilégiée des croquis dans les évaluations tant formatives que certificatives (Joly et Reineri, 1999).

La différence entre le **croquis** et le **schéma** est que le croquis est produit sur un fond de carte, alors que le schéma est réalisé à main levée à partir de formes géométriques simples en s'inspirant toutefois de la forme d'un territoire (la France est ainsi assimilée à un hexagone et le Québec à un triangle). Le schéma n'a pas d'échelle et la légende et la nomenclature sont plus simples, l'objectif du schéma étant de mettre en évidence une structure ou des dynamiques territoriales. Il vient ainsi souvent en appui ou en complément d'une argumentation, par exemple le déplacement des pôles industriels des États-Unis depuis le nord-est vers le sud et l'ouest ou encore la progression des cultures et de l'élevage au détriment de la forêt équatoriale au Brésil.

Certains auteurs assimilent schéma à **modèle**. À notre sens, cela n'est pas correct, car un modèle est une représentation idéalisée du monde réel construite pour démontrer certaines de ses propriétés. C'est un construit scientifique qui représente les réalités spatiales dans le cas le plus général, quand tout fonctionne logiquement et en l'absence de contraintes ou d'opportunités particulières. Un élève ne peut pas construire un modèle, mais il peut utiliser des modèles comme référentiels, par exemple pour dire en quoi la réalité qu'il étudie (une ville particulière) ressemble ou non au cas théorique (la ville européenne), ce qui le conduit à s'interroger sur le pourquoi des spécificités (Mérenne-Schoumaker, 2002a). Il pourrait aussi, à partir de plusieurs cas, rechercher les invariants (ce qui est commun).

Par ailleurs, notons que certains schémas utiles au cours de géographie ne sont pas des schémas cartographiques, mais des coupes (topographiques ou coupes-synthèses de paysages) ou des organigrammes.

2.2 Les déterminants des croquis et des schémas

Pour Gérin-Grataloup (2012), ces croquis et schémas doivent d'abord satisfaire les trois exigences suivantes : (1) un titre qui peut être neutre (par exemple : Organisation de l'espace en Chine) ou qui peut exprimer une idée directrice (Deux ou trois Chine ?) ; (2) la légende organisée selon un plan en deux ou trois parties dotées elles-mêmes d'un titre ; (3) une schématisation des contours, des formes et des localisations qui tienne compte des échelles des phénomènes et de leur orientation. Pour la forme, il faut respecter trois principes majeurs : (1) éviter les surcharges, (2) respecter les règles du langage cartographique et (3) indiquer les noms les plus importants.

2.3 Les croquis et les schémas en classe

Tout le problème est de simplifier la réalité sans la trahir, ce qui oblige à bien choisir l'essentiel (quelques composantes seulement) et de les représenter pour faire voir les relations, mettre en évidence des structures spatiales, et ce, avec ou sans fond de carte.

À cette fin, il est souvent utile de construire progressivement un croquis en réalisant un croquis analytique par composante (comme peuplement, réseaux de transport, principales utilisations du sol, grands ensembles du relief...), croquis que l'on cherchera ensuite à combiner (voir exemples sur les villes dans Mérenne-Schoumaker, 2002b).

2.4 Les autres croquis et schémas

Ces croquis ont pour but de faciliter la compréhension et la mémorisation en simplifiant la réalité et en organisant les informations. Ce sont des compléments de l'expression orale ou écrite qui étayent une démonstration. Ils peuvent être réalisés au tableau par le professeur qui commente ce qu'il fait et aide les élèves à procéder comme lui. Ils peuvent aussi être dessinés au préalable et distribués aux élèves. La première solution est de loin la meilleure, à condition que le professeur dessine correctement et donne des consignes précises aux élèves ; la deuxième peut être réservée à des croquis plus complexes (à compléter par les élèves par exemple en y ajoutant des noms).

Les croquis les plus utiles sont :
- les coupes topographiques (voire géologiques) ;
- les profils de sols (coupe avec les différents horizons) ;
- les coupe-synthèses des paysages du monde, des grandes villes ;
- les schémas montrant des éléments de relief (type de vallée ou de littoral), différentes constructions (fermes, usines) ;
- les blocs-diagrammes et de plus en plus des modèles numériques de terrain ;
- les organigrammes (ou schémas fléchés).

Les **organigrammes** ont beaucoup la cote aujourd'hui, car ils permettent, mieux que d'autres outils, de traduire des relations et interactions ainsi que de pratiquer une géographie systémique (Chabrol, 2001). On peut distinguer deux types de schémas (Partoune et Rouchet, 2008). Le premier, les organigrammes linéaires qui se présentent sous la forme d'une succession en cascade, le plus souvent disposée verticalement avec un point de départ se trouvant en haut du schéma. Le second, les organigrammes systémiques, ne présentent pas de points de départ et d'arrivée clairs et peuvent prendre plusieurs formes : une forme **circulaire**, lorsqu'il s'agit de mettre en évidence un fonctionnement cyclique (figure 2.3) ; une forme **réticulaire** plus complexe, au sein de laquelle peuvent apparaitre des formes circulaires appelées «boucles de rétroaction».

Figure 2.3
Un exemple d'organigramme systémique: le système indien

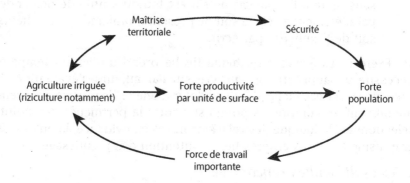

Source : F. Durand-Dastès, 1995, p. 279.

Une double boucle de rétroaction pour expliquer la permanence des fortes densités de population dans le monde indien.

Pour construire un organigramme explicatif, il faut à la fois *distinguer* et *relier*. Il est dès lors utile de passer par les *cinq étapes* suivantes.

1. *Sélectionner l'information* : trier l'essentiel de l'accessoire en fonction de l'objectif recherché, par exemple ce que l'on essaie d'expliquer ; à cette fin, il s'agit de dégager (dans un texte par exemple), des unités d'informations pertinentes (faits, processus, acteurs, territoires…).

2. *Organiser l'information* : classer l'information retenue, la hiérarchiser selon son importance ou le rôle qu'on lui assigne, en particulier distinguer les facteurs explicatifs des conséquences tout en sachant que, dans de nombreux cas, une cause peut être une conséquence et vice-versa.

3. *Choisir le type de schéma.*

4. *Choisir les éléments de représentation* : les figures géométriques qui sont des encadrés contenant du texte très condensé, figures

qui peuvent se distinguer par leur forme (tel que cercle, ellipse, rectangle), leur taille et leur couleur ainsi que les lignes ou les flèches dont on peut faire varier la taille et la couleur ; les flèches simples ou doubles permettent quant à elles d'indiquer le sens de la ou des relations.

5. *Réaliser la figure,* ce qui nécessite souvent plusieurs essais pour obtenir un document pertinent et qui reste compréhensible sans texte à l'appui même s'il est toujours utile de demander parallèlement à l'élève soit de présenter oralement son schéma, soit de l'expliciter par écrit.

Exercer ses élèves au schéma fléché prend un certain temps et nécessite un apprentissage progressif. Par ailleurs, l'évaluation de l'exercice n'est pas facile. Il faut se doter d'une grille précise qui prend notamment en compte les points suivants : la pertinence des points sélectionnés, la logique des relations mises en évidence, la qualité du graphisme et autres critères liés à l'intention d'apprentissage.

2.5 Les difficultés rencontrées

Ces difficultés sont proches de celles déjà évoquées pour les cartes (1.5) avec toutefois quelques problèmes supplémentaires au niveau de la construction, liés directement à la nécessité de schématiser les contours et les formes et de sélectionner encore davantage que sur une carte les informations à retenir. C'est particulièrement le cas quand le croquis ou le schéma n'a pas pour vocation de présenter un état des lieux, mais bien une problématique en termes d'atouts, de contraintes d'un territoire ou de dynamiques territoriales, comme «la Russie, un État-continent en voie de recomposition», «Londres, une ville mondiale», «le Sahara terre de ressources et de conflits» (voir Giorgini, Oline, Cheveau-Richon et Fleury, 2013). En effet dans ce cas, les élèves doivent d'abord identifier la problématique, puis choisir les deux ou trois rubriques de la légende autour desquelles ils construiront leur argumentation.

Pour en savoir plus

Battistoni-Lemière, A., Le Fur, A. et Nonjon, A. (2013). *Cartes en main, Méthodologie de la cartographie.* Paris : Ellipses.

Il s'agit d'une préparation aux épreuves de cartographique des écoles de commerce avec un décryptage de 36 cartes ou croquis de synthèse structurés.

Béguin, M. et Pumain, D. (2010). *La représentation des données géographiques, Statistique et cartographie.* Paris : Armand Colin.

Cet ouvrage propose des méthodes de représentation qui associent et valorisent à la fois les règles de l'analyse des données statistiques et les principes de la sémiologie graphique.

Bertin, J. (2005). *Sémiologie graphique. Les diagrammes, les réseaux, les cartes.* Paris : École Des Hautes Études En Sciences Sociales.

Jacques Bertin a joué un rôle majeur dans l'évolution des conceptions graphiques et cartographiques. *Sémiologie graphique* est l'un de ses ouvrages incontournables, plusieurs fois réédité et traduit en anglais.

Bord, J.-P. (2012). *L'univers des cartes. La carte et le cartographe.* Paris : Belin.

Cet ouvrage d'épistémologie de la cartographie allie une analyse pratique et théorique et propose un état des lieux de la connaissance en cartographie au moment où la carte se numérise autant qu'elle se démocratise.

Brunet, R. (1987). *La carte mode d'emploi.* Paris : Fayard-Reclus, 1987.

Il s'agit d'un regard nouveau sur la carte et les modèles cartographiques et d'un plaidoyer pour une éducation à savoir lire une carte et savoir la faire. Cet ouvrage a marqué l'histoire de la géographie dans les années 1980.

Clary, M., Ferras, R., Dufau, G. et Durand, R. (1987). *Cartes et modèles à l'école.* Montpellier : Reclus.

Faire de la géographie autrement à l'école grâce aux cartes, aux croquis et aux modèles avec de nombreux exemples de travaux d'élèves.

Gérin-Grataloup A.-M. (2012). *La géographie.* Paris : Nathan.

Ce petit ouvrage simple et pratique fournit une très utile mise au point de certains concepts, outils, démarches et connaissances en géographie ; des informations intéressantes sur les cartes.

Girard, E. (2012). *Les cartes. Enjeux politiques.* Paris : Ellipses.

Il s'agit d'une petite histoire de la cartographie et surtout de la carte comme enjeu politique. L'ouvrage est illustré d'une trentaine de cartes originales.

Journot, M. et Oudot, C. (1997). *Modélisation graphique. Pratiques scolaires en collège et en lycée.* Dijon : CRDP de Bourgogne, Documents, Actes et Rapports pour l'Éducation.

Cet ouvrage analyse différents travaux menés avec des élèves en termes de modélisation graphique en cherchant à combiner théories et pratiques d'apprentissage.

Le Fur, Anne (2007). *Pratiques de la cartographie*. Paris : Armand Colin.

Condensé relativement accessible des informations de base pour la réalisation de cartes géographiques, cet ouvrage de poche est efficace et surtout pratique par son format, ses illustrations et ses conseils.

Lévy, J., Poncet, P. et Tricoire E. (2004). *La carte, enjeu contemporain*. Paris : La Documentation française, Documentation photographique, n° 8036.

Partant de l'idée que la carte exprime, voire défend toujours quelque chose, il s'agit d'une belle interrogation à l'aide de nombreux documents sur les enjeux et défis de la représentation par la carte.

Mérenne-Schoumaker, B. (2002a). *Analyser les territoires. Savoirs et outils*. Rennes : PUR, Coll. Didact Géographie.

Ce guide méthodologique et épistémologique pour aller lire avec ses élèves les territoires du monde contient 68 fiches pour repenser les savoirs géographiques.

Mérenne-Schoumaker, B. (2012). *Didactique de la géographie. Organiser les apprentissages*. Bruxelles : De Boeck, Coll. Action.

Articulant théorie et pratique, cet ouvrage apporte des éléments de réflexion et des mises en œuvre tant au niveau de l'utilisation des méthodes et outils (comme la cartographie) qu'au niveau des concepts sous-tendant les apprentissages en géographie.

Ressources en ligne

Bertin, J. (2000). La graphique de Jacques Bertin, 2000. Repéré à http://cartographie.sciences-po.fr/fr/la_graphique_jacques_bertin

Une version concentrée des travaux de Jacque Bertin est publiée sur le site de Sciences Po Paris

Atelier de Cartographie de Sciences Po Paris (2013). Faire des cartes. Paris. Repéré à http://cartographie.sciences-po.fr/fr/node/29

Bibliothèque Nationale de France. (2012). Histoire de la cartographie. Repéré à http://expositions.bnf.fr/cartes

Muniga, J. (n.d.). Croquis spécial BAC. Repéré à http://www.geographie-muniga.fr/SpeBAC_Accueil.aspx

Académie d'Aix-Marseille (2011). Cartothèque. Repéré à http://www.histgeo.ac-aix-marseille.fr/ancien_site/carto/

Atlas du Canada. (2012). Explorez nos cartes. Repéré à http://atlas.nrcan.gc.ca/site/francais/

Atlas du Québec. (2004). Vue d'ensemble du Québec. Repéré à http://vuesensemble.atlas.gouv.qc.ca/site_web/accueil/index.htm

Destenay Thierry. (n.d.). La géographie : les cartes. Repéré à http://thierry.destenay.pagesperso-orange.fr/site_perso/cartes.htm

Verluise, P. (2007). Les cartes géopolitiques. Repéré à http://www.diploweb.com/cartes/1.htm

Euratlas. (2001). Cartes de géographie: atlas de l'Europe et atlas du monde. Repéré à http://www.euratlas.net/geography/fr_index.html

Houot Alain. (2014). Géographie: Le globe. Repéré à http://houot.alain.pagesperso-orange.fr/Geo/geo.html

Direction de l'information légale et administrative. (n.d.) Cartes. Repéré à http://www.ladocumentationfrancaise.fr/cartes

Le Monde diplomatique. (n.d.). Cartographie. Repéré à http://www.monde-diplomatique.fr/cartes/

Magazine Carto. (n.d.). Le monde en carte. Repéré à http://www.carto-presse.com/?category_name=actualites

Nasa. (n.d.). Global Maps. Repéré à http://earthobservatory.nasa.gov/GlobalMaps/

Sciences Po. Cartothèque. (2010). Repéré à http://cartographie.sciences-po.fr/fr/cartotheque

Sciences Po. (n.d.). Cartes du monde contemporain. Repéré à http://mondecontemporain.recitus.qc.ca/cartes

Worldmapper. (2006). The Worldmapper archive. Repéré à http://www.sasi.group.shef.ac.uk/worldmapper/

3 – Introduire la cartographie numérique dans l'enseignement de la géographie

Sylvain Genevois

Dans ce chapitre, il s'agit de montrer l'intérêt de la cartographie numérique en géographie, de développer un usage réflexif des outils géonumériques, de voir également en quoi ils contribuent à renouveler l'enseignement de la géographie. Les outils de base de la géographie ont été abordés dans le chapitre 2. L'outillage du géographe reste en partie le même : le géographe manipule toujours des cartes, des images, des graphiques. Mais ces outils ont profondément évolué avec les technologies numériques. Une carte papier que l'on a scannée ou prise sur Internet et qu'on affiche sur un tableau numérique interactif n'a déjà plus tout à fait le même statut du fait qu'on la visualise différemment sur un écran et qu'on peut y superposer d'autres types d'informations. L'ordinateur permet par ailleurs de construire des cartes par anamorphoses dont l'élaboration était jusque-là réservée aux spécialistes. Internet nous donne aussi la possibilité d'explorer l'espace à l'aide de globes virtuels qui fonctionnent comme des sortes de doublons numériques de la Terre. L'usage de ces outils de cartographie numérique n'est pas sans conséquence sur les compétences à acquérir en géographie. Il s'agit toujours de localiser, situer, décrire, interpréter (Steinberg, 2002; Bord, 2012). Mais ces outils changent en partie la façon de faire de la géographie et les apprentissages qui lui sont liés. Le développement de la géolocalisation rend moins primordiale l'orientation, mais remet en avant l'importance des coordonnées géographiques. L'imagerie 3D enrichit la lecture de paysage en favorisant une approche immersive, sans rendre pour autant caduque la démarche d'analyse par unités paysagères. La cartographie multicouche des globes virtuels renouvèle quant à elle l'analyse spatiale en mettant l'accent sur la géovisualisation.

1. Pourquoi introduire la cartographie numérique en classe?

1.1 Vers un monde géonumérique

Qu'il s'agisse d'utiliser un GPS pour conduire son véhicule, de consulter un globe virtuel sur Internet pour préparer ses prochaines vacances ou encore de chercher de l'information selon sa mobilité avec son téléphone portable, force est de constater que les outils numériques ont envahi notre vie quotidienne. Comme le soulignent certains auteurs (Desbois, 2008; Joliveau, 2007), nous vivons dans un monde géonumérique. Ces bouleversements n'affectent pas seulement la façon de construire les cartes que nous pouvons désormais modifier, adapter, transformer par nous-mêmes.

Ils touchent également à la manière de lire et de concevoir l'espace. Prenons l'exemple de l'application Google Earth qui donne à voir la Terre vue d'en haut. Par des effets de zooms et de déplacements successifs, ce logiciel d'exploration géographique à partir d'images aériennes en haute résolution et souvent en trois dimensions nous conduit à naviguer «dans» et non plus seulement «sur» la carte. Tout semble fait dans ce type d'application grand public pour augmenter l'effet de réel et gommer les problèmes liés à la représentation cartographique. Quelle est la projection choisie? À quelle échelle l'observateur se situe-t-il? Quelle est l'orientation de la carte? De quand les images datent-elles? Autant de questions classiques pour le géographe et auxquelles il n'est pas si aisé de répondre avec ces outils grand public. Nombreux sont par exemple les utilisateurs qui confondent le degré de zoom à l'écran avec l'échelle à laquelle ont été numérisées les informations sur la carte et à laquelle celles-ci peuvent donc être correctement visualisées et analysées.

On peut s'interroger sur le statut de ces images cartographiques donnant à voir la Terre quasiment «en direct», sans réelle possibilité d'interroger la source et l'origine de l'information géographique. On peut nourrir le même type d'inquiétudes face à la prolifération d'images cartographiques fournies par Internet ou encore face au risque de surveillance généralisée par les techniques de géolocalisation. Lire et construire des cartes et plus généralement manipuler de l'information géographique constituent de plus en plus un enjeu citoyen.

1.2 Cartographier: un enjeu citoyen

Avec l'essor rapide de la géomatique et des technologies de l'information géographique, on observe un regain de réflexion sur la carte et sur ses usages sociaux. Certains chercheurs n'hésitent pas à parler de véritable «tournant cartographique» (Lévy, 2002) pour montrer que la carte est aujourd'hui du côté des citoyens qui peuvent en discuter le point de vue. Qu'il s'agisse par exemple de consulter les riverains concernés par un projet autoroutier ou d'associer les habitants d'un quartier urbain à la gestion de leur environnement, la carte constitue un puissant outil de persuasion, mais aussi un espace de participation, de controverse, en tout cas de débat pour les citoyens. Ces derniers deviennent eux-mêmes des observateurs privilégiés d'une réalité locale et, de plus en plus, des créateurs de l'information. Le pouvoir de création de l'information géographique a basculé entre les mains d'individus qui ne sont pas des experts en cartographie. On peut mentionner par exemple des projets collaboratifs comme Wikimapia ou OpenStreetMap, lesquels sont des exemples de réalisations mises sur pied par des communautés d'utilisateurs. Dans certains pays, en particulier aux États-Unis, la mise en place de PPGIS (*Public Participation Geographic Information System*) témoigne du besoin de certaines communautés de citoyens de collecter l'information par le bas et de prendre part activement au débat public au travers de SIG (Systèmes d'Information Géographique) participatifs.

L'accès partagé à l'information géographique semble ouvrir la voie à une «géographie volontaire», dans laquelle chaque citoyen est potentiellement capteur de données. D'aucuns y voient le triomphe d'une géographie centrée sur les représentations de l'individu du fait que chacun est désormais en mesure de produire et de modeler sa propre information géographique. D'autres au contraire insistent sur le partage et la mutualisation de ces informations sur des sites Web collaboratifs. L'émergence d'un Internet participatif du type Web 2.0 n'est pas sans susciter des débats autour d'une «néogéographie». Sans déboucher forcément sur la naissance d'une «nouvelle géographie», les outils du géographe commencent à se renouveler du fait de la création et du partage de l'information géographique sur le Web. Qu'il s'agisse des SIG ou des globes virtuels sur Internet, il semble que la cartographie numérique soit bel et bien devenue un enjeu civique. Reste à savoir si elle peut jouer le même rôle dans l'espace de la classe.

1.3 Éduquer à la carte et à l'information sur support numérique

Les technologies de l'information géographique ont commencé à franchir le seuil de la classe (Genevois, 2008). L'usage des outils de cartographie numérique commence à se banaliser et n'est plus seulement le fait d'enseignants innovants. Mais l'effet de mode des globes virtuels ne doit pas masquer le fait qu'une innovation technologique n'induit pas obligatoirement une évolution des pratiques pédagogiques. Dans le domaine des TIC, les usages pédagogiques se construisent. Ils ne sont pas et ne peuvent être la simple transposition de pratiques sociales, même si ces dernières jouent un rôle important comme sources de légitimation des contenus à enseigner et des techniques à utiliser.

L'enseignement de la géographie ne se réduit pas à l'acquisition de repères spatiaux ni à l'usage de cartes dans la vie de tous les jours. Mais cela en fait partie aussi. La géographie enseignée ne peut pas s'alimenter seulement aux savoirs savants, elle doit s'ancrer aussi à un vécu, à des pratiques spatiales quotidiennes. Sans compter que ces outils de navigation ou de géolocalisation permettent de s'initier ensuite à des outils plus complexes permettant de développer le raisonnement géographique et l'analyse spatiale, à l'instar des Systèmes d'Information Géographique (SIG) qui permettent de faire des requêtes spatiales et attributaires avec des démarches hypothéticodéductives.

L'objectif n'est pas tant de former des «citoyens-cartographes» (Lévy, 1998) que d'envisager tout le potentiel cognitif des technologies de l'information géographique : la carte doit être véritablement envisagée comme un outil d'investigation dans toute sa dimension euristique. Le principal enjeu réside dans la visualisation et le traitement de l'information géographique numérique. Force est de constater que nous sommes entrés dans un nouveau paradigme pour la cartographie, celui de la visualisation d'images numériques. L'irruption massive de ces «cartes images» n'est pas sans poser de nombreuses questions au géographe. Dans leur toute-puissance de saturation de l'information visuelle multiforme, les outils géomatiques sont susceptibles d'accroitre le sentiment d'un accès direct à la «réalité» du monde. Cette emprise est symbolique bien sûr, car la réalité est au-delà de l'image. Mais l'imagerie numérique des SIG et des globes virtuels n'est pas seulement là pour nous offrir une image-réplique ou un doublon numérique de la planète, elle nous plonge dans une réalité «virtuelle» qui donne sens au réel. C'est dans cette virtualité de l'image que l'on peut visualiser les conséquences d'hypothèses, explorer des solutions, mettre en visibilité nos idées. Pour Mottet (1995), «l'image est toujours un instrument pour des actions virtuelles sur la réalité, actions qui mettent en jeu, en les manifestant, nos capacités de représentation et de traitement. Encore faut-il "entrer dans l'image", transformer l'instrumentalité dont elle est porteuse en une opérativité de la pensée». Il semble que les modes de visualisation offerts par la cartographie sur ordinateur puissent jouer un rôle majeur, en tant qu'instrument de pensée, comme outillage mental pour favoriser le raisonnement géographique.

L'image cartographique n'est pas seulement un mode de représentation du réel, c'est aussi un mode de traitement permettant d'opérer à différents niveaux sur ce réel. En manipulant l'image, en croisant les couches d'information cartographiques, l'utilisateur a accès à différentes facettes d'un espace qui reste malgré tout insaisissable. Peu importe donc que l'usage des globes virtuels fonctionne avant tout sur des formes de pensée inductive, laissant de côté les possibilités de traitement de l'information offertes par les SIG. L'essentiel est que la carte puisse fonctionner comme un instrument de pensée. Comme le souligne Ferland (1997), la carte numérique devient en quelque sorte le «territoire de la compréhension spatiale». C'est globalement la question de la construction des savoirs géographiques par la carte, du passage de la représentation graphique aux représentations cognitives. Ce qui conduit à renouveler les pratiques autour de la carte considérée comme instrument de cognition spatiale. Cela nécessite une éducation à la carte, qui passe aujourd'hui nécessairement par une éducation à l'image et à l'information numériques. C'est pourquoi il semble indispensable de relier les compétences cartographiques à l'acquisition de compétences numériques telles que la maitrise de l'information sur Internet ou le traitement de l'image à travers des outils de cartographie numérique. C'est en ce sens que le Programme de formation de l'école québécoise met l'accent sur l'accès aux documents, et notamment aux cartes en lien avec le développement de compétences numériques : «Le recours à des sources variées suppose que les élèves aient facilement accès aux technologies de l'information et de la communication, autant comme outils de recherche que comme support de leurs réalisations» (Gouvernement du Québec, 2009, p. 9).

2. Comment se repérer dans les types d'outils géonumériques et leurs familles d'usages?

Nous proposons d'aborder les outils géonumériques selon une progression allant des outils les plus simples aux plus complexes et permettant aux élèves de passer de l'observation de cartes sur Internet à la production de leurs propres cartes. Si la formation progressive aux outils numériques semble indispensable pour l'enseignant, elle ne doit pas s'effectuer sans une réflexion préalable sur les usages qui doivent être construits progressivement avec les élèves. Le tableau ci-après propose de développer les compétences cartographiques des élèves par sédimentation progressive en passant d'un niveau N1 à un niveau N2, puis N3, en fonction des types d'apprentissages et des types d'outils. Il s'agit de comprendre comment les images cartographiques sont fabriquées et comment elles peuvent être lues en mettant l'élève au centre des apprentissages cartographiques.

2.1 Les ressources disponibles sur Internet: cartothèques, bases de données géographiques et sites de cartographie en ligne

Les ressources cartographiques disponibles sur Internet sont chaque jour plus nombreuses en raison de la production grandissante de l'information géographique par les gros fournisseurs de données et des efforts consentis par les États et par différents organismes pour mettre à disposition librement leurs données. Il convient cependant de vérifier scrupuleusement les conditions d'utilisation des données géographiques, y compris pour un usage en contexte d'enseignement ou de formation. Il faut également connaitre les principaux formats de cartes disponibles en mode raster (JPEG, GIF, TIFF, ECW...) et en mode vecteur (AI, SHP, TAB...), ainsi que leur degré de compatibilité avec des outils de cartographie, libres ou propriétaires. Outre la possibilité d'accéder à d'importantes cartothèques (y compris pour des cartes historiques), Internet fournit également de grandes banques de données en images et en statistiques. La section *Pour en savoir plus* contient des liens vers des bases de données géographiques disponibles au Canada, ainsi que vers des sites portails donnant accès aux principaux fournisseurs de données à l'échelle mondiale.

Tableau 3.1

Une progression dans l'utilisation des outils géonumériques

Niveaux	Apprentissages cartographiques	Supports numériques et pistes d'activités
N1	Localiser, situer	Géolocaliser différents lieux en fonction des coordonnées géographiques sur un GPS ou dans un globe virtuel, situer un espace à différentes échelles, effectuer des mesures dans un globe virtuel.
	Se construire des repères	Savoir s'orienter et se déplacer dans un globe virtuel, éditer des repères (géosignets), repérer les métadonnées d'une carte ou d'une image aérienne (date, source, orientation, résolution...).
	Lire des données	Décrypter une légende de carte analytique sur Internet, croiser visuellement des couches d'information dans un globe virtuel, s'initier aux images 3D dans un globe virtuel, comparer une carte et une vue au sol en passant de la vision du dessus à la vision du dedans.
N1, N2	Maitriser le langage cartographique	Construire un croquis d'interprétation à partir d'un globe virtuel, élaborer un schéma d'organisation spatiale avec un logiciel de traitement d'image, utiliser un logiciel de cartographie pour travailler sur le choix des figurés et des symboles.
	Éditer des données	Placer une collection de repères sur une carte, construire un parcours de navigation avec des images et des commentaires dans un globe virtuel.
	Traiter des données	Classer des données dans un graphique-tableur, établir des classifications (seuillages) dans un logiciel de cartographie thématique, calculer un itinéraire dans un globe virtuel.
N1, N2, N3	Sélectionner des informations pertinentes	Utiliser des cartes typologiques dans un globe virtuel, faire des sélections ou ajouter des informations géoréférencées dans un SIG.
	Conduire une analyse multicritère	Construire des requêtes attributaires, utiliser les outils d'analyse spatiale dans un SIG, élaborer un schéma systémique à partir d'une série de cartes ou de données.
	Éditer ou traiter des données complexes	Construire une base de données dans un SIG, traiter des images dans un logiciel de traitement d'images satellitaires, manipuler un modèle numérique de terrain (MNT).

L'une des évolutions intéressantes du géoweb est de permettre aujourd'hui de dépasser le simple téléchargement de cartes statiques et d'accéder à des outils de cartographie dynamique directement à travers un navigateur Internet. Ces outils de cartographie en ligne (du type webmapping) sont extrêmement pratiques et souvent plus aisés à manipuler que des outils sur le poste d'ordinateur. Ils ont surtout l'avantage d'embarquer d'importantes bases de données directement interrogeables sans avoir aucune donnée à télécharger sur le disque dur, ce qui est très pratique pour un usage en classe (à condition, bien sûr, de posséder une connexion Internet dans l'établissement scolaire). Les applications sont assez diverses allant des simples outils de cartographie thématique à de véritables SIG en ligne. Certaines de ces applications sont d'ailleurs disponibles à la fois en local sur l'ordinateur et en ligne sur Internet (voir par exemple les applications Gapminder et Géoclip).

2.2 Les logiciels de cartographie pour construire un croquis sur ordinateur ou traiter des statistiques

Utiliser la cartographie numérique n'est pas seulement un moyen de gagner du temps et d'améliorer le rendu graphique dans le travail de représentation cartographique. Il s'agit, à travers les méthodes de discrétisation des valeurs statistiques et du choix des figurés, de «renforcer chez l'élève le recul critique par la mise en évidence du caractère subjectif intervenant dans la fabrication des cartes» (Arnoud et Biaggi, 2002). La carte pouvant parfois servir d'outil de persuasion voire de manipulation, l'objectif est également de déconstruire son discours et de montrer qu'en tant que langage, la carte peut aussi mentir. Pour les enseignants qui utilisent des logiciels de cartographie statistique, ce désir de montrer «le dessous des cartes», en permettant aux élèves de les construire et de les déconstruire par eux-mêmes, apparait comme une préoccupation majeure.

L'utilisation de logiciels de cartographie en salle informatique permet de modifier les pratiques cartographiques de trois manières :

- en développant l'autonomie des élèves dans la construction de la carte qui n'est plus seulement une banque de données localisées (fonction d'inventaire), mais un outil pour penser et pour construire l'espace (fonction euristique);
- en mettant l'accent sur la maitrise du langage cartographique et sur ses spécificités, en particulier sur la maitrise à la fois du

langage verbal et du langage graphique (choix du titre, choix de la légende, choix de la symbolisation, choix du commentaire de la carte par l'utilisateur lui-même);

- en introduisant progressivement des démarches de simulation (que se passe-t-il si l'on change telle variable visuelle ou telle classification?) et des démarches de modélisation (quels types de corrélations peut-on établir entre plusieurs faits géographiques d'ordre physique ou humain et comment peut-on aboutir à un modèle global d'explication?).

En développant l'analyse multicritère et l'analyse spatiale, l'introduction des logiciels de cartographie statistique dans les pratiques scolaires peut éventuellement préparer la voie à l'utilisation des Systèmes d'Information Géographique (SIG) qui pourront intégrer cette nouvelle approche de la carte comme outil d'investigation spatiale (voir tableau 1 sur la progression des apprentissages cartographiques). Il est conseillé de se familiariser auparavant à l'usage des outils de cartographie thématique qui permettent d'initier les élèves aux bases de la sémiologie graphique. Il suppose également de maitriser les modes de seuillage. Nous conseillons donc de commencer par des exercices de symbolisation assez simples (choix entre figurés linéaires, surfaciques ou ponctuels; choix de couleurs dégradées, de couleurs chaudes ou froides). De même, il est prudent de s'en tenir aux modes de classification les plus usuels (mode de discrétisation par égale étendue, par égal effectif ou par seuillage manuel), sous peine de verser dans des cours de statistiques hors de portée des élèves des ordres primaire et secondaire.

Il existe un assez grand nombre d'outils de cartographie thématique en ligne ou hors ligne. En ce qui concerne les logiciels de croquis géographique, le choix des outils est beaucoup plus limité (voir sélection plus bas pour ces deux types d'outils). Il s'agit pour l'essentiel de logiciels de retouche d'images utilisés pour la réalisation de croquis sans toujours fournir de palettes de signes cartographiques. Certains enseignants préfèrent utiliser des logiciels de traitement de textes ou de diaporamas qu'ils détournent pour leurs fonctions d'outils cartographiques (voir l'application Cart'Ooo) ou encore pour leurs possibilités d'animation graphique. Un autre usage assez courant consiste à recourir à de petits logiciels utilitaires pour élaborer un croquis d'organisation de l'espace à partir d'un globe virtuel.

2.3 Les globes virtuels pour géovisualiser des images et des cartes à différentes échelles

Comme nous avons pu le montrer (Genevois, 2007), les globes virtuels constituent une sorte de doublon numérique de la Terre. C'est une chose inédite: l'enseignant a pour la première fois la possibilité d'accéder à l'intégralité de la surface terrestre, de mettre en quelque sorte «le monde dans la classe». Le risque réside moins dans la virtualisation du réel que dans la dilution des frontières entre l'image, la carte et le paysage. Si l'on prend l'exemple de Google Earth – le plus populaire des globes virtuels qui compte plusieurs centaines de millions d'utilisateurs – il est possible non seulement de zoomer sur des images à très haute résolution sur n'importe quel point du globe, mais aussi de naviguer dans le paysage ou encore d'intégrer des vues 3D du sol et du sous-sol. La multiplicité des regards (vues aériennes, vues au sol, vues obliques, vues panoramiques...) et la diversité des couches d'informations (plans, images, cartes...) donnent parfois le vertige, mais donnent aussi à saisir une vision multiforme et décomposée du réel. Les possibilités d'immersion (on est en quelque sorte «dans la carte»), de géovisualisation (on peut décomposer le réel en couches et le voir sous différents angles) ou encore de simulation et de modélisation (on peut faire des hypothèses à partir d'images de l'espace en trois dimensions) ouvrent des perspectives très intéressantes pour renouveler l'enseignement de la géographie. Les potentialités offertes par ces nouveaux outils d'imagerie géographique expliquent que l'usage des globes virtuels se développe très rapidement en classe de géographie. Mais ils semblent, pour l'instant, surtout utilisés comme des banques d'images pour illustrer le discours géographique (surtout lorsque cette imagerie cartographique est projetée sur un tableau numérique interactif ou mise sur une tablette tactile, donnant aux élèves l'illusion de pouvoir voir et toucher la Terre). Il est possible cependant de mettre ces outils interactifs de consultation au service de l'investigation géographique, comme le proposent déjà certains enseignants à travers des parcours de navigation sur Internet.

Ces «voyages virtuels» (voir le site du même nom) constituent de véritables parcours d'exploration. Ils permettent par exemple de suivre le trajet maritime d'un conteneur pour comprendre les logiques de la mondialisation ou encore de plonger au cœur de la mégalopole de Tokyo pour en saisir l'organisation et le fonctionnement urbains. On notera à quel point l'usage des globes virtuels renoue, consciemment ou non, avec une certaine géographie du voyage et de l'exploration, comme s'il s'agissait de (re)découvrir la Terre. Mais la mise en image et le dévoilement du monde n'occupent-ils pas une place importante dans l'enseignement? Ce qui parait surtout intéressant à souligner est le fait que l'usage de ces globes virtuels débouche sur de nouvelles formes de «pensée visuelle». L'objectif semble être de promouvoir une «géographie de la découverte» à partir du réel (ou de son substitut, l'image), de faire explorer des paysages et des territoires (avec un risque de confusion entre ces différentes «vues», horizontales ou verticales). Il n'est pas sûr, en l'occurrence, que la multiplicité des points de vue offerts par les globes virtuels aide vraiment à acquérir des repères géographiques au début du secondaire.

Il est donc conseillé de donner des clés de lecture pour décrypter les images contenues dans les globes virtuels, d'abord en interrogeant leur date, leur source, leur résolution et, surtout, en les comparant à d'autres documents (textes, cartes, paysages...). Une activité particulièrement formatrice consiste à utiliser les cartes de Google Maps et à comparer avec les vues au sol, fournies par Streetview, disponible dans la même application.

2.4 Les Systèmes d'Information Géographique pour traiter d'importantes bases de données géographiques

Assimilés à de gros logiciels chers et lourds à manipuler, les SIG sont entrés très progressivement et très lentement dans la classe de géographie au cours des années 1990 et 2000. Ce sont souvent les enseignants «pionniers» qui étaient passés par l'informatique de traitement (traitement de statistiques ou traitement d'images), qui ont commencé à les introduire dans l'enseignement et dans la formation. Les SIG sont encore considérés comme des outils professionnels destinés aux spécialistes de l'environnement ou de l'aménagement, mais assez secondairement aux géographes. La prise en compte de l'intérêt des SIG pour conduire des études géographiques est très récente, y compris en géographie universitaire. Dans l'enseignement secondaire, comme nous avons pu le montrer à travers des études de cas conduites au secondaire (Genevois, 2008), les SIG sont potentiellement innovants dès lors qu'ils sont utilisés pour mener des démarches de résolution de problème, en lien avec des approches systémiques et des formes de raisonnement hypothéticodéductif. Mais l'utilisation des SIG à l'appui du raisonnement géographique se heurte au modèle de la discipline scolaire, encore largement fondé sur des démarches inductives et sur des approches descriptives, qui privilégie une sorte de plain-pied au monde. L'appropriation de l'espace et la compréhension des logiques territoriales ne peuvent pas se contenter du «réalisme scolaire», qui a tendance à ignorer le rôle des langages comme producteurs de sens et de manières de penser le monde (Audigier, 1995). Or, la carte, en particulier lorsqu'elle superpose de nombreuses couches d'information comme dans un SIG, est un instrument de pensée pour saisir la complexité du monde, pour avoir prise sur le réel, sans vouloir le réduire ou en résumer le sens comme le ferait un croquis de synthèse, qui demeure l'exercice privilégié dans la géographie scolaire.

Compte tenu de leur cout d'acquisition et de leur complexité, les SIG utilisables en classe sont peu nombreux. Toutefois, un SIG libre et gratuit tel que Quantum-Gis est aujourd'hui de plus en plus utilisé, y compris dans l'enseignement secondaire. Il est conseillé auparavant de familiariser les élèves avec un globe virtuel qui offre une bonne initiation à la lecture d'informations multicouches et à la manipulation de données géolocalisées. Il est inutile en effet de mobiliser un SIG pour la simple lecture de cartes : leur intérêt réside principalement dans les possibilités d'interrogation et de traitement de données à partir de sélections ou de requêtes spatiales ou attributaires. Il est en outre possible d'utiliser les SIG pour expérimenter des démarches de modélisation faisant apparaitre les enjeux territoriaux et les jeux d'acteurs. Le gouvernement du Québec facilite depuis 2012 l'accès à d'importants jeux de données géomatiques par la mise en ligne d'un portail de données libres et gratuites.

Ressources en ligne

Vocabulaire de la géomatique : http://www.mrnf.gouv.qc.ca/territoire/
geomatique/geomatique-vocabulaire.jsp

Pour éclairer les termes techniques utilisés dans ce chapitre, il est conseillé de consulter le «Vocabulaire de la géomatique» mis à disposition par le ministère des Ressources naturelles du Québec.

ArcGis Explorer:

http://ressources.esrifrance.fr/res_produits_arcexplorer.aspx

http://www.arcgis.com/explorer/

Il s'agit du visualiseur SIG de la société ESRI. Disponible en français, il est gratuit. Il permet d'ouvrir des images en 3D, mais aussi des fichiers dans différents formats SIG. Une fois qu'une source de données est drapée sur le globe, la carte peut être affichée en 2D si on ne donne pas d'inclinaison. En outre, ESRI met à disposition une version éducation (celle-ci nécessite l'installation de Java) et une plateforme en ligne (ArcgisExplorer Online) pour déposer ses projets cartographiques ou les partager avec d'autres utilisateurs.

Pour une présentation détaillée de ces outils de cartographie numérique : http://www.ac-aix-marseille.fr/pedagogie/upload/docs/application/pdf/2013-02/ld123.pdf

Bing Maps : http://www.bing.com/maps

Bing Maps est un service Web de cartographie faisant partie du moteur de recherche Bing de Microsoft. Moins connu que Google Maps, Bing Maps offre des images en aussi haute résolution, avec une précision de couverture très variable selon les endroits. La principale originalité de Bing Maps est de permettre de visualiser les quartiers urbains en vues obliques sous un angle de 45 à 60°. Ces vues à vol d'oiseau (fonction *bird'seye*) facilitent la reconnaissance des bâtiments, sans trop déformer leur profondeur (perspective isométrique). Google Maps vient d'ailleurs d'adopter ce type de vues obliques dans sa dernière version.

CartoGraf : http://cartograf.recitus.qc.ca/tiki-index.php?page=Accueil&redirect page=HomePage

Le RÉCIT de l'univers social, en partenariat avec LEARN Québec et Parcs Canada, a développé une application en ligne, CartoGraf, qui permet de créer, d'éditer, de sauvegarder et de partager des cartes et des croquis de géographie.

Gapminder : http://www.gapminder.org/

Créé par une ONG, cet outil d'exploration graphique et cartographique de données statistiques permet de représenter une grande quantité de données, dans leurs dimensions spatiale et temporelle, et leur croisement à l'aide de graphiques de type « nuages de points ».

Géoclip : http://www.geoclip.fr/fr/

C'est un outil qui permet de visualiser des données statistiques géolocalisées. De nombreux organismes gouvernementaux utilisent cette application pour cartographier leurs données.

Géoportail : http://www.geoportail.fr

Le Géoportail de l'IGN est souvent présenté comme le « Google Earth à la française ». Il s'en distingue assez nettement par le fait qu'il n'est pas à proprement parler un globe virtuel : il ne concerne que la France (avec ses territoires d'outre-mer). Il se veut surtout « le portail d'information des territoires et des citoyens ». Cela se traduit par le fait qu'il agrège d'autres services d'information géographique : un géocatalogue pour rechercher les données, l'identification des zones à risques, la mise à disposition de données concernant l'occupation du sol, les parcelles cadastrales, les bâtiments, les zones à risques... Il offre une couverture géographique homogène sur tout le territoire français. Depuis 2012, le Géoportail permet, comme Google Earth, d'ajouter ses propres couches d'information (au format KMZ). Depuis 2007, il permet également l'affichage du relief en trois dimensions. C'est pourquoi, sans être véritablement un globe virtuel, il intègre une cartographie 3D comme ses autres concurrents. Mais si le Géoportail n'entend pas rivaliser avec Google Earth par la puissance du service de données géographiques, du moins se distingue-t-il par son approche géographique : il est le seul portail qui donne accès, pour la France, à un ensemble de cartes topographiques du 1/25 000 au 1/2 000 000; il est également le seul outil à faire correspondre le zoom et l'échelle dans son interface.

Georezo : http://georezo.net/

Le portail francophone de la géomatique.

GeoInWeb.com : http://www.geoinweb.com/

Un blogue sur la cartographie et l'information géographique : geoweb, webmapping, services de mobilité et de navigation, géolocalisation, géomatique.

GeoGuessr : http://geoguessr.com/

Un jeu géographique en ligne intéressant pour l'analyse des paysages. Le principe est simple : on propose successivement cinq lieux dans Google Street View choisis de manière aléatoire et l'usager doit indiquer sur un planisphère où ils se situent en s'aidant des indices visuels du paysage représenté.

Gestion des opérations de localisation et de cartographie (GOLOC) : http://geoegl.msp.gouv.qc.ca/golocmsp/

Ce service applicatif de géomatique permet de se situer rapidement sur le territoire à l'aide des données officielles du gouvernement du Québec. G.O.LOC permet d'afficher différentes couches d'informations géographiques et d'effectuer des recherches rapides par adresse, municipalité, repère kilométrique, toponyme, coordonnées GPS et nom d'entreprises.

Google Earth/Google Maps :

http://www.google.fr/intl/fr/earth/index.html

http://maps.google.fr

Le logiciel Google Earth et son équivalent sur Internet, Google Maps, donnent accès au niveau mondial à des images en très haute résolution et souvent réactualisées. Ils possèdent des fonctions d'édition et de superposition de cartes très appréciées par les utilisateurs. Apparu en 2005, Google Earth a été le premier véritable globe virtuel à permettre l'affichage d'images du relief et du bâti en trois dimensions. Cependant son modèle numérique de terrain reste relativement imprécis par rapport à celui du Géoportail. Sa grande qualité – qui est également son principal défaut – est d'offrir une très haute résolution d'images sur les villes, laissant le reste du territoire dans une définition beaucoup plus floue. Google Earth comme Google Maps font l'objet de constantes évolutions techniques avec l'ajout de nombreux applicatifs et bénéficient d'une importante communauté d'utilisateurs, ce qui fait des outils cartographiques de Google les principaux leadeurs du géoweb.

Inkscape : http://inkscape.org/download/?lang=fr

C'est un logiciel gratuit de dessin vectoriel, adapté notamment à la création de croquis de synthèse ou de croquis paysager réalisé sur ordinateur. Il travaille sur des fichiers au format SVG, mais peut sans problème importer/exporter les formats les plus répandus (AI, CDR, WMF ...). Il peut aussi importer/exporter les formats matriciels (PNG, GIF, JPG...). Il est disponible sous Windows, Mac OS et Linux.

Images actives : http://www.crdp.ac-versailles.fr/ressources-et-services/Logiciel-Images-Actives

Images Actives est un logiciel libre développé par le CRDP de l'Académie de Versailles pour créer des zones actives sur des images ou des cartes. Il est particulièrement adapté pour commenter des cartes ou pour décomposer les unités paysagères sur un croquis. Il ne permet pas en revanche de dessiner des cartes avec des figurés et des symboles.

Le Québec géographique : http://www.quebecgeographique.gouv.qc.ca/

Ce portail de l'information géographique gouvernemental qui donne accès à toutes les cartes, atlas et produits d'information géographique disponibles dans les ministères et organismes du gouvernement du Québec.

Mappemonde : http://mappemonde.mgm.fr/

Cette revue de géographie en ligne consacre de nombreux articles aux usages de la cartographie numérique et à la cartographie en ligne.

Monde géonumérique : http://mondegeonumerique.wordpress.com/

Analyser la géonumérisation du monde : cartographie, SIG, globes virtuels, cyberespace.

NASA Worlwind : http://worldwind.arc.nasa.gov/java/

World Wind est un logiciel avec code ouvert (opensource) et gratuit, développé par la NASA. Ce logiciel a été précurseur lors de sa sortie en 2004, ouvrant la voie au développement des «globes virtuels» : l'application cartographique installée en local charge en continu les données géographiques à partir d'Internet. Il permet de visualiser le globe en trois dimensions et offre un niveau de détail assez important. Moins précis que Google Earth, il met cependant à disposition des images satellites Landsat (images à 15 m de résolution) et un modèle numérique d'élévation SRTM (élévation à 90 m de résolution), ainsi que des données encore plus fines sur les États-Unis. Les deux points forts de World Wind sont l'interface modulable et l'accès privilégié à des données scientifiques.

Massilia, géographie-muniga.fr : http://www.geographie-muniga.fr/

Ce site fournit de nombreux didacticiels pour apprendre à construire des croquis sur différents espaces géographiques

Observatoire de pratiques géomatiques de l'Institut français de l'Éducation : http://eductice.ens-lyon.fr/EducTice/recherche/geomatique/

Usages et enjeux des outils géomatiques dans l'enseignement (pistes d'activités pédagogiques, veille sur les outils adaptés à l'enseignement de la géographie, possibilité de s'abonner aux lettres d'information)

OOo.HG et Cart'Ooo : http://ooo.hg.free.fr/

OOo.HG est un module complémentaire («plug-in») qui s'intègre à la suite bureautique libre et gratuite OpenOffice. Il est composé d'un ensemble de cartes (bitmap et vectorielles) et de divers objets géographiques et historiques intégrés dans une «Gallery». Il s'agit de faciliter l'affichage, la modification, la construction de cartes et de croquis ainsi dans un but de création de documents et activités pédagogiques variées.

Philcarto : http://philcarto.free.fr/

Ce logiciel de cartographie statistique est utilisé dans l'enseignement supérieur, mais peut aussi être utilisé par des enseignants de l'enseignement secondaire. Il utilise des fichiers au format ai (Adobe illustrator). On peut numériser ses propres fonds de carte avec l'outil Phildigit et sélectionner des éléments de fichier shp avec l'outil ShapeSelect. Il est disponible en téléchargement (après inscription sur le site).

Portail de données ouvertes du Québec : http://www.donnees.gouv.qc.ca/?node=/accueil

Depuis 2012, le gouvernement du Québec offre aux citoyens un accès libre, facile et gratuit à l'information gouvernementale par la mise en ligne d'un portail. Plus de 250 jeux de données sont déjà versés dans le site, dont plusieurs au format géomatique. Progressivement, d'autres données de nature géographique, statistique ou financière y seront diffusées. Ces données sont présentées dans un format permettant leur réutilisation à l'aide d'autres logiciels.

Portail de données ouvertes de la Colombie-Britannique : http://www.data.gov.bc.ca/

OpenstreetMap : http://www.openstreetmap.org/

Cartographie du monde à l'échelle de la rue

Quantum-GIS : http://www.qgis.org/fr.html

Il s'agit d'un SIG libre, multiplateforme, publié sous licence GPL. Q-GIS prend en charge les fichiers Shapefile, les couvertures ArcInfo, Mapinfo et GRASS. Ce logiciel SIG ouvert et évolutif est largement utilisé dans l'enseignement.

Récitus : http://www.recitus.qc.ca/formation/nosformationstic/cartographie

Formation consacrée à Google Maps et Cartograf avec de nombreuses ressources pédagogiques

Scape Toad : http://scapetoad.choros.ch/index.php

Il s'agit d'une application libre développée en Java, dont le but est de permettre la génération de cartes en anamorphoses. Il s'agit de cartes dont la géométrie des objets ne représente plus l'espace géographique, mais une variable quantitative comme la population, tout en conservant les relations topologiques entre les différentes entités. Cette application travaille avec des fichiers shape (ESRI) en entrée, et permet de générer du format SVG ainsi que le fichier shape déformé.

ScribbleMaps : http://scribblemaps.com/

Cet outil gratuit permet de créer des cartes et des croquis personnalisés à partir de Google Maps ou d'Openstreetmap.

SEIG : http://seig.ensg.ign.fr/

Serveur éducatif dédié à l'information géographique (Institut de Géographie national – ministère de l'Éducation nationale en France)

Show World : http://show.mappingworlds.com/world/

Ce site propose des cartes dynamiques construites par anamorphose. Les thèmes proposés sont variés et classés en cinq catégories : population (démographie, mortalité, éducation, santé), planète (faune, flore, énergies, environnement), commerce (économie, industrie, technologie, transport, «grands groupes»), politique (gouvernement, lois, migration, conflits et guerres) et «habiter» (nourriture, voyage, sports, médias). Des données statistiques sont disponibles avec la carte. Les cartes sont téléchargeables au format image ou peuvent apparaitre sur un site ou sur un blogue personnel grâce au code d'embarquement.

Statplanet : http://www.sacmeq.org/statplanet/StatPlanet.html

Un site proposant des statistiques mondiales, cartographiées en ligne dans des applications flash. On retrouve des données démographiques, économiques, éducatives... La force du site est de permettre l'importation de ses propres données, via un ensemble à télécharger et un fichier de tableur. On peut également utiliser l'application flash hors-ligne en la téléchargeant.

Voyages virtuels : http://voyages-virtuels.eu/

Il s'agit de parcours pédagogiques proposés à partir du logiciel Google Earth

Wikimapia : http://wikimapia.org

L'utilisateur peut construire ses cartes personnalisées à partir de différentes applications (Google Maps, Bing, Yahoo, etc.)

DEUXIÈME PARTIE

LE DOMAINE DE L'UNIVERS SOCIAL :
PROGRAMME, ENSEIGNEMENT
ET ÉVALUATION

4 – Les programmes de sciences sociales : du pourquoi au comment

Jean-François Cardin

L es sciences sociales forment un ensemble de disciplines qui ont en commun l'étude du rapport de l'homme avec la société. Elles s'attachent à connaitre et à comprendre l'humain vivant en collectivité. L'individu fait bien sûr partie de leur terrain d'investigation, mais, contrairement à la psychologie qui tourne son regard vers «l'intérieur», vers la psyché, les sciences sociales l'étudient dans son rapport aux autres, au groupe, à la collectivité, au milieu qui l'entoure. En somme, il s'agit d'explorer comment et pourquoi agissent les humains en société, quelle est la nature de leurs interactions, de même que le produit de celles-ci – communément appelé la culture.

Les sciences sociales se composent de plusieurs disciplines savantes ou domaines de savoir : géographie, histoire, anthropologie, ethnologie, sociologie, science politique, économie, droit, etc. Toutefois, à l'école primaire et secondaire, seules sont enseignées l'histoire, la géographie et, dans une moindre mesure, l'économie.

Ce chapitre sera consacré aux programmes de sciences sociales du primaire et du secondaire au Québec. Il vise en quelque sorte à les introduire à de futurs enseignants, c'est-à-dire à en expliciter l'évolution, les objectifs généraux et les contenus, les enjeux éducatifs et didactiques. Il portera une attention particulière à l'histoire, celle des trois disciplines qui, à l'école, occupe le plus de place dans la grille horaire et qui, de loin, est celle suscitant le plus d'attention – voire de passion – de la part de la population et des gouvernements.

Trois parties composent le chapitre. Dans la première seront présentées certaines caractéristiques de l'histoire et des sciences sociales à l'école, ainsi que l'évolution de ces disciplines scolaires jusqu'aux programmes actuels. La deuxième partie décrira les programmes d'histoire et de géographie à la lumière des objectifs de formation poursuivis. La dernière partie proposera des pistes, des conseils et des lignes directrices pour la planification des cours.

1. Pourquoi et depuis quand enseigne-t-on l'histoire et les sciences sociales?

L'intérêt des humains pour le passé a vraisemblablement toujours existé. Il n'est pas de connaissance du monde dans lequel on vit – appelons cela le *présent* – sans regard vers ce qui a été, pour la bonne et simple raison que le présent n'est rien d'autre que la résultante, toujours en reconstruction, de ce que nous a légué le passé. On comprend dès lors l'intérêt des sociétés pour que leurs enfants apprennent l'histoire à l'école.

À la conception positiviste du 19ᵉ siècle, selon laquelle il était possible de connaitre objectivement la «vérité» du passé, s'est imposée au 20ᵉ siècle une vision de la discipline où la subjectivité de celui qui étudie le passé est acceptée et assumée. De l'histoire savante, cette vision des choses a été transposée aux programmes scolaires.

1.1 L'histoire et la géographie: de vieilles matières scolaires mises d'abord au service du nationalisme

Au Québec, l'on enseigne l'histoire et la géographie depuis le début de l'école publique durant les années 1840. C'est à cette époque que le Québec obtient la responsabilité ministérielle (1848), par laquelle le peuple allait choisir ses dirigeants et vivre dans une démocratie politique effective. Il fallait donc désormais que le peuple soit instruit et qu'il puisse connaitre son passé pour pouvoir agir en toute connaissance de cause sur son présent. Cependant, durant la deuxième moitié du 19ᵉ siècle, à une époque où, en Occident, émergent et s'affirment les nationalismes, l'histoire et la géographie furent plutôt mises au service d'une éducation citoyenne étriquée servant au développement du sentiment national à partir d'un récit canonique de la nation. Au Québec comme ailleurs, ce récit découle d'une entreprise idéologique, promue par les élites sociales et politiques et visant à entretenir de génération en génération une mémoire collective bien précise. Il s'agit de dire à chaque élève, futur citoyen de la nation, à quel «nous» il appartient, tout en lui assignant le devoir de maintenir ce nous national en s'inspirant du récit historique qu'on lui a inculqué. Cette fonction est toujours énoncée explicitement dans le programme d'histoire nationale au début des années 1960 (Gouvernement du Québec, 1963).

1.2 L'impact du *Rapport Parent*

Comme en bien d'autres domaines, la Révolution tranquille (1960-1970) est venue changer la donne, alors que de nouvelles idées sur la pédagogie et l'enseignement de l'histoire s'affirment en Occident. Les faits du passé sont toujours au programme, mais ils ne sont plus présentés comme des vérités révélées à mémoriser, mais comme un matériau à apprendre à travers une démarche plus active où, en complément des exposés magistraux de l'enseignant, l'élève manipule des documents et fait des recherches sur le passé, contribuant ainsi à former chez lui le sens critique, un attribut essentiel des citoyens dans une société démocratique (Hill, 1953).

C'est donc à partir de ce nouvel esprit que les auteurs du Rapport Parent (le nom officiel du document étant le Rapport de la Commission royale d'enquête sur l'enseignement dans la province de Québec) viendront dénoncer vertement l'enseignement de l'histoire et de la géographie tel qu'il se pratiquait depuis des décennies dans les écoles du Québec. Et c'est surtout l'histoire nationale qui fut critiquée : « [l]'histoire ne doit pas être un instrument de prédication ou de propagande » et « on ferait fausse route en histoire si on cherchait à idéaliser le passé outre mesure, à y alimenter ses rancœurs, ou à s'en servir comme d'un tremplin politique » (Gouvernement du Québec, 1966, § 841). Présentée comme une discipline intellectuellement formatrice, l'histoire doit favoriser une éducation à la citoyenneté qui doit viser non pas à fabriquer de petits patriotes dociles, mais plutôt à former des personnes éclairées, autonomes et capables de puiser dans une connaissance raisonnée du passé – acquise notamment par la pratique de la méthode historique – une compréhension des enjeux du présent (§ 836 à 843). Il en va de même pour la géographie : elle doit « développer l'imagination, la curiosité, le gout de la précision, la sympathie, la compréhension, le respect d'autrui, la générosité » (§ 830).

Et pour que ces deux disciplines, si proches et si complémentaires, atteignent les objectifs de formation proposés, les auteurs du rapport suggèrent les « méthodes actives » d'enseignement où l'élève en réalisant plusieurs « activités » participe de manière dynamique à ses apprentissages. Le Rapport Parent établit ainsi jusqu'à nos jours les bases des programmes à venir en histoire. Il recommande également qu'il n'y ait plus qu'un seul programme pour tous les élèves du

Québec (au lieu de programmes distincts pour les catholiques et les protestants, par exemple), ce qui sera fait au début des années 1970. Mais il reste que, dans les classes, l'on continue à enseigner de manière traditionnelle le récit nationaliste habituel.

1.3 Les programmes par objectifs des années 1980

Il faut attendre les programmes de 1982 pour voir appliquer de manière cohérente les perspectives du Rapport Parent (Gouvernement du Québec, 1982). Suivant un courant alors à la mode, ce sont des programmes structurés autour d'objectifs d'apprentissage, c'est-à-dire centrés sur l'élève et ses apprentissages. Les contenus à apprendre sont combinés à des opérations intellectuelles et cognitives précises, hiérarchisées selon la taxonomie de Bloom. Par exemple, le premier objectif terminal du programme d'histoire du Québec (4e secondaire) se lisait ainsi : « Expliquer l'exploration française en Amérique en fonction de l'expansion européenne des 15e et 16e siècles ». Il ne s'agissait donc plus de *raconter* les explorations, mais bien de les *expliquer* en lien avec l'expansion européenne de la Renaissance. Les stratégies d'enseignement devaient par conséquent être conçues de manière à ce que l'élève atteigne l'objectif prescrit, ce qui impliquait une démarche active de sa part.

Au secondaire, les programmes (Gouvernement du Québec, 1982) demandaient que l'élève acquière des « savoir-faire » liés à la discipline savante et applique la méthode historique. En histoire, il devait être « [sensibilisé] aux difficultés que pose l'interprétation historique, en soumettant à son examen des textes écrits par les [...] témoins [d'une période donnée] » (p. 34). Concernant les contenus, ces programmes se voulaient neutres et nuancés, non orientés sur le plan politique, tout en étant au diapason des récentes tendances de la production scientifique dans leur discipline. En histoire du Québec, le programme tourne clairement le dos à la trame politicoconstitutionnelle et au récit de la nation, tout en conservant le nationalisme comme un fait historique à analyser et à comprendre. Évitant toute rhétorique nationale, le programme se centre sur l'évolution d'une « société », la société québécoise. Enfin, comme le suggérait le Rapport Parent et suivant en cela une tendance largement répandue ailleurs, les programmes d'histoire et de géographie invitent les élèves à s'ouvrir à l'autre et à saisir la « pluralité de la réalité québécoise » (p. 12). De même, l'éducation à la citoyenneté se centre sur la compréhension raisonnée du passé et du présent pour susciter éventuellement chez le futur adulte un engagement éclairé dans les affaires de la cité (p. 13).

Les programmes de 1982 ont été en vigueur pendant plus de vingt ans. Or, il est clair qu'ils n'ont pas été appliqués en classe comme ils ont été conçus et que l'exposé magistral et la centration sur les contenus sont demeurés dominants (Martineau, 1999, 2010), même si, durant ces années, un nombre croissant d'enseignants a cherché à «sortir du magistral» pour appliquer des démarches actives.

1.4 Vers la réforme des programmes d'enseignement des années 2000

Au milieu des années 1990, la société québécoise sent le besoin de faire le point sur l'ensemble du système d'éducation. Le problème du décrochage scolaire au secondaire était notamment devenu une préoccupation majeure. À cette fin, le gouvernement organisa en 1995 et 1996 les États généraux sur l'éducation qui conclurent en la nécessité d'une refonte en profondeur de la formation des jeunes, nécessitant notamment la réécriture des programmes du primaire et du secondaire.

Toujours en 1995-1996, le gouvernement créa également un groupe de travail, présidé par l'historien Lacoursière (Gouvernement du Québec, 1996), pour faire le point sur la question de l'enseignement de l'histoire. Le rapport, publié en mai 1996, constatait que les objectifs prescrits par les programmes de 1982, dont ceux concernant les savoir-faire méthodologiques, étaient atteints par très peu d'élèves, faute d'être enseignés. La centration sur les contenus était toujours très grande, notamment parce que la densité des évènements à couvrir était trop grande. Le rapport recommanda donc que l'on augmente de manière significative les heures d'enseignement de l'histoire au primaire et au secondaire, que l'on fasse une place plus grande aux communautés culturelles et aux autochtones, tout en reconduisant la posture de neutralité face à la question nationale et en renforçant les liens entre l'histoire, la compréhension du présent et l'éducation à la citoyenneté.

À la fin des années 1990, le gouvernement précisa ce qu'allait être sa réforme de l'éducation. Pour l'histoire, il entérina plusieurs des recommandations du Rapport Lacoursière, dont l'augmentation significative du temps d'enseignement de cette matière et le renforcement du lien entre la pensée historienne et l'éducation à la citoyenneté. Il reconduisait en quelque sorte l'analyse menée plus de 30 ans plus tôt par les auteurs du Rapport Parent.

2. Les programmes d'univers social au primaire et au secondaire : la lettre et l'esprit

Dans cette section, à la lumière des enjeux soulevés précédemment, nous brosserons un tableau des fondements épistémologiques, des objectifs de formation et des contenus disciplinaires des programmes issus de la réforme en univers social au primaire et au secondaire, en nous arrêtant plus longuement au cas de l'histoire au secondaire.

2.1 Cognitivisme, constructivisme, socioconstructivisme et approche par compétences

Dans les programmes actuels, en histoire comme dans les autres disciplines, l'approche par objectifs d'apprentissage a été mise de côté au profit de l'approche par compétences, suivant en cela une tendance suivie dans de nombreuses autres sociétés depuis les années 1990. Trois concepts théoriques ont guidé la confection du Programme de formation de l'école québécoise – PFÉQ (Gouvernement du Québec, 2007b, p. 17) :

> Le cognitivisme, parce qu'il s'efforce de rendre compte des processus permettant à un individu d'intégrer de nouveaux savoirs à son système de connaissances et de les utiliser dans de nouveaux contextes ;
>
> Le constructivisme, parce qu'il explique la connaissance comme la résultante des actions, réelles puis intériorisées, de l'individu sur les objets, sur leur représentation ou sur des propositions abstraites ;
>
> Le socioconstructivisme, parce qu'il souligne la nature éminemment sociale de la pensée et de l'apprentissage, les concepts étant des outils sociaux qui soutiennent l'échange de points de vue et la négociation de significations.

Bien que ce choix soit en partie contingent, c'est sur la base de ces trois piliers théoriques que le PFÉQ justifie l'approche par compétences qui est la sienne, au sens où celle-ci repose sur le « rôle déterminant de l'apprenant dans l'édification de ses compétences et de ses connaissances » (p. 17). En lieu et place de planifier l'enseignement pour faire atteindre par l'élève des objectifs de savoirs et de savoir-faire préétablis, l'enseignant est invité à concevoir et à faire vivre à l'élève des situations d'apprentissage à travers lesquelles il devra collecter et analyser des connaissances afin de leur donner du sens par l'entremise de compétences disciplinaires et génériques (les compétences transversales). En principe, comme plusieurs de ces compétences amènent l'élève à traiter des informations – de nouvelles et d'autres déjà connues – en les recherchant, les organisant et les problématisant en y appliquant des procédés inductifs et déductifs, l'élève développe ses compétences en même temps qu'il acquiert et intègre ses connaissances.

Par nature, l'approche par compétences ne peut se limiter à une simple transmission de connaissances par l'enseignant. Elle est définie comme un « savoir-agir fondé sur la mobilisation et l'utilisation efficaces [par l'élève] d'un ensemble de ressources » (Gouvernement du Québec, 2007b, p. 11). Un élève «compétent» doit être en mesure de savoir quoi faire lorsqu'on lui demande de réaliser une tâche quelconque sur des connaissances. Or, pour développer des compétences, il faut les pratiquer. Ainsi, peut-on apprendre à nager seulement en écoutant un instructeur qui décrirait de manière détaillée et progressive toutes les étapes pour devenir bon nageur? Ou encore en observant un nageur performant? Probablement pas. L'approche par compétences part davantage du principe qu'on apprend à nager en se jetant à l'eau, dans une démarche d'essais/erreurs, avec l'aide d'un instructeur qui nous amène à nous améliorer dans l'action. Voyons comment ces principes s'incarnent dans les programmes des années 2000.

2.2 Aux 2e et 3e cycles du primaire: Géographie, histoire et éducation à la citoyenneté

Au primaire, les trois compétences sont centrées sur les concepts fondamentaux d'espace, de temps et de société et sur les articulations qui les unissent:

1. Lire *l'organisation* d'une société sur son territoire;

2. Interpréter *le changement* dans une société et sur son territoire;

3. S'ouvrir à *la diversité* des sociétés et de leur territoire.

Il s'agit d'initier l'élève à différentes formes d'aménagement de l'espace par les humains, à la diversité de celles-ci, ainsi qu'à la temporalité, à la continuité et au changement des sociétés. Il s'agit moins de mémoriser des faits que de mener des recherches et de réaliser des productions par lesquels il acquiert des concepts et des connaissances liées à ceux-ci sur des sociétés du passé.

2.2.1 Contenus au primaire

Notons que les enseignants doivent éveiller les élèves au domaine de l'univers social dès le premier cycle du primaire avec une compétence intitulée «construire sa représentation de l'espace, du temps et de la société» (cela fera l'objet du chapitre 4).

Les contenus des deux autres cycles s'avèrent plutôt denses et structurés – certains diront lourds et contraignants... Ainsi, le schéma suivant (p. 178) indique les sociétés à étudier en lien avec les trois compétences.

Figure 4.1
Géographie, histoire et éducation à la citoyenneté (niveau primaire)

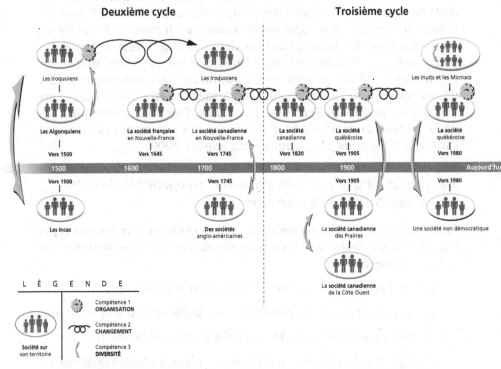

En principe, on demande aux enseignants de ne pas amener l'élève dans une exploration descriptive et systématique de chacune de ces sociétés. Il s'agit surtout d'activer les aspects et les connaissances qui seront utiles pour le développement des trois compétences. Ainsi, concernant la compétence 1, le programme précise ceci:

> Pour lire l'organisation d'une société sur son territoire, il importe d'examiner:
>
> • en quoi les caractéristiques du territoire (atouts ou contraintes) ont une incidence sur l'organisation sociale et territoriale;

- en quoi certaines caractéristiques de la société ont une incidence sur la façon d'aménager le territoire;
- quel rôle y jouent certains personnages ou groupes;
- quels sont les évènements marquants qui ont eu une incidence particulière sur l'organisation sociale et territoriale (p. 179).

Des précisions semblables sont indiquées concernant les compétences 2 et 3, tandis que, sur plusieurs pages, sont précisés les contenus à traiter pour chacune des sociétés abordées selon les trois compétences, ainsi que les techniques que doit développer l'élève au regard de la géographie (par exemple: lire une carte), de l'histoire (par exemple: construire une ligne du temps) et de la démarche de recherche. Au bout du compte, malgré la volonté du ministère de ne pas surcharger le programme, on se retrouve avec une quantité importante de contenus factuels, ce dont témoigne d'ailleurs la densité des manuels qui ont été publiés pour ce cours.

2.3 Le programme de géographie au 1er cycle du secondaire

Avec la réforme, la géographie s'enseigne dorénavant en première et deuxième années du secondaire, à raison de 75 heures par année. D'entrée de jeu, le programme indique que la conception de la géographie qui est ici privilégiée est:

> [...] orientée vers l'étude des problématiques associées à l'utilisation de l'espace, [et que], dans sa conception actuelle, [elle] est structurée autour du concept de territoire, défini comme un espace social que des humains se sont approprié, qu'ils ont transformé et auquel ils ont donné un sens et une organisation particulière (p. 301).

Il en découle que les éléments liés aux composantes naturelles et physiques (relief, climat, etc.) ne sont plus abordés (ces éléments ont été transférés au programme de sciences et technologie). C'est d'une géographie résolument humaine et sociale, vue comme un apport à la formation du futur citoyen, qu'il est question. Suivant la logique constructiviste et l'APC, il s'agit pour l'enseignant de problématiser des objets d'ordre territorial, afin de faire raisonner géographiquement les élèves, en s'appuyant sur les outils propres à la discipline. Ils auront ainsi recours aux concepts fondamentaux dans ce domaine, qu'ils devront comprendre pour pouvoir les appliquer dans la résolution des problèmes soumis.

Le programme s'articule autour de trois compétences: 1. Lire l'organisation d'un territoire. 2. Interpréter un enjeu territorial.

3. Construire sa conscience citoyenne à l'échelle planétaire. Le développement de ces compétences suppose l'étude, à des échelles différentes, de plusieurs types de territoires. L'unité de base du programme est la notion de territoire type. Cinq territoires types, portant sur le Québec et sur d'autres régions du monde, sont abordés : territoire urbain, territoire région, territoire agricole, territoire autochtone et territoire protégé. En lien notamment avec la compétence 2, quatre ordres d'enjeux sont à analyser sur ces divers types de territoire : les enjeux *environnementaux*, ceux liés à la *qualité de vie*, ceux relatifs au *développement* et les enjeux *identitaires*. Le programme précise de manière détaillée le sens des trois compétences, les divers éléments de contenu et leur articulation ainsi que la logique qui devrait présider aux choix de planification des cours. Voyons avec le cas de l'histoire comment ces éléments sont mobilisés dans l'action.

2.4 Le programme d'Histoire et éducation à la citoyenneté : trois compétences à développer

Le programme HÉC se déploie sur les quatre premières années du secondaire, à raison de 75 heures par année au premier cycle et de 100 heures par année au deuxième cycle. Au premier cycle, le programme porte sur l'histoire du monde – principalement occidental – et, au deuxième cycle, l'élève se penche sur l'histoire du Québec. Le ministère de l'Éducation a clairement choisi d'en faire la discipline centrale du domaine de l'univers social. En février 2014, un rapport du ministère de l'Éducation proposait des changements au programme de 2006, dont la mise en place d'une trame chronologique courant sur les deux années du deuxième cycle, la réorganisation des contenus autour du cadre de la «nation» québécoise, le recentrage de la troisième compétence sur la réflexion critique, etc. Au moment d'aller sous presse, le ministère annonçait qu'il retarderait la mise en application de ces propositions, lesquelles changent davantage la lettre que l'esprit du programme décrit dans cette section et vont dans le sens de la pratique d'enseignement observée dans les écoles (voir entre autres Boutonnet, 2013b ; Demers, 2012).

2.4.1 Les contenus

Sur le plan des contenus, l'unité de base du programme est ici la réalité sociale (RS), qui renvoie à des phénomènes majeurs du passé, choisis en fonction de leur impact sur la société actuelle et pour son potentiel d'explication d'un héritage particulier. C'est donc dans cette perspective que les RS sont abordées, que ce soit l'avènement de

84

l'écriture et d'un code de lois sous la civilisation mésopotamienne, l'établissement d'une première forme de démocratie en Occident avec Athènes sous Périclès ou encore l'affirmation des droits fondamentaux à l'époque des révolutions américaine et française. Il ne s'agit pas d'une histoire exhaustive et linéaire de l'histoire occidentale – comme, du reste, ce n'était déjà plus le cas dans le programme de 1982 –, mais de l'analyse de certains temps forts de ce passé.

Le choix des contenus pour l'histoire du Québec au deuxième cycle découle de la même intention. Cependant, parce qu'à la fin de la troisième année du secondaire les élèves peuvent quitter la formation générale pour des formations particulières, le ministère a divisé les contenus en deux blocs: ils suivent une trame chronologique en troisième secondaire (afin de donner une base à *tous* les élèves) et sont organisés autour de thématiques en quatrième secondaire. Pour la troisième année du secondaire, les RS sont les suivantes: les sociétés autochtones juste avant l'arrivée des Européens, l'organisation sociale et coloniale de la Nouvelle-France, la Conquête et ses conséquences sur l'organisation sociale et territoriale, l'émergence des idées libérales et nationale à travers les revendications et luttes politiques au début du 19e siècle, les liens entre l'industrialisation et la formation de la fédération canadienne, la modernisation de la société québécoise (1929-1980), vue à travers les changements de mentalité et les mutations du rôle de l'État, et, enfin, les enjeux de la société québécoise depuis 1980 sous l'angle de leur gestion dans l'espace public et des choix de société qui ont été faits. Pour la deuxième année du deuxième cycle, les thèmes retenus sont: la population et le peuplement, l'économie et le développement, la culture et les mouvements de pensée, le pouvoir et les pouvoirs et l'analyse d'un enjeu de société du présent au choix de l'enseignant.

Comme dans le programme précédent, le Québec est ici considéré comme un territoire sur lequel s'est progressivement forgée la société québécoise actuelle. Les concepts de nation et de nationalisme – ainsi que les évènements qui s'y rapportent – y sont présents et occupent même une place importante aux époques durant lesquelles ils ont été déterminants, mais ils sont considérés pour ce qu'ils sont, à savoir des produits, en évolution, des interactions sociales, notamment entre le groupe majoritaire canadien-français et la minorité anglophone. On le voit, il s'agit ici de problématiser des thèmes précis du passé occidental et québécois (compétence 1), d'investiguer sur ce problème à l'aide des outils fondamentaux propres à la discipline historique (compétence 2), afin d'en tirer des conclusions pour comprendre un enjeu du présent lié à ce problème (compétence 3). Voyons de plus près ces compétences.

2.4.2 Les compétences

Les trois compétences retenues émanent de l'épistémologie de la discipline (compétences 1 et 2) et de sa fonction sociale traditionnelle (compétence 3).

Compétence	Composantes de la compétence	Sens de la compétence
1. Interroger les réalités sociales dans une perspective historique	Explorer les réalités sociales à la lumière du passé Considérer les réalités sociales sous l'angle de la durée Envisager les réalités sociales dans leur complexité *Porter un regard critique sur sa démarche*	Cette compétence vise à développer chez l'élève la capacité à se poser des questions sur un enjeu du présent dont les racines se trouvent dans la réalité sociale à l'étude.
2. Interpréter les réalités sociales à l'aide de la méthode historique	Établir les faits des réalités sociales Expliquer les réalités sociales Relativiser son interprétation des réalités sociales *Porter un regard critique sur sa démarche*	À partir des questions élaborées dans le cadre la compétence 1, l'élève est ici invité à investiguer le thème à l'étude à l'aide de la méthode historique. Il s'agit donc de recueillir de l'information dans des documents pertinents, de les organiser et de leur donner du sens pour répondre à ses questions.
3. Développer/ *consolider* l'exercice de sa citoyenneté à l'aide de l'histoire	Rechercher les fondements de son identité sociale Qualifier/*Établir les bases* de la participation à la vie collective *Débattre d'enjeux de société* Comprendre l'utilité d'institutions publiques Établir l'apport de réalités sociales à la vie démocratique *Porter un regard critique sur sa démarche*	Sur la base des opérations menées dans le cadre des compétences 1 et 2, l'élève revient vers le présent pour analyser et prendre position sur un enjeu issu du passé et pour lequel il a maintenant des matériaux de réflexion. Cette compétence part du principe que, pour prendre position sur un enjeu du présent, il importe de le faire à la lumière de la perspective historique qui permet de l'expliquer.

Note : L'italique indique un élément devant être activé au deuxième cycle seulement.

Le programme précise l'esprit des compétences et des contenus et la manière dont ils s'articulent dans le cadre d'une réalité sociale. Prenons l'exemple de la RS *Une première expérience de démocratie* que synthétise le schéma suivant, p. 355 du programme. Tous les éléments essentiels à la planification des cours pour cette RS y sont mentionnés.

Figure 4.2
Une première expérience de démocratie

Au 5ᵉ siècle avant Jésus-Christ, la société athénienne connaît l'institutionnalisation d'une forme de démocratie. Son étude permet de cerner les grands principes et les limites de cette forme de démocratie.

L'organisation du pouvoir politique dans une société
Une première expérience de démocratie

Démocratie
Cité-État
Citoyen
Éducation
Espace privé
Espace public
Institution
Philosophie
Pouvoir
Régime politique

La vie politique à Athènes au 5ᵉ siècle avant Jésus-Christ

Les rapports entre le citoyen et la société démocratique

AILLEURS : Il importe pour l'élève de constater la diversité des régimes politiques d'une même époque
Sparte ou l'Empire perse

REPÈRES CULTURELS :

ATHÈNES	SPARTE	EMPIRE PERSE
• Périclès	• La République des Lacédémoniens (Xénophon)	• Les palais de Suse et de Persépolis
• La République (Platon)	• Le mont Taygète	• Darius 1ᵉʳ
• L'Acropole	•Histoire de la guerre du Péloponèse (Thucydide)	• Le mausolée de Naqsh-i-Roustem
• La colline de la Pnyx		
• Le coureur de Marathon		

L'angle d'entrée – Situé en haut à droite du schéma, il précise la ou les dimensions sur lesquelles on doit insister et guide le choix des contenus (personnages, évènements, faits de société, etc.) qui seront activés. Cela a notamment pour but d'éviter les digressions et descriptions factuelles inutiles. Dans le cas d'Athènes, il ne s'agit pas de décrire en long et en large toutes les dimensions de cette société et encore moins de relater l'histoire complète de cette cité État. Le discours de l'enseignant et le travail de l'élève doivent être orientés de manière à faire comprendre les fondements de la démocratie occidentale.

Les thèmes associés aux compétences – En lien avec l'angle d'entrée, le programme indique les thèmes qui doivent être activés pour chacune des trois compétences. Dans notre exemple, le questionnement de la compétence 1 doit porter sur deux sujets liés, l'un du présent (l'organisation du pouvoir politique dans une société) et l'autre du passé (une première expérience de démocratie à Athènes). L'investigation liée à la compétence 2 doit quant à elle porter sur «La vie politique à Athènes au 5e siècle avant Jésus-Christ». Quant à la compétence 3, elle sera travaillée autour du thème des rapports entre le citoyen et la société démocratique. Partant du principe que les compétences ne se développent pas à vide, le programme prescrit donc bel et bien des connaissances et des contenus pour les trois compétences à chaque RS.

Les concepts (central et particuliers) – En lien avec l'angle d'entrée, chaque RS prévoit l'apprentissage d'un concept central et de concepts particuliers. Depuis longtemps, les programmes de sciences sociales privilégient l'apprentissage des concepts, ces mégaconnaissances qui servent d'outils aux élèves pour nommer et comprendre le monde. Dans notre exemple, le concept central est démocratie et il est complété par une série de concepts particuliers qui lui sont apparentés et qui font tous échos à des contenus de la RS: cité État, citoyen, éducation, institution, pouvoir, régime politique, etc. Certes, de savoir que Périclès a régné sur la vie politique athénienne pendant plus de trente ans à partir de 462 av. J.-C. n'est pas inintéressant, mais il est potentiellement plus fertile pour la formation de l'élève qu'il sache reconnaitre ce qu'est une démocratie – et une non-démocratie – lorsqu'il porte son regard sur une société du présent ou du passé.

Les ailleurs – Une autre prescription du programme a trait à l'exploration d'une société de comparaison, afin de compléter, relativiser et peaufiner la compréhension de la société à l'étude dans la RS. Ici, afin de comprendre l'exception que représentait l'émergence d'institutions démocratiques à Athènes sous Périclès, il est demandé d'analyser les caractéristiques clés de la société de Sparte ou de l'Empire perse à la même époque.

Les repères culturels – Enfin, à chaque RS, le programme propose – mais n'impose pas – l'exploration de certains repères culturels (évènements, personnages, productions artistiques, scientifiques, littéraires ou culturelles, éléments géographiques, etc.) permettant d'incarner plus concrètement les différentes dimensions de la RS et des enjeux qu'elle soulève. Comme il s'agit souvent de productions humaines, ces repères peuvent aussi servir de documents historiques à analyser avec les élèves pour la compréhension des concepts et thèmes de la RS.

Deux documents viennent compléter le programme et appuyer l'enseignant dans sa planification.

La progression des apprentissages – Ce document apporte des précisions sur les connaissances que les élèves doivent acquérir pour soutenir le développement des compétences des programmes. Il se présente sous la forme de tableaux qui précisent les connaissances liées aux différentes réalités sociales.

Le cadre d'évaluation des apprentissages – Le programme HÉC, comme les autres, précise pour chacune des compétences les critères d'évaluation et les attentes de fin de cycle (c'est-à-dire ce que l'élève devrait être capable de faire à la fin des deux cycles de deux ans au regard de cette compétence). Or, cela restait relativement flou, notamment au regard des connaissances qu'il fallait acquérir. Le cadre d'évaluation vient donc fournir les balises nécessaires (pondération, lien avec la progression des apprentissages, connaissances à apprendre) à l'évaluation des apprentissages.

2.5 Le programme de 5e secondaire: Monde contemporain

Le programme obligatoire Monde contemporain propose une exploration des enjeux du monde actuel et, de ce fait, il pousse plus loin les acquis des programmes Géographie et HÉC. Deux compétences sont au cœur de ce programme de 100 heures: 1. Interpréter un problème du monde contemporain; 2. Prendre position sur un enjeu du monde contemporain. Suivant toujours la même forme, le programme précise le sens des compétences et les contenus sur lesquels l'élève devra les développer, ces derniers prenant la forme de cinq thèmes: Environnement, Population, Pouvoir, Richesse et Tensions et conflits. Le programme précise que «le choix de ces thèmes tient compte d'importantes préoccupations mondiales. [...] Ils appellent une analyse qui considère à la fois les perspectives géographique et historique ainsi que les dimensions économique et politique» (p. 20). Concernant la deuxième compétence, il faut comprendre que les élèves de cinquième secondaire sont aptes à prendre position sur des enjeux mondiaux, d'autant qu'ils sont à un âge auquel certains se passionnent pour les questions internationales. Comme pour les interprétations en histoire, ils seront appelés à dépasser leurs opinions pour construire des prises de position reposant sur des faits et des raisonnements solides.

2.6 Des programmes optionnels

Il convient de mentionner deux programmes optionnels en cinquième secondaire contribuant à la formation en sciences sociales. Le cours Histoire du 20e siècle, déjà existant avant la réforme, a été réécrit sur le même modèle que les autres. Il prévoit le développement de deux compétences : 1. Caractériser un temps fort historique et 2. Interpréter une réalité sociale à l'aide de la méthode historique. La première consiste à prendre connaissance, par l'analyse de documents, des éléments qui constituent un temps fort du siècle précédent et à le circonscrire dans l'espace et dans le temps. L'élève sera ainsi amené à formuler une hypothèse au regard de l'évènement étudié, hypothèse qui sera explorée par le biais d'une investigation qu'il mènera dans le cadre de la compétence 1 en s'appuyant sur la méthode historique. Quant au programme Géographie culturelle, il comporte deux compétences : 1. Lire l'organisation d'une aire culturelle et 2. Interpréter le dynamisme d'une aire culturelle. Il s'agit donc, à l'aide de ces deux compétences, d'explorer six aires culturelles majeures du monde actuel : l'Afrique, le monde arabe, l'Inde, l'Amérique latine, l'Occident et l'Orient.

Notons que la description de ces deux programmes a été faite à partir de versions non encore officielles.

2.7 Une visée de formation commune à ces programmes : l'éducation à la citoyenneté

À la suite du Rapport Parent, les programmes d'histoire ont mis de côté la fonction apologétique et nationaliste de l'éducation à la citoyenneté (ÉC) pour s'inscrire plutôt dans une conception plus civique et démocratique. Ainsi, la troisième compétence du programme HÉC s'appuie sur le principe que l'étude du passé est essentielle pour comprendre les enjeux du présent auxquels un citoyen est confronté. Elle rappelle aux élèves que les changements politiques et sociaux n'arrivent pas seuls ni facilement, et qu'ils résultent de l'action humaine et des luttes menées pour les obtenir. Elle invite ainsi les élèves, futurs citoyens, à s'intéresser aux enjeux et débats de société, à s'informer à leur sujet et éventuellement à s'y impliquer. Elle s'appuie aussi sur la conviction que la pratique de l'histoire et de la pensée historienne, avec les opérations intellectuelles et méthodologiques qui y sont associées et gravitant autour du sens critique, seront utiles au futur citoyen. Ainsi, la lecture des journaux ou l'écoute du journal télévisé sera nettement enrichie de la connaissance factuelle des origines et de l'évolution d'un enjeu du présent, tout comme l'exercice du sens critique servira à se faire une opinion éclairée et complète sur cet enjeu.

2.8 Un débat qui a opposé deux conceptions de l'enseignement de l'histoire

En avril 2006 éclatait une controverse sur le programme d'histoire des troisième et quatrième années du secondaire, controverse qui persistait au moment d'écrire ces lignes. Le projet de programme, alors en consultation, fut l'objet d'une fuite dans les médias et dénoncé par certains historiens, intellectuels et leaders d'opinion comme cherchant à nier la nation québécoise et les luttes de la majorité francophone pour sa survie. Dans la foulée, les opposants ont dénoncé l'approche par compétence et ses fondements théoriques comme étant un des moyens utilisés pour mettre de côté le récit national traditionnel de l'histoire du Québec.

Ce débat, analogue à d'autres qui ont lieu depuis 20 ans dans d'autres pays occidentaux, a eu le mérite de mettre sur la place publique l'ensemble des enjeux de l'enseignement de l'histoire, tant sur le plan des contenus à privilégier que des méthodes didactiques à utiliser. Ainsi, deux conceptions de l'enseignement de l'histoire du Québec – car le programme d'histoire occidentale n'a suscité aucun intérêt médiatique – ressortent clairement. Pour les opposants au programme, la fonction première de l'histoire est la transmission de la mémoire collective dominante afin de fabriquer de la cohésion sociale. Cette transmission doit se faire à travers un récit structuré autour de moments forts incontournables – essentiellement politiques – liés aux luttes et aux conquêtes politiques du groupe canadien-français considéré comme le fondement et le dépositaire de la nation québécoise actuelle. Dès lors qu'il importe de transmettre ce récit, la pédagogie à privilégier est alors celle de l'exposé déclaratif et c'est sur la base de la rétention – plus ou moins grande – de ce récit qu'il faut ultimement évaluer les élèves. Une partie de la population francophone a adhéré à ce point de vue.

Ceux qui ont répondu à cette attaque – bien qu'il s'efforce ici de rester neutre sur ce sujet, l'auteur de ce chapitre tient à mentionner qu'il est l'un de ceux qui ont répondu à cette attaque – ont rappelé que ce programme s'inscrivait dans la continuité du Rapport Parent et des programmes de 1982, tant sur le plan des visées de formation, des contenus que de l'approche didacticopédagogique. Ils ont rejeté l'idée que l'école doive servir à la transmission de la mémoire collective dominante et, citant la recherche en didactique de l'histoire, se sont dit d'accord avec le développement d'habiletés intellectuelles et méthodologiques fondées sur l'épistémologie de la science historique – sans pour autant négliger les connaissances factuelles puisqu'elles sont essentielles au développement de ces savoir-faire. Au pouvoir de 2012 à 2014, le Parti québécois a adopté le point de vue des opposants au programme et demandé la réécriture des programmes décrits ci-haut, à commencer par HÉC.

3. L'enseignement et l'apprentissage des programmes de sciences sociales : pistes et principes de planification

Dans cette partie, à partir des caractéristiques et visées des programmes, nous proposerons quelques principes et pistes d'action pour la planification des cours au secondaire. Loin de constituer un mode d'emploi, il faut se souvenir qu'il n'y a rien de plus intime pour un enseignant que sa planification et qu'il lui appartient de concevoir le scénario de ses cours, selon sa personnalité, les conditions dans lesquelles il enseigne et les caractéristiques de ses groupes – car chaque groupe a sa propre «personnalité».

Une planification centrée sur l'élève et les compétences – Il n'est pas aisé de planifier des cours dans une approche par compétences (APC). En histoire ou en géographie, disons-le franchement, il est souvent plus facile de préparer des notes de cours, de faire un exposé avec quelques cartes et images sur PowerPoint, de poser aux élèves des questions aux réponses convenues pour appuyer nos propos, de distribuer une feuille résumée à mémoriser pour l'examen, puis de compléter la période en faisant travailler seuls les élèves sur deux ou trois pages du cahier d'exercices. Mais alors, pour reprendre la question de Michel Saint-Onge (1992), les élèves apprennent-ils? Et qu'apprennent-ils? Au-delà d'une rétention relativement courte de certains faits et explications de l'enseignant, le temps du prochain examen, ont-ils fait de l'histoire?

Planifier pour faire développer aux élèves des compétences et une compréhension plus profonde de concepts et de phénomènes en sciences sociales requiert (1) de se centrer sur les élèves et *leurs* apprentissages (plutôt que de se demander de quoi «*je* parlerai» aujourd'hui) et (2) de les mettre en situation d'apprendre, c'est-à-dire de les mettre en action pour développer et «pratiquer» ces compétences. Les objectifs spécifiques d'apprentissage – que ce soit pour une étape du calendrier scolaire ou une période de 75 minutes – devraient donc s'inscrire dans cette perspective.

Des outils pour planifier – Pour faire ce travail, on ne part pas de rien et nul besoin de réinventer la roue. Les manuels et les guides du maitre (ou manuels de l'enseignant) constituent des outils certes imparfaits, mais à ne pas négliger, car ils sont eux-mêmes une application du programme, proposent une planification de laquelle on peut s'inspirer, sans compter la panoplie de documents de toutes natures qu'ils proposent. S'ils ont été approuvés par le MELS, c'est qu'en principe ils développent les compétences et leurs composantes et respectent les autres exigences liées à chaque RS (angle d'entrée, concepts, etc.). De même, sur Internet, on retrouve de nombreux sites proposant documents, situations d'apprentissage, activités variées et tutti quanti. À lui seul, par exemple, le site du Récit de l'univers social (http://www.recitus.qc.ca) est une mine d'or, d'autant que sa fonction est justement de fournir aux enseignants des ressources variées en lien direct avec les prescriptions des programmes. Enfin, il ne faut pas oublier ses collègues. Non seulement sont-ils confrontés aux mêmes problèmes que soi, mais ils ont souvent trouvé des solutions pertinentes desquelles on peut s'inspirer. Développer l'habitude de travailler en équipe ou d'assister aux congrès d'enseignants dans votre domaine est toujours payant.

En HÉC: trois compétences, trois temps d'apprentissage – Au secondaire, en HÉC, le modèle le plus classique de planification d'une RS consiste à associer chacune des trois compétences à l'un des trois temps pédagogiques.

Ainsi, la première compétence est associée à la mise en situation d'apprentissage (premier temps). À l'aide de documents, l'élève est amené à se questionner sur le thème de la RS suivant l'objet d'interrogation du présent, puis celui du passé. Pour Dalongeville (2006),

> [...] il faut qu'il y ait problème à résoudre, contradictions à dépasser, bref matière à s'interroger soi et les autres. Les documents ne sauraient être des réponses, mais des points de vue différents des autres, des aspects de la problématique choisie par l'enseignant, des facettes des différents concepts en jeu. L'esprit critique des élèves s'exercera dans le maniement de ces objets et dans la confrontation aux documents portés par les autres élèves (p. 8).

Sur la base de ces questions, l'élève accède ensuite à la réalisation de ses apprentissages (deuxième temps) en appliquant des éléments de la méthode historique : collecte d'informations dans diverses ressources (y compris des documents historiques), organisation de ces informations pour en dégager du sens, en tirer des conclusions, répondre (au moins en partie) à ses questions de départ ; ce faisant, l'élève interprète l'objet de sa recherche (deuxième compétence).

Enfin, il passe à la troisième compétence en appliquant le troisième temps d'apprentissage, soit la synthèse et l'intégration de ses connaissances en abordant un enjeu du présent. Il en profitera pour recourir aux concepts qu'il aura travaillés dans la RS.

Ce modèle a certes quelque chose de mécanique et, bien sûr, on peut en déroger pour suivre des parcours différents – en débutant par exemple avec l'enjeu du présent lié à la troisième compétence –, mais il a l'avantage de donner à l'enseignement de la RS une structure à laquelle se référer. La plupart des manuels suivent d'ailleurs cette structure. Notons enfin qu'il faut compter en moyenne de 9 à 12 périodes de 75 minutes pour une RS.

Porter une attention particulière aux concepts – S'il y a des notions qui valent particulièrement la peine d'être enseignées selon une approche constructiviste, ce sont bien les concepts, à cause de leur nature complexe et transférable. Il importe donc de s'y arrêter plus longuement, afin que les élèves en saisissent les contours et se les approprient, qu'ils en construisent une compréhension fine et puissent les manipuler. En d'autres termes, plutôt que de donner une définition toute faite à faire mémoriser, il sera plus fructueux d'amener les élèves à déterminer ce qu'on appelle les «attributs» essentiels du concept, c'est-à-dire ses éléments caractéristiques qui font qu'il a sa propre «personnalité». Une fois les contours du concept bien compris, on fera réaliser aux élèves des activités visant à valider sa compréhension dans des situations particulières relevant d'un phénomène historique ou géographique. Enfin, on gagnera par la suite, dans d'autres RS ou enjeux géographiques, à revenir sur les concepts ainsi travaillés pour en fixer encore davantage la compréhension.

Des approches et des ressources variées, adaptées, pertinentes et signifiantes – Une règle canonique en planification consiste à varier nos façons de faire et les ressources que l'on utilise. Faire constamment réaliser à l'élève le même type d'activité, fût-elle très originale et riche en savoir-faire, devient aussi lassant pour l'élève que de toujours lui enseigner de manière magistrale. Surprendre les élèves ou les amener dans des démarches nouvelles et leur posant un défi sera apprécié de la plupart de vos élèves. De même, l'histoire et la géographie se prêtent bien à l'utilisation de ressources variées. Nous avons déjà parlé du Web qui regorge de documents et de ressources pour «faire voir» aux élèves, mais vous aurez aussi recours avec profit aux autres ressources des TIC (présentations électroniques, animations diverses, jeu-questionnaire en ligne, vidéos, musées virtuels et autres Prezi). Le cinéma, celui des films de fiction historiques comme des documentaires contenant des images d'actualité, est également une ressource de plus en plus facile d'utilisation, car de plus en plus disponible en ligne. De même, les productions artistiques (peinture, sculpture, etc.) ou encore le roman historique offrent des matériaux variés pour faire faire de l'histoire aux élèves. Cela n'est vrai, toutefois, que dans la mesure où ces ressources sont assujetties à des objectifs bien ciblés liés aux compétences et aux contenus du programme et qu'ils permettent d'engager l'élève dans une démarche active d'apprentissage. On ne passe pas un bout de film pour passer le temps ou pour «boucher un trou» dans sa planification...

Quelle place pour le magistral? – Un des malentendus généré par l'APC et les fondements constructivistes du PFEQ est à l'effet que l'enseignant ne devrait plus donner d'exposés magistraux. Or, si ces derniers sont mis au service de l'approche préconisée par le programme, ils peuvent au contraire devenir des outils puissants pour étayer le développement des compétences. L'exposé magistral peut, par exemple, servir à mettre en contexte une recherche guidée menée par les élèves ou une analyse d'un corpus de documents. Aussi, des raisons pratiques plaident en sa faveur: transmission organisée et efficace – notamment en termes de temps – de nombreuses connaissances, contrôle accru sur le partage entre l'essentiel et l'accessoire (ce que ne font pas naturellement les élèves...), communication à l'élève de sa passion pour l'histoire et de son respect pour sa personne, etc. Enfin, il y a magistral et magistral: un exposé reposant sur un dialogue constant avec les élèves, où un questionnement interactif soutenu permet à ceux-ci de participer activement à la transmission et à la compréhension des connaissances n'a rien à voir avec l'enseignant qui monologue durant toute la période devant des élèves indifférents ou qui ne le comprennent pas. Un jour, il faudra bien cesser d'opposer constructivisme et exposé magistral.

Deux mots sur l'évaluation des compétences – Une des pierres d'achoppement de l'application des nouveaux programmes concerne l'évaluation, car estimer le développement des trois compétences pour chaque élève exige beaucoup de temps et d'organisation. Beaucoup d'enseignants se sentent démunis face à cette partie de leur travail, d'autant que le cadre d'évaluation des apprentissages confie à l'enseignant le soin de choisir les instruments d'évaluation de ses élèves pour mesurer et évaluer «constamment et périodiquement» les progrès et besoins de chacun d'entre eux. Il faut pouvoir appuyer le jugement que l'on portera à ce propos sur un dossier de productions de l'élève. Il importe donc de planifier dès le départ la démarche d'évaluation pour éviter l'improvisation et l'à-peu-près. Lorsqu'il aborde la question de la planification, le PFÉQ parle d'ailleurs de «SAÉ», c'est-à-dire de situation d'apprentissage *et d'évaluation*. Notons cependant que, depuis 2005, le ministère a, à quelques reprises, revu ses exigences de départ sur ce plan, notamment pour rendre la tâche de l'enseignant plus aisée, même si cela a sans doute parfois pu occasionner certaines inconsistances.

4. Conclusion

Ce chapitre a notamment montré que les programmes par compétences s'inscrivent beaucoup plus dans la continuité que dans la rupture. Les programmes récents d'HÉC, ceux de 1982 et tous les documents officiels que nous avons analysés pointent dans la même direction: le présent n'est jamais considéré pour lui-même et il ne peut être compris sans un passage obligé par le passé et la discipline qui en permet méthodiquement l'appréhension. Cette approche disciplinaire détonne toutefois par rapport à une conception encore très répandue dans l'opinion publique selon laquelle le passé doit être «raconté» par un «conteur», l'enseignant d'histoire, en s'appuyant sur un récit linéaire et déjà construit par la mémoire collective. Malheureusement, ce récit ne peut se présenter que sous la forme d'un mythe et ne peut recourir à des appuis disciplinaires scientifiques, puisqu'il n'existe pas du point de vue de la communauté des historiens, ni dans celui d'autres types de communauté scientifique des sciences sociales (anthropologie, sociologie, science politique, etc.).

Pour en savoir plus

Cardin, J.-F. (2010). Histoire et éducation à la citoyenneté: une idée qui a la vie dure. Dans M. Mellouki (dir.), *Promesses et ratés de la réforme de l'éducation au Québec* (p. 191-219). Québec: Presses de l'Université Laval.

Dans cet article, l'auteur cherche à montrer que depuis l'inclusion de l'histoire dans le curriculum des écoles publiques, au milieu du 19e siècle, jusqu'aux programmes par compétences des années 2000, l'éducation à la citoyenneté a toujours été une visée de formation des programmes d'histoire, et que la conception actuelle de celle-ci remonte aux années 1960 avec le Rapport Parent.

Éthier, M.-A. et Lefrançois, D. (2010). L'enseignement de l'histoire au Québec: perspectives historiques et critiques sur les programmes scolaires. *Le cartable de Clio – Revue suisse sur les didactiques de l'histoire, 10,* 147-165.

Ce texte décrit le contexte éducatif québécois dans lequel l'enseignement de la pensée historienne s'inscrit, en se limitant à ce qui influence les recherches actuelles, et porte sur le système scolaire québécois, sur les programmes actuels de sciences sociales en général et sur ceux d'histoire au secondaire en particulier.

Gouvernement du Québec (1966). *Rapport de la Commission royale d'enquête sur l'enseignement dans la province de Québec* [Rapport Parent]. Tome II: Les structures pédagogiques du système scolaire. Les programmes d'études et les services éducatifs. Québec: Ministère de l'Éducation.

Le chapitre 20 de ce rapport porte sur l'enseignement de l'histoire. Il marque un virage fondamental dans les intentions de l'État à l'égard de l'éducation historique, soit le passage d'un enseignement centré sur la transmission d'une mémoire collective de la nation canadienne-française vers un enseignement davantage axé sur la discipline historique, sa méthodologie et son mode de pensée propre. Les programmes d'histoire de 1982 et ceux des années 2000 trouvent leurs fondements dans ce document.

Legendre, M.-F. (2008). La notion de compétence au cœur des réformes curriculaires : effet de mode ou moteur de changements en profondeur. Dans F. Audigier et N. Tutiaux-Guillon (dir.), *Compétences et contenus, les curriculums en questions* (p. 27-50). Bruxelles: De Boeck.

Ce chapitre permet de comprendre la notion de compétence dans les programmes d'études québécois et le contexte plus large dans lequel ce concept s'est imposé au Québec et ailleurs dans le monde.

Martineau, R. (2010). *Fondements et pratiques de l'enseignement de l'histoire à l'école. Traité de didactique.* Québec: Presses de l'Université du Québec.

Ce traité d'enseignement de l'histoire, rédigé par un des didacticiens les plus marquants des dernières décennies, lui-même ancien enseignant au secondaire, offre une vue d'ensemble des différentes facettes de l'acte d'enseigner en histoire, avec une préoccupation constante pour les fondements sur lesquels s'appuie cette pratique.

Ressources en ligne

Gouvernement du Québec (2006a). *Programme de formation de l'école québécoise, éducation préscolaire, enseignement primaire.* Québec, Canada : Ministère de l'Éducation, du Loisir et du Sport. Repéré à http://www1.mels.gouv.qc.ca/sections/programmeFormation/pdf/prform2001.pdf

Gouvernement du Québec (2006c). *Programme de formation de l'école québécoise Enseignement secondaire. Premier cycle.* Québec, Canada : Ministère de l'Éducation, du Loisir et du Sport. Repéré à http://www1.mels.gouv.qc.ca/sections/programmeFormation/secondaire1/pdf/chapitre072v2.pdf

Gouvernement du Québec (2007b). Histoire et éducation à la citoyenneté. Dans *Programme de formation de l'école québécoise, enseignement secondaire, deuxième cycle.* Repéré à http://www1.mels.gouv.qc.ca/sections/programmeFormation/secondaire2/medias/7b-pfeq_histoire.pdf

Gouvernement du Québec (2009). Monde contemporain. *Programme de formation de l'école québécoise.* Québec, Canada : Ministère de l'Éducation, du Loisir et du Sport. Repéré à http://www1.mels.gouv.qc.ca/sections/programmeFormation/secondaire2/medias/08-01202_MondeContemporain.pdf

5 – L'affaire Dollard : enquête historiographique et analyse des sources d'époque dans une situation d'apprentissage en Histoire et éducation à la citoyenneté de la quatrième secondaire

Dominique Laperle

L'un des défis que pose l'enseignement de l'histoire en quatrième secondaire est de développer une compréhension de la longue durée chez l'élève. Il ne s'agit pas seulement de s'assurer que l'élève maitrise la diachronie des évènements, mais aussi qu'il soit capable d'appliquer des concepts disciplinaires dans différents contextes géographiques, sociaux, politiques, économiques et culturels à travers le temps. Une des meilleures façons de le faire est de soumettre l'élève à une situation-problème. Comme le rappelle le didacticien Alain Dalongeville :

> L'histoire est le produit d'une recherche, et [...] les étapes de cette recherche ainsi que ses conclusions sont socialisées et mises en pâture aux critiques des autres historiens. Mais en aucun cas, on ne peut confondre le processus qui a permis de trouver avec le produit fini, l'histoire-récit, qui est la forme la plus classique utilisée pour communiquer et vulgariser le fruit de cette recherche (Dalongeville, 1998, p. 40).

La situation-problème se révèle un outil particulièrement approprié dans la mesure où le fait social, comme objet d'étude, peut se rattacher au vécu de l'élève et s'inspirer de ses opinions ou de ses conceptions du monde. Toutefois, pour qu'elle puisse porter des fruits, elle doit mener à une situation obstacle. C'est ce qui m'a guidé dans l'élaboration de la tâche portant sur Dollard des Ormeaux et le promoteur de ses vertus héroïques, Lionel Groulx. Dans le cadre de ce texte, je présenterai d'abord le contexte et les conditions de réalisation de cette activité pédagogique. J'aborderai aussi le déroulement de l'activité à travers ma démarche d'enseignement, les phases du travail, les défis posés ainsi que les problèmes soulevés par les élèves. Enfin, je conclurai en portant un regard sur les résultats observés, les modifications souhaitables et les adaptations possibles.

1. Le contexte

Cette activité se déroule en quatrième secondaire dans le cadre de la section *Culture et mouvements de pensée*, dans le dernier tiers de l'année. Il respecte l'angle d'entrée prescrit par le MELS qui est de comprendre l'influence des idées sur les manifestations culturelles. En m'appuyant sur l'œuvre *Dollard des Ormeaux* du sculpteur Alfred Laliberté, je désirais revisiter un épisode souvent qualifié « d'héroïque » par l'ancienne historiographie et démontrer qu'une œuvre d'art cache parfois plus d'éléments qu'il n'y parait. Les élèves n'en sont pas à leurs premières armes. À plusieurs reprises, depuis le début de l'année, ils se sont frottés à différents types de sources. La pertinence historique de l'étude de cet épisode est indéniable puisqu'il associe un fait d'armes somme toute mineur dans l'histoire large du Canada à une idéologie qui a, sous des formes variées, influencé les mentalités. Sur le plan strict de l'analyse documentaire, les élèves doivent parcourir des sources primaires et secondaires, les contextualiser correctement et produire des hypothèses ou des questionnements de recherche. Les élèves doivent aussi recourir aux différents concepts historiques et comparer une palette variée de points de vue de spécialistes. Sur le plan éthique, la question de la mémoire de l'action de Dollard à travers une œuvre de bronze les plonge dans les réalités socioculturelles et mentales propres à l'époque de Lionel Groulx et les amène à comprendre son interprétation de la mort de Dollard lors de la bataille du Long-Sault. Enfin, sur le plan de l'exercice de la citoyenneté, elle leur permet de saisir l'incidence de certaines décisions sur la production d'œuvres d'art public et la responsabilité des citoyens à préserver, en connaissance de cause, des pièces majeures du patrimoine. Cette tâche rend intelligible aussi l'instrumentalisation possible de l'histoire à des fins politiques. Finalement, elle questionne, chez les élèves, les fondements de leur identité sociale puisque l'historicisation des évènements favorise le développement d'un esprit critique.

Cet arrêt prolongé sur des extraits de sources beaucoup plus longs que ceux qui sont habituellement soumis aux élèves est l'occasion de mesurer le rapport entretenu par les élèves avec les sources, lequel est, faut-il le rappeler, au cœur de la compétence *interpréter une réalité sociale à l'aide de la méthode historique*. Le programme du MELS indique que l'élève doit, à la fin du deuxième cycle du secondaire, discriminer des documents, préalablement sélectionnés par l'enseignant, de manière plus autonome. Les documents font état de différents points de vue d'acteurs, de témoins et d'historiens. Enfin, l'interprétation attendue repose sur un réseau conceptuel complexe, car ce projet assure une bonne intégration du concept de nationalisme canadien-français en revenant à ses caractéristiques comme l'attachement à la langue française, l'attachement à la religion catholique, la distanciation à l'égard de l'Empire (ici, le concept, prend la couleur de l'Empire britannique), en identifiant un de ses principaux porte-paroles, Lionel Groulx, tout en passant par des exemples de manifestations culturelles comme les œuvres littéraires du chanoine Groulx et à l'œuvre sculptée d'Alfred Laliberté.

2. L'organisation

L'enseignant peut présenter son projet avec un support visuel informatique (PowerPoint, Prezi, etc.). Un document explicatif incluant toutes les étapes de réalisation ainsi que les grilles d'évaluation doit être remis aux élèves ou déposé sur un portail accessible à ceux-ci. Cette manière de faire rend explicites les attentes de l'enseignant. Il faut compter sur une séquence de temps de travail individuel (lecture et annotation) de deux à quatre heures. Il est possible de demander que ce travail de collecte d'information soit réalisé à la maison. En classe, on peut prévoir trois et cinq heures pour le reste du travail.

3. Le déroulement de l'activité

Lors du premier cours, la mise en contexte de la classe est primordiale. C'est la mise en place d'une situation-problème. On peut projeter ici la photo de la sculpture de Dollard des Ormeaux d'Alfred Laliberté et distribuer une fausse une de journal (voir document ci-après).

«On annonce la destruction de la statue de Dollard du Parc Lafontaine

Dominique Laperle, 20 février – Patrimoine

Montréal – La division du patrimoine de la ville de Montréal annonce la destruction prochaine de la statue de Dollard des Ormeaux, l'œuvre du sculpteur Alfred Laliberté qui trône en plein cœur du Parc Lafontaine parce qu'il ne serait pas le héros défendu par Groulx. D'autres informations suivront sous peu.»

Cette mise en situation permet de travailler l'élément déclencheur avec un (faux) prétexte.

3.1 *Une enquête d'équipe*

Par la suite, je charge les élèves (qui se métamorphosent en journalistes) d'une enquête. Ils doivent expliquer aux lecteurs du journal les motivations de Lionel Groulx face à Dollard des Ormeaux et, dans un éditorial, prendre position sur l'annonce de la ville de Montréal. Or, comme les journalistes ne connaissent pas ce personnage, ni l'œuvre d'art en question, pas plus que Lionel Groulx et ses thèses, une recherche historique s'impose! Comme pour les grands reportages, il faut former des équipes de recherchistes.

L'élève-journaliste doit se constituer une équipe de recherche, se plonger dans l'histoire de l'évènement, consulter des sources historiques (*Relations des Jésuites*, *Lettres de Marie de l'Incarnation*, *Histoire de Montréal de Dollier de Casson*), comprendre

l'interprétation qu'en font Lionel Groulx et les nationalistes canadiens-français, saisir l'opinion des historiens contemporains et rédiger un éditorial qui prend position sur toute l'histoire. Il s'agit donc d'un projet exigeant sur le plan de la lecture et de l'analyse. Il permet à l'élève de réfléchir sur l'art public, le lien entre les manifestations culturelles et les idéologies et d'exposer son opinion à titre de citoyen.

Cette phase de questionnement est immédiatement suivie de celle dite de la confrontation des idées. La classe devient donc une salle de rédaction, mais aussi une sorte d'agora où s'expriment les citoyens. Comme complément au projet, chaque équipe de recherche doit produire un reportage visuel. Cela amène plusieurs équipes à tourner des scènes à travers la ville; cela permet une prise de conscience du marquage de l'histoire dans l'espace. L'enseignant guide les élèves dans leur appropriation de la situation-problème. Il importe de ne pas laisser les élèves au dépourvu devant le vocabulaire et les règles d'écriture des textes anciens. Il est préférable de proposer d'avance des outils et des indications méthodologiques et de répondre aux questions concernant entre autres certaines expressions en vieux français.

Le nombre de membres par équipe de travail (entre trois et cinq personnes) a une incidence importante sur le nombre de textes à

lire. L'enseignant peut imposer des textes communs à tous et en répartir certains. Il m'apparait important de faire lire à tous un texte de Lionel Groulx (1924), mais de partager les textes de l'époque de la Nouvelle-France entre les coéquipiers, tout comme ceux des historiens contemporains (Dickinson, 1981; Vachon, 1964, 1966; P. Groulx, 1998). Chaque élève doit individuellement lire et analyser son texte afin de remplir le tableau synthèse à la maison (annexe). Cette portion du travail sera vérifiée et évaluée par l'enseignant; une note individuelle sera donnée.

Le travail en équipes permet aux élèves d'échanger sur leurs représentations de l'évènement du Long-Sault. Chaque élève présente aux autres la synthèse de ses lectures. Le cumul de ces différentes visions permet de valider ou de remettre en question leurs interprétations respectives et de mettre en place une modélisation de l'évènement. Les équipiers ou équipières partagent les informations sur chacun des textes et remplissent le tableau synthèse.

L'enseignant peut aussi se réserver un coup de théâtre avec un texte qu'il soumet lors d'un retour collectif en classe. Il alimente le débat en soumettant aux élèves une contre-représentation à partir d'une source d'époque ou d'une interprétation d'un autre historien. Les élèves doivent tenir compte de cette intervention dans leur réponse finale.

Lors d'un autre cours, les équipes produisent un texte sous la forme d'un éditorial ou d'une lettre ouverte en faveur ou en défaveur de la destruction de la statue. Un premier brouillon doit être remis à la fin du deuxième cours et être évalué. Une version définitive informatisée à la maison ou en classe peut être remise au cours suivant. La lettre doit témoigner que la sculpture, comme manifestation culturelle, est marquée par un mouvement de pensée qui s'est développé au sein de la société. Les élèves doivent clairement identifier l'idéologie qui a mené à la mise en place de cette sculpture. La lettre doit prendre position sur la préservation ou non de cet élément du patrimoine culturel en s'appuyant sur des arguments historiques. De plus, l'enseignant peut imposer l'inclusion des concepts (enjeu, société, territoire, éducation, patrimoine, religion, art, identité et culture) dans la version définitive.

3.2 L'intention didactique

L'objectif du projet qui est de comprendre l'instrumentalisation d'évènements ou d'œuvres d'art à des fins politiques est ambitieux, mais réalisable. La principale difficulté d'un tel travail réside dans la capacité des élèves de lire les textes, de discriminer les informations et d'en faire une synthèse. Faire lire tous ces textes à un élève serait pour le moins audacieux. Par contre, le fait de présenter le travail comme une enquête journalistique et de partager les lectures les motive à se rendre au bout. Certains élèves comprendront spontanément la récupération politique de la bataille du Long-Sault et du sacrifice, mais d'autres auront énormément de difficultés à associer les aspects symboliques et politiques aux évènements d'origine. La découverte de la véritable nature du geste de Dollard des Ormeaux entraine aussi des jugements expéditifs sur la sculpture, sur les objectifs de Groulx ou sur le côté aventurier de Dollard des Ormeaux. Là encore, il faut prendre le temps de faire réfléchir les élèves sur la société et l'époque dans laquelle les évènements se sont déroulés. Il ne faut pas négliger aussi de revenir sur la statue et de réfléchir sur l'art public et la préservation des œuvres. Enfin, il demeure peut être utile et pertinent, pour l'enseignant, de faire une synthèse finale, par exemple sous la forme d'un exposé sur le nationalisme canadien-français défendu par Lionel Groulx, de le situer par rapport aux autres idéologies présentes dans la section *Culture et mouvements de pensée* du programme (ultramontanisme, impérialisme, nationalisme canadien) et de l'inscrire aussi dans l'évolution du nationalisme dans l'histoire du Québec. Il ne s'agit pas ici d'imposer une vision finalisée et figée de l'histoire qui contredirait l'apprentissage de la souveraineté de la méthode, mais de varier l'approche et de faire le point collectivement.

L'expérience vécue de ce chantier me permet de dire que les élèves apprécient l'idée de voir l'enseignant modéliser la production d'une synthèse devant la classe à ce moment du cycle de travail. Est-ce parce qu'ils ou elles ont moins d'efforts à consentir en consommant un récit distrayant? Est-ce plutôt que cela leur donne la chance d'intégrer un récit bien construit et institutionnalisé parce qu'ils ou elles n'ont pas confiance en leur propre capacité de réflexion? La question reste ouverte. Rien n'empêche que, par la suite, l'enseignant laisse à ses élèves l'occasion de synthétiser l'ensemble des idéologies à travers un organisateur d'idée. Les possibilités sont multiples.

4. Conclusion

Un projet comme celui-ci peut facilement s'inscrire dans une démarche interdisciplinaire avec le français, puisque la lettre d'opinion est le point d'orgue de ce projet. Cette lettre peut aussi être réalisée individuellement. On peut également s'attaquer au rôle des autochtones dans l'affaire Dollard. Les rôles respectifs des Hurons (les bons) et des Iroquois (les méchants) peuvent être revisités. L'image du «sauvage» dans les écrits de la Nouvelle-France, la vision qu'en a Groulx et leur place dans l'œuvre d'Alfred Laliberté (sur les plaques de bronze du socle de la statue par exemple) ouvrent des pistes de travail intéressantes dans la perspective de l'autochtonisme récent. J'avoue qu'ils occupent une place bien secondaire dans mon projet, mais rien n'empêche un enseignant d'explorer cette piste. On peut aussi pousser le projet plus loin en amenant les élèves à poser un regard comparatif avec d'autres statues et les idéologies sous-jacentes. Ainsi, les nombreux monuments dédiés aux soldats décédés lors de la guerre des Boers ou de la Première Guerre mondiale permettent une telle démarche.

Annexe

Éléments	Texte de Lionel Groulx	Texte de Marie de l'Incarnation	Textes des Jésuites	Texte d'André Vachon	Texte de Patrice Groulx
Type de source					
Dates du document (lieu si disponible)					
Contexte historique (dans quel contexte le texte a-t-il été rédigé?)					
Destinataires: À qui était-il destiné?					
Objectif: Pourquoi ce document a-t-il été écrit?					
Pourquoi le texte parle-t-il de cet ou ces évènements selon vous?					
Impact: Quel a été l'impact de ce document?					
Apport et intérêt: le texte est-il d'intérêt aujourd'hui?					
En comparant et en analysant tous les textes, quelles conclusions tirez-vous des textes sur l'affaire Dollard.					

6 – Le programme du premier cycle ou les fondements de l'apprentissage des sciences sociales

Julia Poyet

D ans le Programme de formation de l'école québécoise (PFÉQ), trois pages du chapitre présentant le domaine de l'univers social sont consacrées au premier cycle. Trois pages qui représentent les fondements des sciences sociales! Ce texte propose une lecture de la compétence visée à ce cycle et ce qu'elle suggère comme travail de planification de la part de l'enseignant.

1. Les trois pages du PFÉQ et le contexte de leur enseignement

Au premier cycle, le PFÉQ propose le développement d'une seule compétence: «Construire sa représentation de l'espace, du temps et de la société» (Gouvernement du Québec, 2007a). Cette compétence est découpée en cinq composantes, associée à trois critères d'évaluation repris dans un paragraphe précisant les attentes de fin de cycle (p. 167) et accompagnée de savoirs essentiels qui se déclinent en un ensemble de connaissances et de techniques (p. 168).

Ces trois pages représentent la base de l'étude de la géographie, l'histoire et l'éducation à la citoyenneté; quelques lignes du texte de présentation du domaine (p. 165) insistent sur ce fait et, dans le document présentant la progression des apprentissages (PA), les apprentissages du premier cycle sont directement intégrés aux trois compétences des cycles suivants. Ainsi, même si, au moment où nous rédigeons ce texte, le programme de premier cycle en univers social n'apparait pas dans les documents liés à l'évaluation, il n'en demeure pas moins que son développement est primordial pour la poursuite des études des élèves.

Selon nous (Poyet, 2009a, Poyet, 2012), ce programme (formé des trois pages dans le PFÉQ et des éléments de la PA) vise :

- la découverte et l'appropriation du vocabulaire relatif aux concepts d'espace, de temps et de société ;

- la découverte et la maitrise des outils et des techniques relatifs à l'espace, au temps et à la société, et ce, dans la perspective du développement d'habiletés intellectuelles liées à la géographie, l'histoire et l'éducation à la citoyenneté ;

- enfin, ces premières visées permettent la maturation de la représentation intellectuelle de l'espace, du temps et de la société.

Qu'est-ce que cela suggère en termes de planification de la part de l'enseignant ?

2. Viser la maitrise d'un vocabulaire nécessite de le préciser

Bien que ni le PFÉQ, ni la *Progression des apprentissages* ne proposent de lexique à enseigner, nous pouvons cependant y lire quelques indices.

En ce qui concerne le vocabulaire de base relatif à l'espace, nous retenons les termes permettant de se repérer (*droite, gauche, devant, derrière*, etc.) ou de s'orienter (les points cardinaux) et un certain nombre d'éléments que nous pouvons associer à la géographie physique (éléments naturels des paysages et caractéristiques du territoire : *climat, relief*, etc.). Nous retenons aussi les mots *paysage, quartier* et *localité*, cependant ces termes complexes devront être traités comme des concepts dont l'appréhension se fera progressivement.

En ce qui concerne le temps, nous retenons «*jours, semaines, mois, années, décennies, siècles*» (Gouvernement du Québec, 2010) et nous ajoutons *seconde, minute, heure*. Notons que le sens de chacun de ces termes est double : chaque mot-unité est tout autant un jalon qu'une durée. Enseigner ces termes nécessite donc de la part de l'enseignant une attention particulière et ce jusque dans ses propres propos du quotidien, car les expressions du langage courant (Barreau, 1996 ; Grossin, 1974) sont parfois ambiguës. Prenons l'exemple de «tantôt», qui renvoie à un temps non présent, tout autant possible dans le passé que dans le futur.

Pour compléter notre lexique, il faut ajouter des mots considérés comme des repères temporels dans la *Progression des apprentissages*: *hier, demain, aujourd'hui, lundi, mardi, janvier, février*, etc., et bien sûr le concept de *durée*.

Enfin, nous considérons que tous les termes permettant la description de ses *groupes d'appartenance* (concept à développer) par l'élève peuvent prendre place dans la liste des mots de vocabulaire associés au concept de société. Nous retenons en particulier : *membre, composition, activité, besoins, moyen de transport et voie de communication, institutions* (que nous traduirions dans ce contexte précis par *services*), *règles de fonctionnement, rôles* (que nous associons à *métier*), *langue, religions* (et *croyances*), *art*.

3. Viser la découverte et la maitrise des outils et des techniques relatifs à l'espace, au temps et à la société sous-entend le développement d'habiletés intellectuelles initiant les élèves à la géographie et à l'histoire

Les techniques dont il est question dans le PFÉQ et la *Progression des apprentissages* sont, à proprement parler, des habiletés techniques. Pour la plupart, ces dernières favorisent le développement d'habiletés intellectuelles liées à la géographie, l'histoire et l'éducation à la citoyenneté.

Dans les années 1970, Quintal a déterminé huit habiletés liées au «temps historique» (citées dans Johnson, 1979 et reprises par Cavenaille, 1996). Nous en avons sélectionné quatre présentes de façon explicite dans le programme de premier cycle :

> Le recul, ou la capacité à s'abstraire du présent ; la chronologie, ou la capacité à situer un événement dans une séquence ; l'évocation ou la capacité à imaginer, à recréer mentalement «comment c'était avant» ; le changement, ou la capacité à percevoir les différences (Poyet, 2009a).

Les travaux de la psychologie (Cholette-Pérusse, 1981 ; Gessell, 1980 ; Piaget, 1963) nous présentent l'enfant de six ou sept ans comme très égocentré, ancré dans le ici et maintenant et dont l'appréhension du réel dépend essentiellement de la saisie visuelle, concrète (Cholette-Pérusse, 1981) et immédiate des choses. Dans la perspective de l'étude de réalités sociales du passé, il est donc nécessaire de lui apprendre à s'extraire du présent et à prendre du recul. Pour ce faire, l'apprentissage doit s'ancrer dans le vécu de l'élève, ce qui le touche (évoquer des faits de sa vie quotidienne, aujourd'hui), puis, petit à petit, l'inviter à s'en détacher en évoquant des faits de son propre passé puis de celui de ses proches dans un hier sans balises strictes lors des premières activités puis un passé normé, daté dans les suivantes. Ce faisant, non seulement l'étude du passé et ses outils prennent du sens pour l'élève, mais celui-ci est aussi introduit progressivement à la chronologie par l'exercice de la sériation, de la datation et du découpage du temps de l'histoire en périodes (attention: une période marque tout autant la rupture – qui définit ses bornes – et la continuité – son «contenu», à l'intérieur desdites bornes (Prost, 1996)).

Sur cette trame temporelle (normée ou non) se joue ensuite un jeu de comparaison: identification des ressemblances et des différences entre hier et aujourd'hui. Ainsi, dès le premier cycle, l'histoire enseignée est définie comme l'analyse du changement (Ruby, 1988). Par ailleurs, nous envisageons alors la compétence comme une initiation à la pensée historienne, car la continuité et le changement, identifiables par comparaison, forment l'un des six éléments qui la constituent (Seixas et Peck, 2004).

Si nous affirmons que le programme de premier cycle vise une initiation à la géographie, c'est que les habiletés techniques prescrites dans les savoirs essentiels et les outils qui les supportent s'inscrivent clairement dans la discipline. Ce qui est visé, rappelons-le, est l'exploration de paysages d'ici et d'ailleurs qui «s'effectue par l'observation directe (sur le terrain) ou indirecte (plan simple, illustration, maquette)» (Gouvernement du Québec, 2006, p. 166). Nous sommes bien là dans deux orientations majeures du travail du géographe: la description (Bouchut, 2006) et le travail de terrain (Chevalier, 2004).

Par ailleurs, Laurin (1999) propose de penser le concept d'espace géographique selon un découpage en six facettes; quatre d'entre elles se lisent dans le programme:

- La représentation spatiale se retrouve dans l'invitation faite aux élèves à dessiner des plans simples et à construire des maquettes;

- La localisation (ou orientation) renvoie au travail d'exploration des paysages qui induit la description d'objets, et ce, en fonction de «systèmes de références intériorisés par l'individu» (Laurin, 1999, p. 17) qui seront dans un premier temps de l'ordre de repères personnels puis normés (les points cardinaux);

- La distance renvoie au travail de mesure relative ou précise (cm, km) entre deux points nécessaire à la construction de lignes du temps graduées, de tableaux et de diagrammes ;

- Enfin, les élèves feront l'expérience de l'association spatiale (décrire des lieux et des gens en fonction d'attributs normés ou codifiés) en décrivant leurs groupes d'appartenance, en évoquant des faits de la vie quotidienne et en explorant des paysages.

Dans le PFÉQ, il n'est pas question de techniques relatives à la société. La *Progression des apprentissages* rétablit ce manque en faisant apparaitre au sein des «techniques particulières à la géographie et à l'histoire» l'iconographie (interpréter), les tableaux et diagrammes (interpréter et construire).

Enfin, la compétence suggère l'initiation à la méthode historique. Il en est en effet question à la page 166 du PFÉQ («une exploitation méthodique et rigoureuse de l'information accessible») et dans les pages consacrées à la démarche de recherche de la PA.

4. Viser la maturation de la représentation intellectuelle de l'espace, du temps et de la société nécessite un travail de planification sur le long terme

«Construire sa représentation de…» est synonyme de conceptualisation, que nous définissons comme le processus cognitif permettant d'appréhender un concept. (Raynal et Rieunier, 1997, p. 82, définissent le concept comme «idée générale et abstraite, attribuée à une catégorisation d'objets ayant des caractéristiques communes, et permettant d'organiser les connaissances».) Chaque individu aborde cet apprentissage sur la base des représentations initiales (c'est-à-dire la façon personnelle, subjective dont chacun se figure un objet de pensée) qu'il se fait de l'objet (concept), représentation qu'il modifie, enrichit jusqu'à atteindre la zone de maitrise (Poyet, 2009b) du concept, c'est-à-dire le stade à partir duquel nous pouvons considérer qu'il maitrise le concept en l'utilisant à bon escient.

Pour l'apprenant, *construire sa représentation* nécessite deux types d'activités : une activité perceptive et une activité conceptuelle. L'activité perceptive correspond à une situation singulière de réception d'informations saisies directement, ici et maintenant, par l'apprenant. L'activité conceptuelle consiste en un acte de comparaison : l'individu se remémore toutes ses expériences de confrontation au concept dans le but d'identifier les récurrences entre elles et de déterminer ainsi les caractéristiques du concept. C'est alors qu'il s'en donne une définition (qui correspond donc à sa représentation).

Si nous conceptualisons en permanence (Jodelet, 1989), dans notre contexte, l'enseignant peut agir sur ce processus. Ainsi, il doit commencer par préciser le concept qu'il veut enseigner (Desrosiers-Sabbath, 1984), puis, en fonction de cette définition, des objectifs d'apprentissage établis par le programme (Desrosiers-Sabbath, 1984) et du *diagnostic* des représentations de ses élèves (Poyet, 2009b), il pourra alors déterminer le degré de complexité qui sera visé pour chaque situation d'apprentissage.

Notons que cette étape de diagnostic (Bruner, 2000 ; Piaget, 1948) des représentations initiales fait partie intégrante du processus de conceptualisation (Astolfi, 2004 ; Giordan et De Vecchi, 1987). En effet, pour permettre à un apprenant de construire et modifier son réseau conceptuel (Éthier, 2000a), il est nécessaire que celui-ci puisse prendre conscience de ses représentations initiales, car c'est cette «matière» qu'il modifiera (Astolfi, 2004 ; Astolfi et Develay, 1989 ; Giordan et De Vecchi, 1987) au regard de ses nouveaux apprentissages.

Pour définir l'espace et le temps, nous (Poyet, 2009c) reprenons le découpage de Pucelle (1972) cité par Johnson (1979) et repris par Cavenaille (1996) qui découpe le temps en quatre et nous appliquons ce même découpage à l'espace (temps/espace) :

- vécu : l'expérience que chacun fait de sa propre durée/rapport personnel à l'espace, sa «bulle» (Bouchut, 2006) ;

- conçu : outils et unités de mesure construits par l'être humain pour structurer son existence ;

- philosophique : lorsque le temps ou l'espace est objet de réflexion ;

- et historique/géographique : le temps des historiens ou l'espace des géographes (sémantique, habiletés et attitudes, etc.).

À ce découpage en quatre de Pucelle, nous ajoutons l'espace astronomique et le temps météorologique (Poyet, 2009c), car, chez les jeunes élèves, le mot «espace» est fréquemment associé aux planètes et le temps inspire «le temps qu'il fait». Fortement présentes dans les représentations initiales que les élèves ont des concepts (Poyet, 2009b), nous ne pouvons donc ignorer ces cinquièmes dimensions.

N'oublions pas que la visée de cet enseignement est l'appréhension des concepts dans leur globalité. Ainsi, il s'agira pour l'enseignant de multiplier les occasions de confrontation aux différentes facettes des concepts et de proposer des activités permettant de tisser des liens entre elles. Ces occasions ne sont pas propres à des périodes d'enseignement spécifiques : les concepts d'espace, de temps, tout comme celui de société, sont présents dans toutes les disciplines et dans la vie même de l'enfant.

Dans le contexte de son enseignement en sciences sociales, le concept de société peut se définir en ces termes : groupe d'individus organisé, régi par des lois et des institutions, vivant sur un territoire et à une époque donnée. Nous pourrions considérer qu'il s'agit là des mots clés qui nomment les caractéristiques générales (la *Progression des apprentissages* les précise) permettant de «définir un groupe en tant qu'organisation sociale» (Gouvernement du Québec, 2010). Ainsi, si toute société se situe au croisement de l'espace géographique et du temps historique (Lenoir, 1991), l'apprentissage du concept dépend étroitement du développement des habiletés liées à la géographie et à l'histoire dont il est question plus haut. Selon nous, c'est là le noyau central du programme de premier cycle : initier les élèves à l'étude de réalités sociales en systématisant leur approche, en commençant par définir avec eux le cadre spatio-temporel de chaque groupe qu'ils observent.

5. Conclusion : obstacles et possibles

Il est difficile de déterminer jusqu'où il est possible d'aller dans un enseignement des concepts d'espace, de temps et de société et dans le développement des habiletés liées à l'histoire et la géographie avec de si jeunes élèves. Les travaux des psychologues nous rappellent que, chez ces jeunes enfants, la perception prime sur le raisonnement (Piaget, 1963) et qu'ils s'en tiennent au descriptif, définissant les éléments par leur usage, sans prouver ce qu'ils affirment (Piaget, 1963). En ce qui concerne le temps historique, certains n'envisagent pas de l'aborder avant l'adolescence! Comme d'autres (Barton, 2002, 2008; Booth, 1987, 1994; Friedman et Lyon, 2005), nous souhaitons cependant nuancer cette idée et, à l'instar de Vygotski (notamment repris par Bouchut, 2006), rappeler qu'il ne faut pas négliger l'impact des apprentissages dans le développement de l'individu, car, «à partir du moment où l'on prend en considération le développement cognitif de l'enfant et (...) qu'on adapte ses méthodes de formation, de façon progressive, [il est possible de] mener l'enfant au concept abstrait.» (Leleux, 2008, p. 121).

Bibliographie commentée

Noreau, D. et Gagné, P.P. (2005). *Le langage du temps*. Montréal: Chenelière Éducation.

Dans ce deuxième module du Programme d'entrainement et de développe-ment des compétences cognitives (PREDECC) proposé par les éditions Chenelière, les auteurs s'intéressent à l'acquisition du concept de temps et aux habiletés langagières associées. Ils proposent aussi une série d'activités et de mises en situation qui offrent aux élèves des occasions de prendre conscience du temps, de mieux le comprendre et de le manipuler.

Poyet, J. (réd. invitée) (2009). Dossier spécial «Univers social», *Vivre le primaire*, 22(3), 27-39.

Ce dossier spécial de la revue *Vivre le primaire* regroupe plusieurs articles sur les concepts d'espace, de temps et de société. Les auteurs, conseillers pédagogiques et professeurs-chercheurs de différentes universités, proposent tour à tour une définition des concepts dont il est question et témoignent de différentes pratiques d'enseignement.

7 – Je m'interroge, tu t'interroges, il s'interroge... Comment y arriver?

Natasha Dubois et Sophie Loubert

La première compétence disciplinaire en histoire, *interrogez les réalités sociales dans une perspective historique* (CD1), est souvent l'enfant pauvre de la démarche historique utilisée en classe. Pourtant, elle est essentielle à une bonne compréhension de chaque réalité sociale ainsi qu'à la problématisation de l'histoire comme (re) construction. Les motifs justifiant l'absence d'interrogation dans les classes d'histoire sont nombreux et généralement légitimes, que ce soit la quasi-absence de documents pertinents dans le matériel didactique actuellement disponible, le malaise de certains enseignants à amener les élèves à se questionner, ou la certitude que les élèves ne sont pas capables d'y arriver.

Il est en effet peu naturel de formaliser le questionnement de la façon dont les évaluations ministérielles le présentent, mais celui-ci est toujours présent. Ce que nous appelons parfois la curiosité provient d'une situation où, grâce à des informations partielles, nous nous retrouvons en situation de déséquilibre cognitif. Cette situation est provoquée par un conflit entre ce que nous savons, ce que les autres savent ou ce qui nous a été présenté. De là, peut se développer un questionnement dit naturel, instinctif, qui doit être transformé en questionnement formel en classe. Pour que cela fonctionne en histoire, il suffit souvent de titiller la curiosité des élèves avec des mises en situation incomplètes. Mais comment y arriver?

1. Le contexte et les conditions de mise en œuvre

Le récit de pratique suivant est destiné à tous les enseignants d'histoire au secondaire, même s'il a été réalisé dans une classe de deuxième secondaire. Il sera raconté par une conseillère pédagogique, Sophie, à qui un enseignant a donné la chance d'expérimenter la CD1 en classe.

La méthode présentée ici peut être réutilisée pour chacune des réalités sociales, de tous les niveaux du secondaire.

Les élèves de cette classe n'avaient jamais fait d'interrogation formelle avant l'expérimentation. Pour ce faire, la réalité sociale *La révolution américaine* a été utilisée. Cependant, quel que soit le niveau scolaire ou la réalité sociale, il n'est jamais trop tard pour entreprendre l'apprentissage de l'interrogation. Pour bien développer l'interrogation chez les élèves, nous recommandons de prévoir une période complète à cet effet afin d'amorcer chacune des réalités sociales prévues au programme.

Peu de matériel est nécessaire au développement de cette compétence, mais la pertinence de celui-ci est essentielle au bon déroulement de l'activité et aux apprentissages des élèves. Il est constitué de documents présentant différents aspects du présent et du passé de la réalité sociale étudiée. Idéalement, les documents utilisés devraient provenir du manuel de l'élève. Cependant, il est possible que ceux-ci ne soient pas suffisants. D'autres sources documentaires peuvent alors être utilisées, telles que d'autres manuels scolaires disponibles sur le marché, des banques d'images virtuelles et différents sites Internet à caractère pédagogique (voir à ce propos la section «Pour en savoir plus» à la fin de ce chapitre).

Nous voulons amener l'élève à examiner des réalités sociales du présent et du passé, comme précisé dans le *Cadre d'évaluation des apprentissages* Gouvernement du Québec, 2011). En effet, chaque situation actuelle (présent) a des origines, une histoire (passé). L'utilisation du présent, pour justifier un retour vers le passé, permet aux élèves de comprendre l'utilité de l'histoire dans leur quotidien, de donner un sens à cette discipline. Pour ce faire, ils devront examiner les documents présentés par l'enseignant, émettre un constat et formuler des questions pertinentes.

2. Déroulement de l'activité

Lors de la phase de préparation, Sophie a d'abord expliqué que ce qui a amené l'être humain à s'intéresser au passé est sa curiosité. L'humain constate d'abord une situation qui l'amène à se questionner pour comprendre l'origine cette situation, pourquoi, comment cela s'est déroulé, etc. Sophie voulait principalement faire réaliser aux élèves à quel point le questionnement est à la base de l'histoire. Puis, elle a présenté la réalité sociale à l'étude: *La révolution américaine*. Pour ce faire, elle a utilisé la page du contenu de formation de la réalité sociale du *Programme de formation de l'école québécoise* (Gouvernement du Québec, 2006) pour connaitre l'objet d'interrogation du présent et l'objet d'interrogation du passé sur lesquels travailler.

Pour faciliter l'amorce de la réalité sociale, il importe d'utiliser une question de départ, qui englobe toute la réalité sociale et les trois compétences. Dans ce cas-ci, Sophie a utilisé la question suivante: *la reconnaissance des droits fondamentaux doit-elle toujours passer par une révolution?* (Table régionale: Laval, Laurentides et Lanaudière, 2009). D'autres questions peuvent être utilisées, dont des questions ouvertes, telles que: De quelle manière un peuple peut-il faire reconnaitre ses droits fondamentaux? En quoi la reconnaissance des droits fondamentaux peut-elle faire avancer une nation? Il importe cependant que la question utilisée soit basée sur l'objet d'interrogation et mène vers l'objet d'interprétation.

Pour bien préparer les élèves à s'interroger correctement, il faut alors expliquer les étapes qu'ils auront à suivre pour réaliser cette tâche:

- Lire l'objet d'interrogation du présent ou du passé? (Certes, il n'y a pas d'objet d'interrogation du passé en quatrième secondaire, mais les enseignants ont néanmoins avantage à situer l'objet d'apprentissage dans un contexte contemporain authentique qui requiert que l'on tourne notre regard vers le passé.);

- Lire et analyser les documents du dossier documentaire;

- Émettre un constat sur un ou plusieurs documents du dossier documentaire et les confronter à ceux de ses pairs (lorsque pertinent);

- Formuler une ou plusieurs questions en lien avec le dossier documentaire.

2.1 Interrogation du présent

Sophie a donc lu avec les élèves l'objet d'interrogation du présent: *l'affirmation des droits fondamentaux.* Pour s'assurer de leur compréhension, ils ont défini ensemble le terme «affirmation» et ont nommé des droits fondamentaux. La classe ayant compris l'objet d'interrogation du présent, ils ont commencé, ensemble, à éplucher le dossier documentaire que Sophie avait élaboré au préalable.

Celui-ci était composé de divers documents textuels et icono-graphiques, présentés sous la forme d'un diaporama : extraits de la *Convention internationale des droits de l'enfant* et de la *Charte canadienne des droits et libertés*, de photos diverses (enfants au travail, manifestations, Nelson Mandela) et d'articles de journaux présentant des violations des droits fondamentaux. Sophie a accompagné les élèves dans l'analyse de tous les documents, afin de les lire et de les interpréter avec eux. Il importe de bien prendre le temps d'analyser chacun des documents présentés avec les élèves, dans le but de leur apprendre à lire un document iconographique ou textuel. Les opérations intellectuelles proposées dans le *Cadre d'évaluation des apprentissages* (Gouvernement du Québec, 2011) peuvent guider l'enseignant dans cette démarche.

Plusieurs constats ont naturellement émergé lors de l'analyse des documents. Par exemple : « Ça n'a pas de bon sens que les enfants travaillent », « C'est pas correct qu'ils aient mis Mandela en prison », « Je pensais pas que le gouvernement avait le droit d'écouter ce qu'on dit au téléphone, c'est illégal ça ! » Ces constats pourraient être formalisés et évalués, mais Sophie a fait le choix de ne pas procéder ainsi à ce moment. (Tous les constats et questions d'élèves donnés en exemple dans ce chapitre ont été transcrits tels quels quant aux idées, car elles traduisent bien le degré de développement de la pensée d'un élève de cet âge. Toutefois, les fautes d'orthographe grossières ont été redressées afin de ne pas faire écran à la compréhension de la pensée des élèves.)

Le temps de formuler des questions est ensuite arrivé. Au préalable, Sophie leur a expliqué des manières de formuler une question pertinente et les critères d'évaluation (perspective temporelle et pertinence) associés au questionnement dans les prototypes d'évaluation ministériels.

Pour guider les élèves dans la formulation d'une question, elle a utilisé le tableau (intitulé *La construction d'une question historique*), élaboré par l'équipe du Projet-civ (Trussart et Lévesque, 2011). Ensuite, pour chaque document, les élèves ont formulé oralement des questions. S'en est suivie une discussion pour déterminer, en la justifiant, la pertinence des questions. Enfin, ils ont dû, en équipe, choisir trois documents parmi ceux présentés et formuler une question par document. Pour s'aider, ils ont utilisé un tableau de questionnement que Sophie leur avait élaboré au préalable (voir figures 7.1 et 7.2).

Figure 7.1
Composer des questions avec une grille 3QPOC

Concepts abordés dans cette réalité sociale : _____

Constats : _____

Tu dois composer 3 questions.

MOTS CLÉS	QUESTIONNEMENT	
Quoi... ? (*objets*) Que... ? Avec quoi... ? À quoi... ? Par quoi... ? De quoi... ? Grâce à quoi... ? En quoi... ? Quel... ? Quelle... ? Quels... ? Quelles... ? Lequel... ? Laquelle... ? Lesquels... ? Lesquelles... ?		**Perspective temporelle** Tient compte d'un élément temporal exact ☐ **Pertinence** Tient compte d'un contenu exact sur un des éléments ☐
Qui ? (*personnes*) Avec qui... ? Chez qui... ? Par qui... ? De qui... ? Grâce à qui... ? À cause de qui... ?		**Perspective temporelle** Tient compte d'un élément temporal exact ☐ **Pertinence** Tient compte d'un contenu exact sur un des éléments ☐
Quand ? (*temps*) Depuis quand... ? Jusques à quand... ? À quelle époque... ? En quelle année... ?		
Pourquoi ? (*causes*) Pour quelle(s) raison(s)... ? À cause de quoi... ?		**Perspective temporelle** Tient compte d'un élément temporal exact ☐ **Pertinence** Tient compte d'un contenu exact sur un des éléments ☐
Où ? (*lieux*) Par où... ? D'où... ? Vers où... ?		
Comment ? (*manières*) Avec quel(s) moyen(s)... ?		

Établi à partir de Jean-Claude Richard, « 3QPOC : une grille d'analyse », dans *TRACES*, vol. 43, n° 2 (mars-avril 2005), p. 13. Mario Filion (CP CSDGS). Modifié par Sophie Loubert (CP CDSHR).

Figure 7.2
3QPOC : Se questionner pour trouver

QUESTIONS (objets)	EXEMPLES D'UTILISATION EN CONTEXTE		
	EVENEMENT	PERSONNAGE	DOCUMENT
Quoi... ? (*objets*) Que... ? Avec quoi... ? À quoi... ? Par quoi... ? De quoi... ? Grâce à quoi... ? En quoi... ? Quel... ? Quelle... ? Quels... ? Quelles... ? Lequel... ? Laquelle... ? Lesquels... ? Lesquelles... ?	De quoi s'agit-il ? Que s'est-il passé ?	Qu'a fait ce personnage ? Quelles actions a-t-il posées ?	Quel est ce document ? De quel type de document s'agit-il ?
Qui ? (*personnes*) Avec qui... ? Chez qui... ? Par qui... ? De qui... ? Grâce à qui... ? À cause de qui... ?	Qui sont les personnes impliquées dans l'évènement ?	Qui est ce personnage ? Avec qui est-il en relation ?	Qui est l'auteur de ce document ?
Quand ? (*temps*) Depuis quand... ? Jusques à quand... ? À quelle époque... ? En quelle année... ?	Quand l'évènement a-t-il eu lieu ?	Quand a-t-il vécu ? Quand a-t-il été mêlé aux évènements ?	Quand a-t-il été écrit ? Quand a-t-il été produit ?
Pourquoi ? (*causes*) Pour quelle(s) raison(s)... ? À cause de quoi... ?	Quelles sont les causes de cet évènement ?	Pourquoi a-t-il posé ce geste ?	Pour quelles raisons a-t-il été écrit ?
Où ? (*lieux*) Par où... ? D'où... ? Vers où... ?	Où cet évènement a-t-il eu lieu ?	Où est-il né ? Où a-t-il vécu ?	Où ce document a-t-il été produit ? Où est-il aujourd'hui ?
Comment ? (*manières*) Avec quel(s) moyen(s)... ?	Comment l'évènement s'est-il déroulé ?	Comment est-il lié à l'évènement ? Acteur ou témoin ? Comment a-t-il agi ?	Comment ce document peut-il m'être utile ?

Établi à partir de Jean-Claude Richard, « 3QPOC : une grille d'analyse », dans *TRACES*, vol. 43, nº 2 (mars-avril 2005), p. 13. Mario Filion (CP CSDGS). Modifié par Sophie Loubert (CP CDSHR). Document de travail.

Voici quelques exemples de questions formulées par les élèves :

À propos d'un article de journal mentionnant que le président des États-Unis, George W. Bush, avait autorisé des écoutes illégales à la suite du 11 septembre :

- « Suite au 11 septembre 2001, est-ce que Georges W. Bush a eu raison d'avoir brimé la vie privée de gens américains ? »

- «Pourquoi Georges W. Bush a autorisé la filtration d'appel après les évènements du 11 septembre 2001?»

À propos d'une photo montrant un enfant qui transporte des briques sur sa tête:

- «Quelles actions a-t-il posées pour travailler en 2004?»

Lors de la rétroaction réalisée en classe par l'enseignant et Sophie, la première question a été jugée pertinente, mais peu développée, car elle demandait une réponse de type «oui-non». Il aurait été préférable de la formuler autrement ou de lui ajouter un «Expliquez». La seconde question a été jugée pertinente et développée, car elle comportait des éléments précis provenant du document, se suffisait à elle-même et comportait un repère de temps pertinent. La dernière question a été jugée non pertinente, car une question pertinente doit se suffire à elle-même et ne pas demander d'explications supplémentaires.

Étant donné que cette activité était leur première tentative d'interrogation, il a été difficile pour les élèves de formuler correctement des questions, car ils avaient beaucoup d'éléments à prendre en considération: structure d'une question, critères d'évaluation et contenu des documents. Heureusement, puisqu'il y avait deux objets d'interrogation à voir, ils ont pu réinvestir immédiatement leurs apprentissages. En faisant une rétroaction avec les élèves au fur et à mesure sur leurs questions, cela leur a permis de voir la différence entre une question pertinente ou non. Sophie a clairement vu une différence lors de l'étape suivante, l'interrogation du passé.

2.2 L'interrogation du passé

Donc, les élèves sont passés à l'objet d'interrogation du passé: *La révolution américaine*. Sophie s'est assurée qu'ils comprenaient le lien entre l'objet d'interrogation du présent et celui du passé. Elle leur a posé des questions du genre: les droits fondamentaux ont-ils toujours été respectés? Ont-ils toujours été les mêmes? Depuis quand sont-ils considérés comme essentiels? Comment le sont-ils devenus? Comment ont-ils été obtenus? Qu'est-ce qu'une révolution?

La classe a pu procéder à l'analyse du dossier documentaire: une gravure montrant la réaction au *Stamp Act*, une peinture illustrant le *Boston Tea Party*, un schéma montrant la différence entre monarchie absolue et démocratie, une photo de la Déclaration d'indépendance des États-Unis d'Amérique et une image de la bataille de Yorktown. Chaque document a été présenté. Sophie a raconté l'histoire, sans trop donner de renseignements. Elle a laissé volontairement des zones d'ombre et fourni juste assez d'éclaircissement pour piquer la curiosité des élèves tout en ayant en tête le genre de questions qu'elle voulait obtenir. Bref, elle a modulé son discours et ses explications pour ne pas leur fournir toute l'information qu'ils auront à découvrir plus tard, en travaillant la deuxième compétence (CD2). L'idée était vraiment de leur en donner juste assez pour qu'ils dépassent la simple compréhension du document pour atteindre l'étape où ils se demandent ce qu'il y a derrière l'image, ce qui a motivé la création de ce document, bref son interprétation. Encore une fois, des constats ont été émis de façon spontanée, en plénière, mais n'ont pas été formalisés ni évalués.

Sophie a rappelé la structure d'une question. Finalement, en équipes de deux, les élèves ont dû formuler par écrit une question par document. Puis, ils en ont partagé certaines en classe. Les autres élèves devaient alors évaluer les questions présentées en fonction des critères de pertinence et de repère temporel déjà utilisés, tout en justifiant cette évaluation. Voici des exemples de questions et d'évaluation.

À propos d'une gravure montrant la réaction au *Stamp Act*:

- «Où cela se passe-t-il?» Trop imprécise, on ne sait pas de quoi ça parle, pas de repère de temps.

À propos d'une peinture illustrant le *Boston Tea Party*:

- «Y a-t-il eu des conséquences pour la faune marine à ce moment-là?» Hors sujet (ne parle pas de la révolution américaine).

À propos d'une photo de la Déclaration d'indépendance des États-Unis d'Amérique:

- «En 1776, comment le roi a-t-il réagi à la suite de la Déclaration d'indépendance?» Très bonne; pertinente, avec de bonnes informations, des repères de temps adéquats.

À propos d'une image de la bataille de Yorktown:

- «Était-ce pour défendre les droits fondamentaux que la dernière bataille à Yorktown a eu lieu?» Très bonne, car elle rappelle les deux objets d'interrogation. Toutefois, Sophie fait une nuance importante aux élèves: il ne s'agit pas de recopier mot à mot des termes semblant peu compris et de les accoler aux mots des documents pour que la question soit bonne. Jugement final pour cette question: correcte, sans plus.

Plusieurs autres questions pertinentes ont émergé, traitant de différents aspects présentés précédemment dans la figure 5. Par exemple, qui les acteurs représentés dans les images sont-ils, quels sont leurs intérêts, ce qui se passe ailleurs au même moment, etc. ?

2.3 L'objet d'interprétation

À ce moment-ci, il était essentiel de faire le lien entre les objets d'interrogation de la CD1 et l'objet d'interprétation de la CD1, soit le contenu historique. Sans cette étape, l'activité sur le questionnement est déconnectée, voire inutile à la démarche historique.

Sophie a donc introduit l'objet d'interprétation, sous forme d'une question problème, ce qui est beaucoup plus facile à appréhender pour les élèves : «*La révolution américaine a permis la reconnaissance des droits fondamentaux?*» (Table régionale: Laval, Laurentides et Lanaudière, 2009). Les élèves étaient alors fins prêts à poser une hypothèse sur cette question pour bien démarrer l'étude de la CD2 de la réalité sociale.

3. Adaptations proposées

En conclusion, on peut voir qu'il est possible d'amener des élèves à s'interroger, et ce, dès le premier cycle du secondaire. Évidemment, plus les élèves deviendront autonomes, plus les activités devront être ambitieuses. Il ne faut pas hésiter à graduer ses exigences et ses consignes. Par exemple, au début de l'apprentissage, on pourrait demander aux élèves de formuler une seule question sur un seul document ou bien une seule question pour chaque document. Puis, on pourrait augmenter progressivement la difficulté en leur demandant d'utiliser au moins deux documents pour formuler une question tout en établissant des liens entre ces documents. Il importe également, à ce stade de l'apprentissage du questionnement, de permettre aux élèves de confronter leurs constats, questions et hypothèses avec les autres élèves de la classe. Ce déséquilibre cognitif en cours d'apprentissage permet à l'élève d'améliorer plus rapidement la qualité de son travail. Finalement, la difficulté ultime serait de faire formuler plusieurs questions sur l'ensemble du dossier documentaire. En effet, la CD1 gagne à être travaillée dès la première secondaire et doit être complexifiée jusqu'à la fin de la quatrième secondaire.

À partir des dossiers documentaires du récit de pratique présenté, un exemple de question pertinente portant sur le présent pourrait être:

pourquoi les droits fondamentaux ne sont-ils pas respectés partout dans le monde, malgré la présence de charte et de conventions à ce sujet? Quant à l'objet d'interrogation du passé, la question suivante pourrait être pertinente: *comment est-il possible que ces évènements isolés aient permis aux Américains d'obtenir le respect de leurs droits fondamentaux vers 1776?* Si l'interrogation est travaillée de façon systématique et constante à chaque réalité sociale, ce type de questionnement est possible et souhaitable.

Pour en savoir plus

Loubert, S. et Dubois, N. (2009). *Je m'interroge, tu t'interroges, il s'interroge: comment y arriver?* Récupéré le 2 mai 2013 du site de la Vitrine pédagogique de la Montérégie, section *Univers social*: http://vitrine.educationmonteregie. qc.ca/spip.php ?article1004

Diaporamas pour chaque réalité sociale du programme d'histoire au secondaire (première à quatrième secondaire), présentant la démarche d'interrogation et des documents libres de droits pouvant être utilisés en classe.

Quirion, S. (n.d.). *Récit national: Univers social (Récitus).* Récupéré le 1er mai 2013 de http://www.recitus.qc.ca/

Site incontournable en univers social: scénarios pédagogiques, SAÉ, ressources, etc.

Table régionale: Laval, Laurentides et Lanaudière. (n.d.). *Univers social.* Récupéré le 1er mai 2013 de http://sites.cssmi.qc.ca/reforme/spip.php?rubrique26

Productions et matériel didactique liés aux programmes d'univers social du primaire et du secondaire, élaborés par des conseillers pédagogiques des régions de Laval, des Laurentides et de Lanaudière.

8 – L'évaluation des apprentissages en classe de sciences humaines et sociales au primaire et au secondaire

Mathieu Bouhon

1. Introduction

Plusieurs systèmes éducatifs occidentaux ont revu à ce jour leurs programmes de formation en privilégiant une approche par compétences. Au Québec, la version approuvée par le ministère de l'Éducation, du Loisir et du Sport (MELS) du programme de formation pour le préscolaire et le primaire a été publiée en 2001, celle pour le premier cycle de l'enseignement secondaire en 2004 et celle du deuxième cycle en 2007. Dans la foulée de la réécriture des programmes, une documentation abondante relative à l'évaluation des apprentissages au primaire et au secondaire a été produite, aussi bien en termes d'ouvrages généraux que de documents ministériels.

Pour les enseignants en sciences sociales, l'usage de cette documentation pose deux problèmes généraux. Le premier concerne le degré de définition et d'opérationnalisation des compétences à évaluer. Malgré les balises proposées, une part importante du travail d'opérationnalisation relève de la discrétion de chaque enseignant. Cette situation est non seulement source d'inconfort pédagogique, mais elle donne naissance à une multiplicité d'interprétations au sein d'un même domaine disciplinaire, voire chez un même enseignant, d'une situation d'évaluation à l'autre, menaçant à long terme la cohérence de l'accompagnement pédagogique et des démarches d'évaluation que requiert nécessairement le processus de construction de compétences chez les élèves. Le deuxième problème général, comme le soulignent Desjardins et Lebrun (2010), a trait à la perspective généraliste qui est choisie pour aborder les questions d'évaluation. L'évaluation des compétences à l'école est traitée dans les outils d'accompagnement le plus souvent comme une activité générique, surplombant les matières scolaires et relativement insensibles aux spécificités épistémologiques et disciplinaires des objets de savoirs et des processus cognitifs mobilisés dans les situations d'évaluation.

Ce chapitre a pour objet de mettre en évidence quelques difficultés récurrentes à l'évaluation des apprentissages en sciences sociales dans le contexte de compétences à développer et de donner quelques pistes et principes pour les surmonter. Les problèmes dont il sera question concernent plus particulièrement l'évaluation des productions d'élèves et celles de leurs démarches menant à ces productions. Après avoir rappelé le changement de paradigme que constitue le passage à des programmes centrés sur les compétences et les implications qu'il exerce sur l'évaluation, les problèmes, pistes et principes seront abordés par la présentation d'un exemple précis d'une situation d'évaluation et de productions d'élèves issues de cette situation, ainsi que par l'analyse d'une évaluation des deux productions d'élèves, réalisées par des enseignants du secondaire. Nous avons pris ce parti parce que nous faisons l'hypothèse que les enseignants sont immanquablement confrontés aux embuches, mises en évidence dans l'exemple en question, quant bien même ils veillent à recourir, avec toutes les meilleures intentions du monde, aux balises et aux outils d'évaluation prescrits dans les milieux de pratiques.

2. Changements et continuités dans l'évaluation des apprentissages en sciences humaines et sociales

2.1 De la transmission de savoirs à la construction de connaissances

Jusqu'aux années 1970, les programmes et les pratiques en sciences sociales prennent place dans le cadre d'un modèle pédagogique dominant marqué par l'empreinte (Stordeur, 1996), lequel envisage l'enseignement et l'apprentissage comme un acte de transmission – réception. Du côté de l'enseignant, par un souci d'adaptation et d'organisation structurée du savoir à transmettre, et du côté de l'élève, par une exigence d'écoute et un travail de copie ou d'application, de mémorisation et d'exercice. S'il recourt à des matériaux extérieurs, l'enseignant les emploie essentiellement pour soutenir l'attention de l'élève et illustrer le contenu à transmettre. En termes d'évaluation, la démarche consiste à rendre compte du degré de rétention des notions et des savoirs factuels mémorisés, par l'élaboration de liste d'items, le plus souvent des questions de restitutions, fermées ou à choix multiples (Martineau, 2010, p. 239 et sv.).

Dans le courant des années 1970 et 1980, les programmes et pratiques tournent progressivement le dos au premier modèle sous l'influence de la pédagogie par objectifs et du discours sur les méthodes actives. Ils s'orientent vers un nouveau modèle : celui de la découverte (Jadoulle, 1998) dans lequel, l'enseignant prend soin de délimiter, pour chaque séquence, les savoirs et les habiletés intellectuelles que les élèves doivent acquérir et s'approprier. Il procède généralement par unités d'enseignement qui articulent connaissances et activités, les objets de savoirs inclus dans chaque unité étant masqués, puis découverts par l'élève au terme d'une activité qui suppose, le plus souvent, le traitement d'informations et donc la mise en œuvre d'une habileté. Cette mise au jour ou dévoilement des savoirs dans le cadre de savoir-faire se déploie pas à pas sous la guidance de l'enseignant, le plus fréquemment sous la forme de question-réponse, de discours dialogué et d'exercices morcelés. Dans ce contexte, l'évaluation doit non seulement tenir compte des savoirs acquis, mais aussi de la progression des élèves dans l'appropriation des habiletés intellectuelles. Pour soutenir cette progression, la dimension « formative » de l'évaluation est introduite dans les prescriptions ministérielles en plus de l'évaluation sommative des savoirs.

Par-delà leurs différences, les modèles de l'empreinte et de la découverte dans les classes de sciences sociales participent d'une même conception de la connaissance, celle d'un savoir objectif distinct de l'apprenant, provenant des sciences de références, vulgarisé et consigné dans les programmes, les contenus de formation initiale, les manuels scolaires et les cahiers d'exercices : connaissances factuelles ou notionnelles, repères spatiotemporels, procédures d'analyse, savoir-faire méthodologique propre ou non aux sciences humaines.

Dans le courant des années 1990 et 2000, cette conception du savoir est remise en question sous l'influence du socioconstructivisme, des avancées de la psychologie cognitive et des réflexions qui prennent place au sein des didactiques. Elle fait place à une conception qui considère le savoir, non plus comme un donné objectif, préalable à l'acte de transmission, mais comme une connaissance – provisoire et située – résultat d'un processus d'appropriation, disponible selon des degrés variables à l'état d'instrument ou d'outil. Dans cette perspective, l'enseignement ne se limite plus à circonscrire le contenu à transmettre et à préciser les activités pour le dévoiler, mais les objets, les modes de pensée et les situations dans lesquelles les intégrer.

Le déplacement du regard porté sur le savoir – donné objectif à apprendre ou savoir-ressource – conduit à poser la question essentielle de l'usage qui sera fait de ce qui est appris et donc, inévitablement, des objectifs de l'évaluation. La réponse à cette question est fonction des finalités assignées à l'enseignement des sciences humaines et sociales. S'agit-il de demander à l'élève – et d'espérer pour lui, dans sa vie future, celle d'apprenant ou de citoyen – de savoir redire, s'il s'agit d'un savoir qui s'énonce, ou de savoir refaire c'est-à-dire d'appliquer, s'il s'agit de procédures à mettre en œuvre? Ou bien s'agit-il plutôt d'aider les élèves à construire les concepts et les modes de pensée susceptibles d'être mobilisés pour comprendre la société et le monde humain qui les entourent? Les finalités affichées dans les programmes de sciences sociales au primaire et au secondaire depuis deux décennies ne laissent pas de doute. En choisissant de définir les objets d'apprentissage et d'évaluation en termes de compétences, c'est bien un modèle constructiviste qui prend place dans l'enseignement des sciences sociales depuis les années 1990 et 2000.

2.2 Les compétences: un nouvel objet d'évaluation

La compétence se définit comme étant un savoir-agir fondé sur la mobilisation et sur l'utilisation efficace d'un ensemble de ressources dans un ensemble de situations déterminées.

Cette définition s'organise autour de deux dimensions essentielles. La première concerne la visée déclarée de la nouvelle approche: apprendre à mobiliser des ressources. La seconde concerne les conditions dans lesquelles la compétence peut se développer et s'évaluer. Cette seconde dimension est liée à la question essentielle des situations complexes.

2.2.1 La mobilisation de ressources intégrées

Si elle suppose la maitrise des ressources cognitives, l'ambition d'une approche par les compétences est non plus seulement d'entrainer au savoir redire ou au savoir refaire, mais d'amener l'élève, dans le cadre d'une situation complexe, à identifier puis à mobiliser de manière combinée les ressources cognitives qui lui permettront de mener à bien une tâche.

Pour que cette mobilisation ait effectivement lieu, la situation proposée doit revêtir un niveau de complexité suffisant. Cette complexité doit amener l'élève à combiner et mobiliser sous forme de schéma d'action, des connaissances de différents types, déclaratif, procédural, conditionnel.

L'adaptation progressive de ces schèmes d'action exige que l'apprenant soit confronté à plusieurs reprises à des tâches de nature complexe. Ces différentes occasions constitueront autant de moments où il lui sera possible d'identifier les savoirs et les démarches à intégrer au terme de l'apprentissage. L'enseignant doit donc veiller à ce que chaque situation didactique soit suffisamment nouvelle (sinon la démarche mise en œuvre relèvera davantage du savoir redire ou du savoir refaire), mais aussi suffisamment proche de celles qui ont été déjà proposées à l'élève.

2.2.2 La détermination de familles de situations complexes

La notion de situations complexes est également au centre de la définition d'une compétence (Tardif, 2006). Être compétent, c'est être capable de réaliser une tâche dans un certain nombre de situations précisément identifiées, réalisation qui suppose la mobilisation de ressources diverses. Sur le plan pédagogique, le référencement d'une compétence à une famille de situations a des implications importantes en termes d'évaluation comme le précise, par exemple, le document-cadre de l'évaluation des apprentissages à l'école secondaire au Québec (Gouvernement du Québec, 2006b): «l'enjeu majeur en évaluation est de concevoir des situations qui vont permettre à tous les élèves de démontrer qu'ils peuvent mobiliser les ressources nécessaires à l'exercice de leurs compétences» (2006b, p. 7). Le choix d'une optique situationnelle qui précise les invariants des situations d'apprentissage et d'évaluation fait malheureusement défaut dans un bon nombre des référentiels et des programmes en sciences sociales axés sur les compétences. Même si l'absence de descriptifs de situations ne signifie pas l'abandon du projet de développer des compétences, il présente des limites qui méritent d'être relevées.

La première concerne le manque d'explicitation opérationnelle des situations dans lesquelles chaque compétence sera évaluée. Ce déficit contraint l'enseignant à opérationnaliser chaque situation d'apprentissage et/ou d'évaluation sans qu'il puisse s'assurer d'un minimum d'équivalence entre l'ensemble des situations proposées à l'élève. La détermination de la famille de situations dans laquelle la compétence doit être apprise s'impose pour des raisons avant tout didactiques: elle garantit la transparence du contrat pédagogique.

La cohérence entre les diverses situations d'apprentissage et d'évaluation est également indispensable afin de donner à l'élève le temps de découvrir puis de mettre en œuvre un certain nombre de ressources en sciences sociales. Comment pourrait-il y parvenir – et d'abord, s'engager sereinement sur cette voie – si, sans cesse, les conditions dans lesquelles il doit attester de sa compétence se modifient?

Enfin, à supposer même que l'enseignant soit suffisamment outillé pour préciser le contexte dans lequel chaque compétence sera exercée, comment assurer, en l'absence de descriptifs fins de situations, la cohérence entre ce qui est attendu d'un enseignant à l'autre, d'une école à l'autre?

Explicites pour l'enseignant, les différentes situations dans lesquelles l'élève est amené à construire sa compétence ont d'autant plus de chances d'être équivalentes. Elles doivent donc devenir, d'autant plus vite, familières à l'élève. Cette familiarisation suppose la présence d'un certain nombre de balises que l'élève doit pouvoir retrouver d'un contexte à l'autre. Le descriptif fin des balises définissant une famille de situations doit également permettre d'assurer un degré de nouveauté suffisant entre les situations : si ces situations devenaient identiques, le processus de construction d'une compétence se transformerait en un simple savoir refaire. Le degré de complexité de la situation doit également garantir le caractère intégratif des ressources mobilisables par l'élève. En l'appréhendant seul et en réalisant la tâche demandée, celui-ci fournira à l'enseignant les indices utiles à l'évaluation de son degré de développement de la compétence.

2.3 Concevoir des situations d'évaluation des compétences

Le choix de développer des compétences en sciences sociales change considérablement l'objet de l'évaluation. Il ne s'agit plus d'évaluer, spécifiquement et isolément, la restitution d'une connaissance, la maitrise d'une notion ou l'application d'une procédure, mais bien le savoir-agir en situation. L'évaluation des compétences ne peut se faire qu'en situation. La forme de l'évaluation consiste, dans la plupart des cas :

- à présenter à l'élève une situation d'évaluation similaire – ce qui ne veut pas dire qu'elle doit être la même – aux situations qui lui ont été présentées en cours d'apprentissage;

- à estimer la qualité des démarches qu'il met en œuvre et celle de la production qu'il réalise.

Le choix de la situation présentée en phase d'évaluation n'est donc pas laissé au hasard. Celle-ci doit appartenir à la famille de situations qui définit la compétence, sans quoi ce n'est plus la même compétence qui est évaluée. C'est pour cette raison – assurer un certain degré de similarité – que les situations d'apprentissage et d'évaluation relatives à une même compétence ont tout intérêt à être conçues selon un canevas commun.

Le passage de référentiels par objectifs à des référentiels centrés sur des compétences a donc des implications importantes sur la conception des activités d'apprentissage et d'évaluation. Cette nouvelle conception voit d'ailleurs revenir en force une des principales fonctions de l'évaluation qui est sa fonction formative. Au Québec, la *Politique d'évaluation des apprentissages* (2003) conçoit désormais l'évaluation des apprentissages avant tout dans une perspective d'aide à l'apprentissage, ensuite seulement, dans celle de la reconnaissance des compétences.

3. Problèmes, principes et concepts de l'évaluation des compétences en univers social

Une démarche d'évaluation d'une compétence en univers social suppose de soumettre une nouvelle situation complexe aux élèves. Pour ce faire, l'enseignant veillera à puiser dans le répertoire des situations à sa disposition, une situation de même structure ou de même famille que les situations proposées préalablement aux élèves et au cours desquelles ils auront été amenés à construire progressivement leur compétence. À défaut de pouvoir choisir une nouvelle situation d'évaluation, il en bâtira une en veillant à respecter les balises qui définissent la famille de tâches ou de situations de la compétence visée.

3.1 Un exemple de situation d'évaluation de compétences en univers social

Pour aider le lecteur à entrer dans la démarche, nous avons pris le parti de présenter en détail un exemple de situation d'évaluation d'une compétence que l'on pourrait nommer dans sa formulation la plus générale «interpréter une réalité sociale du passé». Cette situation d'évaluation de compétence a été mise en œuvre dans des classes d'histoire de 3e secondaire en Belgique francophone, lorsque nous y étions enseignant. Même si le contexte éducatif et les programmes d'univers social en Belgique francophone présentent des différences importantes avec le contexte et les programmes québécois du secondaire et à fortiori du primaire, l'examen de cette situation doit nous aider à entrer de manière concrète dans des problèmes importants relatifs à l'évaluation des compétences en univers social et nous donner un premier aperçu des principes à mettre en œuvre pour contourner ces problèmes. Par problèmes, nous entendons aussi bien ceux auxquels un enseignant est confronté lorsqu'il veut évaluer les productions issues de situations complexes que les difficultés rencontrées par ses élèves pour réguler leurs apprentissages dans un contexte d'évaluation formative.

3.1.1 Présentation de tâches et des ressources mobilisables

Dans cet exemple, la tâche dévolue aux élèves de 3e secondaire consiste à produire un texte écrit qui réponde à une question précise posée à propos de l'organisation sociale à Athènes au 5e siècle avant Jésus-Christ. Il leur est demandé d'interpréter ce qui permet de distinguer les groupes sociaux athéniens. Quels critères permettent de comprendre les différences entre ces groupes?

Pour mener à bien cette tâche, ils disposent de deux périodes de cours consécutives (soit environ deux heures), d'un ensemble documentaire adapté à leur âge et de connaissances préalables. Ils ont déjà eu l'occasion de réaliser une activité similaire le mois précédent, avec une évaluation formative visant à mettre en évidence les critères d'évaluation utilisés pour ce type de production. Ils disposent également de certains savoirs utiles pour interpréter la nouvelle situation historique soumise: ils ont découvert l'organisation sociale d'une autre société antique (la société celte) et maitrisent le concept de « groupe social », c'est-à-dire qu'ils sont censés savoir qu'une société humaine est composée de groupes qui se distinguent selon des critères sociaux (fonction, statut, droits et devoirs, éducation, richesse, religion, langue...) et que cette stratification entraine souvent des inégalités entre les groupes. Ils disposent aussi d'un certain nombre de repères spatiaux temporels sur les mondes celte, grec et romain. Ils savent enfin que les Grecs et les Romains vivaient en cité, que cette forme de cadre de vie correspondait à un territoire de moyenne envergure, avec un centre urbain, sur lequel une communauté de citoyens, indépendante politiquement, vivait en autarcie. Ils savent également que ce type de cité était généralement composé de trois formes d'institution : une assemblée de citoyens, un conseil des anciens et des magistrats. Outre ces connaissances factuelles et conceptuelles, les élèves ont été régulièrement entrainés à analyser des documents adaptés à leur âge tels que de courts textes d'historiens, des schémas ou des tableaux de données relativement simples. Comme nous l'avons signalé précédemment, cet exemple illustre le fait qu'évaluer la maitrise de compétences en sciences sociales ne peut se faire si des connaissances-ressources, qu'elles soient de nature déclarative, procédurales ou conditionnelles, n'ont pas été enseignées, transmises, installées, conceptualisées ou entrainées préalablement.

3.1.2 Présentation des consignes

Outre la question de recherche à laquelle les élèves sont tenus de répondre, des consignes et de conseils méthodologiques leur sont transmis. Pour les consignes, nous leur demandons de veiller à ce que leur interprétation réponde bien à la question posée, qu'elle soit explicite, détaillée, qu'ils veillent à analyser correctement les documents, à utiliser de manière adéquate leurs connaissances préalables, à rendre un texte organisé en paragraphes distincts et à ne pas perdre de vue la correction de la langue. À titre indicatif, il leur est précisé que le texte doit faire au minimum une page manuscrite. En termes de conseils méthodologiques, nous suggérons de lire les documents et d'y souligner l'information qui leur semble importante en leur rappelant que, dans ce type de situation, l'information est abondante et n'est pas toute nécessaire. Pour terminer, nous conseillons de compléter le tableau vierge en fin de dossier sur la société athénienne pour classer les informations et d'utiliser ce tableau pour rédiger leur texte.

3.1.3 Dossier documentaire

Le dossier documentaire comporte cinq documents : un tableau de données qui présentent le poids démographique des trois groupes sociaux principaux (citoyens, métèques, esclaves), trois textes courts sur la société athénienne issus d'ouvrages historiques et adaptés par nous-mêmes en vue de leur lecture par de jeunes élèves et un schéma simple présentant les institutions de la cité.

DOCUMENT 8.1
Population de la cité d'Athènes vers 430 av. J.-C.

Citoyens	Métèques	Esclaves	Total
Entre 35 000 et 45 000 (avec leurs familles : entre 110 000 et 180 000)	Entre 10 000 et 15 000 (avec leurs familles : entre 25 000 et 40 000)	Entre 80 000 et 110 000	Entre 215 000 et 300 000

D'après Ehrenberg, V. (1976). *L'État grec*, Paris, p. 67.

DOCUMENT 8.2
La démocratie à Athènes

«Quel est le sens du terme « démocratique»?

Le premier exemple d'une rencontre entre «démos» (le peuple) et «kratein» (commander) se trouve dans une pièce de théâtre d'Eschyle, les Suppliantes, qui a été composée vers 465 avant J.-C. Évidemment, la question se pose de savoir ce qu'est le «démos». Le démos, à Athènes, est composé de tous ceux qui peuvent se dire athéniens ou autrement dit citoyen. Un Athénien est un homme libre qui habite et travaille en Attique, le territoire de la cité d'Athènes. Ces gens qui sont athéniens ont tous droit de vote à l'assemblée du peuple qui décide des lois; ne sont pas athéniens par conséquent: les esclaves et une autre catégorie sociale qui apparait au cours du VIe siècle avant J.-C., les «métèques», ces étrangers qui habitent et travaillent à Athènes.

En 451 avant J.-C., une loi déclare que seuls sont athéniens ceux qui sont fils d'un Athénien et d'une Athénienne, de façon à limiter le nombre d'habitants qui seraient en droit de recevoir gratuitement du blé. Être citoyen est donc un privilège.

Texte adapté de Brisson, J.-P., Vernant J.-P et Vidal-Naquet, P. (2000). *Démocratie, citoyenneté et héritage gréco-romain*, Paris, p. 17-18.

DOCUMENT 8.3
Métèques et esclaves

La catégorie des métèques est bien représentée dans de nombreuses cités grecques, tant à l'époque classique qu'à l'époque hellénistique, tant par les textes littéraires que par les documents archéologiques, mais c'est pour Athènes que nous sommes le mieux renseignés.

Qu'est-ce qu'un métèque? C'est un étranger domicilié dans la cité, pour une durée plus ou moins longue, parfois même à titre définitif. C'est un homme libre, non citoyen [...] Ce n'est qu'au bout d'un certain temps de séjour dans la cité que l'étranger de passage devient métèque [...] Le métèque doit payer une taxe [...], fixée à douze drachmes par an pour les hommes et six drachmes pour les femmes sans mari ou père. C'est une somme peu élevée qui représente, par exemple à peine une journée de travail par mois pour un ouvrier du bâtiment qui touche une drachme par jour [...] Le métèque n'a pas le droit de posséder de la terre, privilège qui est réservé au citoyen [...] Il a accès aux tribunaux ordinaires de la cité [...] ce qui n'est pas le cas des étrangers de passage [...] Peut-il prendre part à la religion de la cité? Si les étrangers en sont normalement exclus, les métèques y participent, mais dans certaines limites [...] Au regard de la loi, l'esclave est considéré comme une chose ou tout au plus un corps. Propriétaire de ce bien, le maître peut l'appeler du nom qu'il lui plaît, le mettre au travail de son choix, le louer, le mettre en gage ou le vendre. Il peut le corriger, mais les brutalités excessives ou la mise à mort sont tempérées par la réprobation de l'opinion, la peur d'offenser les dieux ou, comme c'est le cas à Athènes, la crainte d'être puni par la loi qui condamne les actes de violence.

Drachme : monnaie à Athènes

Mettre en gage : donner provisoirement comme garantie

Tempérer : atténuer, modérer

Réprobation : jugement par lequel une personne ou un acte est réprouvé, rejeté

Texte adapté de Lonis, R. (1994). *La cité dans le monde grec. Structures, fonctionnement, contradictions*, (Coll. histoire), Paris, p. 71-73, 82-83, 201-202.

DOCUMENT 8.4
Gouverner la Cité-État d'Athènes au Vᵉ siècle av. J.-C.

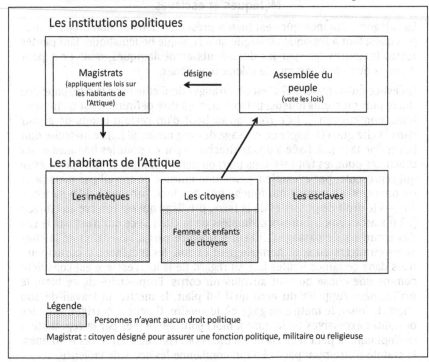

Les institutions politiques

Magistrats
(appliquent les lois sur les habitants de l'Attique)

désigne

Assemblée du peuple
(vote les lois)

Les habitants de l'Attique

Les métèques

Les citoyens

Femme et enfants de citoyens

Les esclaves

Légende

Personnes n'ayant aucun droit politique

Magistrat : citoyen désigné pour assurer une fonction politique, militaire ou religieuse

Schéma simplifié. Adapté de *Racines du Futur*, t. I, nouv. éd., Bruxelles, Didier Hatier, 2000, p. 22.

DOCUMENT 8.5
Veux-tu devenir citoyen athénien?

Selon ta fortune, tu devras donner de l'argent à la cité:

- pour financer les chœurs qui animent les représentations théâtrales données lors des grandes fêtes religieuses

- pour équiper un navire de guerre

– Tu devras faire un long service militaire et être prêt à combattre entre 20 et 49 ans

– Tu auras le droit de vote à l'assemblée du peuple

– Tu pourras être désigné magistrat

– Tu pourras posséder une propriété sur le territoire de la cité

– Tu pourras te plaindre auprès des tribunaux de la cité

– Tu pourras participer aux sacrifices et fêtes religieuses et tu pourras exercer un sacerdoce

– Tu recevras un peu d'argent pour assister aux spectacles qui ont lieu lors de certaines grandes fêtes religieuses comme celles de Dionysos

– En période de disette, tu recevras du blé si tu n'en as plus.

Sacerdoce: charge, fonction religieuse

Informations extraites de Lonis, R. (1994). *La cité dans le monde grec. Structures, fonctionnement, contradictions*, (Coll. histoire), Paris, p. 25-32.

Voici deux tableaux pour t'aider à traiter l'information et faire des liens avec tes connaissances.

Document 8.6
Les classes sociales à Athènes

Classes sociales Critères	Les............	Les............	Les............
....			
....			
....			
....			

Choisis parmi les critères suivants ceux qui semblent utiles dans les documents pour distinguer les groupes les uns des autres. Il n'est peut-être pas nécessaire de remplir toutes les lignes et toutes les cases du tableau. À toi de voir ce que disent les documents.

Document 8.7
Les critères

- Habitat
- Origine/Provenance des personnes
- Habillement
- Pouvoir politique
- Métier
- Rôle/Fonction dans la société
- Droits
- Richesse
- Statut des personnes
- Éducation
- Religion
- Devoirs/Obligations

3.2 Problèmes posés par l'évaluation des productions

3.2.1 L'exemple de deux productions contrastées

Pour aborder les problèmes que soulève l'évaluation des productions des élèves en situations complexes, deux copies contrastées d'élèves issues de cet exemple ont été sélectionnées.

Document 8.8
Production n° 1

Selon moi, les critères qui nous permettent de
distinguer plus clairement les différentes classes sociales
sont les suivantes: les droits, le pouvoir politique,
l'origine ou la provenance des personnes, les devoirs
le statut et le patrimoine

Les droits :- les athéniens ont les conditions de vie
les plus favorables selon tous les critères ci-dessus
et donc cela comprend aussi les droits. Ils reçoivent,
en période de disette, du blé si ils n'en ont plus ; ils
sont les seuls a avoir le droit de vote ; ils sont les
seuls a pouvoir avoir du terrain ; le seul droit commun
qu'ils ont avec les métèques est le droit de participation
aux fêtes religieuses.
                     - le seul vrai droit des métèques est la
participation (limitée) aux fêtes religieuses ; ils n'ont
pas de droit ni avoir des autres droits attribués
aux athéniens
                     - les esclaves n'ont aucun droit.

le pouvoir politique : les athéniens sont les seuls à
avoir un droit politique : ils ont le droit de vote
et peuvent être nommés magistrats.

Devoirs :- les devoirs des athéniens sont plus des devoirs
pour devenir athéniens : selon leur fortune, ils doivent payer
la cité ; ils doivent faire un long service militaire et
servir l'armée en cas de besoin
                     - les métèques n'ont pas de devoir spécifique
                     - les esclaves doivent obéir

Statut :- le statut des métèques et des athéniens
est identique : ils sont tous libres, seuls les esclaves
ne le sont pas.

Patrimoine :- le patrimoine des athéniens nous servait
quelque peu pour les droits, ils possèdent de la terre
                     - les métèques possèdent peu de choses
et les esclaves encore moins.

Les critères servant à distinguer les classes sociales
chez les athéniens et les celtes se ressemblent beaucoup,
sous quelques critères différents.

141

Document 8.9
Production n° 2

Critères de classes sociales à Athènes.

L'habitat des citoyens est normal, c'est-à-dire qu'ils ont plus ou moins tout ce qui leur faut. Ils ont une maison (un toit), une ou plusieurs femme(s) et un ou plusieurs enfants. Dans le pouvoir politique, ils participent aux institutions politiques et ils ont tout les droits politiques

Les métèques, eux, par contre, ils n'ont pas droit à posséder de terre. Dans leur pouvoir politique, ils ont accès aux tribunaux ordinaires de la cité et parfois, si les étrangers en sont exclus, ils y participent. Ce sont des hommes libres, ils n'ont aucun droits et ils n'ont pas de femme ni d'enfant

Les esclaves, doivent faire obligatoirement tout ce qu'ont leurs demandé, le maître peut l'appeler du nom qu'il lui plaît, le louer, le mettre en gage ou le vendre. Ils n'ont pas d'habitat, pas de femmes, pas d'enfants, ils n'ont pas de pouvoir politique, pas de droits et aucunes terres

Une première lecture de ces deux copies permet de découvrir assez rapidement que l'une d'elles est assez éloignée des attendus de la tâche et des consignes que nous venons de présenter, tandis que l'autre en est assez proche. On pourrait sans doute s'en tenir à l'établissement d'une note d'appréciation pour chaque production à partir de leur évaluation implicite et communiquer à l'élève cette appréciation en termes de «très bon», «bon», «suffisant», «insuffisant» ou «très insuffisant». Mais, dans la pratique, peu d'enseignants se bornent à communiquer une information aussi sommaire à leurs élèves, notamment aux élèves en difficultés. Or, c'est ici que la question de l'évaluation de productions complexes pose problème. Évaluer les productions issues de tâches de restitution ou d'application simple pose certaines difficultés, mais pas avec la même ampleur. Une correction adéquate qui souligne les points attendus ou les lacunes et une note d'appréciation ou une note qui comptabilise les éléments présents ou absents, suffira largement dans le cas d'une évaluation des connaissances ou d'habiletés simples. Par contre, lorsque la production est issue d'une situation complexe, lorsqu'elle est le résultat d'une démarche requérant la mise en œuvre d'opérations cognitives plus élaborées comme la compréhension, l'analyse, la mise en relation, l'usage d'un outillage conceptuel, lorsqu'elle est issue d'une tâche dans laquelle l'élève s'est investi, a réfléchi, propose une interprétation originale qui n'est plus une réponse standard attendue, l'enseignant est alors contraint de proposer un commentaire qualitatif, qui précise les éléments qui répondent ou ne répondent pas aux attendus.

Cette dimension de l'évaluation, l'annotation de copies, l'ajout de nombreux commentaires sur un document séparé, la rétroaction orale individuelle, est, dans les conditions présentes de la forme scolaire, étant donné le nombre d'élèves par classe, un travail à ce point répétitif, fastidieux, voire exténuant, qu'il risque tout bonnement de discréditer l'approche par compétences, y compris auprès de ses partisans les plus enthousiastes.

3.2.2 Un manque d'outillage conceptuel pour évaluer

Pour surmonter cette difficulté, des outils d'évaluation, des propositions ou suggestions précieuses ont été formulées dans divers travaux et ouvrages pédagogiques ou par l'entremise des instances éducatives chargées de piloter l'enseignement primaire et secondaire. Et pourtant, on peut s'étonner que, dans la pratique, les enseignants éprouvent des difficultés à utiliser ces outils, voire à travailler avec des critères valides et cohérents. Pour illustrer ce problème, nous produisons ci-dessous les évaluations qualitatives produites par deux enseignants différents en Univers social, en formation à l'Université de Sherbrooke, à propos des deux productions d'élèves sur l'organisation à Athènes. En laissant intentionnellement les listes de critères produites par les directives ministérielles, nous leur avons préalablement demandé d'évaluer les deux textes de manière qualitative en énonçant, dans un premier temps, leurs qualités (ou défauts) et en identifiant, dans un deuxième temps, les éléments concrets qui permettent d'observer chaque qualité (ou défaut) énoncée. À titre d'exemple, nous proposions une première qualité qui était celle du soin, satisfaisante à nos yeux dans la première copie par le fait que l'écriture était lisible, qu'il n'y avait pas de rature et qu'un espace entre les paragraphes était respecté. Nous jugions par contre que le soin était peu respecté dans la deuxième copie par l'observation de l'écriture peu lisible, de quelques ratures et d'un mauvais alignement à l'intérieur des paragraphes.

La première évaluation réalisée par un enseignant se présente sous la forme d'un tableau dans lequel la première colonne reprend les qualités ou défauts et les deuxième et troisième colonnes, les éléments observables pour chacune des copies d'élèves. Les caractéristiques typographiques dans l'ensemble du tableau, les cercles et les points d'interrogation dans la première colonne ont été ajoutés par nos soins pour les besoins de la présentation des problèmes posés par l'évaluation des compétences.

Document 8.10
Évaluation n° 1 d'un enseignant à propos des deux productions d'élèves

QUALITÉS ATTENDUES	CE QUI PERMET D'OBSERVER LA QUALITÉ	
	DANS LA COPIE N° 1	DANS LA COPIE N° 2
Qualité n° 1 **Le soin**	• **Écriture lisible** • Pas de rature • Espace entre les paragraphes • Le texte est *bien structuré*	• Écriture peu lisible • **Mauvais alignement à l'intérieur des paragraphes** • Le texte n'est *pas bien structuré*
Qualité n° 2 (La sélection) [?]	• Les critères sont en <u>nombre suffisant</u> • Pertinence de l'ensemble des critères choisis pour démontrer la compréhension de la notion de classe sociale à Athènes • L'élève *s'inspire des sources* mises à sa disposition pour trouver l'information <u>pertinente</u>	• <u>Seuls trois</u> critères sont présentés • Le critère de l'habitat n'est pas bien perti-<u>nent</u> pour démontrer la compréhension de la notion de classe sociale à Athènes • L'élève *invente des informations* pour expliquer ses critères
Qualité n° 3 **La *précision***	• Pour chacun des critères, on retrouve des <u>explications détaillées</u>, ***précises et justes*** de chacune des classes sociales • Les propos sont <u>nuancés</u>	• Des <u>explications</u> des critères sont incom-<u>plètes</u>, ***erronées*** ou <u>manquantes</u> • Les propos ne sont aucunement nuancés
Qualité n° 4 (La concision) [?]	• La longueur du texte est respectée	• La longueur du texte ne respecte pas les consignes
Qualité n° 5 (La méthode)	• L'élève est capable de <u>recueillir</u>, classer et hiérarchiser <u>adéquatement</u> l'information dans le tableau mis à sa disposition	• L'élève a de la difficulté à recueillir, classer et hiérarchiser adéquatement l'information dans le tableau mis à sa disposition

Document 8.11
Évaluation n° 2 d'un enseignant à propos des deux productions d'élèves

La première qualité est la <u>distinction des trois classes sociales</u>. Les deux copies ont bien respecté cet aspect. Toutefois, c'est vraiment le non-respect des autres qualités dans la première copie qui fait que les deux résultats sont éloignés l'un de l'autre.

Ma seconde qualité est l'utilisation de plusieurs <u>critères permanents afin de décrire les trois classes sociales</u>. Pour la première copie, nous ne distinguons pas clairement les différents critères utilisés et certains (habitat) ne sont pas, à mon sens, réellement pertinents. Tandis que pour la seconde copie, **le texte est divisé** selon des critères clairement identifiés et ces derniers <u>sont décrits</u> en fonction des trois classes sociales. Il y a peut-être les <u>critères du patrimoine et du statut</u> dans la seconde copie qui engendrent des **redites**, mais dans l'ensemble, c'est beaucoup plus clair et **mieux organisé** que la première copie. Ainsi, le second élève répond mieux à la consigne qui était de faire «le point sur <u>les critères qui permettent de distinguer clairement les classes sociales</u> à Athènes à l'époque classique».

Ma troisième qualité est *l'exactitude des informations* utilisées par les élèves. Dans la première copie, nous retrouvons certaines *<u>erreurs</u>* (***les esclaves n'ont pas de femmes***, les esclaves n'ont pas d'enfants…) alors que j'ai dénoté une seule erreur dans le deuxième texte (***les métèques n'ont pas de devoirs***).

Ma qualité suivante est <u>l'utilisation des faits</u>, d'exemples provenant <u>des textes</u> à lire pour appuyer leurs propos. Le premier texte en utilise <u>très peu</u>. Par exemple, l'élève mentionne bien que le citoyen à un pouvoir politique et qu'il participe aux institutions tout en ayant des devoirs, mais sans donner d'exemples précis au sujet de ces institutions ou de ces devoirs. Tandis que dans le deuxième texte, on peut retrouver des exemples tirés des textes. Prenons la phrase du second paragraphe où l'on énumère <u>le droit de vote, recevoir du blé</u>… Cette utilisation d'exemples et de faits dénote selon moi une plus grande <u>analyse</u> de la part de l'élève.

Pour terminer, ma dernière qualité attendue est la qualité du *français*. Le premier texte contient quelques *fautes* et a parfois de la difficulté en ce qui a trait à *la syntaxe*, alors que dans le second, c'est presque parfait.

Les caractéristiques typographiques des mots renvoient aux différentes dimensions à prendre à compte dans l'évaluation, c'est-à-dire que deux éléments ayant les mêmes caractéristiques typographiques, quelle que soit leur place dans le tableau, appartiennent, selon nous, à une même dimension. Les traits gras reprennent les éléments liés au soin, que nous donnions en exemple, et qui ont été repris tels quels par le premier enseignant. L'enseignant les a tous regroupés dans la première ligne du tableau, mais, en y ajoutant deux autres éléments observables, le fait que le texte est bien structuré dans un cas et ne l'est pas dans l'autre.

Nous avons mis en évidence ces deux éléments en italiques car ils relèvent, selon nous, d'une autre dimension que celle du soin. La ligne suivante du tableau présente une qualité générale énoncée par le terme «sélection». Ne sachant pas exactement ce que l'enseignant a voulu signifier par ce terme, nous l'avons entouré et fait suivre d'un point d'interrogation. Le premier élément observable de cette qualité, que cet enseignant fait figurer dans la colonne deux et la colonne trois du tableau, correspond à une idée de quantité : dans la première copie, les critères sociaux sur lesquels se fondent les différences entre groupes sociaux à Athènes sont en nombre suffisant alors que dans la deuxième, seuls trois aspects sociaux sont présents. Suit une deuxième catégorie d'éléments observables, exprimée cette fois en termes de pertinence, d'adéquation des critères sociaux choisis pour démontrer la compréhension de la question en jeu, celle du mode d'organisation sociale de la cité athénienne.

L'idée de quantité, d'une part, l'idée de pertinence, d'autre part, relèvent, selon nous, de deux dimensions différentes, par ailleurs peu articulées à l'idée de «sélection» présente dans la première colonne. C'est pour cette raison que nous avons souligné en ondulé, les éléments qui leur correspondent. Le troisième point de la colonne deux ou de la colonne trois apporte, toujours de notre point de vue, une nouvelle dimension avec l'idée que, dans la première copie, l'élève prend appui sur les documents mis à sa disposition pour apporter des éléments de réponses pertinents alors que dans la deuxième copie, l'argumentation est fondée sur des éléments inventés par l'élève. Nous retrouvons des dimensions déjà rencontrées dans la ligne suivante.

En double soulignement, l'idée de quantité, de richesse ou son revers, celle de pauvreté, se précise par le fait que l'enseignant trouve que la première copie présente des explications détaillées et nuancées alors que dans la suivante les explications sont incomplètes ou manquantes. À nouveau, il associe cette idée de richesse avec celle de précision ou de justesse (gras italique) en précisant que ces explications, outre le fait d'être détaillées ou incomplètes, sont aussi justes et précises dans un cas et erronée dans l'autre. L'avant-dernière ligne énonce la «concision», qualité qui nous pose également un problème d'interprétation au regard des observables qui lui correspondent. Le fait que le texte corresponde à une page manuscrite minimum comme indiqué dans les consignes est-il un signe tangible d'une production concise? Cela ne correspond-il pas plutôt au fait que la copie risque d'être riche, complète, nuancée dans un cas, trop brève, pauvre, lacunaire dans l'autre, ce qui reviendrait à énoncer une dimension déjà mise en évidence par les doubles soulignements?

La dernière ligne soulève un nouveau type de problème sur lequel nous reviendrions. Le terme « méthode » utilisé dans la première colonne indique un déplacement du regard de la copie vers l'élève, de la production écrite vers les démarches mises en œuvre par son auteur pour aboutir à la production attendue. Les éléments observables des deux colonnes suivantes renforcent cette idée de déplacement. Il y est question non pas d'une copie, mais d'un élève capable de recueillir, de classer et de hiérarchiser des informations ou d'un élève éprouvant des difficultés à le faire. Nous avons doublement souligné le terme « recueillir » dans l'idée que le fait de recueillir ou non de l'information devait avoir un lien avec le caractère riche ou pauvre, complet ou lacunaire, nuancé ou succinct de l'interprétation écrite et le terme « adéquatement » en ondulé dans l'idée que le fait de classer et hiérarchiser adéquatement, de manière pertinente l'information était en lien avec la bonne ou mauvaise compréhension des fondements de l'organisation sociale à Athènes.

3.3 Principes et concepts de l'évaluation des compétences en univers social

L'exemple d'évaluation que nous venons de présenter est assez emblématique de ce que les enseignants que nous rencontrons en formation produisent habituellement lorsque ceux-ci souhaitent évaluer des productions d'élèves issues de tâches complexes. Ces productions font apparaitre un certain nombre de difficultés qui peuvent être surmontées par le respect de quelques principes généraux en matière d'évaluation.

3.3.1 Critères et indicateurs

Un premier principe consiste à distinguer soigneusement critères et indicateurs. Le critère est une qualité attendue générale et l'indicateur, un élément observable, lié concrètement aux particularités de la situation complexe. Le critère est une dimension qui appelle une lecture ou une observation particulière de toute production issue d'un certain type de situations complexes. Le texte est pertinent s'il traite de ce qui permet de différencier les groupes sociaux à Athènes. Dans un autre exemple, il sera pertinent, mais pour une autre raison, en fonction d'une autre question de recherche et d'un autre indicateur. Les indicateurs sont les éléments à observer très concrètement dans chaque production pour s'assurer que tel ou tel critère est maitrisé ou pas. Il est souvent nécessaire d'observer plusieurs indicateurs pour évaluer un critère, surtout pour ceux qui sont le plus soumis à l'appréciation de l'évaluateur.

Le document 8.12 regroupe quelques indicateurs énoncés par les enseignants en fonction des caractéristiques typographiques (critères) que nous avons utilisées pour analyser les productions des élèves.

Document 8.12
Regroupement des indicateurs par qualité

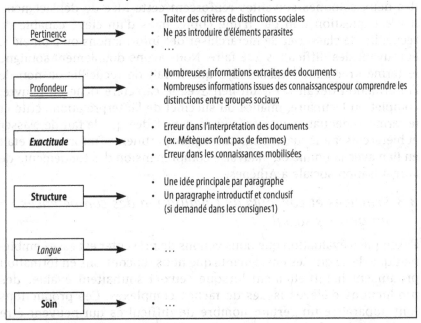

Pertinence	• Traiter des critères de distinctions sociales • Ne pas introduire d'éléments parasites • …
Profondeur	• Nombreuses informations extraites des documents • Nombreuses informations issues des connaissances pour comprendre les distinctions entre groupes sociaux
Exactitude	• Erreur dans l'interprétation des documents (ex. Métèques n'ont pas de femmes) • Erreur dans les connaissances mobilisées
Structure	• Une idée principale par paragraphe • Un paragraphe introductif et conclusif (si demandé dans les consignes1)
Langue	• …
Soin	• …

La différence semble évidente et, pourtant, dans la pratique, nous constatons que bien souvent des critères sont pris pour des indicateurs et, inversement, des indicateurs font fonction de critères. Dans l'exemple que nous avons présenté, les caractéristiques typographiques font apparaitre six dimensions ou six critères que nous retrouvons systématiquement dans toutes les évaluations qualitatives des enseignants qui sont amenés à comparer les productions issues de ce type de tâche (produire un texte interprétatif qui réponde à une question de recherche, à partir d'un ensemble documentaire et en faisant appel à des connaissances et des habiletés, notamment des connaissances conceptuelles): la pertinence, l'approfondissement ou la richesse, la rigueur ou l'exactitude, la cohérence, la langue et le soin.

Même si ces formulations n'ont rien de définitif et peuvent faire l'objet de nouvelles propositions plus adaptées à la production de textes interprétatifs en univers social, faire la différence entre un critère, qui a une portée générale, qui peut être transférable d'une situation à l'autre et un indicateur contingent, lié la situation particulière évaluée, reste une difficulté qu'illustre bien la dispersion des éléments relatifs à une même caractéristique typographique dans notre exemple. Autre exemple, nous rencontrons fréquemment comme critère énoncé par les enseignants le fait que le texte «traite ou ne traite pas de ce qui distingue les groupes sociaux à Athènes». Il est évident qu'il ne peut s'agir d'un critère à partir du moment où dans une nouvelle situation complexe concernant une autre réalité sociale, il ne sera plus question de «traiter des critères sociaux athéniens». Comment, dans ce cas, un élève pourrait-il progresser dans l'acquisition des compétences, si les critères utilisés par l'enseignant changent de forme à chaque nouvelle situation d'évaluation?

Document 8.13
Critères de la compétence et indicateurs spécifiques à la situation complexe sur l'organisation sociale à Athènes

Critères	Indicateurs
La pertinence	Le texte est pertinent s'il répond à la question de recherche posée, c'est-à-dire s'il traite bien des critères sociaux qui permettent de distinguer les classes sociales à Athènes au Ve s. av. J.-C.; s'il n'est pas un simple résumé de documents; s'il n'y a pas d'information parasite, sans rapport avec la question.
Approfondissement, richesse	Le texte est approfondi s'il explicite chaque critère social en montrant en quoi il différencie les citoyens, les métèques et les esclaves.
Rigueur, exactitude	Le texte est exact, rigoureux, si le contenu est juste, s'il n'y a pas d'erreur importante dans ce qui est dit, ex: confusions cause/conséquence, chronologie incohérente, contresens, généralisations excessives...
Cohérence	Le texte est cohérent si son organisation d'ensemble, l'agencement des paragraphes répondent à une certaine logique (ou, par la négative, ne sont pas complètement illogiques), si chaque paragraphe regroupe une idée principale, si les informations concernant un thème principal ne sont pas dispersées à travers les paragraphes.
Langue	L'orthographe, les constructions de phrases et les termes utilisés sont corrects.
Soin	La présentation est soignée, l'écriture est lisible, le texte est aligné. Les paragraphes sont distincts: espace, retrait...

3.3.2 Critères essentiels et critères de perfectionnement

Un deuxième principe qui fonde une pratique d'évaluation des compétences a trait à la détermination du degré d'importance des critères. Dans une optique sommative, cette question concerne la pondération des critères. Les variations que l'on peut observer en termes de pondérations, parfois importantes entre enseignants, cachent en fait un travail de hiérarchisation entre deux catégories de critères: ceux qui sont essentiels, sur la base desquels on peut déterminer le degré d'atteinte minimale d'une compétence visée, et ceux qui sont plus secondaires, qui ne servent pas à déterminer ce degré d'atteinte minimal. Ils servent par contre à déterminer le degré de perfectionnement de la compétence, si celui-ci satisfait au niveau d'exigence minimale. Dans l'exemple que nous avons présenté, la qualité de l'orthographe ou la lisibilité de l'écriture n'est pas ce qui permet de déterminer si l'élève est compétent ou pas pour rédiger un texte interprétatif en univers social. Le fait que son texte apporte une interprétation adéquate par rapport à la question de recherche posée, le fait qu'il constitue une réponse élaborée et enrichie grâce aux liens établis avec les connaissances préalables et/ou grâce à l'analyse approfondie du matériel documentaire qu'il aura conduite, sera beaucoup plus déterminant pour juger du niveau d'atteinte minimale de la compétence à interpréter une réalité historique. Pour le dire plus abruptement, il serait peu fondé de déclarer un élève incompétent à interpréter une réalité sociale du passé parce qu'il manifeste une orthographe déplorable. Par contre, que la production écrite soit exempte de fautes d'orthographe ou de syntaxe constitue un indice de perfectionnement non négligeable dont il faut évidemment tenir compte.

La hiérarchisation des critères essentiels et critères secondaires est une activité qui reste malheureusement trop souvent implicite. Nous avons régulièrement constaté des différences importantes en termes de poids accordés à des critères identiques par des enseignants d'une même matière ou d'un même niveau, voire par un même enseignant d'une situation d'évaluation à l'autre, ce qui est source d'incohérence pédagogique, notamment dans un contexte d'évaluation formative. Mener collectivement une réflexion sur celle-ci est par contre une activité que nous conseillons vivement aux collègues d'un même domaine d'étude au sein d'un même établissement ou d'une commission scolaire.

3.3.3 Critères indépendants

Un troisième principe concerne l'indépendance des critères. Les critères ne peuvent se recouper entre eux. L'un ne peut être dépendant de l'autre. Chaque critère doit mener à une analyse particulière et indépendante des autres de la production à évaluer. Lire le texte du point de vue de sa pertinence à traiter de l'organisation d'une société passée ne doit pas se confondre avec une lecture du même texte du point de vue de sa cohérence interne ou de son exactitude à rapporter les faits. Deux critères deviennent dépendants lorsqu'une erreur à propos d'un critère implique presque systématiquement une erreur à propos d'un autre critère.

Ce problème est bien illustré dans notre exemple par la dispersion des éléments relatifs à une même caractéristique typographique dans l'ensemble du tableau. Par exemple, le caractère riche, complet ou approfondi de l'interprétation écrite (en double soulignement dans le tableau) est évalué à plusieurs reprises à travers les critères de «sélection», de «précision» et de «méthode». Une production peu approfondie risque donc d'être jugée peu satisfaisante sur ces trois plans, c'est-à-dire au niveau de la «sélection», de «précision» et de «méthode», alors qu'elle ne l'est, en réalité, qu'au regard de la seule dimension «approfondissement» de l'interprétation. Il en va de même pour la pertinence. Dans un contexte d'évaluation formative, l'élève qui aura produit le texte n° 2 sera dans l'impossibilité de saisir que ce qui se cache derrière les lacunes de sa production, ce sont en fait trois problèmes séparés : celui de la pertinence, de l'approfondissement, de l'exactitude, trois problèmes importants puisque correspondants à trois critères essentiels. Il ne sera probablement pas en mesure de comprendre qu'indépendamment de ces trois problèmes importants, la cohérence de son texte ne pose pas de problème. Même si les trois paragraphes ne répondent pas à la question de recherche, ils ont du moins la qualité de présenter une cohérence propre.

3.3.4 Critères de production et critères de réalisation

Le quatrième et dernier principe que nous souhaitons mettre en évidence a trait à la distinction entre critères de qualité des productions et critère de réalisation. Le critère de production porte sur la réalisation de l'élève telle qu'elle se manifeste à travers une production ou un comportement; le critère de réalisation porte sur les démarches et processus mis en œuvre au cours de la réalisation de la tâche, dans le procès menant à la résolution de la situation complexe. L'absence de prise en compte de cette distinction est illustrée, dans l'exemple plus haut, par le critère «méthode» qui figure dans la première colonne du tableau. Nous avons souligné que ce terme renvoyait à un déplacement de l'objet de l'évaluation. Il n'est plus question du texte, de ses points forts ou de ses lacunes, mais d'un élève capable de (éprouvant des difficultés à) recueillir, classer et hiérarchiser des informations. L'attention ne porte plus sur la production de l'élève, mais sur les démarches mobilisées. Cette distinction entre deux objets, les démarches ou processus mobilisés, d'une part, leur point d'aboutissement, de l'autre, est de toute première importance pour l'évaluation de compétences.

L'hypothèse psychologique qui fonde le processus de construction des compétences concerne la capacité du sujet à pouvoir recourir, combiner, mobiliser des ressources cognitives en vue de se donner des schèmes d'action adaptés, accommodés dirons-nous pour user d'un terme piagétien, à la complexité des situations d'intégration à résoudre. De plus, un élève ne résout pas une situation complexe comme il répond à une question de restitution, de connaissance ou d'application d'un savoir-faire. Le degré d'engagement de l'élève sera plus élevé, son implication personnelle plus intense. Autrement dit, les critères de réalisation touchent davantage aux compétences et à la personnalité de l'élève que les critères de production. Leur mise en mot, c'est-à-dire la conceptualisation et la formalisation par le langage des démarches opératoires inférées, devient alors la pierre angulaire d'une évaluation formative centrée sur le développement des compétences.

Cependant, l'enseignant convaincu d'évaluer les compétences de ses élèves à l'aide de critères de réalisation est aussi un enseignant responsable d'un ou de plusieurs groupes-classes. Il ne peut être partout à la fois et faire des inférences de manière systématique quant aux démarches mises en œuvre par chacun de ses élèves. Autrement dit, il ne peut évaluer de façon fiable et avec le degré de systématicité requis les démarches qui sont au cœur du processus de construction des compétences. Il s'agit là d'un obstacle de taille, qui, à notre sens, ne peut être contourné qu'en associant les élèves à l'évaluation. L'autoévaluation, dans le cas des critères de réalisation, devient le moyen privilégié d'une évaluation formative centrée sur les démarches et les processus de réalisation de tâche complexe. En faisant appel à ses élèves, et en leur apprenant à s'autoévaluer, c'est-à-dire à porter un regard sur leur propre production et leur propre réalisation, il facilite la formalisation et l'intériorisation des critères de réalisation. La grille reproduite ci-après est un exemple d'outil conçu dans le cadre de la situation complexe sur l'organisation sociale à Athènes pour permettre aux élèves de revenir sur leurs démarches.

Si je me rappelle les démarches que j'ai mises en œuvre...

Document 8.14
Grille d'autoévaluation des démarches

		OUI	NON
1	J'ai pris le temps de bien lire la tâche et de bien comprendre la question de recherche : le sujet précis, l'époque, le lieu	X	
2	J'ai pris le temps de bien lire les consignes et les conseils proposés	X	
3	J'ai veillé à parcourir une première fois l a documentation	X	
4	J'ai veillé à me remettre en mémoire ce que je savais des Celtes		X
5	J'ai écarté les informations qui n'avaient rien à voir avec le sujet (je les ai barrées, hachurées…)		X
6	J'ai souligné d'une couleur les informations qui concernaient un critère particulier ou j'ai indiqué dans la marge, à hauteur de l'information, le nom du critère ou j'ai rempli directement le tableau au fur et à mesure de ma lecture	X	
7	J'ai veillé à ne pas m'inventer des informations qui ne se trouvaient pas dans les documents		X
8	Pour donner un nom aux critères, je me suis aidé de la liste proposée dans le bas du tableau	X	
9	Avant de rédiger mon texte, j'ai relu la question de recherche et les consignes	X	
10	Avant de rédiger mon texte, je me suis aidé du tableau ou j'ai fait un plan de réponse	X	
11	J'ai veillé à relire mon texte et à corriger l'orthographe	X	

Quels sont les trois aspects les plus importants auxquels je dois faire attention la prochaine fois ?
1.
2.
3.

4. Pour conclure

Les balises proposées dans ce chapitre ne constituent pas des recettes à suivre pas à pas. Elles proposent et soumettent à la vigilance critique du lecteur un certain nombre de concepts et de points de vue destinés à l'aider dans la construction des situations d'évaluation en sciences sociales et dans l'évaluation de ces nouveaux objets que constituent les compétences. Plus fondamentalement, l'enjeu est d'aider l'enseignant à quitter la zone approximative, trop souvent faites d'implicites, dans laquelle le confine l'usage d'un langage courant en matière d'évaluation et de lui permettre d'accéder, par la problématisation et la conceptualisation, à une plus grande conscience des embuches qui parsèment le processus d'évaluation des compétences et des solutions qui sont à sa portée.

Bibliographie

Beckers J. (2002). *Développer et évaluer des compétences à l'école: vers plus d'efficacité et d'équité.* Bruxelles: Labor.

Desjardins, J. et Hensler, H. (2009). «À la recherche d'une cohérence dans les programmes de formation à l'enseignement. Le rôle des acteurs et la prise en compte des caractéristiques organisationnelles» (p.145-159). Dans R. Etienne, M. Altet, C. Lessard, L. Paquay, P. Perrenoud (2009). *L'université peut-elle vraiment former les enseignants?: Quelles tensions? Quelles modalités? Quelles conditions?* Bruxelles: De Boeck.

Jadoulle J.-L. (1998). «Vers une didactique «constructiviste»?» Dans J.-L. Jadoulle et P. De Theux, *Enseigner Charlemagne.* Louvain-la-Neuve, UCL: Unité de communication et de didactique en histoire, p. 73-85.

Le Boterf, G. (1994). *De la compétence: essai sur un attracteur étrange.* Paris: Éditions d'organisation.

Martineau R. (2010). *Fondements et pratiques de l'enseignement de l'histoire à l'école. Traité de didactique.* Québec: Presses de l'Université du Québec.

Roegiers X. (2000). (avec la collaboration de J.-M. De Ketele). *Une pédagogie de l'intégration: compétences et intégration des acquis dans l'enseignement.* Bruxelles: De Boeck.

Stordeur J. (1996). *Enseigner et/ou apprendre. Pour choisir nos pratiques.* Bruxelles: De Boeck.

Tardif, J., Fortier, G. et Préfontaine, C. (2006). *L'évaluation des compétences: documenter le parcours de développement.* Montréal: Chenelière-éducation.

Vergnaud, G. (1996). Education: the best part of Piaget's heritage. *Swiss Journal of Psychology,* 55(2/3): 112-118.

9 – Une histoire toujours-déjà détournée : savoirs, savoir-faire et savoir-être dans les examens d'histoire au Québec (1970-2012)

Jean-Philippe Warren

La conclusion que l'on peut tirer de l'étude des examens d'histoire de quatrième secondaire depuis plus de 40 ans, c'est que l'évolution de l'enseignement de l'histoire au Québec est scandée par trois périodes importantes, qui sont cependant loin d'être homogènes. La première (1970-1990) correspond à la domination relative d'une vision nationaliste du passé, tributaire d'une volonté de «nation building». La deuxième (1991-2008) fait une place de plus en plus grande à l'histoire sociale, les interprétations historiques invoquant davantage des facteurs démographiques ou économiques. Enfin, la dernière période (2009-2012), qui s'ouvre sur l'implantation du tout nouveau cours *d'Histoire et éducation à la citoyenneté*, propose une conception de l'histoire qui, plutôt que d'insister comme naguère sur des savoirs évènementiels ou même des savoir-faire disciplinaires, met davantage de l'avant les compétences acquises et les savoirs-être. La conception de l'histoire propre à chacune des trois périodes est soutenue par des partisans distincts : nationalistes, historiens universitaires et didacticiens. (Cet article est un résumé de Warren [2013].)

1. La domination d'une histoire nationaliste (1970-1990)

De 1970 à 1990, la teneur des questions reflète nettement les préoccupations du courant nationaliste dans les examens d'histoire de quatrième secondaire. Non seulement ce courant a représenté au Québec du 20e siècle une force intellectuelle sans véritable équivalent, mais ses militants ont très tôt investi le domaine de l'enseignement de l'histoire. À partir de septembre 1970, il est vrai, la mise en place d'un programme d'histoire unique pour les élèves francophones et anglophones permettait de proposer une interprétation consensuelle du développement de la collectivité québécoise, une volonté qui sera renforcée par l'imposition d'un examen unique en 1974. Mais, tout en cherchant à moderniser le programme, à le décloisonner et à lui faire perdre ses traits les plus lourdement apologétiques afin qu'il puisse être enseigné par tout le monde, les examens continuaient à être investis par une idéologie nationaliste assez explicite. Par exemple, en 1979, les questions 33 à 46 abordaient des sujets aussi marqués du point de vue politique que les champs de compétences exclusifs des provinces, l'opposition d'Henri Bourassa à la participation du Canada à la guerre des Boers, la crise de la Conscription, l'action de Mercier et de Duplessis en faveur de l'autonomie provinciale «pour que le Québec puisse exercer pleinement tous ses pouvoirs», la fondation de l'Union nationale, la Grève de l'amiante, le «Vive le Québec libre!» du général de Gaulle, la victoire de Robert Bourassa en 1973 (après avoir, précise-t-on, «rejeté la Charte de Victoria»), la nationalisation de l'électricité, le fait que l'Iron Ore à Sept-Îles et la General Motors à Sainte-Thérèse soient des filiales de compagnies étatsuniennes, et la victoire des Patriotes à Saint-Denis.

Dans les années 1980, les questions d'examen restituaient une interprétation désormais figée du devenir collectif. Dans ce récit, ce qui primait tous les autres éléments, sans toutefois les exclure, c'était la lutte d'affirmation nationale des Canadiens de langue française. Certes, depuis la publication du programme de 1982, les examinateurs donnaient l'impression de chercher à diversifier le portrait de la société québécoise, mais ces efforts ne portèrent guère leurs fruits, parce que l'ajout de personnages et évènements isolés ne fit que nuancer une trame narrative trop forte pour être ébranlée à sa base. Au final, soit ces personnages et évènements, relégués en arrière-fond du récit qui se dégageait en filigrane des questions, ne faisaient qu'agrémenter une narration qui se déployait essentiellement sans eux, soit ils se trouvaient immédiatement insérés dans le récit du groupe national et servaient à en consolider la trame.

2. La montée de l'histoire sociale (1991-2008)

Les questions des examens de 1970 à 1990 ne trahissaient pas seulement un parti-pris nationaliste, elles offraient aussi un visage de la pratique historienne encore fortement évènementiel et politique. Ce paradigme était cependant de plus en plus miné dans les départements d'histoire du Québec par les attaques de la jeune génération d'historiens qui reprochaient à l'histoire politique d'avoir trop longtemps mis de l'avant une conception institutionnelle et officielle du passé.

Il n'est pas facile de dire à quel moment exact les examens basculent du côté de l'histoire sociale. La mise en place du programme de 1982, devenu obligatoire dans l'ensemble des établissements scolaires au milieu de la décennie, a en effet exigé une période de transition afin de laisser aux enseignants le temps de s'ajuster aux nouvelles exigences. On peut cependant affirmer qu'au début des années 1990, la transformation est définitivement consommée. Il s'agissait désormais d'amener les élèves à la maitrise des habiletés intellectuelles et techniques liées à la démarche historique. Il ne s'agissait plus de faire vivre l'histoire, de la rendre vivante à l'esprit des élèves. Le savoir-faire que l'on cherchait à développer se voulait davantage objectif et empirique. Les tableaux, les données chiffrées et les courbes statistiques participaient de cet effort de «scientifisation». On insistait aussi sur le temps long, les dates précises ayant désormais moins d'importance que la chronologie générale.

Les pauvres et les ouvriers étaient davantage visés dans les questions d'examens que les francophones. En 2004, les images reproduites pour la période postérieure à la Rébellion illustraient, dans l'ordre, un chargement de bois équarri à Québec pour la Grande-Bretagne, le programme de travaux publics pour les sans-emplois, le rôle de l'hydroélectricité dans le développement industriel à Shawinigan, des ouvrières examinant des obus à canons pendant la Seconde Guerre mondiale, un bon de secours direct, la une du *Devoir* lors du Crash boursier de 1929, un dortoir public, le rassemblement du Front commun au stade Paul-Sauvé à Montréal, le travail en manufacture, la grève des travailleurs du port de Montréal et l'intérieur d'une maison de la classe ouvrière. L'impression qui se profilait derrière cette enfilade de documents iconographiques, c'est celle d'un peuple davantage défini par sa condition sociale que par sa langue ou sa culture, même si des éléments comme l'adoption de la loi 101 ou la crise de la Conscription étaient mentionnés au passage. C'est aussi celle de rapports de force qui opposaient avant tout les pauvres et les riches. On perçoit que les rédacteurs tentaient implicitement de montrer aux élèves que, loin d'être unie et homogène comme on aurait pu le croire, la société québécoise d'autrefois était divisée par des conflits d'intérêts profonds.

3. L'émergence d'une nouvelle approche (2009-2012)

Notons d'emblée qu'en 2008, à la veille du remplacement du cours d'*Histoire du Québec et du Canada* par le cours *Histoire et éducation à la citoyenneté*, l'examen avait déjà subi maintes modifications par rapport à ce qu'il était vingt ans plus tôt. Poussée entre autres par des didacticiens, la réforme introduite dans l'examen de fin d'année de 2009 allait toutefois beaucoup plus loin que les ajustements des années précédentes.

D'abord, l'étude des questions d'examen de 2009 à 2012 confirme un effacement partiel des dimensions temporelles et narratives. Les épreuves de 2009 à 2012 exigeaient un effort diachronique beaucoup moins énergique qu'auparavant. Pour beaucoup, il s'agissait pour les élèves de savoir établir l'antériorité ou la postériorité des faits. D'ailleurs, les questions n'étaient plus présentées par ordre chronologique de la Nouvelle-France à nos jours, mais, en conformité avec le programme du ministère, selon des sections qui portaient le nom de «Population et peuplement», «Culture et mouvements de pensée», «Pouvoir et pouvoirs» et «Économie et développement».

Ensuite, l'ancienne narration axée sur le nationalisme disparaissait sans être véritablement remplacée par le grand récit du parlementarisme québécois. Le mouvement nationaliste était mentionné, certes, mais il devait côtoyer une série d'autres courants qui en relativisaient la portée, tels l'impérialisme, le libéralisme, le féminisme, le laïcisme, l'américanisme et l'autochtonisme. N'étant pas situées dans un cadre narratif général, les questions finissaient ainsi par flotter dans le vide et revêtir un caractère plutôt abstrait. Les examens abordaient un peu en vrac l'impact de l'immigration et de la natalité sur la composition démographique et sociale de la population dans la première moitié du 19e siècle, l'occupation du nord-est de l'Amérique par les trois groupes linguistiques autochtones au 21e siècle, la prospérité et la consommation de masse de l'après-guerre, le rôle de l'agroforesterie dans les mouvements de colonisation, les courants de pensée lors de la transformation de la société québécoise à partir de 1960, l'influence des idées libérales sur les institutions politiques et sur la constitution d'une opinion publique jusqu'en 1848, etc. Tous ces évènements ou phénomènes se trouvaient aplanis, faute de trouver leur épaisseur dans le relief d'un récit d'ensemble, comme cela était le cas quand la narration nationaliste assurait la cohérence implicite des questions et de leur ordre de présentation dans le test.

Ce qui transparait, pour qui consulte les examens de la dernière période, c'est à quel point l'histoire promue par les fonctionnaires du ministère de l'Éducation représentait de plus en plus un matériau qui servait à autre chose qu'à enseigner des connaissances historiques. Changement révélateur, à partir de 2009, les documents de référence étaient inclus dans un cahier à part: l'élève devait se servir de ces documents pour réaliser des opérations intellectuelles dont ils devenaient en quelque sorte le prétexte. L'important, c'était d'abord de pouvoir déterminer des facteurs explicatifs et des conséquences, d'établir des liens de causalité ou de mettre en relation des faits. On assistait à l'élaboration d'examens qui, à certains égards, ressemblaient à une toile Internet, les élèves ayant pour tâche de tracer des correspondances à partir de sources éparpillées.

Les élèves devant être en mesure de lire les enjeux et de se situer par rapport à eux, les réponses aux questions n'étaient plus seulement à choix multiples, mais incluaient des réponses courtes et directes. Autre point que maints observateurs considéraient comme positif: pour la première fois, la représentation du Québec véhiculée par les examens se diversifiait et se complexifiait vraiment. En particulier, les Amérindiens étaient décrits comme un groupe qui se suffisait à lui-même et dont on cherchait à connaitre les mœurs sans les mettre immédiatement en lien avec les intérêts des colons de la Nouvelle-France.

Cependant, au total, on sent mal comment les élèves pouvaient réellement arriver à bâtir leur propre référence historique à partir des connaissances et des compétences mobilisées par les tests d'histoire. Il semble bien que, pour eux, le choix se posait encore entre une acceptation de l'arbitraire des évènements du passé, ballotés entre des forces et des intérêts contingents, et une récupération de l'enseignement dans une grille plus familière. À ce chapitre, les témoignages confirment que ce sont les enseignants qui ont en définitive tranché pour eux.

4. Conclusion

Les groupes idéologiques ainsi que les chercheurs dans les départements d'histoire et ceux dans les facultés d'éducation ont tous, à un degré ou à un autre, intérêt à proposer leur vision de ce que devrait être l'enseignement de l'histoire au Québec. Or, il est rare que leurs propositions convergent, ce qui les condamne à être d'éternels insatisfaits. Ce chapitre confirme, après bien d'autres travaux, que l'histoire de l'enseignement de l'histoire est le précipité de tiraillements continuels. Le résultat de ces tensions se retrouve dans la rédaction des tests d'histoire du Québec qui témoignent, de manière éloquente, des échanges souvent tendus entre champ politique, champ historiographique et champ pédagogique. Car si, dans la présentation que nous avons choisi d'adopter, des nationalistes, des historiens dans les départements d'histoire et des didacticiens dans les facultés d'éducation occupent successivement une position privilégiée dans le domaine de l'enseignement au secondaire, il va sans dire que cette autorité n'est jamais totale ou exclusive. Il est donc normal de constater que l'unanimité est, en ces matières, irréalisable, et que les débats occasionnés par les multiples reformulations et réorganisations du programme d'histoire au secondaire depuis plus de 40 ans sont loin d'être terminés.

TROISIÈME PARTIE

LES TECHNIQUES DES DISCIPLINES DES SCIENCES SOCIALES

10 – Lire et interpréter des sources écrites

Virginie Martel

L es documents écrits sont des sources d'information précieuses pour les historiens (Delsalle, 2000; Moniot, 1993). C'est à l'aide de la méthode historique, qui sous-tend une lecture fine et une critique de ces sources, que les historiens parviennent à reconstituer l'Histoire. Bien que les citoyens et les élèves ne puissent faire le travail des historiens, ils peuvent s'en inspirer afin d'apprendre à travailler selon une méthode qui s'apparente à l'enquête et qui place en son centre la lecture des sources écrites (Cooper et Capita, 2004). Cette lecture critique et interprétative des sources écrites est l'objet de ce chapitre.

1. La pertinence citoyenne du savoir-lire historique

Le savoir-lire général, c'est-à-dire la capacité à décoder et à donner sens à des signes écrits, constitue une porte d'entrée privilégiée vers la citoyenneté. Dans la société actuelle, il est en effet presque impossible de s'insérer et de participer au développement social sans une maitrise minimale des habiletés de lecture.

Le savoir-lire des historiens, dont les bases s'appuient sur une critique minutieuse des sources et une interprétation approfondie de leur contenu, n'apparait pas, à première vue, tout autant fondamental. N'est-ce pas là un savoir qui appartient à la discipline historique et qui, conséquemment, est réservé à quelques initiés? Comme Bloch (1950), nous croyons que non: «les règles de la critique du témoignage ne sont pas un jeu d'érudits. Elles s'appliquent au présent, comme au passé» (p. 8). De fait, elles devraient être au cœur de la citoyenneté. Elles sont d'autant plus fondamentales dans le contexte actuel où les sources d'information, de qualité assurément variable, sont multiples (Heimberg, 2002) et accessibles d'un seul clic de doigt (Piette, 2012).

Dans la culture occidentale, c'est parce que la discipline historique, et la méthode qui lui est associée (Jadoulle, 2005) participent au développement des capacités critique et réflexive qu'elle a acquis une grande valeur sociale (Martineau, 2010) et scolaire (Gouvernement du Québec, 2006a; 2006c; 2007b). Dans la perspective de la lecture de documents écrits, cette méthode exige de dépasser la maitrise du décodage et de la compréhension pour aller vers la portée symbolique et la construction d'interprétations diverses (Gouvernement du Québec, 2007b). Pour ce faire, il importe, comme le fait l'historien, d'adopter une posture du doute et d'engager un dialogue avec l'écrit afin d'en évaluer la valeur (Mandell et Malone, 2007; Wineburg et Martin, 2004; Wineburg, Martin et Monte-Sano, 2013). Ce regard épistémique est essentiel à la citoyenneté; il permet que chacun se souvienne que les documents écrits «[...] sont des reflets de la société qui les a produits» (Gouvernement du Québec, 2007b, p. 92). Pour assurer le développement de cette compétence critique, il importe d'apprendre à l'élève à recueillir de l'information dans des documents variés en tenant «[...] compte de l'origine et des intérêts particuliers des auteurs qu'ils consultent» (Gouvernement du Québec, 2007b, p. 17).

Outre l'importance d'évaluer un document en le mettant en contexte, la lecture en histoire propose également une démarche de questionnement qui participe elle aussi à la formation du citoyen (Prost, 1996). Comme le souligne Wineburg (1998), ce qui précède l'émergence des interprétations historiques, ce sont les allers-retours constants entre les textes, les connaissances acquises et les questionnements qui sous-tendent la lecture. L'historien n'est donc pas seulement un bon lecteur critique, il est aussi un interrogateur qui sait mener son enquête et répondre à ses questions de recherche (Nokes, 2013). Il en va de même pour l'élève. Dès le primaire, il doit développer «[...] sa capacité de partir du présent pour se questionner sur des traces de sociétés du passé» (Gouvernement du Québec, 2006a, p. 172). Quant à l'élève du secondaire, il doit être placé «en situation d'enquête et de sélection d'information» (Gouvernement du Québec, 2006c, p. 340) afin de construire «des réponses à ses questions à l'aide de sources documentaires» (Gouvernement du Québec, 2006c, p. 327).

Le fait d'interroger les réalités sociales et les sources écrites dans cette perspective critique et réflexive permet à l'élève et au citoyen «[...] d'établir les fondements de son interprétation, d'en construire une représentation personnelle et de donner des assises historiques à sa conscience citoyenne (Gouvernement du Québec, 2006c, p. 338).

2. La lecture des sources écrites : évolution et usage actuels

L'étude des sources écrites en histoire a été influencée au cours des temps par l'évolution des objectifs et de l'épistémologie de la méthodologie de travail des historiens (De Certeau, 1975). De même, elle a été touchée par la multiplication, depuis l'arrivée de l'imprimerie, de la documentation dont la croissance est aujourd'hui exponentielle.

Les premiers documents écrits ont été produits à partir du 3e millénaire avant J-C. Certains aspects de la critique du document commencent à se manifester dès cette époque, mais, jusqu'au 16e siècle, historiens et chroniqueurs se contentent essentiellement de recopier et compiler des documents sans exercer de critique (Delsalle, 2000). «Des siècles durant, la méthode historique se confond avec une éthique historienne» (Carbonnel et Walch, 1994, p. 16).

À la sortie du Moyen Âge, devant la multiplication des sources écrites, la méthode critique, que l'on peut faire remonter à Mabillon, un moine et historien français du 17e siècle (Delsalle, 2000; Prost, 1996), se développe. Bien que la méthode reste encore partielle, elle propose une grille de lecture critique des documents écrits afin, entre autres, de distinguer les documents authentiques des faux ou de ceux qui ont subi des modifications.

Au cours du 19e siècle, le développement de l'école méthodique favorise une nouvelle étape. Le document écrit, alors considéré comme source royale de l'histoire évènementielle, doit être soumis à la critique externe qui permet de mettre en lumière le contexte de production, mais il doit aussi être soumis à la critique interne qui examine la cohérence du texte et sa compatibilité avec le savoir admis (Müller, 2013). Au 20e siècle, l'école des Annales poursuit l'évolution des pratiques (Carbonnel et Walch, 1994). À ce moment, la nouveauté n'est pas tant dans la méthode que dans les sujets étudiés, dans le recours aux questionnements et dans l'éclatement des sources qui convoquent, dès lors, toutes les productions humaines, qu'elles soient ou non écrites (Febvre, 1952; Prost, 1996).

3. Lire comme un historien : la démarche de lecture critique et interprétative

Lire en histoire appelle des stratégies qui touchent tout autant au savoir-lire acquis en langue d'enseignement, au contexte plus spécifique de l'apprentissage par la lecture et à la lecture critique et interprétative des sources inhérentes à la discipline historique.

3.1 Décoder et comprendre: la porte d'entrée de la lecture en histoire

Comme le souligne avec justesse Giasson (2011), «la lecture représente l'une des conquêtes majeures de l'humanité». Pour réaliser cette conquête, l'Homme a dû apprendre à maitriser les habiletés permettant de décoder les signes écrits et de leur donner sens.

La grande majorité des lecteurs maitrisent les stratégies de décodage et de reconnaissance des mots puisque ces dernières sont apprises dès l'entrée scolaire. En ce qui a trait à la compréhension, il en va par contre autrement puisqu'un grand nombre d'élèves, mais aussi de citoyens, peinent à donner sens aux textes lus (Bernèche et Perron, 2005). Il est vrai que la compréhension en lecture, loin d'être simple, nécessite l'utilisation et la maitrise d'un grand nombre de stratégies (Collins Block et Parris, 2008). Ces stratégies touchent, par exemple, le survol du texte, l'identification des informations importantes, la formulation d'hypothèses, la réalisation de prédictions, etc. (Alvermann, 2001; Doty, Cameron et Barton, 2003; Giasson, 2011).

Selon leur maitrise des stratégies et leurs caractéristiques personnelles (par exemple leur âge), les lecteurs manifestent des niveaux de compréhension différents (Giasson, 2011). Ainsi, certains n'ont qu'une compréhension de surface. Ils considèrent seulement l'information donnée dans le texte. D'autres ont une compréhension inférentielle par laquelle ils parviennent à réaliser des liens entre les différentes parties d'un texte, et ce, même si ces liens sont implicites. Enfin, certains lecteurs ont une compréhension critique du texte. Cette compréhension exige qu'ils tiennent compte des propos explicites et implicites de l'auteur afin de les comparer à leurs propres connaissances du monde. Bien entendu, c'est la compréhension critique qui est visée dans la perspective de la lecture en histoire.

3.2 Lire pour comprendre, mais surtout lire pour apprendre

Bien que la lecture en histoire puisse être divertissante, elle suppose invariablement le souci d'acquérir des nouvelles connaissances ou d'en construire afin de les réinvestir et de mieux comprendre les sujets d'étude ciblés. Pour Cartier (2007), cette lecture qui vise l'acquisition intentionnelle de connaissances s'inscrit dans ce qu'on nomme l'apprentissage en lisant (APL).

En plus d'avoir à choisir ses textes (ou ses sources, dans le cas de l'histoire), de les lire et de les comprendre, le lecteur dans le contexte de l'APL doit traiter l'information écrite pour en tirer des connaissances nouvelles. Pour ce faire, il doit s'appuyer sur ses acquis (entre autres ses connaissances antérieures) qui agissent comme médiatrices dans l'engagement. De même, il doit recourir aux stratégies d'autorégulation et aux stratégies cognitives qui permettent de lire pour véritablement acquérir ou construire des connaissances.

Pour Cartier (2007), les stratégies d'autorégulation concernent la planification de la tâche de lecture, son contrôle, l'ajustement nécessaire en cas de difficultés et l'autoévaluation, notamment en ce qui a trait à la compréhension du sujet et à l'apprentissage qui en résulte. Quant aux stratégies cognitives, elles touchent à la sélection (par ex., souligner l'information importante), à la répétition (par ex., relire), à l'élaboration (par ex., résumer) et à l'organisation (par ex., faire un schéma ou regrouper l'information dans un tableau).

Ces stratégies nécessaires à l'APL sont essentielles en histoire; sans en être le socle, elles permettent d'investir la lecture d'une source écrite dans la perspective spécifique de l'apprentissage. L'objectif poursuivi: lire, reconstituer le passé et apprendre.

4. Critiquer et interpréter des sources écrites selon la méthode des historiens

Si on saisit bien ce qui a été présenté jusqu'à présent, lire des sources écrites implique leur décodage, la compréhension du contenu écrit et le transfert plus large de cette compréhension vers l'acquisition ou la création de nouvelles connaissances disciplinaires. Cette démarche est transversale: elle est utile à plusieurs contextes de lecture et elle s'applique à plusieurs disciplines.

Ce qui distingue la lecture en histoire de la lecture, par exemple, en sciences, c'est la nécessité d'ajouter à cette démarche générale de lecture l'utilisation spécifique de la méthode critique des sources propre à l'historien. En histoire, plus que partout ailleurs, il importe en effet de lire en ayant une posture de doute et de questionnement. C'est cette habileté à travailler avec les sources de façon critique qui permet de construire un savoir historique argumenté et donc davantage crédible (Prost, 1996). De même, c'est l'habileté à poser des questions efficaces aux sources qui peuvent transformer ces dernières en éléments de preuve (Seixas et Morton, 2013).

Pour offrir un moyen mnémotechnique permettant de se souvenir des questions qu'il importe de se poser lors de la lecture d'une source, Seixas et Morton (2013) proposent un acrostiche à partir du mot «source». Ce dernier est présenté dans le tableau 10.1.

Tableau 10.1
L'étude des sources: un acrostiche mnémotechnique

Source: D'où provient la source (date/lieu/créateur)?
Objectif: Dans quel but a-t-elle été créée?
Utilité: Quelle est sa pertinence dans votre enquête?
Réputation: Dans quelle mesure le créateur est-il reconnu comme fiable?
Contexte: En quoi ce que vous savez appuie-t-il cette source?
Elément de preuve: En quoi cette source appuie-t-elle votre enquête?

Source: Seixas et Morton (2013), p. 65.

Ces questions liées à une attitude de lecture critique sont liées à différentes étapes qui caractérisent l'étude des sources écrites. Husbands (1996) préfère parler de niveaux de questionnement puisque les questions de recherche et de méthode doivent supporter l'ensemble de la démarche de lecture.

4.1 *La recherche de sources ou l'euristique*

La première étape consiste à rechercher les traces écrites qui permettent d'approcher le sujet à l'étude. En histoire, l'art de collecter les documents nécessaires à une recherche a une dimension euristique (Delsalle, 2000). Selon les questions qui sous-tendent la recherche et selon l'existence et l'accessibilité des traces, un certain nombre de sources écrites primaires et/ou secondaires peuvent être identifiées; elles seront par la suite étudiées.

4.2 *L'observation ou la découverte du texte*

L'observation générale du texte crée les conditions d'une approche méthodique et rationnelle. Bien qu'elle ne soit pas une étape mentionnée par tous les auteurs, elle permet au lecteur d'entrer progressivement en contact avec le document écrit (Alloprof, 2012; Ulaval, 2013). Durant cette étape, le lecteur doit lire une première fois le texte pour prendre connaissance de sa forme et de son contenu. Bien qu'insuffisante, cette première lecture lui permet de vérifier sa compréhension générale du texte; cette compréhension est bien entendu tributaire de l'utilisation des stratégies liées au savoir-lire. De même, elle permet au lecteur de réaliser un inventaire des informations contenues dans le texte et d'identifier les mots ou parties du texte qui nécessitent des éclaircissements. Durant cette première lecture, le lecteur doit, bien entendu, porter une attention particulière aux informations historiques: les noms de lieux ou de personnes, les références à un personnage connu ou à un évènement, les dates, etc.

4.3 La critique externe ou l'étude du contexte de production

La critique externe est l'étape par laquelle le lecteur doit réaliser la critique des aspects extérieurs du document. Pour ce faire, le lecteur doit s'intéresser au contexte général de production, par exemple le cadre spatiotemporel, et aux conditions plus particulières qui ont pu influencer la production du document (Paxton, 2002).

Cet arrêt essentiel permet au lecteur de vérifier l'authenticité du texte. Plusieurs questions peuvent soutenir la réalisation de la critique externe. Le tableau 10.2 en présente quelques-unes.

Tableau 10.2
Des questions pour soutenir la réalisation de la critique externe

- Quelle est la nature du document (sources premières, sources secondes, produits de l'histoire publique)?
- À quel genre le document appartient-il (texte informatif, texte narratif, texte argumentatif, etc.)?
- Est-ce un document complet ou un extrait?
- Quel est le destinataire?
- Quand le document a-t-il été produit (époque ou date précise)?
- Qui a écrit ce document?
- L'auteur du document est-il un témoin direct ou indirect?
- Quelle est la compétence particulière de l'auteur par rapport à son sujet?
- Pourquoi le document a-t-il été produit? Quelles raisons ont motivé l'auteur ou quelles circonstances ont entrainé la rédaction de ce document?

Sources: Alloprof, 2012; Mandell et Malone, 2007; Ulaval, 2013; Wineburg et coll. 2013.

4.4 La critique interne ou l'analyse fine du contenu

La critique interne demande au lecteur de réaliser une étude détaillée du texte en lui-même (Bloch, 1974). Ayant mis en lumière le contexte de production, il doit maintenant réaliser une analyse critique du contenu textuel. Conséquemment, cette critique touche à la crédibilité du document et non à sa valeur extérieure.

Cette étape permet au lecteur de construire une compréhension fine de l'écrit étudié. Pour ce faire, il doit surmonter tous les obstacles susceptibles d'entraver sa compréhension. Un certain nombre de ces obstacles sont identifiés dès l'étape d'observation du document, mais d'autres peuvent apparaitre lors de la critique interne. Essentiellement, ces obstacles se traduisent en difficultés de vocabulaire qui exigent du lecteur qu'il clarifie les mots obscurs, les termes techniques ou spécialisés (Martel, 2009). Parfois, il est aussi nécessaire que le lecteur clarifie ses connaissances quant à des évènements relatés, des personnages invoqués ou des lieux géographiques identifiés (Ulaval, 2013).

Outre ce travail d'approfondissement inhérent à la critique interne, le lecteur doit également mettre en perspective l'information présentée en s'attachant à la nature du texte (un récit de fiction, un texte de loi, un essai, etc.) et à sa structure. De même, il doit se demander si l'auteur prend position. Si tel est le cas, il importe que le lecteur mette en lumière l'argumentation produite (Alloprof, 2012).

4.5 L'interprétation ou la réalisation du bilan

L'étape d'interprétation permet au lecteur de prendre de la distance et de passer à une démarche plus synthétique. Dans cette opération qui s'apparente à un bilan, le lecteur doit se concentrer sur les informations essentielles que le document apporte. À cet égard, l'anecdotique doit céder le pas à ce qui permet une meilleure compréhension du sujet à l'étude (Ulaval, 2013). L'information «objective» fournie dans le texte doit être recherchée ou, du moins, l'information doit être réfléchie à la lumière du contexte de production. Lors de cette étape, le lecteur doit tirer ses conclusions personnelles (Bloch, 1974; Wineburg et coll., 2013). C'est le temps pour lui de réfléchir aux idées proposées. Bien entendu, plus le lecteur a des connaissances historiques nombreuses, plus il peut produire des interprétations et des inférences de qualité (Mandell et Malone, 2007; Seixas et Morton, 2013).

4.6 La corroboration ou la confrontation à d'autres sources

La lecture critique se fonde également sur la comparaison des témoignages du passé. Comme le souligne Bloch (1995, p. 14), «c'est par la comparaison des témoignages les uns avec les autres qu'on arrive à dégager de la vérité». Lire des sources écrites implique donc une argumentation interne, mais aussi un débat avec autrui qui permet la mise à l'épreuve des idées émises (Cooper et Capita, 2004). «Une inférence faite à partir d'une source ne peut jamais se suffire à elle-même. Elle doit toujours être corroborée, c'est-à-dire confirmée par d'autres sources (primaires ou secondaires)» (Seixas et Morton, 2013, p. 48).

Pour confronter ainsi les interprétations, le lecteur doit étudier plusieurs sources écrites par des auteurs différents qui défendent des points de vue tout aussi différents (Nokes, 2013). Bien entendu, il n'est pas nécessaire d'étudier des dizaines de sources, comme le ferait un historien, mais le lecteur doit ouvrir son champ d'études à plus d'une source. C'est en agissant de la sorte que ce dernier peut déterminer comment certains documents se renforcent mutuellement ou se contredisent (Seixas et Morton, 2013). C'est aussi en multipliant les sources qu'il est possible de proposer une réponse de recherche plus complète.

5. Description d'un modèle général d'enseignement explicite de la lecture en histoire

Jusqu'à présent, nous avons traité du savoir-lire historique en référant à un lecteur-citoyen, sans parler spécifiquement du lecteur en formation qu'est l'élève. C'est pourtant sur les bancs d'école que s'acquièrent progressivement le savoir-lire et la méthode de lecture critique et interprétative propre à l'histoire. Une bonne formation scolaire offre, à cet égard, les bases nécessaires à la consolidation, dans la vie adulte, de cette compétence essentielle.

Le développement des habiletés de compréhension, d'analyse et d'interprétation rigoureuse des sources écrites entretient un lien fort avec les stratégies d'enseignement mises en place à l'école (Boutonnet, 2009; Heimberg, 2002). Les modalités d'enseignement qui permettent spécifiquement d'assurer la maitrise de la lecture en histoire sont explorées par de nombreux chercheurs (entre autres Ogle, Klem et McBride, 2007; Nokes, 2013; Wineburg et coll. 2013). Ces derniers ont compris que l'enseignement de l'histoire ne peut exister en dehors de la prise en compte de la lecture et de son corolaire, l'écriture (Shanahan et Shanahan, 2008). «Literacy is the key word, because the teaching of history should have reading and writing at its core» (Wineburg et Martin, 2004, p. 45).

Bien qu'il soit ici impossible de présenter toutes les modalités d'enseignement disponibles, il est possible de présenter les principes sur lesquels devrait s'élaborer un modèle général d'enseignement de la lecture des sources écrites en histoire, au primaire et au secondaire.

5.1 Privilégier les situations de lecture complexes et authentiques

Tous les modèles d'enseignement qui placent l'élève dans des situations d'apprentissage complexes et authentiques, par exemple dans une situation-problème nécessitant une recherche dans des documents variés (Dalongeville, 2006), proposent un cadre d'intervention pédagogique prometteur. Ces modèles sortent l'élève de son rôle de récepteur passif d'un récit historique trop souvent perçu comme figé (Jadoulle, 2005). Ils permettent également à l'élève de sortir des tâches traditionnelles de questions-réponses qui ne nécessitent bien souvent qu'un travail de repérage et de sélection de l'information textuelle. Ces tâches de type questions-réponses sont à éviter, car elles n'engagent pas l'apprentissage en lisant (Cartier, 2007; Martel, Cartier et Butler, 2014).

Pour assurer le développement de la compétence à lire en histoire, il faut placer l'élève dans des situations de recherche qui obligent ce dernier à voir et à vivre la lecture comme un problème à résoudre qui implique une approche stratégique et méthodique du texte (Alvermann 2001; Doty et coll., 2003). Lire en histoire devient alors une façon de construire du sens et des connaissances plutôt qu'une manière d'apprendre «bêtement» un savoir figé (Wineburg, 1991). L'élève, dans cette perspective, doit comprendre qu'il a le droit à sa voix, qu'il joue un rôle actif dans l'interprétation du document et qu'il peut questionner ce dernier, douter même de l'information qu'il contient (Kobrin, 1996; Ogle et coll., 2007).

Bien entendu, ces situations de recherche et les tâches de lecture qu'elles sous-tendent doivent convoquer l'étude d'une variété de documents écrits (Heimberg, 2002; Wineburg et coll., 2013). Ce travail sur les documents doit être accompagné de consignes précises, mais, surtout, il doit être subordonné à un rituel d'analyse lié explicitement à la méthode de critique des sources écrites exposée antérieurement.

5.2 Enseigner la lecture de sources écrites en histoire

La stratégie pédagogique la plus favorable à la maitrise d'habiletés techniques et intellectuelles, dont la lecture en histoire des sources écrites, doit se déployer en trois temps : 1) l'apprentissage médiatisé (le recours donc à la modélisation par l'enseignant); 2) la pratique guidée durant laquelle l'enseignant agit comme un guide ; 3) la pratique autonome dans le cadre de situations multiples et variées (Martineau, 2010).

Si l'on tient à instaurer en classe une démarche de lecture et d'analyse des sources écrites, l'étape de la modélisation par l'enseignant est essentielle. Cette modélisation implique pour l'enseignant qu'il présente, par exemple, la critique externe en précisant son utilité, ses avantages et les raisons de son utilisation en histoire. Cela fait, il doit par la suite se donner en modèle, à partir de l'étude d'une source donnée, en explicitant et en verbalisant à haute voix les différentes questions qu'il importe de se poser pour réaliser la critique externe. Afin de favoriser la pratique autonome de l'élève, l'enseignant doit aussi mettre en lumière les moments où il convient de mettre en pratique l'habileté visée. Bien entendu, il doit aussi fournir des occasions variées de pratique.

Parallèlement à la modélisation directe, différentes tâches peuvent être proposées, au primaire comme au secondaire, pour engager l'élève dans la lecture critique et interprétative des sources écrites (Wineburg et coll. 2013 ; Seixas et Morton, 2013). Heimberg (2002), par exemple, propose de réaliser des exercices permettant de faire comprendre à l'élève la nature des documents historiques, les problèmes d'interprétation qu'ils peuvent poser et leur intérêt pour la connaissance de l'histoire. Plus précisément, il propose de présenter des articles de revues ou de journaux témoignant de découvertes récentes en histoire, ce qui permet d'illustrer le caractère évolutif des connaissances historiques. Il invite aussi l'enseignant à présenter une série de documents illustrant de manière différente le même thème d'histoire.

Dans ses choix, l'enseignant qui désire travailler le savoir-lire en histoire doit en tout temps prendre en compte les caractéristiques de l'élève et son niveau scolaire (primaire ou secondaire). Au primaire, à cet égard, il est proposé de laisser une place importante à l'enseignement des stratégies de lecture permettant la compréhension initiale des textes et la diminution des obstacles de compréhension, telle la complexité du lexique (Martel, 2009). De même, il est souvent nécessaire d'introduire l'élève aux stratégies permettant l'apprentissage par la lecture (Cartier, 2007). Parallèlement par contre, l'enseignant doit absolument introduire l'élève à la lecture critique et interprétative inhérente à la discipline historique. En effet, le jeune enfant peut, en augmentant progressivement la complexité, débattre à partir des sources (Cooper et Capital, 2004). Pour introduire la lecture de sources primaires, Seixas et Morton (2013) proposent de travailler les traces de famille : lettres ou journaux intimes, bulletins scolaires, extraits de naissance, etc. De même, il est possible de familiariser l'élève à la critique externe en insistant sur les questions suivantes : Quand le texte a-t-il été écrit ? Par qui le texte a-t-il écrit ? L'auteur du texte est-il un témoin direct ou indirect ? Au primaire, l'élève peut même élaborer des premières interprétations à partir du contenu d'une source écrite, mais il doit sans cesse être guidé, notamment parce que ses connaissances historiques sont peu élaborées. À cet égard, le travail en grand groupe ou en petites équipes est à privilégier.

Au secondaire, la démarche de lecture proposée peut se complexifier. Selon le niveau de lecture de l'élève, il peut être encore nécessaire d'intégrer dans l'intervention un travail plus explicite sur les stratégies de compréhension en lecture et les stratégies d'APL (Cartier, 2007). Plus fondamentalement, il est aussi nécessaire de s'assurer que l'élève abandonne la lecture superficielle des sources pour apprendre à concevoir des inférences raisonnées (Nokes, 2013). Pour ce faire, l'élève doit être invité à travailler différentes sources et il doit apprendre, par la modélisation, à appliquer à la lecture de chacune d'elles les étapes de l'observation, de la critique externe et interne, de l'interprétation et de la corroboration. Plus l'élève maitrise ces étapes, plus il peut se poser des questions complexes (Seixas et Morton, 2013).

5.3 Traiter les sources écrites en fonction de leur nature

Comme le souligne Martineau (2010, p. 208), les différentes sources écrites appellent à des modalités d'exploitation pédagogique différente. En effet, on ne traite pas de la même manière une source primaire, un manuel scolaire ou un récit de fiction. Bien que la procédure d'analyse critique et interprétative reste sensiblement la même, elle est teintée par la nature de la source lue. Considérons deux exemples qui trouvent écho dans les classes d'aujourd'hui : la lecture du manuel scolaire et la lecture d'une bande dessinée à caractère historique.

5.3.1 L'exemple du manuel scolaire

Les manuels scolaires sont massivement utilisés au primaire comme au secondaire, notamment parce qu'ils jouissent d'une grande crédibilité auprès des enseignants (Harniss, Dickson, Kinder et Hollenbeck, 2001; Spallanzani, Biron, Larose, Lebrun, Lenoir, Masselter et Roy, 2001). Bien qu'ils présentent certains avantages, dont la correspondance de leur contenu avec les programmes de formation, la plupart des manuels scolaires n'encouragent pas une démarche d'apprentissage réflexive basée sur une dynamique d'enquête et de recherche (Boutonnet, 2009; Jadoulle, 2005; Lebrun Lenoir et Desjardins, 2004; Loison, 2010). Le récit du manuel est en effet bien souvent présenté comme une vérité, les controverses historiques occupent peu de place et parfois, aucune distinction n'est faite entre les sources primaires et secondaires (Audigier, Auckenthaler, Fink, Haeberli, 2002; Boutonnet, 2009; Éthier, 2006).

Heureusement, ces obstacles sont surmontables du moment où l'enseignant se donne le mandat d'apprendre à l'élève à employer le manuel comme il le ferait avec n'importe quelle autre source écrite : avec scepticisme (Nokes, 2013; Wineburg et coll. 2013). À cet égard, il convient de voir les textes du manuel comme une interprétation de l'Histoire, ce qui permet de mettre l'élève en situation de lecture critique et réflexive (Wineburg, 2007). L'organisation du manuel peut dès lors être questionnée, tout comme le choix des thèmes, des sources, des illustrations, etc. Parallèlement, la lecture complémentaire du texte et des images (très présente dans les manuels) peut être travaillée.

5.3.2 L'exemple de la bande dessinée (BD)

Bien que le recours aux sources primaires soit favorisé par plusieurs auteurs (Wineburg et Martin, 2004), il est parfois intéressant de plonger l'élève dans un contexte historique en lui proposant la lecture d'œuvres de fiction (Martel, 2012; 2007; Peltier, 2002; Nokes, 2013).

La BD, très populaire auprès du lectorat jeunesse (Lebrun, 2004), traite par le biais du texte et de l'image une grande variété de sujets historiques. Un certain nombre d'auteurs, dont Bordage (2008), Guay et Charrette (2009) et Martel (2011), suggèrent un mode critique d'exploitation pédagogique de la BD en histoire. Ce mode convoque toutes les étapes habituelles de la lecture critique et interprétative, mais il insiste sur la recherche, dans le texte et les images, du plausible historique, de l'anachronique, de l'impossible, des éléments de fiction, etc. (Guay et Charrette, 2009; Peltier, 2002). Face à ce type de document écrit, l'élève doit apprendre en premier lieu à décoder et à comprendre de manière complémentaire le texte et les images. Cet apprentissage convoque ce qu'on appelle aujourd'hui la lecture multimodale (Boutin, 2012; Lebrun, Lacelle et Boutin, 2012; Martel et Boutin, 2014). Dans un deuxième temps, l'élève doit apprendre à juger la pertinence des propos de l'auteur dans une perspective historique et la qualité de la représentation de l'objet historique.

Un certain nombre de questions peuvent guider la lecture critique d'une BD. Le tableau 10.3 en présente quelques exemples. Ces questions, avec quelques adaptations, peuvent être également utiles à l'étude d'une autre source prenant assisse dans la fiction (par exemple un album illustré ou un roman).

Tableau 10.3

La lecture critique d'une BD: exemples de questions

• Quelle est la nature de cette BD (humoristique, fantastique, didactique, etc.?)
• Quelle hypothèse puis-je poser quant à sa valeur historique?
• Qui est l'auteur et/ou l'illustrateur? Quels sont ses objectifs?
• L'auteur présente-t-il les références documentaires qui ont nourri son travail?
• Quel est le sujet ou le thème de cette BD?
• À quel moment et dans quel lieu se déroule l'histoire?
• Quelles sont les principales caractéristiques des lieux où se déroule l'histoire?
• Qui sont les personnages? Quelles sont leurs caractéristiques? Est-ce des personnages qui ont réellement existé? Sont-ils bien représentés?
• Quels sont les principaux évènements présentés? Est-ce des évènements qui ont réellement eu lieu? Sont-ils bien représentés?
• Quels sont les éléments d'informations (dans le texte ou les images) qui me font douter et que je devrais vérifier dans d'autres sources?
• Est-ce que l'auteur et/ou l'illustrateur prend position dans cette BD?
• Qu'est-ce que je peux conclure quant à la valeur de cette BD comme source documentaire?

6. L'enseignement de la lecture en histoire: limites et dérives possibles

Les limites et les dérives possibles en ce qui a trait à l'enseignement de la lecture critique et interprétative des sources écrites sont nombreuses. Pour qu'un tel enseignement s'opérationnalise en classe, l'enseignant doit d'abord croire en son apport essentiel à la formation intellectuelle de l'élève. Pour cela, il doit, si cela n'est pas déjà fait, adhérer à une logique du raisonnement sur l'Histoire plutôt qu'à une logique de mémorisation (Boutonnet, 2009). Il doit aussi considérer les sources (écrites ou non) comme étant le support d'apprentissage premier, ce qui laisse au second plan le récit ou l'exposé (Moniot, 1993).

Convaincu de la nécessité de travailler à partir des sources écrites, l'enseignant doit ensuite investir le temps nécessaire, alors que, justement, ce dernier manque à tous. Constamment, le dilemme suivant se pose: travailler en profondeur un objet d'histoire par un travail méthodique rigoureux ou couvrir un nombre suffisant de ces mêmes objets, au détriment de la méthode (Audigier et coll. 2002).

Dès lors que l'enseignant fait lire en histoire, il doit s'ouvrir à la transversalité de la maitrise de la langue puisque cette dernière est l'outil indispensable et le principal véhicule de la communication (Gouvernement du Québec, 2006c; 2007b; Wineburg et Martin, 2004). Cette ouverture peut se traduire, par exemple, par un travail sur le vocabulaire ou les verbes utilisés qui offrent des indices de compréhension, tout comme il peut porter sur la modélisation d'une stratégie de lecture (Nokes, 2013). Bien que cette ouverture soit essentielle, la recherche illustre que les enseignants d'histoire sont très peu nombreux à se soucier de la qualité de la lecture des élèves et à proposer un accompagnement en ce sens (Éducation nationale, 2005; Fischer et Ivey, 2005; Martel et Lévesque, 2010). Pourtant, la recherche met en lumière que plusieurs élèves peinent à lire en histoire (Cartier, Chouinard et Contant, 2011; Harniss et coll. 2001; Laparra, 1991).

Quant à l'enseignement de la méthode qui permet la lecture critique et interprétative des sources écrites, il importe de prime abord que l'enseignant la maitrise afin qu'il puisse en modéliser les différentes étapes. Il faut aussi qu'il ait à sa disposition un nombre suffisant de sources écrites, primaires et secondaires, sur différents sujets et présentant différents points de vue. La recherche de telles sources peut être laborieuse, d'où l'intérêt de voir se multiplier les manuels ou sites Internet qui proposent des corpus de sources en fonction de thématiques données (Hicks, Doolittle et Lee, 2004).

7. Une analyse des obstacles pour les élèves et une conclusion sur les succès possibles

Bien que la lecture critique des sources soit essentielle à la discipline historique, elle demeure une compétence difficile à maitriser pour l'élève. Certains obstacles épistémiques et didactiques complexifient en effet le rapport que l'élève entretient avec la méthode de lecture de l'historien.

D'entrée de jeu, l'élève appréhende difficilement les notions d'hypothèses et d'interprétations, tout comme il éprouve des difficultés à formuler des questions sur une source (Seixas et Morton, 2013). L'intérêt pour la question de recherche initiale, qui justifie toute la démarche d'étude des sources pour l'historien, n'est pas non plus très présent chez l'élève (Loison, 2010). (Voir la proposition faite au chapitre 7.) Conséquemment, la motivation à s'investir dans la tâche de lecture exigée est souvent partielle.

D'autres obstacles concernent plus spécifiquement les habiletés qui sous-tendent les différentes étapes de la critique et de l'interprétation des sources. Généralement, le lecteur novice s'arrête au sens premier du texte, car il croit ce dernier neutre; il lit pour rassembler l'information et il ne voit pas l'utilité de vérifier ses sources (Seixas et Morton, 2013; Wineburg, 1991; 2001). De même, lorsqu'il est invité à réaliser la critique externe d'une source, l'élève se bute régulièrement au manque d'information quant aux conditions de production (Audigier et coll., 2002). Comme ses connaissances personnelles sont partielles, il est vite dépassé par la tâche.

La maitrise de la critique interne est encore plus difficile. En premier lieu, l'élève doit comprendre la source écrite, et ce, dans un contexte scolaire marqué par les difficultés en lecture d'un grand nombre d'apprenants (OCDE, 2010). L'élève doit ensuite dépasser ce stade essentiel de compréhension pour confronter le contenu du texte dans une perspective de réflexion historique. Régulièrement, les questions de départ s'estompent dans l'esprit de l'élève qui se contente alors d'évoquer du mieux qu'il peut les évènements décrits (Seixas et Morton, 2013; Wineburg et coll., 2013). Pour toutes ces raisons, l'enseignant est obligé régulièrement de recadrer la démarche de lecture (Loison, 2010) et de rappeler la pertinence de toutes ces étapes qui, aux yeux de l'élève, font parfois figure de détours laborieux.

Heureusement, avec un soutien approprié inscrit dans la durée (d'un cycle à l'autre), l'élève est capable de travailler avec des sources écrites (Kobrin, 1996) en investissant une démarche de lecture qui s'apparente à l'enquête (Cooper et Capita, 2004). Il peut apprendre à différencier les types de sources et mesurer leur valeur ou du moins leur statut (Alvermann, 2001). En comparant ses interprétations et ses inférences, il parvient également à comprendre comment la connaissance historique se construit.

Comme le soulignent très justement Seixas et Morton (2013, p. 61):

> Peu d'élèves deviendront des historiens professionnels. Cependant, ils vivent dans un monde débordant d'information où il est difficile de discerner le vrai du faux. La compétence de l'historien à différencier les deux peut aider les élèves à traiter le flot d'information douteuse dans leur vie quotidienne.

Pour en savoir plus

Allô prof (2012). Outils de l'histoire: Analyse de documents historiques. Repéré à http://bv.alloprof.qc.ca/histoire/outils-de-l'historien/analyse-de-documents-historiques.aspx

Cette section du site propose aux élèves un descriptif simple et complet des différentes étapes permettant la critique des sources. C'est un site à proposer en consultation aux élèves.

Cartier, S. (2007). *Apprendre à lisant au primaire et au secondaire.* Anjou: Éditions CEC.

Cet ouvrage dresse un portrait complet des caractéristiques de l'apprentissage en lisant et des dimensions qu'il importe de considérer pour mieux comprendre la lecture qui vise l'acquisition de connaissances disciplinaires. Des pistes d'analyses de pratiques sont de plus proposées.

Lebrun, M., Lacelle, N. et Boutin, J.-F. (dir.). (2012). *La littératie médiatique multimodale: De nouvelles approches en lecture-écriture à l'école et hors de l'école.* Montréal: PUQ.

Cet ouvrage est un incontournable pour ceux qui s'intéressent à la littératie contemporaine et à ses effets sur la vie scolaire, mais aussi extrascolaire.

Martel, V. (2009). *Lire et écrire: deux compétences fondamentales.* Dans Lebrun, J. et Araujo-Oliveira, A. (sous la dir.). *L'intervention éducative en sciences humaines au primaire: des fondements aux pratiques* (177-203). Montréal: Éditions Chenelières.

Ce chapitre complète bien celui-ci en exposant certains des enjeux liés à la lecture en histoire (dont le choix des textes donnés à lire et les obstacles de compréhension qu'ils supposent). Il propose aussi des pistes permettant de soutenir les élèves, à fois en lecture, mais aussi en écriture.

Nokes, J. D. (2013). *Building Students' Historical Literacies*. New York : Routledge.

Cet ouvrage propose une réflexion complète et très riche sur la littératie dans le contexte des classes d'histoire. Le propos est très accessible, mais il va plus loin que certains autres en matière de réflexion et de sujets couverts (types de sources, empathie historique, textes multimodaux, etc.). Il n'est pas destiné à une application clé en main en classe.

Ogle, D., Klemp, R. et McBride, B. 2007. *Building literacy in Social Studies*. Alexandria : ASCD.

Cet ouvrage, destiné aux praticiens, expose avec simplicité plusieurs dimensions qu'il importe de prendre en compte dans le rapport lecture-histoire. Des leçons-types sont présentées et des fiches de travail sont placées en annexe.

Peltier, P. (2002). *Trésors des récits historiques pour la jeunesse*. France : CRDP de l'Académie de Créteil.

Cet ouvrage destiné aux praticiens propose une réflexion sur les récits historiques qui permettent d'approcher autrement l'histoire ou la géographie. Plusieurs œuvres sont présentées en fonction de thématiques historiques données et des pistes d'exploitation sont suggérées.

Seixas, P. et Morton, T. (2013). *Les six concepts de la pensée historique*. Montréal : Modulo.

Cet ouvrage (un des seuls en français de ce genre) expose, avec plusieurs exemples à l'appui, six concepts liés à la pensée historienne. Un chapitre entier est consacré aux sources, à leur lecture critique, aux moyens permettant leur utilisation en classe, etc.

Université Laval (2013). Lecture critique en histoire : site de la faculté des lettres. Repéré à http://www.hst.ulaval.ca/services-et-ressources/guides-pedagogiques/linterpretation-de-temoignage/

Ce site, construit pour les étudiants qui s'introduisent à la méthodologie historique, présente de manière concise les étapes qui prévalent à la critique des sources. Il est un site à consulter pour rafraichir ses connaissances à ce propos.

Wineburg, S., Martin, D. et Monte-Sano, C. (2013). *Reading like a historian*. NY : Teachers College Press.

Sam Wineburg cosigne ici un ouvrage, destiné aux praticiens, qui présente très bien la lecture telle que pratiquée par les historiens. Plusieurs exemples de leçons, à partir de l'étude donnée de sources, sont présentés. En annexe, le «Common Core State Standards» pour la lecture en histoire est aussi présenté. Il peut guider les enseignants quant à une possible progression des apprentissages dans l'habileté à lire en histoire.

Les autres écrits de Sam Wineburg sont aussi à consulter. Il fait figure d'autorité en matière d'histoire et de lecture.

11 – Mieux comprendre une société non démocratique par la littérature : une manière d'humaniser l'histoire

Isabelle Laferrière et Virginie Martel

Bien que les documents écrits de nature informative soient très présents dans les classes d'univers social (US) au primaire, l'utilisation des œuvres de fiction (les romans, les albums et les BD) permet d'appréhender autrement le réel historique et géographique. Dans le cadre de ce récit de pratique, une situation d'apprentissage bâtie pour les besoins d'une recherche à partir d'une proposition initiale de la collection «Parcours» de Septembre Éditeur est présentée. Cette situation, vécue par dix classes du primaire, a été élaborée avec un objectif précis : ouvrir la démarche de recherche en US à la littérature.

1. Le contexte et les conditions de mise en œuvre

Adaptée aux élèves du troisième cycle du primaire, cette situation d'apprentissage vise le développement de la compétence *S'ouvrir à la diversité des sociétés et de leur territoire* par l'entremise de l'étude comparative d'une société démocratique (le Québec) et d'une société non démocratique (la Chine). Dans le cadre de cette situation, les élèves doivent découvrir les caractéristiques de la Chine transformée par Mao, afin d'établir les forces et les faiblesses d'une société non démocratique au regard d'une société démocratique. L'étude préalable de la société québécoise de 1980 est un atout.

L'étude d'une société non démocratique est complexe, car elle interpelle des concepts abstraits pour les élèves du troisième cycle (comme le communisme, la dictature, la propagande, les droits, la liberté, la démocratie, etc.). Ces concepts, même lorsqu'ils sont formellement expliqués, s'ancrent peu dans l'esprit des élèves, notamment parce que ces derniers peinent à appréhender les réalités humaines (souvent difficiles) qui leur sont associées. À cet égard, l'utilisation des œuvres de fiction offre l'avantage de présenter le vécu de personnages auxquels les élèves peuvent s'identifier.

Considérant cet avantage, il a été décidé d'utiliser dans cette situation d'apprentissage un corpus varié de textes (voir tableau 11.1). Certains sont de nature informative: leur lecture permet aux élèves d'approcher de manière formelle le thème à l'étude. D'autres sont dits narratifs et de fiction: leur lecture permet aux élèves de compléter leur démarche de recherche et d'approcher autrement le thème à l'étude.

Tableau 11.1
Corpus de lecture proposé

Le corpus de lecture proposé	
Manuel scolaire	Fournier, M. et Sorel, G. (2006). *La Chine vers 1980: une société non démocratique (Parcours).* Québec: Septembre Éditeur.
Documentaires	Combres, E. (2008). *La Chine.* Paris: Gallimard Jeunesse.
	Dutrait, L. et Dutrait, N. (2006). *La Chine et les Chinois.* Paris: Milan Jeunesse.
	Godard, P. (2004). *La Chine du XIXᵉ siècle à nos jours.* Paris: Autrement Junior.
Albums narratifs	Chen Jiang Hong. (2008). *Mao et moi.* Paris: l'École des loisirs.
	Leblanc, A. et Barroux. (2008). *Le piano rouge.* Paris: Le Sorbier.
	Zhang, A. 2004. *Terre rouge, Fleuve jaune: un récit de la Révolution culturelle.* Paris: Circonflexe.
Bandes dessinées	Martin, Jacques. (1983). *L'empereur de Chine.* Collection Alix. Paris: Casterman.
	Otié, P. et Kunwy, L. (2009). *Une vie chinoise.* Paris: Kana.
Romans jeunesse	Thiollier, Anne. (2009). *La vie en rouge.* Paris: Gallimard.
	Ma yan et Haski, P. (2003). *Le journal de Ma Yan.* Paris: Hachette Livre.

La présente situation s'échelonne sur une dizaine de périodes. Elle s'articule autour de la lecture à haute voix de certaines œuvres ou extraits et de lectures individuelles ou en petits groupes. Afin de soutenir les élèves dans l'effort nécessaire au traitement de l'information écrite, l'enseignant doit modéliser les stratégies de lecture et de traitement de l'information permettant de traiter les textes comme des sources d'informations utiles à la recherche ; un référentiel des stratégies de lecture utiles aux tâches demandées peut être distribué aux élèves. De surcroit, l'utilisation d'un carnet de recherche (disponible sur le site suivant : www.lelimier.com) permettant la prise de notes en fonction d'intentions de recherche et de lecture diverses est encouragée. Bien entendu, il importe que l'enseignant ait à sa disposition les œuvres ciblées du corpus. Dans le cadre des expérimentations vécues, les classes ont reçu de trois à cinq exemplaires de chacune des œuvres.

2. Le déroulement de l'activité

Le déroulement de la situation est présenté en fonction des trois phases de la démarche d'apprentissage-enseignement.

2.1 La préparation

Il existe plusieurs manières de réaliser l'amorce de cette situation. L'enseignant peut se référer à l'actualité (la Chine étant souvent un sujet traité) ou inviter les élèves à se questionner sur la provenance des objets qu'ils utilisent quotidiennement. L'idée est ici d'amener le sujet de la Chine et d'inviter les élèves à communiquer leurs connaissances quant à ce pays et son histoire. Cela fait, l'enseignant doit introduire la réflexion comparative en demandant aux élèves si la Chine d'hier et d'aujourd'hui est semblable ou différente du Québec. Les élèves ayant déjà préalablement étudié la société québécoise, ils peuvent plus facilement caractériser la société québécoise. Ayant habituellement peu de connaissances sur la Chine, surtout celle de Mao, les élèves auront par contre de la difficulté à caractériser la Chine. Toutes les hypothèses posées à ce stade de la démarche sont par contre notées par l'enseignant. Ainsi, il sera possible d'y revenir en fin de parcours.

Afin d'enclencher le travail réflexif et d'offrir aux élèves une première compréhension de la société chinoise, l'enseignant doit informer ces derniers qu'un personnage important (Mao) a façonné d'une manière particulière la Chine. Pour ce faire, il peut présenter et lire à haute voix l'album *Mao et moi*. À la suite de cette lecture et de l'observation des illustrations, les élèves sont invités à réagir et à identifier les éléments d'information qui offrent un premier portrait de la Chine sous le règne de Mao.

Afin d'inviter les élèves à poursuivre l'étude de la société chinoise nécessairement incomplète à ce stade, l'enseignant peut ensuite présenter plus formellement la situation. Conséquemment, il doit présenter la compétence ciblée (s'ouvrir à la diversité), la société qu'il importe de connaitre davantage (la société chinoise) et l'objectif poursuivi : observer et expliquer l'organisation de la société chinoise sur son territoire en la comparant avec celle du Québec afin d'identifier les forces et faiblesses de chacune.

Avant d'amorcer la collecte de l'information, l'enseignant doit présenter aux élèves le corpus d'œuvres proposées en lecture. Cette présentation des œuvres est essentielle ; elle permet un premier contact et stimule l'intérêt pour la lecture (d'autres ressources, dont les ressources disponibles en ligne, pourraient également être proposées). Par contre, dans le cadre des expérimentations vécues, ce sont les textes présentés dans le tableau 11.1 qui ont été utilisés). De même, il est important que l'enseignant rappelle aux élèves la méthode permettant la lecture critique et interprétative des différences sources qu'ils consulteront. En effet, les œuvres qui visent à informer et les œuvres de fiction ne peuvent être traitées de la même manière, chacune ayant un rapport à la vérité historique différent. L'acrostiche du mot « source » (Seixas et Morton, 2013), tel que vu dans le chapitre 10, peut être ici utile.

2.2 La réalisation

La phase de réalisation consiste pour les élèves à collecter l'information leur permettant de mieux caractériser et comprendre la société chinoise façonnée par le régime de Mao. Cette recherche de l'information se réalise par la lecture des différentes œuvres ou extraits d'œuvres et la production de notes de lecture en fonction des thématiques à l'étude (territoire, organisation de la société, droits et libertés). La lecture des textes informatifs est essentielle ; la lecture des œuvres de fiction est complémentaire. Dans les deux types de textes, il est essentiel de rappeler aux élèves que l'étude des illustrations et des photographies permet d'en apprendre autant que la lecture du texte. C'est la lecture complémentaire du texte et des images qui assure une recherche riche d'informations.

Selon les classes et les caractéristiques des élèves, la tâche de lecture peut se réaliser à haute voix par l'enseignant (lors de l'expérimentation, des enseignants ont ainsi lu à haute voix plusieurs extraits de roman et les albums), en petits groupes de travail ou de manière individuelle (à l'école ou à la maison). Il est aussi possible de partager les tâches de lecture et d'inviter les élèves à communiquer l'information qu'ils ont dégagée. Ainsi, le roman *Ma vie en rouge* peut, par exemple, être lu par les élèves les plus motivés ou être lu partiellement par tous les élèves (les garçons ne pouvant lire que les chapitres qui concernent la vie du personnage masculin et inversement pour les filles). Dans un autre ordre d'idées, il peut aussi être pertinent de placer dans les œuvres des marqueurs indiquant les passages importants (puisque les élèves peinent à les trouver) ou d'offrir des fiches de lecture (avec des questions précises qui permettent de guider les élèves quant aux thématiques à l'étude). Il est à noter que le recours à un trop grand nombre d'œuvres complexifie parfois l'apprentissage et démotive certains élèves; il faut donc rester prudent quant à l'élaboration du corpus.

Le thème de cette situation d'apprentissage étant relativement complexe, il est aussi fondamental que l'enseignant possède une bonne maitrise de ce qui caractérise l'histoire de la Chine à partir de la révolution de 1949. De même, il est pertinent que l'enseignant établisse régulièrement des comparaisons avec le Québec, une référence mieux connue des élèves.

La phase de réalisation se termine lorsque les élèves ont traité tous les textes du corpus ou lorsqu'ils ont l'information leur permettant de caractériser la Chine. Afin d'exposer leur compréhension de la Chine, les élèves peuvent être invités à produire un texte qui résume ses principales caractéristiques, une affiche, un court exposé, etc.

2.3 L'intégration ou le réinvestissement

La phase d'intégration/réinvestissement de la situation vise à ouvrir la réflexion à la comparaison de la société chinoise et québécoise en réfléchissant plus spécifiquement aux concepts de démocratie et de droits et libertés dans la perspective du Québec, puis dans celle de la Chine. Pour ce faire, l'enseignant peut se référer aux trois albums narratifs du corpus qui exposent avec justesse la privation des droits et des libertés dans la Chine maoïste. Il peut aussi présenter une liste de différents droits et libertés protégés par les chartes actuelles et demander aux élèves si ces derniers sont protégés au Québec, puis en Chine.

À la lumière de cette réflexion, mais aussi de l'information recueillie lors de la démarche de recherche, l'enseignant doit ensuite inviter les élèves à identifier les forces et faiblesses de chacune des sociétés.

Ultimement, ce qui est recherché ici, c'est une première réflexion sur l'importance des droits et libertés, dans les sociétés démocratiques ou non, et sur leurs limites. En conclusion, il est aussi pertinent de réfléchir avec les élèves aux apports informatifs (nécessairement partiels parce que plus subjectifs) du recours aux œuvres de fiction en univers social. Il peut être aussi intéressant d'identifier les bienfaits associés à ce recours.

3. Conclusion

Cette situation peut, bien entendu, être modifiée et bonifiée selon les besoins spécifiques. D'autres sociétés cataloguées comme non démocratiques (Chili, Afrique du Sud, Haïti, Cuba, etc.) peuvent être étudiées, d'autant que les œuvres de littérature jeunesse sur le sujet sont nombreuses. D'autres sociétés inscrites au programme du primaire peuvent également bénéficier des apports du recours à la littérature de jeunesse. En tout temps, par contre, les œuvres de fiction doivent être regardées comme une interprétation de l'histoire plus ou moins juste et plus ou moins rigoureuse qui exige une attitude critique et le recours à des sources qui ont une nature plus informative.

Pour en savoir plus

Livres ouverts : www.livresouverts.qc.ca

Pour aider les enseignants qui désirent exploiter les œuvres de fiction en univers social, le site du MELS, destiné à l'utilisation de la littérature à l'école, publie une sélection d'œuvres permettant de traiter différents aspects du programme.

Le Limier : www.lelimier.com

C'est le cas aussi d'un site universitaire (www.lelimier.com) qui présente un corpus d'œuvres en littérature de jeunesse (le CLUS) destinées à l'étude spécifique des différentes sociétés inscrites au programme du primaire.

12 – L'histoire orale

Nadine Fink

L'histoire orale se caractérise par la production et le traitement de témoignages oraux, l'historien fabriquant sa propre matière d'analyse. Son pari est d'élargir la connaissance du passé à l'ensemble de l'expérience humaine en donnant voix à tous les acteurs de l'histoire, quels que soient le rôle qu'ils ont joué et l'empreinte qu'ils ont laissée dans les documents écrits. Si c'est d'abord une approche militante d'une histoire «d'en bas» qui a dominé dans les années 1960 et 1970, peu importe aujourd'hui l'origine socioprofessionnelle d'une personne dès lors qu'elle est en mesure de livrer un témoignage pertinent à propos du passé. Dans cette perspective, l'histoire orale permet non seulement d'explorer des aspects de la vie quotidienne, mais aussi de combler des lacunes documentaires, d'ouvrir des pistes de recherche, de stimuler l'apprentissage de l'histoire.

Les différentes sections de ce chapitre traitent des courants, de la naissance, de l'institutionnalisation et du développement de l'histoire orale; des aspects méthodologiques inhérents à la procédure de recherche en histoire orale; du potentiel didactique de l'histoire orale pour l'enseignement de l'histoire à l'école primaire et secondaire. (Ce chapitre reprend des éléments de mon ouvrage: Fink, 2014.)

1. Les concepts, courants et controverses

L'histoire orale est née comme une forme de réaction aux silences des archives traditionnelles et une volonté d'élargissement d'un travail d'enquête préconisant la seule utilisation de documents écrits qui, conservés dans des fonds d'archives institutionnels, sont majoritairement issus des élites. Dans sa forme contemporaine, la pratique de l'histoire orale est née aux États-Unis durant les premières décennies du 20e siècle dans le sillage de «l'école de Chicago» et de travaux pionniers. Ces travaux, en s'intéressant à la vie de «petites gens», ont traité de thématiques nouvelles en milieu académique, par exemple la délinquance, l'immigration, l'esclavage, la pauvreté urbaine ou encore la famille. À ses débuts, l'histoire orale est pratiquée en marge du monde académique. Elle s'y intègre progressivement toutefois, à partir de 1948, lorsque l'ancien journaliste Alan Nevin fonde le premier centre d'histoire orale à l'Université de Columbia. Son projet inspire un autre courant d'histoire orale qui consiste à enregistrer des témoignages de personnalités importantes. Le but est de constituer des archives pour les historiens du présent et du futur permettant de mettre en lumière certains pans des processus de décision qui ne laissent pas de traces écrites. Cette intention marque la spécificité d'une approche historique inhérente à l'histoire orale telle que pratiquée encore de nos jours.

1.1 Le développement de l'histoire orale

Avec des projets de plus en plus nombreux et grâce à d'importants progrès techniques qui favorisent l'enregistrement, l'histoire orale se développe avec un intérêt croissant pour la méthodologie du récit de vie et pour les histoires des «petites gens». En 1961, Oscar Lewis publie *The Children of Sanchez*, un livre sur les populations misérables de Mexico. Son approche militante d'une culture minoritaire et la nouvelle méthodologie de croisement des récits font école et participent d'un intérêt croissant pour les populations défavorisées ou dominées. La naissance de l'*American History Association*, en 1967, et la création de la revue *Oral History Review*, six ans plus tard, marquent une institutionnalisation et une professionnalisation croissante de l'histoire orale.

L'approche militante et par le bas domine dans les décennies suivantes et s'exporte dans de nombreux pays occidentaux, notamment en Europe où le développement de l'histoire des mentalités offre un terrain d'accueil favorable à l'enquête orale. Celle-ci permet là aussi de rompre avec une histoire institutionnelle et élitaire. Elle relève d'un principe démocratique et d'utilité sociale qui prend le monde populaire pour principal objet d'étude.

1.2 Le témoin et l'historien : à chacun sa contribution

Le développement de l'histoire orale s'accompagne d'une réflexion méthodologique de plus en plus importante à propos de la démarche adoptée. On s'interroge sur la validité des témoignages reçus, sur le type de connaissances produit par cette approche, sur les implications des différentes subjectivités en présence (à commencer par celle de l'enquêté et celle de l'enquêteur) et sur l'intérêt réel d'une connaissance qui dépasse le cadre strictement factuel pour englober les représentations et les sentiments. Rien ne remet en cause la contribution de la source orale à la connaissance du passé, pour autant que l'étape des entretiens et de leur transcription se prolonge par un travail critique tenant compte de la subjectivité du récit. Elle permet alors de construire une représentation plus proche des évènements du passé, au croisement des faits établis à partir des traces écrites et du récit de l'expérience individuelle des divers acteurs du passé. L'intérêt de l'histoire orale réside non seulement dans cet apport de sources complémentaires aux traces du passé, mais aussi dans tout ce qu'elle nous révèle de l'imaginaire collectif.

1.3 Distinguer l'histoire et la mémoire

Le témoignage oral – en tant qu'expression de la mémoire individuelle et collective – participe à la compréhension et à l'interprétation du passé. Il contribue à élargir les outils de connaissances dont nous disposons pour analyser les réalités passées d'une manière à la fois plus complète et plus fine. La distinction entre l'histoire et la mémoire reste toutefois un impératif pour éviter de soumettre la première aux velléités identitaires de la seconde. Tandis que l'histoire s'élabore dans un contrat de véracité avec les réalités passées, la cohérence de l'identité individuelle et collective prend le dessus, chez le témoin, sur le souvenir et l'expression de ce qui s'est réellement passé. Le témoignage oral reste donc une source difficile à traiter tant la définition des influences subies reste spéculative. Il est délicat de mesurer le poids des processus collectifs qui interviennent dans la formation et la modification des souvenirs individuels. Les travaux de neurosciences et de psychologie ont depuis longtemps montré que la mémoire n'est pas une tablette de cire sur laquelle se gravent des souvenirs qu'il suffirait d'aller rechercher. Loin d'être figés, nos souvenirs se modifient et se restructurent au gré d'influences que nous ne contrôlons pas. (Sur ces questions, on peut lire Tadié et Tadié (1999).) La nature d'un témoignage dépend beaucoup du moment et des conditions de sa production. Un témoignage varie aussi en fonction du lieu de l'entretien, de la personne qui interroge le témoin, de la présence d'un tiers, des objectifs de la recherche, du destinataire de l'entretien et du support d'enregistrement.

Retenons que les témoignages sont des constructions rétroactives, subjectives et sélectives, avec leurs oublis, leurs erreurs et leurs déformations. Leur prise en compte nécessite autant de travail d'analyse et de contextualisation que n'importe quelle source utilisée par l'historien et encore plus de prudence dans le discours interprétatif qui les restitue.

2. La démarche d'histoire orale

Un projet d'histoire orale a pour objectif d'enregistrer des témoignages oraux à propos d'un évènement ou d'une époque et de les exploiter dans une perspective historique, c'est-à-dire en tant que contribution à la connaissance du passé. Il s'agit d'une démarche qualitative où le chercheur fabrique son propre matériau, tout en inscrivant cette production dans le cadre des trois procédures qui caractérisent la méthode historique : la construction d'une problématique pour guider la constitution d'un corpus de sources et leur future interprétation (étape de documentation), la critique et l'interprétation des sources du passé (étape d'analyse) et la mise en forme des résultats de la recherche (étape de restitution). Rappelons que les faits historiques n'existent pas par nature ni n'émergent spontanément des traces laissées par le passé. Le document est certes essentiel pour établir des faits, mais il n'est jamais le miroir de ce qu'a été le passé ; il répond aux questions spécifiques de l'historien. L'histoire orale est donc à la fois une méthode permettant de créer des sources et une méthode d'analyse de ces sources qui consiste à les interpréter et à les croiser entre elles et avec d'autres documents.

L'enquête orale permet de combler des lacunes en donnant une voix aux témoins de l'époque concernée. Une telle démarche permet d'intégrer les interprétations historiques dans une vision plus approfondie du passé tel qu'il a été vécu et ressenti. Toutefois, les témoignages dépeignent une réalité qui est loin d'être univoque. La confrontation entre des récits qui portent sur un même évènement montre au contraire une multitude de points de vue différents. Les discours convergent, divergent, s'alimentent entre eux, infirment ou confirment ce que d'autres affirment. Le témoignage, à lui seul, ne dit pas l'histoire.

2.1 Les étapes d'un projet d'histoire orale

Un projet d'histoire orale débute avec la volonté de récolter des récits de vie de personnes qui peuvent témoigner d'un évènement spécifique ou d'une période du passé à propos duquel ou de laquelle un chercheur choisit d'enquêter. Il se réalise en suivant plusieurs étapes : la documentation historique ; la précision des objectifs de l'étude et le choix du support d'enregistrement; le choix des témoins et l'élaboration des documents nécessaires; la réalisation des entretiens; la retranscription ou l'indexation des enregistrements; la constitution des dossiers complets pour chaque personne interrogée; le traitement des données et la restitution des résultats de l'étude; le «dépôt» des documents récoltés.

2.1.1 Se documenter

Une première étape consiste à se documenter en termes à la fois de connaissances historiques sur la période ou le sujet que l'on souhaite étudier et de méthodologie relative à l'histoire orale. Rappelons que l'enquête orale menée dans une perspective historique vise à élargir la connaissance d'un passé et à en combler des lacunes en donnant une voix aux témoins-acteurs de l'époque étudiée. Une telle démarche postule que la connaissance de cette mémoire permet d'intégrer les interprétations historiques dans une vision plus approfondie du passé tel qu'il a été vécu et ressenti. Il est donc fondamental, dans le cadre d'une démarche d'histoire orale, d'être au clair sur l'état de la connaissance historique dans l'historiographie récente à propos de l'objet étudié.

2.1.2 Préciser les objectifs et choisir le support d'enregistrement

Une fois le contexte historique clairement défini, il s'agit de préciser les objectifs spécifiques que l'on se fixe à travers la démarche d'histoire orale, c'est-à-dire d'énoncer le type de connaissances que l'on cherche à produire à l'appui des témoignages oraux et les raisons pour lesquelles on procède à cette récolte de témoignages. Dans la plupart des cas, dès lors que l'on ne prévoit pas de générer une production audiovisuelle à partir des témoignages récoltés, un support d'enregistrement audio s'avère non seulement suffisant, mais également plus pertinent en termes de complexité technique, de coût et d'exploitation des données. Un projet d'histoire orale est généralement mené de manière à accéder à des informations que l'on ne peut trouver ailleurs que dans la mémoire des acteurs du passé étudié et dont on souhaite disposer pour générer une meilleure connaissance et compréhension du passé. Dans ce cas, des enregistrements sur support audio sont non seulement suffisants, mais également moins intrusifs et plus faciles d'utilisation pendant et après l'entretien.

2.1.3 Choisir et rechercher ses témoins

La recherche de témoins peut s'effectuer par un appel publié dans la presse ou en s'adressant de manière ciblée à des institutions et à son entourage. Les premiers témoins trouvés, la recherche se poursuit souvent par un effet «boule de neige», c'est-à-dire que les témoins vont à leur tour proposer d'autres personnes à interroger. En fonction du thème de l'enquête et des acteurs concernés, il s'agira de veiller à obtenir un équilibre entre différents groupes sociaux, politiques, géographiques, etc. Des recherches ciblées peuvent s'avérer nécessaires pour toucher des groupes minoritaires. Il n'est pas pour autant nécessaire de viser un échantillon sociologiquement rigoureux, l'enquête orale aspirant plutôt à diversifier les visions récoltées. L'intérêt historique et la variété thématique des récits, ainsi que la capacité des témoins à raconter leurs souvenirs sont des critères déterminants pour le choix des participants.

Un premier échange téléphonique permet de récolter des informations d'ordre biographique et technique, de s'assurer de l'intérêt historique du témoignage, de la capacité du témoin à s'exprimer et de son accord à être enregistré.

À cette étape, il s'agit aussi de préparer les différents documents qui accompagnent tout enregistrement. Un guide d'entretien permet de préciser les questions que l'on souhaite aborder avec l'enquêté. Une fiche biographique indiquera ses données personnelles et décrira brièvement son parcours de vie. Une lettre-accord assurera les conditions éthiques du projet et protègera les enquêtés et les enquêteurs. Un protocole d'entretien permettra de décrire les conditions de la rencontre et de relater des propos tenus hors enregistrement.

2.1.4 Réaliser les entretiens

Il est recommandé de choisir un endroit calme pour réaliser l'entretien, généralement le domicile du témoin qui est un lieu sécurisant et chargé de souvenirs, d'objets. L'on peut proposer à son interlocuteur de préparer quelques photos ou autres souvenirs qui favorisent le travail de mémoire et peuvent servir de support durant l'entrevue. Avant celle-ci, il importe de tester le matériel d'enregistrement. Il est également indispensable de bien connaitre son sujet et d'avoir une vision claire de ce que l'on veut obtenir. Réaliser une entrevue de qualité exige une concentration maximale. Les aspects techniques doivent être suffisamment maitrisés pour permettre de se concentrer uniquement sur son interlocuteur. Afin de maintenir le contact visuel, mieux vaut éviter de prendre des notes ou d'avoir à fouiller dans ses papiers. Un bon intervieweur sait se taire, ne pas induire de réponses ou émettre de jugements, faire preuve d'empathie et se montrer intéressé, poser une seule question à la fois et poser des questions personnelles plutôt que factuelles. Il s'agit d'amener le témoin à raconter ce qu'il a vécu, non pas ce qu'il connait de l'histoire. «Pourquoi?» est une bonne question, même si l'on pense connaitre la réponse: l'humilité, les marques d'ignorance et de curiosité, les demandes de clarification permettent d'obtenir des récits d'une grande qualité.

La méthodologie privilégiée est généralement celle de l'entretien semi-directif s'insérant souvent dans un déroulement chronologique propre au récit de vie, sur une durée d'environ une heure trente. Les entretiens débutent alors habituellement par l'enfance, se focalisent ensuite sur les années correspondant à la période étudiée et sur certains évènements particuliers, puis laissent un espace au témoin pour évoquer sommairement sa vie ultérieure et exprimer son point de vue sur le temps présent. Il s'agit de mettre en évidence le contexte dans lequel ces souvenirs sont recueillis. Le contexte social influence – souvent inconsciemment – à la fois ce dont les témoins se souviennent et le choix des évènements qu'ils estiment important de raconter. Il en va de même pour les intérêts manifestés par les enquêteurs. Selon les débats en cours ou la position sociale de l'enquêteur, l'entrée en matière des témoins est d'ailleurs souvent teintée de méfiance. Cette position de défense est en général dépassée grâce à la méthode du récit de vie qui évite d'enfermer l'échange dans des questions prédéfinies et qui, en accordant un intérêt réel au vécu et à l'histoire personnelle, laisse les souvenirs émerger spontanément.

Les témoins sont invités à raconter librement leurs souvenirs, le rôle de l'intervieweur étant de guider l'entretien par des questions de relance et d'approfondissement. Il est pour cela aidé par une liste de points de repère chronologiques et thématiques, rappelant quelques éléments importants et dont la récurrence dans l'ensemble des témoignages permet la comparaison. Travailler chronologiquement aide le témoin et l'intervieweur à organiser les souvenirs et le récit à se reconstituer. L'ancrage thématique permet de veiller constamment à ne pas s'écarter des objectifs de l'enquête et à recadrer l'entretien lorsqu'il devient trop anecdotique. Les interventions de l'intervieweur ont pour fonction de ramener le témoin au récit de son vécu personnel, lorsqu'il cite trop en détail des évènements historiques, et de laisser autant de place que possible à la mémoire individuelle et subjective, afin d'obtenir un discours en «je» et non pas un récit impersonnel énoncé en «nous».

Respectant la logique du récit de vie, les interviews débutent en douceur, par des questions faciles appelant des réponses simples (date et lieu de naissance, constitution de la famille, enfance, scolarité et formation...). Cette entrée en matière aide le témoin à se sentir à l'aise, l'amène progressivement à «oublier» la présence de l'enregistreur et à entrer en conversation avec l'intervieweur. Elle permet aussi de désamorcer le récit préconstruit que le témoin s'apprête à déclamer à peine l'enregistreur enclenché et d'orienter le témoignage vers un récit personnel. Tout est mis en œuvre pour dépasser ce discours initial et atteindre l'inédit.

Le moment qui précède l'entretien permet l'acclimatation entre le témoin et l'intervieweur, par exemple en remplissant ensemble la fiche biographique et en signant la lettre-accord. À la fin de l'entrevue, le moment est propice pour photographier le témoin et, le cas échéant, le matériel qu'il a rassemblé (photos, documents, etc.). Dès que possible, l'intervieweur remplit également un protocole d'entretien décrivant les conditions de la rencontre et relatant les éventuels propos tenus hors enregistrement. Il envoie également une copie de l'enregistrement accompagnée d'une lettre de remerciement au témoin.

2.1.5 Organiser les données récoltées

Même si l'enregistrement reste la source première, un travail d'analyse et d'interprétation ne peut se faire qu'à l'appui de l'écrit. Aussi importe-t-il de transcrire les entrevues. Il est également possible d'indexer un résumé des séquences de manière à pouvoir aisément retourner à l'enregistrement original et opter pour une transcription partielle des passages qui seront effectivement utilisés dans le cadre de l'analyse. Toutefois, l'avenir du papier étant encore à ce jour plus assuré que celui des supports d'enregistrement sujets à détérioration, l'on ne peut que recommander la transcription intégrale.

Parallèlement à la transcription, il s'agit aussi de constituer des dossiers complets avec l'ensemble des documents relatifs à chaque entrevue : fiche biographique, lettre-accord, protocole d'entretien, photographie du témoin et autres documents récoltés.

L'ensemble de ces données peut être déposé dans un fonds d'archives une fois la recherche terminée.

194

2.1.6 Analyser les entretiens

L'analyse des documents oraux comprend à la fois le travail de critique et d'interprétation de la source orale elle-même et sa mise en perspective historique. Tout comme n'importe quel document d'histoire, la source orale doit être soumise à une analyse interne et externe et mise en relation avec d'autres documents historiques. Une attention particulière doit être portée aux conditions d'élaboration des entretiens et à leur influence sur les récits récoltés, en se posant des questions telles que:

- Qui raconte? Cette question se rapporte aux informations relatives au témoin.

- Qu'est-ce qui est raconté? Cette question se rapporte au contenu lié au thème de recherche.

- Où l'histoire racontée se situe-t-elle? Cette question se rapporte au contexte historique auquel se réfère le témoin.

- Comment l'histoire est-elle racontée? Comment le témoin s'y prend-il? Ces questions suggèrent une réflexion sur la manière dont on se souvient et sur la nature des souvenirs.

C'est toute la question de la distinction entre mémoire et histoire qui entre ici en jeu, car on ne peut pas séparer la perception du passé et le jugement que l'on porte à son propos. Alors que le travail de mémoire ouvre l'accès à des faits qui ont parfois été oubliés ou occultés par l'histoire, le travail d'histoire donne à voir la complexité d'un passé revisité à travers des questionnements toujours renouvelés.

3. L'histoire orale comme technique d'enseignement

Le recours de l'histoire orale en milieu scolaire fonctionne comme un vecteur de transmission intergénérationnelle et comme un dispositif permettant de développer des compétences historiennes chez les élèves. Le processus de dénaturalisation (le discours du témoin ne traduit pas la réalité du monde) et d'analyse discursive et factuelle que requièrent les témoignages oraux en tant que sources de connaissance et de compréhension du passé sont l'occasion de travailler les modes de pensée en histoire. En effet, le témoignage oral se prête bien à une déconstruction du discours et de ses modalités de construction. Pour cela, il s'agit de travailler au moins quatre axes (cette partie est rédigée à l'appui des réflexions menées par des formateurs sur l'utilisation du témoignage oral en classe [Groupe de travail Histoire-Géographie, n.d.]).

Premièrement, tout témoignage est une reconstruction à partir de représentations dont le témoin s'est imprégné au cours de sa vie ultérieure à l'évènement relaté et qui font naviguer ses souvenirs, de façon non linéaire, entre mémoire individuelle, mémoire collective d'un ou de plusieurs groupes, mémoire(s) officielle(s).

Deuxièmement, la mémoire individuelle n'est pas nécessairement conforme à la réalité du passé. Le témoin tend en effet à généraliser ses propos, extrapolant sa propre expérience comme si elle était le reflet d'un vécu collectif et univoque.

Troisièmement, les faits rapportés par le témoin sont – de manière consciente ou involontaire – sélectionnés, périodisés et surtout hiérarchisés en fonction de son expérience personnelle passée et présente. Tout discours est orienté par les questionnements contemporains à son énonciation et à des valeurs défendues.

Quatrièmement, l'immédiateté d'une histoire du temps présent à laquelle il est fait référence dans un témoignage et l'absence d'une distance temporelle avec un objet historique souvent socialement vif rendent d'autant plus difficile son appréhension critique et distanciée. Face aux émotions, la raison tend à manquer de vigueur.

Expliciter ces différents aspects comme autant d'écueils à garder à l'esprit face aux discours mémoriels et, par extension, à l'égard de tout discours sur le passé, c'est donner aux élèves les moyens de penser l'histoire. Tel est l'enjeu central de l'utilisation du témoignage oral en classe d'histoire. Le travail d'historicisation donne sens aux expériences des témoins; les expériences des témoins donnent sens aux concepts historiques auxquels les élèves sont confrontés.

3.1 Les pratiques d'histoire orale à l'école

Les situations didactiques d'histoire orale prennent des formes variées, parfois combinées : rencontres entre un ou plusieurs témoins et un groupe d'élèves; projets de récolte de témoignages où les élèves interrogent des témoins, retranscrivent tout ou partie des entretiens, les mettent en récit en les confrontant à d'autres sources, constituent des fonds d'archives ou réalisent des émissions radiophoniques ou audiovisuelles; voyage en compagnie d'un témoin sur les traces de son histoire; projection en classe ou hors murs de témoignages audiovisuels ou de films les prenant pour principale matière. La force du récit et de l'émotion est considérée comme assurant une meilleure transmission du passé par un accès à la dimension humaine et favorisant de ce fait les apprentissages des élèves. Les témoignages sont aussi utilisés avec une finalité éducationnelle de prévention, auprès des jeunes générations, de la répétition d'actes d'inhumanité similaires à ceux vécus par les témoins, par exemple dans le cadre du nazisme ou d'autres régimes dictatoriaux. Diverses études, dont la plus connue et percutante est celle de Milgram (2013/1965), ont pourtant montré la faible utilité de principes éthiques et moraux pour prévenir les actes d'inhumanité.

Au-delà des faits traumatiques et dans une perspective d'histoire sociale et locale, le recours au témoignage oral répond aussi au souhait d'introduire en classe des personnages en général absents de l'histoire enseignée et dont les conditions de vie constituent l'intérêt central de l'histoire orale: notamment les femmes, les enfants, les ouvriers, les acteurs de mouvements sociaux, de parcours migratoires et de cultures minoritaires. Nombreuses sont les thématiques qui se prêtent bien à l'histoire orale, par exemple les conséquences de l'évolution technologique sur les conditions de vie et de travail, les modifications dans l'organisation de la cellule familiale, les rapports entre hommes et femmes, les évolutions en matière de religion, d'éducation, de sexualité, de loisirs, de transport, d'habitat. Ces thématiques s'intéressent aux subalternes de l'histoire qui ne sont généralement pas pris en compte dans la «grande» histoire. Leur vécu est bien plus proche de la réalité de la plupart des élèves que ne le sont les actions des grands personnages qui marquent l'histoire.

Les pratiques d'histoire orale à l'école peuvent être classées en deux catégories distinctes non exclusives: l'intention de faire entrer les élèves dans la discipline historique par l'empathie ou confronter les élèves au travail des sources et à l'interprétation historique.

3.2 L'émotion comme entrée dans l'histoire

Lorsque l'empathie est privilégiée, le témoin a essentiellement une fonction de transmission du passé. Le recours au témoignage permet de donner voix aux expériences et au point de vue de gens ordinaires. Cela rend le passé étudié en cours moins éloigné et moins déconnecté du monde des élèves. Le rapport de proximité est pensé comme contribuant à la mise en relation entre le passé et le présent. Les élèves mettent d'autant plus en lien le passé relaté avec le présent qu'ils peuvent s'identifier aux acteurs qui en témoignent, voire se projettent à leur tour en tant qu'acteurs historiques.

La découverte, la rencontre, l'émotion et l'identification sont au cœur de ce type de pratique. Le rôle de l'enseignant se manifeste principalement par un travail de contextualisation historique. La fonction du témoignage est d'abord illustrative, l'expérience individuelle du témoin caractérisant un contexte collectif. Il est souvent convoqué en guise d'élément déclencheur, mais il peut aussi servir à approfondir un thème préalablement étudié en classe.

Cette approche n'est pas sans écueils. L'élève se croit au contact de l'histoire, alors qu'il se trouve face à une parcelle de mémoire, une expérience individuelle relatée par un témoin dont l'expérience est toujours particulière.

Si de telles approches peuvent favoriser l'apprentissage en rendant les objets historiques moins distants de l'environnement immédiat des élèves, elles ne suffisent pas à atteindre la mise à distance exigée par les objectifs de l'histoire scolaire. Seuls l'exercice d'une pensée raisonnée et l'historicisation de la mémoire – des mémoires – sont à même de reformuler de tels récits en termes de connaissance historique.

3.3 L'histoire orale comme levier cognitif

L'utilisation des témoignages oraux dans une perspective historienne requiert qu'on leur applique les mêmes principes et processus d'analyses qu'à toute autre source d'information. C'est l'élaboration d'une pensée réflexive d'historicisation, et non la seule humanisation du passé, qui est au cœur du dispositif. Sans pour autant négliger l'apport de l'empathie et de la transmission, l'accent est mis sur la complexité de l'histoire. Les élèves acquièrent un certain nombre de concepts et d'outils dont le maniement leur permet d'analyser les discours véhiculés à propos du passé. Il s'agit par exemple de manier le concept de durée, le rapport entre temps et société et le concept de changement/permanence permettant de classer les évènements, de les hiérarchiser, de proposer des périodisations (Ségal, 1984).

L'histoire orale en tant que méthode structurée et active pour expérimenter les modes de construction et de pensée de l'histoire, notamment au niveau de l'élaboration et de l'analyse de la source, permet d'interroger avec les élèves le rapport entre faits et vérité, entre passé et discours sur le passé. Le concept d'incertitude est au cœur des pratiques visant à initier les élèves à l'interprétation historique et à la construction d'un récit à propos du passé. Le travail de mise en relation de différents témoignages oraux et de confrontation à d'autres documents de nature historique vise à mettre en lumière la nature subjective, construite et incomplète de toute connaissance du passé. Le témoignage prend toute sa pertinence didactique dès lors que les élèves comprennent qu'il se situe à la fois dans le passé (le temps de l'expérience vécue) et dans le présent (le temps de l'expérience relatée) et qu'il mêle faits et représentations.

Cette pratique scolaire de l'histoire orale s'accorde avec l'importance attribuée au développement de compétences critiques des élèves. Le développement de telles compétences passe par une mise en lumière de la démarche historienne, en privilégiant notamment l'analyse de sources, la confrontation d'interprétations historiques et la mise en récit du passé.

3.4 Les obstacles et l'efficacité de l'histoire orale en milieu scolaire

Les enseignants qui ont travaillé avec des témoignages oraux soulignent les effets positifs d'un tel dispositif sur la motivation des élèves et l'intérêt suscité pour l'histoire. L'émotion peut s'avérer efficace pour la compréhension historique. Elle peut aussi constituer un obstacle à un tel apprentissage. Même confrontés à la pluralité des points de vue, les élèves peinent souvent à relativiser le concept de vérité historique. L'intérêt du dispositif se limite dans ce cas à montrer la dimension humaine de l'histoire. Pour que le dispositif s'avère vraiment efficace en termes d'apprentissage de l'histoire, il est important de travailler avec des documents diversifiés à la fois quant à leur nature, à leur contenu et aux catégories d'acteurs impliqués, autant de données qu'il s'agit d'analyser et d'interpréter. L'intérêt majeur d'un tel dispositif est qu'il permet de restituer l'incertitude du passé et de se détacher d'une perception linéaire d'un passé où tout aurait été joué d'avance. Des expériences menées tant à l'école primaire que secondaire ont montré qu'en créant et/ou interprétant leurs propres sources, les élèves se montrent sensibles à la question de la véracité et de la subjectivité des témoignages, sont à même d'établir des rapports entre diverses informations contenues dans des témoignages oraux et dans d'autres sources, saisissent la multicausalité des évènements historiques et se montrent capables de construire des interprétations selon les modalités propres au raisonnement historique.

3.5 *Faire de l'histoire orale à l'école*

On peut proposer aux élèves de réaliser un projet d'histoire orale en choisissant un thème proche d'eux dans le temps et dans l'espace et selon un processus réalisé en cinq étapes.

La première étape consiste à se documenter sur le thème choisi et à construire une question de recherche. La deuxième étape correspond à l'élaboration d'une grille d'entretien et à la préparation de ce dernier. La troisième étape est celle de l'entretien ; les élèves vont interviewer une ou plusieurs personnes de leur choix en enregistrant (audio ou vidéo) l'entretien ; les élèves sont également invités à récolter des photos ou autres documents se rapportant à l'époque étudiée. La quatrième étape consiste à exploiter les données récoltées : les élèves retranscrivent tout ou partie des entretiens, les analysent en fonction de la question de recherche et font une présentation en classe. Une cinquième étape, qui peut déboucher sur une production collective (exposition, film, émission radio, etc.), consiste à confronter l'ensemble des données récoltées durant la première et la troisième étape, à les analyser et à les interpréter pour répondre à la question de recherche initialement posée. Durant l'ensemble du processus, il est important de mettre en évidence les éléments propres à la démarche d'histoire orale qui ont été explicités tout au long de ce chapitre, en les adaptant bien sûr en fonction de l'âge des élèves.

Faire de l'histoire orale à l'école s'accorde aux compétences et aux techniques spécifiques à l'univers social telles que formulées dans le *Programme de formation de l'école québécoise* (PFEQ). Dans le cas du primaire, selon le thème choisi et la question de recherche élaborée, un tel projet permet à la fois de lire l'organisation d'une société sur son territoire à travers le vécu de personnes qui en font partie, d'interpréter le changement dans une société et sur son territoire de manière tangible, de s'ouvrir à la diversité des sociétés et de leur territoire à travers les expériences racontées par les témoins. En outre, il s'inscrit dans la démarche de recherche préconisée par le PFEQ et se prête bien aux contenus du programme de sixième année, que ce soit à propos de la société québécoise vers 1980, par rapport aux expériences non démocratiques dont nombre de résidants québécois sont porteurs ou encore au sujet des populations autochtones. À l'école secondaire, faire de l'histoire orale permet aux élèves d'interroger concrètement des réalités sociales dans une perspective historique, d'interpréter celles-ci à l'aide de la méthode historique qu'ils vont directement expérimenter, de construire leur conscience citoyenne à l'aide d'une histoire qui n'est pas entièrement déterminée par les sphères du pouvoir et passivement subie par les gens ordinaires. Un tel projet se prête aussi bien au premier qu'au deuxième cycle du secondaire pour effectuer des liens entre le passé et des enjeux de société du présent. Enfin, que ce soit au primaire ou au secondaire, l'histoire orale aide à établir un rapport intergénérationnel entre les élèves et les témoins qu'ils rencontrent et rend le passé plus proche et abordable. C'est ce rapport de proximité qui permet de mettre en relation le passé et le présent et qui aide les élèves à se considérer à leur tour acteurs d'une histoire en train de se faire et, on peut l'espérer, à percevoir leurs cours d'histoire d'une manière plus dynamique et connectée au présent.

Pour en savoir plus

Joutard, Philippe (1983/1978). *Ces voix qui nous viennent du passé.* Paris : Hachette, 268 p.

Thompson, Paul (2000). *The Voice of the Past. Oral History.* Oxford, New York : Oxford University Press, 3ᵉ édition.

Tonkin, Elizabeth (1992). *Narrating our pasts. The social construction of oral history.* Cambridge : Cambridge University Press.

  Ces trois ouvrages sont des œuvres pionnières, celui de Joutard étant le premier du genre publié en français. Ces écrits restent majeurs et passionnants pour se familiariser avec les questionnements et les méthodes de l'histoire orale à l'appui de nombreux exemples. Ils permettent de bien saisir les apports de l'histoire orale à la connaissance du passé à travers une histoire militante qui recueille et analyse des récits «d'en bas».

Abrams, Lynn (2010). *Oral History Theory.* London : Routledge.

Descamps, Florence (2001). *L'historien, l'archiviste et le magnétophone. De la constitution de la source orale à son exploitation.* Paris : Comité pour l'histoire économique et financière de la France.

Leavy, Patricia (2011). *Oral History. Understanding Qualitative Research.* New York : Oxford University Press.

Wallenborn, Hélène (2006). *L'historien, la parole des gens et l'écriture de l'histoire. le témoignage à l'aube du XXIᵉ siècle.* Loveral : Éditions Labor.

  Ces ouvrages constituent d'excellentes synthèses sur toutes les questions théoriques et méthodologiques qui sous-tendent l'histoire orale en tant que champ d'études depuis sa naissance et à travers ses spécificités et ses développements au cours des dernières décennies, notamment avec l'émergence des problématiques mémorielles. L'étude de Florence Descamps se présente aussi comme une encyclopédie méthodologique et pratique rigoureuse et très complète, tandis que celle de Patricia Leavy est un bon guide méthodologique pour une première recherche d'histoire orale effectuée dans un cadre académique de sciences sociales.

Raleigh Yow, Valérie (2005). *Recording Oral History. A Guide for the Humanities and Social Sciences*. Lanham: Altamira Press, 2e édition.

Ritchie, Donald A. (2003). *Doing Oral History. À Practical Guide*. New York: Oxford University Press, 2e édition.

Sommer, Barbara W. et Mary Kay Quinlan (2009). *The Oral History Manual*. Lanham: Altamira Press, 2e édition.

Whitman, Glenn (2004). *Dialogue with the Past. Engaging Students and Meeting Standards through Oral History*. Lanham: Altamira Press.

Ces quatre ouvrages sont d'excellents guides pratiques pour soutenir toute personne qui s'engage dans un projet d'histoire orale. Ils expliquent pas à pas les étapes de la réalisation d'un projet et proposent dans le texte ou dans leurs annexes des exemples de formulaires à utiliser, de transcriptions, de directives relatives à la préparation et à la conduite des entretiens, à leur exploitation, etc. Des ressources Internet sont répertoriées à la fin du chapitre premier de l'ouvrage de Valérie Raleigh Yow.

Descamps, Florence (dir.) (2006). *Les sources orales et l'histoire. Récits de vie, entretiens, témoignages oraux*. Paris: Bréal.

Cette petite synthèse est rédigée par des spécialistes de l'histoire orale qui, en quelques chapitres très accessibles et à l'appui des projets qu'ils ont réalisés, traitent des principaux aspects relatifs à la production et l'usage de sources orales. Les deux premiers chapitres rédigés par Florence Descamps reprennent des éléments centraux de sa grande étude précédemment citée (ouvrages théoriques).

Lanman, Barry A. et Wendling, L. (dir.) (2006). *Preparing the next generation of oral historians. An anthology of oral history education*. Lanham: Altamira Press.

Voici une anthologie très complète sur l'utilisation de l'histoire orale pour l'enseignement de l'histoire, que ce soit à l'école primaire et secondaire ou au niveau collégial et universitaire. L'ouvrage regorge de suggestions et d'exemples concrets dans de courts chapitres rédigés par des spécialistes qui ont directement expérimenté les pratiques qu'ils décrivent.

Perks, R. et Thomson, A. (2006/1998). *The Oral History Reader*. London et New York: Routledge.

Les éditeurs de cette anthologie d'histoire orale ont réuni une sélection des plus importants articles qui ont été publiés à travers le monde au cours des soixante dernières années à propos de l'histoire orale, des questions théoriques et méthodologiques qui la traversent et de ses principaux développements au cours de ces années, notamment avec l'arrivée des nouvelles technologies et la prolifération des études consacrées aux relations entre mémoire, histoire et identité. Signalons aussi le chapitre 36 qui porte sur l'histoire orale à l'école.

Ritchie, Donald A. (dir.) (2011). *The Oxford Handbook of Oral History*. New York: Oxford University Press.

En rassemblant les contributions d'une quarantaine d'auteurs à travers le monde, cet ouvrage constitue un état des lieux actuel et complet de toutes les questions relatives à l'histoire orale. Y sont par exemple traitées les évolutions méthodologiques et théoriques de l'histoire orale avec toute la réflexion sur les relations entre mémoire et histoire, l'impact des technologies numériques et les nouveaux impératifs en matière d'archivage. On retrouve Glenn Whitmann avec un chapitre consacré à la pratique scolaire de l'histoire orale.

Skiffingston Dickson, D. Heyler, D., Reilly, L. G. et Romano, S. (2006). *The Oral History Project. Connecting Students to Their Community, Grades 4-8*, Portsmouth: Heinemann.

Petit ouvrage construit autour de l'idée d'enseigner «local» grâce à des projets d'histoire orale et conçu comme un guide pour amener les élèves à réaliser un tel projet. On y trouve des documents utiles, listes de vérification, exemples de questions pour stimuler la discussion. Un CD-Rom propose différentes ressources utiles à l'enseignant.

Le Cartable de Clio, revue romande et tessinoise sur les didactiques de l'histoire, no 4, 2004.

Ce numéro de la revue consacre son dossier à l'histoire orale et au rôle des témoins dans les pratiques scolaires, avec plusieurs articles consacrés à des expériences concrètes à l'école primaire et secondaire.

Oral History. Oral History Society, GB.

Publiée par la société anglaise d'histoire orale, cette revue biannuelle explore tous les aspects théoriques et pratiques de l'histoire orale.

Oral History Review. Oral History Association, USA.

Publiée par l'association américaine *Oral History Association*, cette revue bisannuelle traite comme sa consœur britannique les dimensions théoriques et pratiques de l'histoire orale. On trouve de nombreux articles en accès libre à l'adresse: http://ohr.oxfordjournals.org/.

Heimberg, Charles (2010). *L'histoire enseignée et le travail de mémoire. Créer des sources orales dans le contexte scolaire*. Dans *Alle Radici dell'Albero Scuola*. Province de Pavie, 36-48. Repéré à: http://www.unige.ch/fapse/edhice/textesenligne/textesedhice/Histoire_enseignee_fr.pdf

Tutiaux-Guillon, Nicole (2006). *Témoin, témoignage, mémoire... Quel statut dans l'enseignement et l'apprentissage de l'histoire?* Repéré à: http://histoire-geo-ec.ac-amiens.fr/?Temoin-temoignage-memoire-Quel

Ces deux articles sont consultables sur Internet. Ils théorisent les relations entre histoire et mémoire et le rôle du témoin dans le processus de connaissance et de transmission du passé. Ils sont utiles pour travailler en classe la distinction entre histoire et mémoire.

Ressources en ligne

Site Internet de l'association américaine Oral History Association : http://www.dickinson.edu/oha/

Site Internet de l'association anglaise International Oral History Association : http://www.ioha.fgv.br

13 – Un portrait de projet pédagogique portant sur la Crise d'octobre

Étienne Dubois-Roy

L a méthode historique est certainement une démarche pertinente en ces temps où l'information provient de tous côtés, et ce, de façon instantanée. Cette méthode permettant l'analyse des sources d'information et la confrontation de celles-ci vient à point nommé pour certains jeunes élèves qui tendent à adhérer sans réserve au premier point de vue présenté. Apprendre à un élève à poser un regard critique sur ses sources d'information devrait lui permettre de se développer en un citoyen plus avisé.

1. Le contexte de mise en œuvre

Pour participer à cette construction de l'esprit critique grâce à la méthode historique, voici une démarche pédagogique visant à confronter l'élève à la partialité des traces historiques. Ce projet est basé sur l'enseignement de la **Crise d'octobre** pour des élèves du deuxième cycle du secondaire. Il ne nécessite aucune connaissance préalable sur le sujet, le mieux étant même que les élèves aient peu d'opinions face au sujet, ce qui rend l'exercice plus probant.

1.1 Les objectifs du projet

Les compétences touchées par cette démarche pédagogique sont les deux premières du programme, soit *Interroger* et *Interpréter*. L'amorce du projet s'articule autour d'une enquête orale que les élèves devront effectuer avec une personne ayant vécu la Crise d'octobre. Un interview auprès de leurs grands-parents (ou auprès d'un autre ainé si la première option n'est pas possible) permet aux élèves d'utiliser une forme plus rarement exploitée de source historique : la source orale.

205

Presse canadienne/*La Presse*

La compétence *Interroger* est mise de l'avant, de façon que ce soit avec les réponses obtenues à l'interview et un document d'analyse distribué par l'enseignant que l'on vise ensuite à développer la compétence *Interpréter*. En effet, des extraits de textes, des photos et des caricatures sont soumis aux élèves (c'est le contenu du document d'analyse) pour les aider à se forger des opinions sur les quatre axes majeurs du projet (idées du FLQ; actions du FLQ; nécessité de la *Loi des mesures de guerre*; application de la *Loi des mesures de guerre*). Les photos et caricatures sont les principales sources qui permettent à l'élève de mettre à l'épreuve sa capacité d'interprétation puisqu'ils sont plus équivoques, ce qui amène l'élève à se poser de judicieuses questions face à ces documents figurés.

2. Le déroulement du projet pédagogique

Une démarche en six temps est nécessaire pour mener cette situation d'apprentissage à terme:

1. présentation d'un montage multimédia;

2. réalisation d'une fiche signalétique;

3. réalisation d'une enquête orale auprès de personnes ainées;

4. collecte de renseignements convergents par l'étude et l'analyse de dossiers;

5. confrontation et recoupement des points de vue par un échange en plénière;

6. rédaction d'une interprétation individuelle par une question-synthèse.

2.1 L'amorce

Le tout débute avec une présentation d'extraits de la lecture du manifeste du Front de libération du Québec (FLQ) par Gaétan Montreuil à la télévision de Radio-Canada (lu le soir du 8 octobre 1970). Cette présentation attise la curiosité des élèves et permet une participation active pour l'échange des informations. En effet, à la suite de cette projection, les élèves doivent répondre à la question: «De quoi était-il question?» en plénière.

Une fois que le sujet (la Crise d'octobre) a été identifié, l'enseignant fournit une fiche signalétique par élève. Celle-ci est ensuite complétée en plénière, sous forme de questions de l'enseignant. La fiche signalétique est divisée en quatre sections qui répondent à des connaissances factuelles de base (où, quand, qui, quoi). Il s'agit d'un survol très rapide, l'enseignant ne devant pas commencer à traiter d'évènements, d'anecdotes ou à partager de l'information. Le but de cette étape est de brosser un portrait très concis et très factuel de la Crise d'octobre, sans que les élèves ne puissent s'en faire une opinion. Ces faits leur serviront de base pour mieux comprendre les réponses qu'ils récolteront lors de leur enquête orale. Ainsi, la majorité des noms de lieux et de personnages qui seront soulevés auront déjà été mentionnés précédemment en classe.

En dernier lieu lors du cours d'introduction, les consignes propres à la réalisation de l'enquête orale sont fournies aux élèves puisque celle-ci est à faire en devoir. Le document de l'enquête orale comprend déjà les questions que les élèves doivent poser à leurs répondants. Ces questions se divisent en huit éléments qui traitent de leur vécu personnel et de leurs opinions quant au FLQ et à la *Loi des mesures de guerre*. Finalement, l'élève doit remplir une synthèse dans laquelle il devra se prononcer sur les opinions qu'il a recueillies concernant quatre sujets: les idées du FLQ, les actions du FLQ, la nécessité de la *Loi des mesures de guerre* et l'application de la *Loi des mesures de guerre*. Il doit simplement cocher pour savoir si les opinions étaient favorables ou défavorables concernant chacun des sujets.

2.2 Des dossiers qui prêtent à l'interprétation

Le cœur de la démarche pédagogique se réalise en classe lors du cours suivant. Tout d'abord, les élèves sont divisés en quatre groupes distincts dès leur arrivée dans la classe. Les recoupements sont effectués par le professeur en utilisant les réponses à la synthèse de l'enquête orale. En réalité, les élèves sont répartis dans un groupe «profelquiste», «progauchiste», «progouvernement» ou «proforces de l'ordre», à leur insu. Les dénominations n'ont pas de réelle importance, elles ne font que diviser en quatre stéréotypes les opinions émises lors des enquêtes orales. Les enseignants disposent d'une fiche de répartition pour cette tâche. Par exemple, un élève présentant une fiche-synthèse dans laquelle les opinions sur les idées du FLQ sont jugées favorablement, mais pas leurs actions ni la nécessité de la *Loi sur les mesures de guerre* ou son application sera placé dans le groupe «progauchiste».

Vient ensuite le temps d'analyse plus en profondeur pour les élèves, avec l'étude des dossiers. Ces dossiers sont spécifiques à chaque sous-groupe, mais les élèves l'ignorent. Les dossiers sont composés de dix citations textuelles d'acteurs de la crise, de cinq photographies d'époque et de trois caricatures provenant des journaux d'époque. La spécificité de chaque dossier repose sur le fait que les différentes

sources qui y sont présentées diffèrent: dans chaque dossier, chacune des sources converge le plus possible vers l'opinion correspondante de l'enquête orale. Par exemple, la caricature ci-contre pourrait s'insérer dans le dossier «progauchiste», car le symbole des patriotes tel qu'utilisé par les felquistes est représenté pour démontrer que les actions du FLQ ont conduit à sa réprobation.

Pour ce qui est de la photo de la page suivante, elle prendrait place dans le dossier «profelquiste» puisqu'on voit une foule qui encourage Michel Chartrand, reconnu pour ses discours en faveur des felquistes.

La tâche des élèves à ce moment est d'analyser les sources du document en les commentant en quelques mots. Ces commentaires serviront comme base de l'argumentaire pour l'échange en plénière

qui suivra, durant lequel ils seront interrogés sur quatre aspects, les mêmes que pour l'enquête orale, soit les idées du FLQ, les actions du FLQ, la nécessité de la *Loi des mesures de guerre* et l'application de la *Loi des mesures de guerre*. D'ailleurs, pour construire l'argumentaire, en plus de l'analyse du document d'analyse, l'enquête orale, la fiche signalétique et le montage vidéo sont tous des éléments qui peuvent entrer en jeu. Tout ce travail de préparation s'effectue en sous-groupes, ceux créés au début du cours.

2.3 Échanger pour douter

L'échange des idées qui suit est animé par l'enseignant. Il ne s'agit pas d'un débat, mais bien d'un échange d'idées au cours duquel l'élève devrait être amené à découvrir d'autres points de vue que celui auquel il est confronté depuis le début du projet via son enquête orale et son traitement du dossier d'études. Ainsi, tous apprennent de nouveaux faits ou de nouvelles interprétations en écoutant les réponses des autres sous-groupes. Le but ultime de cet échange est de permettre aux élèves d'appréhender le fait qu'une réponse présentant un point de vue précis n'amène pas l'unanimité. En les confrontant à d'autres points de vue, l'éveil face à la partialité des sources est favorisé.

L'enseignant doit donc faire une synthèse complète des interventions et de leur valeur respective en tablant sur la partialité des sources. Il pourra conclure par la suite que le travail d'un historien n'est pas de faire valoir un seul point de vue, mais bien de prendre en considération l'ensemble du problème avant d'en rédiger une synthèse qui lui est propre.

2.4 L'impact de la démarche et son évaluation

Pour conclure cette démarche pédagogique, une dernière étape est de mise: la question-synthèse. Il s'agit évidemment de l'outil d'évaluation qui permet de mesurer l'efficacité du projet et les acquis réalisés par les élèves. La question-synthèse porte sur l'ensemble de la Crise d'octobre et demande à l'élève de produire un texte d'environ une page en se projetant dans la peau d'un historien. Ainsi, les éléments notionnels devraient se retrouver en bon nombre dans ce résumé sur la Crise d'octobre. De plus, l'enseignant devrait y retrouver une présentation de plusieurs points de vue avec un argumentaire adéquat. L'élève peut très bien arriver à une conclusion tranchée, mais il doit présenter des arguments appuyant sa pensée et démontrer qu'il a considéré des points de vue et faits divergents. Cette étape peut se réaliser en devoir ou encore se faire lors du cours subséquent.

3. Conclusion

Ce projet pédagogique peut s'étaler sur une courte période si l'enseignant est plus directif et qu'il limite le poids des dossiers d'analyse, comme il peut être de longue haleine en laissant davantage les élèves à eux-mêmes et en constituant des dossiers plus exhaustifs.

Tout sujet pour lequel des témoins et des acteurs sont toujours vivants peut être utilisé. L'utilisation de sujets qui suscitent des opinions polarisées serait toutefois préférable pour ajouter à la discussion et faire ressortir davantage la divergence des points de vue possibles pour les élèves.

Avec ce projet pédagogique, plusieurs objectifs sont réalisables, qu'ils soient liés à des connaissances historiques sur la Crise d'octobre ou à la participation des ainés dans la construction de savoirs pour les élèves. Il ne faut surtout pas perdre de vue que l'élément central de la démarche reste la formation de l'esprit critique de l'élève par la démarche historique. C'est en s'interrogeant sur les sources et en validant leurs réponses avec d'autres sources que les élèves évolueront vers une vision plus éclairée de la société d'hier comme d'aujourd'hui.

Pour en savoir plus

Bourassa, R. (1995). *Gouverner le Québec*. Montréal, Québec : Éditions Fides.

Ces deux sources sont du point de vue progouvernement.

Côté, R. (2003). *Ma guerre contre le FLQ*. Montréal, Québec : Éditions Trait d'union.

Il s'agit d'une source pour le point de vue proforce de l'ordre.

Leroux, M. (2002). *Les silences d'Octobre : le discours des acteurs de la crise de 1970*. Montréal, Québec : VLB Éditeur.

Il s'agit d'une source mettant à l'avant-scène les points de vue des acteurs eux-mêmes.

Mongeau, S. (2001). *Kidnappé par la police* (2e éd.). Montréal, Québec : Éditions Écosociété.

Deux sources sur le point de vue progouvernement.

Société Radio-Canada. (2008). La crise d'Octobre. Repéré à http://archives. radio-canada.ca/guerres_conflits/desordres_civils/dossiers/81/
Un dossier présentant quelques documents audiovisuels très pertinents.

Simard, F. (2000). *Pour en finir avec octobre* (2e éd.). Montréal, Québec: Éditions Comeau et Nadeau.
Une source pour le point de vue profelquiste.

Trudeau, P-E. (1993). *Mémoires politiques*. Montréal, Québec: Éditions Le Jour.

14 – Voir et savoir interpréter des documents iconographiques, de l'affectif au cognitif

Marie-Claude Larouche

1. Pourquoi s'intéresser aux documents iconographiques en sciences sociales?

Avec l'avènement des moyens audiovisuels, puis du multimédia, d'Internet et des médias sociaux, l'image a littéralement envahi le paysage pédagogique. Mais sait-on pour autant l'utiliser? Googler des images, ce geste banal, s'accompagne d'un copier-coller souvent facile dans les travaux d'élèves. Il demeure vrai que se joue, dans la relation du sujet apprenant à l'image et aux choses préhensibles, un rapport à la fois affectif et cognitif où le désir, l'immédiateté et le plaisir de la perception peuvent éventuellement conduire à des apprentissages féconds. Considérant par ailleurs le fait que la vision humaine perçoit 10% de ce qui s'offre au regard et qu'elle repose sur un travail de construction à partir de parcelles d'information (Gregory, 2000), le développement du sens de l'observation de l'apprenant et de son habileté à extraire l'information d'une représentation visuelle et à en interpréter le sens à la lumière d'un questionnement en sciences sociales s'avèrent capitaux.

Ainsi, comme les *Programmes de formation de l'école québécoise* (PFÉQ) pour l'univers social au primaire et au secondaire (Gouvernement du Québec, 2006a, 2006c, 2007b, 2009) incitent l'enseignant à faire vivre à ses élèves une démarche de recherche qui inclut le décodage et l'interprétation de documents iconographiques, il importe de proposer une méthode pour guider cette technique, en lien avec l'apprentissage de l'histoire, pour lesquels ils présentent un intérêt pédagogique particulier.

1.1 Des traces du passé et de précieuses sources historiques

Les documents iconographiques sont mobilisés en classe d'histoire pour leur valeur à titre de traces du passé, «ressort[s] attractif[s] puissant[s]» pour les élèves (Moniot, 1993, p. 174). Pouvant être considérés comme sources premières en histoire, il convient justement de les utiliser dans la perspective de sensibiliser les élèves à ce qu'est une trace du passé, en leur faisant valoir le point de vue que comporte le document plutôt que sa valeur de vérité (Hommet et Janneau, 2009). Constituant une «précieuse source historique» (Haskell, 1995, p. 13), d'une «force évocatrice» sans égal, agissant comme un «vecteur important» de la mémoire (Briand et Pinson, 2008, p. 15), ce type de documents commande, comme tout document en histoire, une appréhension critique afin que l'élève ou le citoyen puisse saisir les enjeux éventuels qui se profilent dans la production et la diffusion de l'image.

1.2 Dans ce chapitre

Dans ce chapitre, nous nous intéressons au décodage et à l'interprétation de documents iconographiques sous l'angle des images fixes (pour les images animées, nous renvoyons le lecteur au chapitre 18). Nous commençons par un survol de l'évolution et de l'usage actuel de cette technique dans différentes disciplines scientifiques. Nous abordons ensuite différents corpus et décrivons la technique proposée. Nous discutons aussi du repérage des documents iconographiques. Nous signalons enfin quelques obstacles d'ordre épistémique et didactique. L'ensemble conduira, nous l'espérons, à cerner les opportunités qui s'offrent à la classe. À plus long terme, nous espérons contribuer à une éducation à l'image et aux médias, dans la perspective à la fois du partage d'une culture visuelle commune et du développement de l'esprit critique.

2. D'où provient cette technique d'interprétation des documents iconographiques?

Alors que l'humain analyse intuitivement toute image qu'il perçoit, l'interprétation des représentations visuelles a pris naissance dans une pluralité de disciplines et de pratiques professionnelles, comme l'explique Gervereau dans l'ouvrage *Voir, comprendre, analyser, les images* (2004).

214

2.1 Dans la mire de l'histoire de l'art, de la sémiologie et de l'histoire

Dans *L'historien et les images*, Haskell rappelle que des historiens, il y a plus d'un millier d'années, se tournaient parfois vers ces images «crées par les générations antérieures [...] pour vérifier ou révoquer une légende, une fable ou un récit parvenu jusqu'à lui par la transmission orale ou par l'écrit» (1995, p. 11). Toutefois, selon Haskell, cet intérêt de l'historien pour l'image s'est estompé dans les siècles qui ont suivi. Il revient ainsi à l'histoire de l'art d'avoir produit des «outils descriptifs» des œuvres et d'avoir travaillé à cerner leur contexte (Gervereau, 2004, p. 11-22). L'image est aussi devenue l'objet d'étude d'une discipline plus récente que l'histoire de l'art, la sémiologie, stimulée par l'analyse des messages publicitaires, qui s'est arrêtée aux signes, aux codes et aux symboles pour dégager le sens présent dans des représentations de toutes sortes.

Il en ressort qu'il est relativement récent que l'historien s'intéresse à l'image comme document historique à part entière (D'Almeida-Topor, 1995 ; Haskell, 1995 ; Jadoulle, Delwart, Masson, 2002). La prolifération d'images durant le 20e siècle par la photographie, le cinéma et la télévision, et leur manipulation, notamment à des fins propagandistes, a renouvelé l'intérêt de l'historien à l'égard des représentations visuelles, afin de cerner leur importance historique et aussi de saisir le sens qu'elles revêtent pour leurs contemporains comme «documents politiques et sociaux» (Haskell, 1995, p. 13).

2.2 L'intérêt pour l'image en contextes d'éducation formelle et non formelle

Aussi, dans la perspective d'une certaine transposition en classe de la démarche de l'historien, à la faveur du socioconstructivisme préconisant le rôle actif de l'élève, on note un regain d'intérêt envers l'image en classe d'histoire comme matériau authentique, support à des activités d'apprentissage (Jadoulle, Delwart et Masson, 2002).

Signalons toutefois que, dans le milieu non formel de l'éducation et en particulier dans les musées, l'on propose depuis longtemps un apprentissage par l'image et l'objet (Hooper-Greenhill, 1991). Rappelons aussi que le philosophe et didacticien tchèque Coménius (1592-1670) préconisait un enseignement par les sens, dit la leçon de choses, où l'image et l'objet occupaient une place de choix (Buisson, 1911).

3. Que sont les documents iconographiques?

Si le PFÉQ fournit quelques exemples de documents iconographiques (fresques, peintures, affiches, illustrations, etc.), précisons d'emblée que le terme iconographie provient d'un emprunt au grec tardif «*eikonographia*», signifiant «peinture de portraits» (d'où le latin «*iconographia*», formé de *eikon* et de *graphia*) (Rey, 1992, p. 990). Cette étymologie permet de souligner l'importance accordée au contenu plutôt qu'au mode de représentation pour fonder l'intérêt d'un document. C'est donc son caractère documentaire et sa valeur de témoignage à l'égard de réalités présentes ou passées qui confirment son intérêt pour l'apprentissage de l'histoire.

3.1 Les peintures et fresques

Même si cela peut paraitre évident, rappelons que le dessin et la peinture ont régné en maitre pour la représentation de la réalité jusqu'à l'invention de la photographie. Premières manifestations de «l'art de peindre» (Monnier, 2006, p. 404), les fresques sont évoquées à plusieurs reprises dans le PFÉQ. Ce terme renvoie à une «peinture murale de grandes dimensions» (Rey, 1999, p. 844). Il tire ses origines de l'italien «*dipingere a fresco,* peindre à frais ou au frais», ou peindre sur du plâtre frais, désignant par la suite le procédé de la peinture murale «consistant à peindre, à l'aide de couleurs délayées, sur un enduit frais» (Rey, 1999, p. 844). Le terme désigne par extension l'art mural, depuis la préhistoire à nos jours (Monnier, 2006). Quelle que soit la technique, la représentation que fournit une œuvre dessinée n'a rien de nécessairement réel et véridique. Comme toute œuvre, elle relève de la vision de l'artiste; elle porte peut-être aussi la marque de son commanditaire.

En résonnance avec les préoccupations de la classe d'histoire, un certain genre de peinture occupe incidemment une place importante dans l'histoire de l'art occidental: la peinture d'histoire. Le concept émerge en Italie au 15e siècle (De Vergnette, 2006). La peinture d'histoire s'inspire de scènes chrétiennes, de l'histoire antique ou d'évènements survenus dans un passé plus récent. Stimulée notamment par la Révolution française, alors que des artistes «s'appliqueront à évoquer les grands évènements du passé avec toute la vraisemblance dont ils seront capables» (Gombrich, 2006, p. 366), elle décline ensuite au profit des portraits, des paysages et des scènes de genre jusqu'à la naissance de la peinture non figurative. Offrant une mise en scène du passé, elle peut s'avérer intéressante en classe à condition d'exercer un œil critique!

3.2 Les caricatures

L'origine de la caricature, art très ancien, remonte à l'Antiquité, alors que des Égyptiens, des Grecs et des Romains le pratiquent (Dupuis, 2012). C'est un art d'opinion, par lequel le dessinateur émet un avis sur une situation ou un personnage. Dépositaire d'un fonds important de caricatures et diffuseur d'une série de propositions pédagogiques conçues pour exploiter ce corpus, le Musée McCord (2009) expose différents procédés employés par le caricaturiste pour créer une image et livrer son point de vue sur un personnage ou une situation. Le fait d'exagérer à outrance les caractéristiques physiques d'individus, de leur donner les traits de personnages types, d'utiliser différents éléments visuels, dont des symboles, et de ponctuer l'image de texte, par un titre, une légende, un monologue ou un dialogue contribue à forger le message visuel. En outre, différents procédés conduisent à créer l'effet de surprise chez celui qui la regarde en donnant à la situation représentée un «caractère inusité ou original»:

- l'*opposition*, quand une situation complexe est réduite à une lutte entre deux personnages (exemple: Jeu de poker, Aislin, (alias Terry Mosher) 1991, 20e siècle M998.48.11 © Musée McCord);

- la *condensation*, lorsque le caricaturiste crée une situation inusitée en reliant entre eux des faits sans rapport immédiat (exemple : Pierre Trudeau rapatrie la Constitution. Aislin (alias Terry Mosher), 1982, 20ᵉ siècle, M983.227.81 © Musée McCord;

- la *combinaison*, qui introduit des confusions volontaires entre les significations multiples des mots ou des situations (exemple : We love you – Pas cette fois-ci j'ai mal à la tête! Serge Chapleau, 1995, 20ᵉ siècle, M998.51.207 © Musée McCord);

- la *vulgarisation*, qui implique une description d'un évènement d'actualité employant des références culturelles familières ou même folkloriques (exemple : Fêtes nationales... Garnotte (alias Michel Garneau) 1996, 20e siècle, M2007.69.69 © Musée McCord).

Le message d'une caricature est bien sûr teinté des valeurs de son auteur, de sa vision du monde, tributaire du contexte social et politique, voire du simple fait d'être une femme ou un homme !

3.3 Les photographies

Contrairement à la caricature, la photographie est un art relativement moderne dont l'origine remonte aux années 1830. Il faut attendre le début du 20e siècle pour qu'elle soit disponible en couleur. En tant que médium, elle témoigne de l'industrialisation et des transformations sociales qui l'accompagnent ; par son foisonnement d'images, elle annonce un premier âge de la culture de masse (Briand et Pinson, 2008). L'abondance et l'accessibilité des clichés en font des documents de choix. Nécessitant à l'origine un lourd appareillage et un temps de pause très long, l'évolution de ses procédés techniques en fait désormais une compagne de l'instant, pratiquement accessible à toutes les couches de la société.

Même si ce qu'elle donne à voir provient du réel, la photographie n'en porte pas moins le point de vue de son auteur et n'est pas neutre. Sans compter les possibilités de retouche de l'image offertes par le numérique, la photographie commande un doute investigateur! Qu'elle soit prise sur le vif ou soigneusement composée, on peut s'interroger sur ce qui a précédé et suivi le moment capturé.

À noter, le portrait occupe une place importante dans l'histoire de la photographie. Certains effets de mise en scène et de prise de vue contribuent à façonner l'identité du ou des sujet(s) photographié(s), notamment le lieu (le studio ou un décor naturel), les éléments de décor, les objets et accessoires qui entourent la ou les personne(s) photographiée(s), la lumière, le cadrage (plan d'ensemble, plan moyen, plan serré, etc.), l'accent sur certains aspects de l'image et la profondeur de champ.

3.4 Les affiches

«Afficher consiste à placarder des avis publics», explique Gervereau (2004, p. 93). Qu'elle soit produite à des fins politiques, commerciales ou culturelles, l'affiche livre un message qui vise à emporter l'adhésion de celui qui la regarde. Sa réalisation conjugue possiblement plusieurs techniques, dont le photomontage. Comme le fait valoir Gervereau (2004, p. 94), la «Première Guerre mondiale et les nécessités de la conscription (Grande-Bretagne, États-Unis) et de l'emprunt (Allemagne, Autriche, Russie, France, Italie)» occasionnent un développement important d'affiches, aujourd'hui en déclin. La composition de l'image, l'agencement du texte, les symboles utilisés traduisent bien son contexte d'époque et rendent fertile son exploitation pédagogique.

4. Comment interpréter un document iconographique?

«Regarder une image, autrement que dans un simple but de consommation fugitive, c'est lui poser des questions», rappelle Gervereau (2004, p. 36). Avant de proposer une procédure pour l'interprétation d'un document iconographique, nous devons rappeler la nature polysémique de l'image, de la multiplicité des sens que l'on peut lui accorder, alors que «jamais aucune explication d'image ne saura rendre compte de *tout* ce que ce contient l'image» (Gervereau, 2004, p. 10).

4.1 Que disent les curriculums à l'égard de cette technique?

Le PFÉQ et les documents liés aux progressions des apprentissages préconisent l'initiation à la technique d'interprétation des documents iconographiques tout au long du cursus scolaire, notamment durant la phase de réalisation des apprentissages. Cette technique est détaillée par un nombre grandissant d'opérations au fil des cycles et des ordres d'enseignement, du primaire au secondaire, dans le secteur régulier et celui de l'adaptation scolaire. Le tableau 14.1 liste les opérations associées à cette technique.

Tableau 14.1
**Les opérations liées à l'interprétation
des documents iconographiques selon le PFÉQ**

OPÉRATIONS	Primaire 1er cycle	Primaire 2e et 3e cycles	Secondaire 1er cycle	Secondaire 2e cycle	Adaptation scolaire
Déterminer la nature du document	x	x	x	x	x
Établir (ou déterminer) s'il s'agit d'une image de la réalité ou d'une reconstitution				x	x
Repérer le nom de l'auteur et sa fonction				x	x
Repérer la date ou d'autres repères de temps		x	x	x	x
Repérer la source		x	x	x	x
Lire le titre	x	x	x		
Décoder le titre				x	x
Déterminer le sujet principal	x	x	x	x	x
Décomposer le document en éléments constitutifs				x	
Déterminer des lieux, des acteurs, des circonstances	x	x	x	x	
Déterminer l'époque			x	x	
Établir des liens entre des éléments constitutifs				x	
Mettre en relation et comparer l'information tirée de plusieurs documents pour faire ressortir des similitudes et des différences, et pour faire ressortir des éléments de continuité et de changement				x	

Gouvernement du Québec, 2007b; 2008; 2009; 2010.

Toutefois, il y a lieu d'exploiter plus en profondeur l'image, afin de tirer profit de son potentiel pédagogique.

4.2 Quoi, où, quand, qui et pourquoi

Les balises posées par le Musée McCord (2003) à des fins éducatives et formalisées dans une grille de lecture des artéfacts (objets, iconographies, documents textuels) nommée *Clefs pour l'histoire*, constituent un point de départ fécond pour élaborer un cadre d'analyse. Cette grille s'appuie sur un courant de recherche en ethnologie voué à l'étude de la culture matérielle, notion englobant les techniques et les objets. Cette grille s'applique aussi aux documents iconographiques (peintures, estampes, dessins, etc.), dans la perspective de relever leur valeur documentaire plutôt qu'esthétique. Cette grille consiste en une série questions exploratoires se rattachant aux QUOI, OÙ, QUAND, QUI, POURQUOI. Les questions listées sous la clef «QUOI» visent à cerner les propriétés de l'artéfact, ses matériaux, sa forme et sa fonction. Les clefs «OÙ», «QUAND» et «QUI» correspondant aux dimensions espace, temps et société enclenchent une série d'interrogations incitant à situer l'artéfact dans plusieurs contextes. Enfin, la clef «POURQUOI» vise à appréhender les significations multiples de l'artéfact à la lumière d'un questionnement initial. Reposant d'abord sur l'observation, cette méthode implique l'enquête auprès d'autres sources d'information afin de pouvoir documenter pleinement l'artéfact.

4.3 Une grille de nature pluridisciplinaire

Cela dit, la grille que nous proposons (voir le tableau 14.2) s'inspire de la grille d'interprétation des artéfacts mise au point par le Musée McCord (2003) évoquée précédemment, de la grille générale d'analyse des images proposée par Gervereau (2004), des travaux de Pirotte sur le décodage d'images (2002) et des repères didactiques formulés par Jadoulle, Delwart et Masson (2002) pour le décodage d'images. S'intéressant à l'image pour sa valeur documentaire en tant que trace du passé, elle témoigne de considérations émanant des traditions de recherche en culture matérielle, en histoire, en histoire de l'art et en sémiologie. Elle reprend de la méthode historique la critique externe et interne du document. De l'histoire de l'art, elle traduit quelques préoccupations à l'égard du genre de l'œuvre et d'une analyse de sa composition. À l'instar de la sémiologie, elle s'intéresse à la fabrication du message visuel et au sens produit à partir d'un relevé des codes, signes et symboles. En outre, elle traduit une sensibilité à l'égard du rapport texte-image, le texte présent dans l'image (le cas échéant) ou celui qui l'accompagne possiblement dans un titre, une légende ou une description. Elle se soucie également de l'intericonicité, à savoir du renvoi qu'elle peut effectuer à une autre image. «Comme tout texte, toute image s'inscrit dans une suite d'images, emprunte à un contexte socioculturel; toute image est assemblage se basant sur des acquis antérieurs [...] toute image doit être regardée à la lumière de la mémoire iconographique» (Pirotte, 2002, p. 21). Enfin, elle contient des questions relatives à la signification que l'on peut attribuer au document iconographique (le POURQUOI) selon les intentions poursuivies par l'enseignant et la thématique abordée en classe.

Comportant quatre étapes qui se déclinent à leur tour en une série de questions, notre grille (voir le tableau 14.2 propose: 1. une première lecture affective de l'image générant la formulation d'hypothèses; 2. un regard critique sur la provenance et la forme du document; 3. l'observation de son contenu; 4. et son interprétation à la lumière des questions étudiées en classe. Se voulant souple, elle comprend une série de questions avec une visée euristique cherchant davantage à susciter la réflexion qu'à récolter des réponses exhaustives. On pourra l'adapter au corpus étudié. Son utilisation peut nécessiter l'enquête auprès d'autres sources d'information.

Tableau 14.2
Grille de lecture des documents iconographiques

ÉTAPE 1 – Lecture affective de l'image, en lien avec son caractère polysémique

1. Quelles impressions provoque l'image, à son premier regard?

2. Quelles questions surgissent dès son premier regard?

3. Quelles hypothèses peut-on formuler à propos de l'image proprement dite ou de son message?

ÉTAPE 2 – Regard critique sur le document, qui s'apparente à la posture de l'historien – le QUOI du document

1. Critique externe du document: provenance du document

a. D'où l'image provient-elle? (collection muséale, site Internet, etc.)

b. A-t-elle été publiée antérieurement? Où?

c. Qui est son (ses) auteur(s)?

d. Qui sont les commanditaires de l'image? (Qui l'a fait produire?)

e. Qui en détient les droits?

2. Critique interne: identité et forme du document

    a. Cette image est-elle une reproduction? (fichier numérique d'une photographie, photographie numérique d'une peinture, etc.)

    b. Quel est le support original de l'image et ses dimensions? (papier, toile, carton, etc.)

    c. Quels sont les matériaux utilisés pour la produire?

    d. Quelle est la technique utilisée pour la création de l'image (photographie, peinture, estampe, dessin, impression, etc.)?

    e. Quel est le genre de l'image, par analogie avec le genre littéraire (œuvre d'art, portrait photographique, caricature politique, image publicitaire ou promotionnelle, affiche de propagande, carte postale, timbre-poste, etc.)?

    f. À quelle fonction l'image est-elle destinée (actualités journalistiques, carte de visite, promotion d'un produit ou d'un service particulier, etc.)?

    g. Un texte est-il incrusté dans l'image?

    h. Un texte est-il juxtaposé à l'image (titre, légende, description, etc.)?

    i. De quand date cette image?

    j. Cette image est-elle le témoin direct ou indirect des réalités qu'elle évoque, c.-à-d. une reconstitution?

    k. Si c'est une reconstitution (si elle a été produite dans une période postérieure aux réalités qu'elle évoque), combien de temps s'est écoulé environ entre la production de l'image et les réalités évoquées?

ÉTAPE 3 – Décodage ou description de l'image, inventaire de ses éléments visibles et de son organisation (dénotation) – COMMENT l'image est-elle composée?

Si c'est une caricature, envisager les particularités formulées dans les pages 217-219.

    1. QUI – Des personnes sont-elles représentées dans l'image?

        a. Comment ces personnes sont-elles représentées?

        b. Quels éléments visuels peuvent témoigner de leur condition sociale?

    2. OÙ – Des lieux sont-ils représentés?

        a. Que voit-on à l'avant-plan (s'il y a lieu)?

        b. Que voit-on en plan moyen (s'il y a lieu)?

        c. Que voit-on dans l'arrière-plan (s'il y a lieu)?

    3. QUAND – Quelle est la temporalité de l'image?

        a. Quelle est l'époque historique représentée dans l'image?

        b. Cette image renvoie-t-elle à une image produite antérieurement?

ÉTAPE 4 – Interprétation de l'image, de sa signification (connotation) – le POURQUOI?

1. Quelles valeurs sont assignées à l'image? Par son fabricant? Par son utilisateur?

2. Le cas échéant, pour quelle raison est-elle conservée ou présentée par un musée, un site Internet, etc.?

3. Quel témoignage apporte-t-elle à l'égard des réalités étudiées en classe?

4. Quelle est l'importance de l'image pour l'histoire locale, régionale, nationale, mondiale, etc.?

5. Les hypothèses de départ quant à l'image proprement dite ou à son message s'avèrent-elles confirmées ou infirmées?

Sources: Musée McCord (2003), Gervereau (2004), Pirotte (2002), Jadoulle (2002).

5. Comment accéder aux documents iconographiques?

Plusieurs questions se posent à l'enseignant pour introduire les documents iconographiques en classe.

5.1 Le Web, les centres d'archives et les musées: un réservoir iconographique sans fin!

Plus facile que jamais grâce aux collections numérisées, aux moteurs de recherche et sites Internet répertoriant des ressources Web, l'accès aux documents iconographiques demande toutefois que l'on sache minimalement interroger des bases de données. Plusieurs banques d'images répertoriées et commentées par le site Carrefour-éducation contiennent des documents iconographiques d'intérêt pour la classe d'histoire (voir les liens proposés en fin de chapitre). Avec la multiplication des points d'accès à leurs collections numérisées, les institutions muséales et centres d'archives constituent des sources iconographiques de choix, procurant souvent des informations pour les images diffusées. Au surplus, ces institutions offrent diverses façons d'entrer en contact avec les images par une pluralité de moyens, dont l'exposition virtuelle et des jeux de tous types. Qui plus est, les sites Web qu'elles mettent en place tirent de plus en plus profit les grandes fonctions reconnues à Internet, à savoir la consultation, la création et la communication. Ils font parfois appel aux contributions des usagers, à la faveur de cet engouement pour le Web 2.0 (voir le chapitre 22).

Certains sites sont entièrement construits dans une visée péda-gogique à partir de collections numérisées. C'est le cas du site français *L'Histoire par l'image*, voué à l'histoire de France à travers les collections de musées et les documents d'archives, mis en ligne par la Réunion des musées nationaux. Incidemment, ce site propose des dossiers pédagogiques accompagnant la lecture d'œuvres d'art.

Des projets fédérateurs sur les médias sociaux contribuent aussi à accroitre l'accès aux collections numérisées, tel *Flickr The commons*, site invitant les institutions muséales et centres d'archives à y publier des corpus d'images, accroissant ainsi l'accessibilité à leurs ressources. Enfin, le *Google Art Project* permet au moment d'écrire ces lignes de visiter près de 350 musées du monde entier, à l'aide de la technologie 3D de *Google Street View* reproduisant la circulation dans certaines salles d'exposition. Le lecteur trouvera en fin de cet article une série de sites d'intérêt.

5.2 Comment s'assurer de l'authenticité d'une image?

Avec la multiplication des sources d'images, on pourrait se demander en quoi une image proposée par une institution à caractère patrimonial diffère d'une image trouvée au hasard des recherches sur Internet. Sa valeur ajoutée réside dans une certaine «garantie d'authenticité» relevant de ce continuum patrimonial.

L'image de source patrimoniale dispose en quelque sorte d'une «carte d'identité», l'étiquette, que l'élève peut apprendre à lire. Cette carte d'identité lui confère ses lettres de noblesse et permet de cerner son contexte de production. Dans la figure 14.1 (une image provenant de la collection du Musée McCord), le cartel ou l'étiquette qui accompagne le document iconographique permet de connaitre le titre qui lui a été donné par son auteur ou par son détenteur, son support technique, la date ou la période de sa production, sa provenance, etc. En outre, on remarque la présence d'un ensemble de fonctionnalités, constituant autant d'outils pour l'explorer et l'exploiter sur le Web (l'agrandir, l'annoter, la sélectionner, lui assigner un mot-clef [«*tag*»], etc.). La possibilité d'agrandir l'image à la page-écran, celle de zoomer à loisir (dans la mesure où la pixellisation le permet), devient autant d'incitatifs à s'approprier le document. Enfin, un texte descriptif ou informatif peut l'accompagner. Des données relatives à sa géolocalisation peuvent aussi y figurer.

Figure 14.1
**Vue du port depuis la chapelle Notre-Dame-de-Bon-Secours,
Montréal (Québec) vers 1900**

Titre : Vue du port depuis la chapelle Notre-Dame-de-Bon-Secours, Montréal, (Québec), vers 1900, Numéro d'indexation : VIEW-3212.1

Auteur : Wm. Notnam & Son.

Support : Papier albuminé

Dimensions : 20 x 25 cm

Provenance : Achat de l'Associated Screen News Ltd.

Source : Musée McCord

Disponible à l'adresse suivante : www.musee-mccord.qc.ca/fr/collection/artefacts/VIEW-3212.1 (avril 2013)

5.3 Quels sont les droits d'utilisation ?

En classe se pose inévitablement la question du droit d'utilisation d'une image. Si certaines images relèvent du domaine public ou sont libres de droits pour un usage éducatif, une interdiction peut néanmoins se poser pour d'autres. Dans un dossier intitulé «Des images gratuites? Pas aussi sûr que cela!», Carrefour-éducation propose une revue des principes qui régissent le droit d'auteur associé aux images. Cette information est d'ailleurs de plus en plus souvent précisée par les licences *Creative Commons* qui facilitent grandement l'identification des œuvres libres de droits ainsi que les conditions d'utilisation.

 Dans l'exemple ci-contre, le premier logo relatif à la paternité de l'image (après le «CC») indique qu'on doit citer le nom de l'auteur original. Le second prohibe l'utilisation commerciale. Le troisième indique l'interdiction de modifier, de transformer ou d'adapter la création.

5.4 Accéder aux images en contexte de mobilité

Nouvelle tendance liée à la prolifération des téléphones intelligents et autres technologies mobiles (tablettes numériques, iPod touch, etc.) pouvant accéder à Internet, des applications téléchargeables ou des sites conçus pour la consultation par ces petits appareils proposent, par des dispositifs de réalité augmentée, la consultation en situation réelle d'images d'autrefois géolocalisée, offrant ainsi des fenêtres sur le passé (voir à titre d'exemple l'application «Musée urbain Montréal» du Musée McCord).

6. De quelques obstacles

L'enseignant désireux d'exploiter des documents iconographiques peut néanmoins rencontrer quelques obstacles épistémiques et didactiques que nous évoquons brièvement.

6.1 La représentation par l'image n'est pas démocratique!

Bien que dotées d'un pouvoir d'évocation sans pareil, ces captatrices de réalité que sont les images demeurent bien insuffisantes pour restituer la complexité des réalités sociales étudiées en classe. En outre, il convient de s'interroger sur la non-disponibilité d'images pour des thématiques recherchées et sur l'absence de visibilité de plusieurs phénomènes.

À titre d'exemple, peu de témoignages visuels sont disponibles relativement à la condition ouvrière en général et au travail des enfants en particulier au 19e et au début du 20e siècle, au Québec et au Canada, si ce n'est les clichés des installations industrielles commandés par leurs propriétaires et opérateurs. Toutefois, on consultera avec intérêt les archives du précurseur de la photographie sociale aux États-Unis, Lewis Hine (1874-1940), ayant effectué un travail de dénonciation et de glorification de certaines réalités associées à la classe ouvrière. Plus de 10 000 clichés sont conservés au *George Eastman House, International Museum of Photography and Film* et accessibles en ligne.

Un autre exemple réside dans le cas de la Shoah. S'il y a abondance de photographies des camps et des ghettos émanant des Nazis ou des Alliés étatsuniens, anglais et soviétiques, peu d'images de l'extermination comme telle ont circulé et furent «retenues par la mémoire en raison de leur difficulté de lecture», car particulièrement violentes (Briand et Pinson, 2008, p. 40).

6.2 Dépasser la simple lecture affective de l'image

Il peut s'avérer difficile d'amener les élèves à dépasser une première lecture affective de l'image. Dans une recherche menée auprès d'élèves québécois du 3e cycle primaire qui avaient à réaliser une présentation visuelle et écrite sur les sociétés québécoise, canadienne des Prairies et de la côte Ouest vers 1900, ceux-ci demeurent très près de la réaction affective que déclenche l'image et peu utilisèrent l'information qui l'accompagne, à savoir l'étiquette et si disponible, le texte descriptif (Larouche, Meunier, Lebrun, 2012).

En outre, à la lumière de notre propre expérience de formatrice en didactique des sciences sociales pour le primaire, nous avons pu constater que le regardeur ne perçoit pas toujours l'écart temporel qui peut exister entre la production de l'image et l'objet ou la situation représentés. Cela se produit surtout dans le cas de dessins, d'estampes ou de peintures alors qu'un grand laps de temps peut s'être écoulé entre ce qui est représenté et la date de création de l'œuvre, créant une certaine confusion temporelle.

Enfin, signalons, à la suite de Van Boxtel et Van Drie (2012), que le regard de l'élève ne sera jamais autant aiguisé que par ses connaissances antérieures qui lui permettront d'associer le contenu de l'image à certains thèmes ou périodes historiques.

En ce sens, procurer à l'élève des informations complémentaires pour l'analyse de documents iconographiques, notamment sur l'auteur de l'image ou sur le contexte historique, permettra de maximiser les bénéfices associés à leur exploitation en classe.

Pour en savoir plus

Gervereau, L. (dir.) (2006). *Dictionnaire mondial des images*. Paris : Nouveau monde éditions.

Haskell, F. (1995). *L'historien et les images*. Paris : Gallimard.
Ces deux ouvrages portent sur l'histoire des images et des images dans l'histoire.

Aird, R. et Falardeau, M. (2009). *Histoire de la caricature au Québec*. Montréal : VLB.

Borboen, V. (n.d.) *Raconte-moi un tableau. Chroniques de l'émission «La tête ailleurs» avec Jacques Bertrand à la radio de Radio-Canada* (2011-2013) : https://dl.dropbox.com/u/140174178/vtableau/Accueil.html

Morris, R. N. (1995). *The Carnavalization of Politics, Quebec Cartoons on Relations with Canada, England, and France (1960-1979)*. Montréal et Kingston : McGill-Queen's University Press.

Société GRICS (2014a). L'histoire des caricatures politiques, vidéo de la série *1045, rue des Parlementaires – Saison 2*, CVE – La Collection de vidéos éducatives : http://cve.grics.qc.ca/fr/2301/2/4335/lhistoire-caricatures-politiques?destination=/

Société GRICS (2014b). *Surfaces (fresques). Lignes, formes, couleurs* 1, http://cve.grics.qc.ca/fr/3373/4/5300/surfaces-fresques?destination=/
Ces cinq références permettent d'explorer des corpus spécifiques, notamment les caricatures.

Ressources en ligne

Bibliothèque et Archives Canada : www.collectionscanada.gc.ca

Bibliothèque et archives nationales du Québec : www.banq.qc.ca

Carrefour-éducation :

- *Banques d'images générales* : http://carrefour-education.qc.ca/banques_dimages_generales
- *Banques d'images thématiques* : http://carrefour-education.qc.ca/banques_dimages_thematiques
- *Des images gratuites? Pas aussi sûr que cela!* : http://carrefour-education.qc.ca/dossiers/des_images_gratuites_pas_aussi_s_r_que_cela
- *Droit d'auteur et Internet : l'éthique en classe* : http://carrefour-education.qc.ca/dossiers/droit_d_auteur_et_internet_l_thique_en_classe
- *La Licence Creative Commons : Le Copyright revu et amélioré* : http://carrefour-education.qc.ca/dossiers/la_licence_creative_commons_le_copyright_revu_et_am_lior

Centre régional de documentation pédagogique de l'Académie de Paris. *Banque d'images fixes en histoire-géographie*: http://www.cndp.fr/crdp-paris/Banques-d-images-fixes-en-histoire

FlickrTheCommons: www.flickr.com/commons/institutions

George Eastman House, *International Museum of Photography and Film*: www.eastmanhouse.org

Library of Congress, *Prints and Photographs Online Catalogue*: www.loc.gov/pictures

Musée canadien des civilisations: www.civilisations.ca

Musées des civilisations, Québec: www.mcq.org

Musée McCord:

- *Clefs pour l'histoire*: www.musee-mccord.qc.ca/fr/clefs/
- Exposition virtuelle *Deux quotidiens se rencontrent*: www.musee-mccord.qc.ca/deuxquotidiens
- Exposition virtuelle *Sans rature ni censure?* Caricatures éditoriales du Québec, 1950-2000. www.musee-mccord.qc.ca/caricatures
- Scénario pédagogique «S'initier à l'interprétation de caricatures contemporaines», guide de l'enseignant: www.musee-mccord.qc.ca/pdf/eduweb/caricature6.fr.pdf
- Ensembles thématiques d'images: www.musee-mccord.qc.ca/eduweb Puis choisir «Ressources selon les thèmes»
- Grille «Interpréter des artéfacts»: www.musee-mccord.qc.ca/fr/eduweb/interpreter
- Programme éducatif en ligne ÉduWeb: www.musee-mccord.qc.ca/eduweb, choisir «Activités»
- Applications mobiles: http://www.mccord-museum.qc.ca/fr/mobile/MuseeUrbainMTL/. voir «Musée urbain Montréal»

Musée virtuel du Canada: www.museevirtuel.ca

RÉCIT national de l'univers social. *Banque d'images en univers social*: http://images.recitus.qc.ca

Réunion des musées nationaux: *L'histoire par l'image*: www.histoire-image.org

15 – L'analyse des affiches de propagande : quand l'art d'influencer rend service à la pédagogie

Dominique Laperle

L e programme d'histoire et d'éducation à la citoyenneté encourage la mise en chantier de situations d'apprentissages et d'évaluation qui puissent interpeller les adolescents à partir de leur situation concrète. Comme le rappelle le chapitre consacré au cours d'Histoire et d'éducation à la citoyenneté dans le *Programme de formation de l'école québécoise* :

> Les élèves interagissent avec leurs pairs et l'enseignant et partagent avec eux leurs découvertes et leurs expériences. [...] Les élèves effectuent des recherches et analysent différents types de documents lors de l'étude qu'ils font des réalités sociales (Gouvernement du Québec, 2007b, p. 8).

Certains projets permettent de remplir l'ensemble des attentes exprimées ci-dessus. C'est le cas de celui que nous avons créé à partir des affiches de propagande, un moyen courant d'endoctrinement pour la période conflictuelle de 1914-1918 et 1939-1945. Quel que soit le pays d'origine, ce moyen d'information contrôlé vise à encourager la population à soutenir les actions de son gouvernement en période de guerre. Cet appui populaire peut être à la fois moral, matériel et humain et varie selon les besoins de l'État. Le Canada n'a pas fait exception et l'analyse des affiches canadiennes de propagande utilisées durant ces deux guerres est un excellent moyen de vérifier la compréhension de ces périodes charnières de l'histoire et d'assurer le développement des compétences d'analyse, de recherche et d'interprétation chez les élèves.

Dans le cadre de ce récit de pratique, je présenterai d'abord le contexte et les conditions de réalisation de cette activité pédagogique. J'aborderai aussi le déroulement de l'activité à travers la démarche de l'enseignant, les étapes du projet, les défis posés ainsi que les problèmes soulevés par les élèves. Enfin, je conclurai en portant un regard sur les résultats observés, les modifications souhaitables et les adaptations possibles.

Je fabrique des bombes et j'achète des obligations

Achetez des

OBLIGATIONS DE LA **VICTOIRE**

1. Le contexte

Cette activité se déroule en quatrième secondaire et porte sur la dynamique entre groupes d'influence et pouvoir, plus précisément sur l'influence exercée par le pouvoir sur les différents groupes de la société. L'objet de citoyenneté consiste à mesurer ce qui distingue les «intérêts particuliers des intérêts collectifs dans les choix de société», mais est abordé directement dans la prise de conscience des élèves des effets des choix gouvernementaux dans la propagande. De plus, cette activité recourt directement à plusieurs concepts du thème. (Les concepts directement abordés sont: pouvoir, enjeu, société, influence, intérêt et État. On pourrait schématiser textuellement le réseau de concepts en disant que, pour l'*État*, l'*enjeu* d'une application réussie de la propagande se situe dans une *influence* effective de tous les groupes de la *société* par le *pouvoir* en place. Il y va de l'*intérêt* du gouvernement ou, pour mieux dire, de sa victoire, afin de préserver les *institutions* du pays face à la menace militaire.). Enfin, pour réaliser un tel essai, il faut activer des connaissances antérieures. L'enseignant peut se référer aux sections du cours de la deuxième secondaire qui portent sur *l'expansion du monde industriel* ou *la reconnaissance des libertés et des droits civils*. Il peut aussi revenir sur les connaissances de la troisième secondaire tirées de la section intitulée *la formation de la fédération canadienne* en portant particulièrement son attention sur la question de la conscription et de l'effort industriel du Canada durant cette période.

L'objectif de ce travail est quadruple. Il veut permettre à l'élève d'entrer en contact direct avec deux évènements charnières de l'histoire du 20e siècle. Il sollicite également chez l'élève un élargissement de sa vision du concept de guerre en associant les notions de combats, de recrutement militaire et de décisions politiques aux enjeux sociaux et économiques. Il soumet aussi des sources d'époque à une analyse serrée au moyen des euristiques des historiens et, finalement, il amène l'élève à comprendre les dimensions pernicieuses de la propagande.

Comme le programme d'univers social le stipule:

> L'étude des réalités sociales du programme d'Histoire et éducation à la citoyenneté requiert l'usage de technique tant pour accéder à l'information (interprétation) que pour faciliter la transmission des résultats de recherche (réalisation). Ces techniques s'inscrivent en continuité avec celles développées au primaire et au secondaire (Gouvernement du Québec, 2007b, p. 87).

L'analyse d'une affiche de propagande en tant que source mobilise non seulement des connaissances antérieures, mais aussi des savoir-faire acquis et aide à la conceptualisation et à la structuration de la pensée. Compte tenu de son ampleur, une telle activité est de préférence faite en coopération. Elle bénéficie aussi d'une intégration des TIC et d'une modélisation méthodologique. En effet, plusieurs écoles utilisent un *coffre à outils*, c'est-à-dire un guide du travail intellectuel permettant de franchir les étapes d'une recherche, de maitriser les règles de rédaction d'un travail écrit et de respecter les modalités de présentation, tout en montrant aux élèves comment bien citer les sources et éviter le plagiat.

2. L'organisation de l'activité

L'enseignant peut présenter son projet avec un support visuel informatique (PowerPoint, Prezi, etc.). Un document explicatif incluant toutes les étapes de réalisation ainsi que les grilles d'évaluation doit être remis aux élèves ou déposé sur portail accessible à ceux-ci. Cette manière de faire rend explicites les attentes de l'enseignant. Tous les milieux scolaires ne se ressemblent pas et il faut évaluer avec précaution le temps accordé en classe, ainsi que le travail à la maison. Toutefois, outre mon temps de présentation (une heure), je table, depuis quelques années, sur cinq ou six heures de travail en classe et autant d'heures à la maison. Ce temps peut toutefois être doublé facilement si l'enseignant le juge à propos.

3. Le déroulement de l'activité

Pour que ce projet puisse se réaliser de façon optimale, il faut le lancer avec dynamisme. L'enseignant aborde les élèves de sa classe à l'aide d'un questionnement. Il stimule ainsi leur intérêt et génère une émotion positive qui doit se maintenir le plus longtemps possible. Je recours à une page de publicité d'une marque connue des élèves et dirige l'échange vers les affiches de propagande utilisées lors des deux conflits mondiaux. Une fois cette comparaison faite, je poursuis avec un exposé magistral sur les contenus notionnels du programme. Il va de soi que ce n'est pas la seule voie possible et l'enseignant peut rendre disponible l'information pertinente de la manière qu'il le désire. Enfin, je remets le document d'accompagnement, présente le projet et annonce que le prochain cours permettra la formation des équipes, la sélection des affiches de présentations du projet sur la propagande. Comme préparation, je suggère aux élèves de consulter une exposition virtuelle sur la propagande, ainsi que différents sites des collections universitaires d'affiches.

Le deuxième cours s'inscrit aussi dans la phase préparatoire. Il comprend d'abord une partie méthodologique qui consiste en une présentation des normes méthodologiques du projet et un exercice formatif de maitrise des différents logiciels. La seconde partie permet à chacune des équipes d'officialiser son choix d'affiches à travers un processus d'exploration des différents livres et sites Internet. Il permet un partage entre élèves, illustre la variété des sujets et des thèmes des affiches, et le cas échéant, évite les doublons parmi les équipes.

La phase de réalisation comprend, selon la planification de l'ensei-gnant, deux à quatre cours. Il s'agit d'un cycle de travail pratique pour l'élève qui se déroule en bibliothèque et en laboratoire d'informatique. Ces cours sont d'excellentes occasions pour évaluer la compétence transversale *coopérer*. L'enseignant doit aussi rappeler au début de chacune des périodes les objectifs du projet et, à la fin, il peut exiger la remise d'une «preuve de travail» (fiches bibliographiques, fiches documentaires, portions du travail, évaluation de la coopération par les pairs). Cette approche étapiste donne à l'élève un objectif à atteindre, lui évite de perdre son temps et lui permet de construire sa vision du projet pas à pas. De son côté, l'enseignant conserve des traces, redonne une rétroaction rapide aux élèves sous forme d'encouragements ou d'indications correctives, ce qui, le cas échéant, sensibilise l'élève au coup de barre à donner à un projet mal amorcé et, ultimement, lui permet d'atteindre les objectifs du projet sans le démoraliser sur la suite des choses à faire.

Lors de la réalisation du produit final, il faut rappeler aux élèves que leur travail inclura deux grandes sections. La première comprend une description des éléments visuels et textuels de l'affiche et l'explication des aspects symboliques. Le symbolisme d'une affiche est le message sous-entendu par les images. Par exemple, le harfang des neiges est le symbole aviaire du Québec. Une affiche avec un harfang pourrait symboliser les Québécois. Les élèves doivent donc comprendre le «deuxième degré» et ne pas faire une lecture visuelle primaire de l'affiche. La seconde section vise à bien circonscrire le contexte historique. La production de l'affiche se fait dans un moment précis de l'histoire. Une affiche canadienne qui parle de recrutement en 1939 diffère sensiblement de celle produite après le plébiscite sur la conscription. Le message peut varier selon le contexte. L'élève doit donc tenir compte de l'année de production de l'affiche et des évènements qui se déroulent à la fois en zone de combat et sur le front intérieur.

Il arrive, dans cette deuxième partie, que les élèves recopient de l'information historique (comme une description du débarquement de Dieppe, une série de statistiques sur le recrutement militaire, le déroulement du plébiscite sur la conscription, etc.) et les plaquent dans le texte sans guillemets ou références. L'accompagnement de l'enseignant est ici primordial. Il doit rappeler que le but est de comprendre, de dire en ses mots ce que les auteurs ont écrit et de respecter les normes de présentation intellectuelle. Il doit également éclairer les élèves sur l'orientation générale de leur affiche (recrutement, production du complexe militaro-industriel, contrespionnage) et faire en sorte que ceux-ci tiennent compte de la réalité sociale dans laquelle l'affiche est produite et le public visé.

Le projet permet aussi de faire un lien avec le temps présent, car l'enseignant peut amener ses élèves à *consolider l'exercice de [leur] citoyenneté à l'aide de l'histoire.* Comme le rappelle le programme :

> Les élèves sont invités à prendre avantage conscience de leur responsabi-lité citoyenne et à faire preuve d'un plus grand engagement de manière à consolider l'exercice de leur citoyenneté. [...] Les élèves sont de plus appe-lés à débattre d'enjeux qui mettent en cause des valeurs et des rapports sociaux, qui suscitent des réflexions d'une importance primordiale pour le développement de la société et qui forcent à faire des choix d'importance pour l'avenir (Gouvernement du Québec, 2007b, p. 23).

Une réflexion sur la notion de «devoirs» des citoyens en période de guerre, sur l'implication du Canada dans un conflit contemporain ou sur l'impact, dans le monde d'aujourd'hui, de la propagande peut permettre des échanges très intéressants entre élèves ainsi que leur appropriation des concepts du programme. Cette réflexion permet de nuancer la notion de «devoir», car sa signification n'est pas la même pour tous les citoyens et peut facilement se greffer à l'analyse de textes d'opposants à la conscription ou de pacifistes actifs durant les deux guerres mondiales. Cette dernière étape rend donc possible, comme le programme le souhaite, une consolidation de l'exercice de la citoyenneté. De plus, le fait d'établir l'apport des réalités sociales passées dans la réalité actuelle des élèves les amène à se construire des interprétations basées sur les aspects historiques du projet. En général, cette dernière partie offre de très belles réflexions qui peuvent même alimenter un journal d'école ou une exposition des travaux. Il faut d'ailleurs permettre aux élèves de lire les projets des

autres ou en écouter des synthèses sous forme d'exposés oraux. Le vaste panorama des affiches présentes dans les classes permet une intégration surprenante des conflits mondiaux.

4. Conclusion

Le projet des affiches de propagande permet aux élèves d'élargir leur vision de ce qu'est un conflit en leur faisant voir les rapports possibles avec les dimensions sociale, économique, idéologique et artistique. La force de ce projet se situe aussi dans son adaptabilité. Il pourrait s'insérer dans un autre module comme *Économie et développement*. Il faudrait alors l'orienter vers un nouvel angle d'entrée qui consisterait à comprendre «les effets de l'activité économique sur l'organisation de la société et du territoire» en recourant aux concepts d'enjeu, de société (force ouvrière, insertion des femmes), de production (effort de guerre), de consommation (restrictions et récupérations). Il est possible aussi d'intégrer un *ailleurs* dans son projet en incitant ses élèves à comparer une affiche canadienne avec celle d'un pays étranger soumis à un régime dictatorial (l'Allemagne nazie durant la Deuxième Guerre mondiale par exemple) sur le même thème (recrutement, récupération, mise en garde contre l'espionnage, etc.), dans le but de faire comprendre à l'élève que groupes d'influence et pouvoir interagissent aussi dans un État non démocratique. Enfin, comme chaque élève analyse une affiche différente, il permet à l'enseignant de conserver un intérêt soutenu dans sa correction!

Ressources en ligne

Il existe de nombreuses expositions virtuelles en ligne sur la propagande permettant aux élèves de se familiariser avec les contenus de base de la propagande (dont certaines sont bilingues):

Musée canadien de la guerre, *Propaganda/Propagande: La propagande de guerre au Canada*: http://www.museedelaguerre.ca/cwm/exhibitions/propaganda/index_f.shtml

Northwestern University, *Digitized collection*: http://digital.library.northwestern.edu/xsearch/

Royal Alberta Museum, *The Poster War: Allied Propaganda Art of the First World War*: http://www.royalalbertamuseum.ca/vexhibit/warpost/french/exhibit.htm

QUATRIÈME PARTIE

LES RESSOURCES DU MILIEU

16 – Les musées, une ressource du milieu

Sabrina Moisan

Peut-on réaliser des apprentissages scolaires historiques et citoyens en dehors des murs de la classe d'histoire? S'il parait évident que de telles expériences favorisent l'acquisition de connaissances, il n'est pas sûr que ces dernières soient durables ou qu'elles correspondent aux objectifs du cours. Ce chapitre vise à démontrer le potentiel de ce type d'activité comme plus-value à l'enseignement régulier en matière de formation historique et dans la transformation de la vision de l'apprentissage des élèves. Il vise également à exposer les conditions à réunir pour en faire des expériences enrichissantes, motivantes et formatrices pour les élèves.

1. Qu'est-ce qu'une ressource du milieu?

Il convient d'abord de préciser ce qui est entendu sous l'expression «ressource du milieu». Il s'agit en fait de toutes les activités qui ne sont pas à priori faites pour l'enseignement de l'histoire ou de la géographie, mais que l'enseignant d'histoire ou de géographie exploite. Elles peuvent avoir lieu hors de la classe, dans la communauté ou ailleurs, ou en classe (visite d'un survivant de l'Holocauste, par exemple). En classe d'histoire, ce sont des occasions d'utiliser l'histoire publique à l'école ou de se déplacer vers elle et de réfléchir aux différentes formes que peut prendre le passé dans la mémoire, la commémoration ou le travail historien.

Voici une liste d'activités qui entrent dans la catégorie ressource du milieu, pour la classe d'histoire:

- Visite au musée
- Visite d'un centre d'archives
- Visite d'un site historique ou autre lieu de mémoire
- Expédition urbaine ou rurale

- Étude d'une sculpture, d'une murale, d'un bâtiment
- Écoute d'un témoignage
- Entrevue avec un acteur du milieu et autres démarches d'histoire orale
- Etc.

2. Une occasion d'affirmer une vision différente de l'apprentissage

Intégrer une ressource du milieu dans sa planification régulière implique de réfléchir à l'acte d'apprendre et de surmonter deux obstacles majeurs: l'attitude des élèves à l'égard de ces activités et leur rapport au savoir.

2.1 Changer l'attitude des élèves

Un premier défi à relever consiste à changer l'attitude générale des élèves à l'égard de ces expériences extrascolaires, qui leur apparaissent souvent comme des journées-récompenses ou une pause dans la routine scolaire, durant lesquelles ils n'ont rien à faire ou si peu. Il importe donc d'informer clairement les élèves des buts de l'activité et des tâches qu'ils auront à accomplir, afin qu'ils sachent que cette expérience s'inscrit au contraire dans leur parcours scolaire et qu'elle mènera à des apprentissages réinvestis en classe.

2.2 Changer le rapport au savoir

Un second défi à relever est celui du rapport aux savoirs des élèves. En effet, trop souvent, le paradigme de l'enseignement qui domine en classe d'histoire et de géographie est encore celui où l'enseignant transmet le savoir à apprendre aux élèves, qui demeurent relativement passifs (Charland, 2003; Moisan, 2010). Cette tradition implique un rapport aux savoirs étroitement lié à la mémorisation et à la reproduction. Dans ce modèle, les élèves sont peu habitués à prendre les rênes de leurs apprentissages, à poser des questions et à y répondre à l'aide de méthodes et de connaissances acquises en classe. Il faut dire que le recours à une traditionnelle visite au musée, où l'on suit le guide et où l'on cherche à répondre à des questions dont les réponses apparaissent sur les cartels, renforce cette vision de l'apprentissage plus qu'elle ne contribue à la revitaliser. Heureusement, cette approche devient de plus en plus marginale (Gosselin, 2011). Chose certaine, une activité extrascolaire peut devenir une occasion de changer cette dynamique, à la condition de s'y préparer en conséquence. D'ailleurs, de plus en plus, les institutions, comme les musées, deviennent de réels partenaires éducatifs (Allard, 2002a, 2002b; Desrochers, 2000; Lebrun, Meunier et Larouche, 2012; Vadeboncoeur, 1997).

3. Pourquoi inscrire les ressources du milieu dans le parcours scolaire?

Le potentiel de ces activités était déjà reconnu dans les textes officiels de la Révolution tranquille, en ce qu'elles permettent de varier les activités et«d'éveiller la curiosité» des élèves:

> 851. [...] Pour que l'histoire soit vraiment une discipline formatrice pour l'esprit, pour qu'elle habitue à l'objectivité, à la conjecture fondée sur des intuitions et des inductions justes, à la lecture critique et comparée des textes, il faudra entrainer l'élève à des méthodes de travail personnel et collectif. Pour éveiller sa curiosité et l'alimenter, le film, la photographie, les gravures, la visite de musées, de lieux historiques, d'archives, les volumes de toutes sortes serviront de complément à la leçon (Gouvernement du Québec, 1966, p. 183).

Plus encore, une activité hors classe inscrite dans le prolongement de ce qui se fait en classe a le potentiel d'offrir une légitimation supplémentaire, aux yeux des élèves, aux savoirs acquis en classe (Gosselin, 2011). En effet, des apprentissages comme la maitrise des étapes de la démarche historique – savoir analyser des documents et des artéfacts, dégager des faits, interpréter et questionner les phénomènes – sont des activités normales de la classe d'histoire, mais pouvant paraitre factices aux yeux des élèves. Lorsque ces mêmes apprentissages scolaires sont mobilisés dans un autre contexte, ils se transforment en savoirs utilisables dans la vie réelle.

3.1 La légitimation des savoirs scolaires

Chaque apprentissage réalisé en classe sous la forme d'activités ou d'exercices a peu à voir avec l'usage d'une pensée ou d'une méthodologie historique dans la vie réelle. Ces activités sont parfois même décomposées, déconnectées les unes des autres, réalisées en vases clos. Même lorsqu'elles sont emboitées dans une démarche de résolution de problème, par exemple, elles demeurent néanmoins réalisées dans le cadre d'un exercice scolaire. La colonne de gauche de la figure 16.1 illustre le type d'activités et d'apprentissages habituellement réalisés en classe d'histoire.

Figure 16.1
La légitimation des savoirs scolaires par l'expérience de terrain

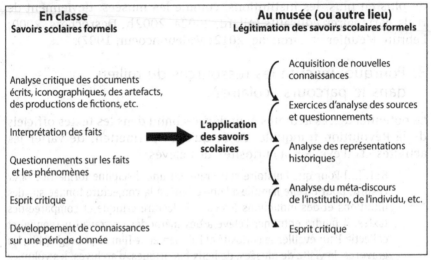

Lorsque ces mêmes apprentissages se pratiquent sur le terrain, dans le cadre d'un projet problématisé pour lequel les élèves ont à construire leurs propres stratégies et interprétations, ces apprentissages prennent peu à peu une nouvelle valeur (Mérenne-Schoumaker, 2012). L'organisation des étapes de la colonne de droite de la figure 16.1 permet aux élèves de gagner du contrôle sur l'expérience qu'ils vivent, en ce sens qu'ils choisissent les stratégies leur permettant de résoudre le problème. Diverses activités critiques devraient être proposées par l'enseignant et l'institution, comme l'analyse critique et la remise en question ou la validation des choix d'une institution souvent représentée comme une source de vérité historique indéniable (Conrad, Létourneau et Northrup, 2009). Pourtant, l'analyse critique réalisée par Moisan et Licop (2013) sur la présentation de la Deuxième Guerre mondiale dans deux musées canadiens montre que le discours des institutions, l'usage qu'elles font de leurs documents et les questionnements qu'elles soulèvent ou non peuvent tout autant contribuer à la compréhension historique de l'évènement qu'à sa mythification (Moisan et Licop, 2013). L'activité hors classe peut ainsi faciliter le transfert des compétences dans les situations du quotidien. Cela contribue à la pertinence de ces activités, qui rendent ainsi les savoirs formels plus opérationnels, car ils sont mis en contexte et employés dans une situation réelle. Cela est vrai pour diverses activités que l'enseignant choisirait de privilégier lors de la sortie éducative, par exemple: faire analyser les sources (documents, objets, images)

pour s'exercer, mais aussi pour comprendre les liens à établir entre les faits qu'elles évoquent; faire analyser le métadiscours et les points de vue mis en scène par l'institution, etc. (Gosselin, 2011; Pearce, 2012). Ces activités permettent aux élèves d'organiser les apprentissages en fonction d'un questionnement global, qui leur offre la possibilité de mieux saisir la nature interprétative du savoir historique (Niclot, 2012). Enfin, ces expériences hors classe permettent également d'inspirer des situations d'évaluation authentiques et complexes.

3.2 La formation de l'esprit critique citoyen

Un autre apport non négligeable de ce type d'activité touche la formation citoyenne de l'élève. Puisque chaque institution, organisme ou individu visité poursuit une mission, construit et propose un discours sur un objet historique ou géographique, il relève du devoir du citoyen de chercher à connaitre ces intentions et de replacer les interventions publiques dans leur contexte de production. La planification d'une démarche incluant un arrêt sur ce contexte de production et l'impact souhaité du discours proposé revêt un intérêt certain pour la formation citoyenne.

Prenons pour exemple une classe de troisième secondaire qui ferait une expédition dans la ville de Québec, afin d'analyser les manifestations d'histoire publique et les lieux de mémoire. Un arrêt devant la *Fresque des Québécois*, dans le quartier Champlain s'imposerait.

Voici la présentation qui est faite de cette murale sur le site Web de la Commission de la Capitale nationale :

> Un hommage aux grands Québécois. Cette fresque de la ville de Québec raconte l'histoire de Québec et intègre de nombreux caractères spécifiques à la capitale. Elle permet de reconnaitre l'architecture, la géographie, les fortifications et les escaliers, tout en rappelant le rythme des saisons avec leurs couleurs changeantes. La Fresque des Québécois rend aussi hommage à une quinzaine de personnages historiques et honore des dizaines d'auteurs et d'artistes dans ses vitrines évocatrices (Commission de la Capitale nationale. (2010). La fresque des Québécois. Repéré à http://www.capitale. gouv.qc.ca/realisations/les-fresques/fresque-des-quebecois.html).

Il s'agit donc d'un effort de représentation du passé. Il semble fort utile de s'interroger sur ses composantes et sur la vision du passé qui y est privilégiée. En analysant les personnages présents, on se rend vite compte que des gens n'appartenant pas à l'histoire de la ville de Québec, comme Papineau ou Desjardins, s'y trouvent. Le sujet de la fresque est dès lors ambigu. S'agit-il de représenter l'histoire de la ville ou l'histoire du Québec? Quelle vision est proposée au public?

Fresque des Québécois située dans le quartier Champlain à Québec.
Photo : CCNQ, Corinne Poirieux

Il est toujours utile de lier l'étude du passé à un problème. Par exemple, les élèves pourraient devoir répondre aux questions suivantes : Quels Québécois sont représentés sur cette fresque? Est-ce une vision fidèle du passé québécois? En prenant la fresque comme une représentation du passé québécois, les élèves peuvent juger de sa valeur, en fonction de leurs connaissances historiques. Pour y arriver cependant, ils doivent passer par une étape d'analyse des composantes (voir chapitre 14). Qui a réalisé l'œuvre? Avec quelle intention? Que voit-on? Qui s'y trouve représenté? Qui sont les Québécois, selon cette représentation? Y a-t-il des absents? Que devrait-on ajouter? Quels éléments devrait-on enlever? Une recherche menée auprès de jeunes francophones, immigrants et Amérindiens montre que chacun de ces groupes d'élèves a une interprétation différente de la valeur historique de cette fresque (Charland, Éthier, Cardin et Moisan, 2010). Les Autochtones, les immigrants, les femmes et les gens ordinaires (par opposition aux grands personnages) occupent peu (ou pas du tout) de place dans cette vision du passé québécois. Il peut être utile que les élèves relèvent ces faits et les discutent.

4. L'importance de bien cibler la nature des apprentissages potentiels

La nature des apprentissages potentiels diffère selon la ressource du milieu mobilisée. Chaque type de ressource présente ses spécificités quant au mode de transmission des savoirs et quant à la nature des savoirs transmis (des faits historiques, une mémoire, un discours commémoratif, etc.). Différentes avenues d'exploitation pédagogique s'imposent dès lors. On n'abordera pas la mémoire ou la commémoration de la même manière qu'un discours appuyé sur des documents historiques, par exemple.

4.1 Le Musée

Le musée d'histoire est un lieu presque sacré. En effet, les recherches sur la conscience historique des Canadiens menées dans le cadre du projet «Les Canadiens et leurs passés» montrent que, pour les gens, le musée est le lieu où réside la vérité historique (Conrad et coll., 2009). Les élèves visitant le musée affirment régulièrement que ce qui les a le plus marqués est de voir les vrais objets, comme si l'objet, témoin des évènements, était la preuve ultime de la vérité des faits historiques racontés. Ce phénomène est à prendre en considération lorsqu'une telle visite est prévue. Il est nécessaire de faire réfléchir les élèves sur le mode de construction des savoirs muséaux, sur le potentiel et les limites d'un objet-témoin, par exemple, voire sur les intérêts sociaux ou politiques de ceux qui financent ou dirigent le musée. Cette étape est d'autant plus importante si la visite se limite à suivre un guide qui transmet le savoir historique dans un grand récit et laisse les élèves passifs. L'idéal est toujours de permettre aux élèves de mener leurs enquêtes et analyses sur les objets et le récit proposé (Gosselin, 2011). Cela leur permet de réaliser que plusieurs interprétations possibles existent et que la signification historique d'un objet peut varier. D'ailleurs, les musées d'histoire sont de plus en plus sensibles à la nécessité de tenir compte de la relation que les visiteurs entretiennent avec le passé et ils transforment leurs pratiques et leurs activités éducatives afin d'adopter une approche davantage constructiviste, tenant notamment compte des représentations sociales de leurs visiteurs, comme c'est le cas au musée de la Civilisation à Québec (Allard, Landry et Meunier, 2006; Daignault, 2011; Gosselin, 2011).

Nous proposons ici un exemple de travail qui pourrait être fait avec un seul objet, le cœur d'Auschwitz.

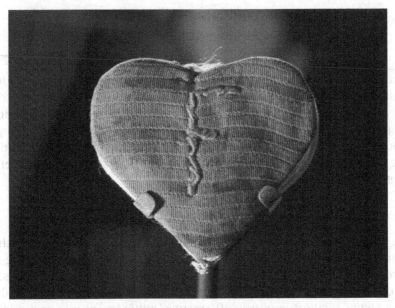

Cœur d'Auschwitz offert à Fania pour ses 20 ans qu'elle célébrait dans un camp de travail d'Auschwitz. Cet artéfact est exposé au Musée commémoratif de l'Holocauste à Montréal. Photo : Centre commémoratif de l'Holocauste à Montréal

Le cœur d'Auschwitz, conservé au musée commémoratif de l'Holocauste à Montréal, est un bel exemple de ces objets qui mènent à diverses interprétations. À priori, il s'agit d'un carnet rassemblant des souhaits d'anniversaire pour une détenue d'Auschwitz, Fania, qui célèbre ses 20 ans. Les conditions dans lesquelles survivent les douze femmes à l'origine de l'objet sont inimaginables : réclusion dans une usine toute la journée, interdiction de parler à leurs voisines, famine constante, violence et menace de mort omniprésentes. Ces femmes n'avaient pas le droit de posséder quoi que ce soit, mais l'ingéniosité leur a permis de construire ce petit cœur avec un bout de chemisier, du pain et de l'eau, des ciseaux et un crayon dérobés à leurs risques et périls. Si l'on s'arrête à cette description contextuelle, ce qui est recommandé pour les élèves du primaire, le cœur de souhaits représente une panoplie de valeurs : le courage, l'amour, l'amitié, la solidarité et l'espoir qui unissent les êtres humains, même dans les pires circonstances.

Toutefois, en poursuivant la contextualisation de l'objet, en l'élargissant au contexte de guerre et de génocide ayant cours au moment où l'objet est créé et en prenant soin de lire les messages rassemblés dans le carnet, une autre interprétation est possible. Les messages de ces femmes ne sont pas tous destinés à célébrer l'anniversaire de Fania, ils sont plutôt des cris du cœur («Liberté, liberté, liberté»), des traces laissées comme preuves de leur passage ou encore une simple note de désespoir d'une femme frigorifiée et affamée. Ce petit carnet devient tout à coup le symbole de femmes qui combattent contre la déshumanisation que leur imposent les nazis. Elles ont voulu témoigner de leur présence en ces lieux, prouvant qu'elles y étaient et qu'elles étaient toujours en vie, humaines et désespérées. Ce second niveau d'interprétation permet alors d'entrer dans l'étude de l'Holocauste en abordant des thèmes comme la déshumanisation, la résistance, l'étude des conditions de vie à Auschwitz et dans les camps de travail, etc. Dans un cas comme dans l'autre, l'interprétation et la signification données à l'objet sont différentes et complémentaires. Un travail de contextualisation est toutefois nécessaire si l'on souhaite bien comprendre l'ampleur d'un phénomène plus large que le simple objet (Moisan, 2011).

En faisant cet exercice avant la visite (l'objet est visible sur le site Web du musée et des reproductions sont même prêtées aux écoles), les élèves sont capables d'apprécier l'interprétation de l'objet qui est présenté dans le musée. Cet exercice les aide à saisir le mode de fabrication du discours muséal et à prendre une distance à son égard (Brewer et Fritzer, 2011; Marcus et Levine, 2011).

4.2 Un regard critique sur les archives

Une autre raison de faire attention à la foi qu'on prête aux discours muséaux est que, malgré leur bonne volonté, ils sont également dépendants, en partie, des ressources qu'offrent leurs archives. Or, ces dernières ne permettent pas toujours de présenter tous les acteurs et leurs points de vue, ou de parler des groupes les plus défavorisés ou marginaux de la société, car, traditionnellement, elles rassemblent surtout des sources officielles ou provenant de gens aisés et instruits, qui produisent et conservent leurs papiers et objets, etc. Les vaincus ou les marginaux de la société, comme les pauvres, les femmes ou les immigrants, ont en effet laissé peu de traces de leur histoire (Carter, 2006).

Le même problème se trouve évidemment dans les documents présentés dans les manuels scolaires ou ceux auxquels les enseignants ont accès sur Internet.

Si l'on souhaite préparer une exposition ou un cours sur l'esclavage en Nouvelle-France, par exemple, les seuls documents dont on dispose pour alimenter cette histoire sont les lettres de l'intendant Hocquart présentant les besoins en esclaves de la colonie au ministre de la Marine, des papiers de transactions entre marchands d'esclaves du Sud et bourgeois montréalais, des inventaires de biens et meubles dans lesquels sont comptabilisés les esclaves, des procès-verbaux de la cour de justice pour le cas où un esclave est accusé ou encore de la correspondance personnelle dans laquelle l'auteure se plaint de l'indiscipline de sa «panis». (Le terme «Panis» désigne un esclave d'origine amérindienne. Les Panis forment aussi une tribu amérindienne de la région du Missouri. Les Autochtones alliés des Français faisaient régulièrement des razzias dans les villages panis et ramenaient avec eux enfants, hommes et femmes qu'ils vendaient comme esclaves dans la Nouvelle-France. Ils étaient si nombreux que leur nom a fini par devenir synonyme d'esclave dans le langage courant de l'époque.)

Aucun de ces documents ne permet d'entendre la voix des principaux intéressés, de comprendre comment était vécu l'esclavage «de l'intérieur», quels sentiments animaient ces individus, quelles relations ils entretenaient avec les autres, quels rêves ils poursuivaient secrètement, quels traitements leur étaient réservés, etc. (Trudel, 2006). Ces acteurs de l'histoire, la plupart du temps non instruits, n'ont laissé aucune trace écrite. Ces silences et biais qu'impose une lacune en documents doivent être pris en compte dans toute réflexion historique.

Cela dit, les ressources en ligne sont de plus en plus nombreuses. Les musées, sociétés historiques et centres d'archives offrent maintenant des espaces virtuels où les élèves peuvent consulter des documents d'époque de types très variés (Castagnet-Lars, 2013). C'est le cas notamment sur les sites du Musée McCord (www.mccord-museum.qc.ca/fr/clefs/), du Musée commémoratif de l'Holocauste à Montréal (www.mhmc.ca), du Musée de la civilisation à Québec (www.mcq.org/fr/expos_virtuelles/index.html) ou du Centre de ressources pour l'étude des Cantons-de-l'Est (www.etrc.ca/fr/service-darchives/sources-en-ligne.html), par exemple. Les apprentissages liés à l'utilisation des nouvelles technologies et à la pensée historienne peuvent être nombreux, et ce, dès le primaire (Hudon et Meunier, 2002; Larouche, Meunier, et Lebrun, 2012).

4.3 Les lieux de mémoire

Les lieux de mémoire sont ces endroits publics où l'on retrouve des représentations du passé comme les statues, monuments, mémoriaux, sculptures, fresques, etc. Le territoire est abondamment marqué de ces lieux censés inspirer le lien social (Nora, 1992). La façade du parlement à Québec, le monument dédié à Wolfe et Montcalm bordant le château Frontenac et la statue hommage à Georges-Étienne Cartier au pied du mont Royal sont tous des exemples de ces lieux, qui ont habituellement pour but de rappeler à la mémoire du passant un évènement important du passé collectif ou un personnage marquant. La nature du savoir invoqué ici relève souvent autant de la commémoration, de la mémoire que de l'histoire. Il convient de comparer l'histoire et la mémoire, mais aussi de prendre le temps de faire comprendre le rôle que joue la commémoration dans la société. Les groupes ou individus qui se trouvent derrière un projet d'élévation d'un monument doivent être connus, tout comme leurs intentions. (Voir le chapitre 5.) Ces manifestations de la mémoire historique ne sont pas sans soulever les passions. Pensons seulement à la polémique entourant le dévoilement de la statue grandeur nature de René Lévesque sur la promenade du parlement de Québec. Le grand homme politique était petit de taille. Le comité responsable du projet de sculpture souhaitait transmettre la dimension authentique du personnage en n'exagérant pas la taille de sa statue. Or, placé parmi les statues de ses collègues premiers ministres dont on a largement amplifié l'envergure, Lévesque apparait minuscule. Quel est le message réellement donné aux visiteurs ne connaissant pas les intentions du comité? Les critiques ont fusé de toute part, rappelant ainsi que les interprétations historiques sont largement discutées dans l'espace public.

Il est ainsi utile d'amener les élèves à reconstruire le discours sur le passé qui est proposé et à le mettre à l'épreuve des faits ou des connaissances des élèves, comme dans le cas de la *Fresque des Québécois* vus précédemment.

4.4 La mémoire vivante

Accueillir dans sa classe une personne qui a vécu l'histoire est un moment mémorable pour les élèves. Pour eux, c'est une rencontre avec l'histoire, car, comme l'objet du musée, le survivant, comme son nom l'indique, a vécu le passé (Fink et Heimberg, 2008; Joutard,

1983). Il était là. Comment mettre en doute sa parole? Bien que cela puisse être parfois délicat, il est important d'amener les élèves à s'interroger sur les différences entre l'historien et le témoin (Todorov, 2000), notamment à l'égard de leur intention et de leur démarche. Tous deux proposent des discours sur le passé, mais leur démarche est bien différente. Le premier s'appuie sur l'analyse des documents et la contextualisation, il présente des faits précis, reconstitution des évènements à partir de ces faits et de ses interprétations. Le second raconte son expérience, à partir de ses souvenirs. Il présente aussi des faits, ceux de son histoire, mais il lui arrive d'oublier des noms ou de les mêler, de se perdre dans la séquence chronologique, etc. Ces oublis et erreurs factuelles ne discréditent pas du tout le discours du témoin, qui est empreint d'émotion et sujet aux variations de la mémoire (Moisan, Andor, et Strickler, 2012; Tutiaux-Guillon, 2002, 2011). Il faut néanmoins que les élèves soient conscients de cette réalité et de la différence qu'il y a avec le discours historien. Les deux approches sont complémentaires et l'ajout d'une expérience humaine vécue n'est jamais une perte de temps ou une simple distraction. Il n'en demeure pas moins que ce sont deux types de connaissances bien différentes. Bien que les témoins (comme les historiens) puissent se tromper ou mentir, il ne s'agit pas de discréditer le discours issu de la mémoire, au contraire. Cependant, il faut pouvoir l'accueillir dans une réflexion critique où la distinction entre mémoire et histoire est encore une fois centrale (Hawkey et Prior, 2011).

Dans une étude sur l'Holocauste, la classe d'histoire est le lieu idéal pour présenter le contexte dans lequel l'évènement a pris racine et d'en comprendre les grands moments. Comme complément, le témoignage d'un survivant de l'Holocauste vient donner une dimension humaine à cette histoire. En présentant une expérience personnelle de l'impact des mesures prises contre les Juifs en France, en Allemagne, aux Pays-Bas, etc., le témoignage du survivant permet à l'élève de mieux comprendre la portée du phénomène étudié en classe (Moisan, 2011). Que le survivant ait réellement été sélectionné par le Dr Mengele ou non a finalement peu d'importance, le fait est qu'il a été sélectionné et peut témoigner de cette expérience (Moisan et coll., 2012; Wieviorka, 1998, 2003). Les élèves doivent pouvoir naviguer entre différents registres de vérité, entre empathie et distance critique (Tutiaux-Guillon, 2011). (Le problème des témoins soulève aussi d'autres questions, par exemple: quel est le statut du témoignage différé – consigné par écrit, sur bande vidéo, etc. – d'un témoin décédé? Qu'en est-il des invités qui témoignent, par exemple, de la vie quotidienne des Sherbrookois ordinaires en l'an 2000, en cette lointaine époque durant laquelle même les élèves de 6ᵉ année – voire du secondaire – n'étaient pas encore nés?)

Ainsi, avant d'entendre le témoignage, il y a une préparation à faire. Il faut d'abord se renseigner sur la partie de l'histoire dont il sera question. Il est aussi utile de se renseigner à l'avance sur le parcours de la personne, sur sa façon de présenter son histoire et sur les évènements importants qu'elle souhaite partager avec la classe. Quelques questions de base devraient être connues avant l'écoute du témoignage, par exemple : qui est ce survivant? Quelle est son expérience? Par exemple, pour l'Holocauste, a-t-il survécu aux camps de la mort? A-t-il été caché? A-t-il vécu dans la résistance? Les cas de figure sont multiples et ne renvoient pas à la même préparation. On peut aussi lui demander pourquoi il partage son histoire. Sur quels éléments portera son discours? A-t-il des attentes particulières à l'égard des élèves (Moisan et coll., 2012)? La préparation en classe doit également inclure l'étude formelle du sujet et de certaines caractéristiques spécifiques qui seront abordés par le témoin, afin de permettre aux élèves de mieux comprendre le discours et de faciliter l'interaction avec le témoin, car les élèves auront davantage de questions.

5. Intégrer une ressource du milieu à une démarche didactique globale – Étapes générales de planification et conditions de réalisation

Il existe différentes manières d'intégrer une ressource du milieu dans le parcours scolaire régulier. Mérenne-Schoumaker (2012) propose un modèle en trois phases pour l'organisation d'une activité hors classe en géographie : la phase préparatoire, la phase de déroulement et la phase de retour et bilan (Mérenne-Schoumaker, 2012). Ce modèle ressemble à celui de Allard, Larouche, Lefebvre, Meunier et Vadeboncoeur, 1995, au Québec. Ailincai et Bernard (2010) proposent également un plan en trois temps : la préparation des élèves et des accompagnateurs avant la visite; la passation d'un contrat pédagogique entre le guide et les élèves au moment de la visite et le réinvestissement à court, moyen et long terme en classe après la visite (Ailincai et Bernard, 2010). Nous reprenons cette démarche en trois phases (avant, pendant, après) intégrées dans une planification à plus long terme en classe.

5.1 Avant l'activité – La planification

L'organisation d'une activité pédagogique mobilisant une ressource du milieu commence plusieurs semaines, voire plusieurs mois, avant la tenue de l'activité. Nous suggérons une démarche en six étapes : prendre de l'information quant au contenu et à l'approche pédagogique préconisée, considérer les aspects logistiques, clarifier l'intention pédagogique et les apprentissages visés, établir les liens entre le cours et l'activité, intégrer l'activité dans le parcours scolaire régulier et prévoir une suite à l'activité.

5.1.1 Prendre de l'information quant au contenu et à l'approche pédagogique préconisée

Le choix d'une activité issue du milieu repose d'abord, bien entendu, sur son lien avec le contenu du programme que l'on souhaite développer et les besoins des élèves. À cette étape, l'objectif est donc de se familiariser avec le contenu qui sera abordé lors de l'activité et la manière dont il sera communiqué. Pour ce faire, il faudra que l'enseignant visite les lieux ou rencontre les personnes qui interviendront lors de l'activité et pose des questions précises quant à ces dimensions. En identifiant le plus précisément possible les thématiques abordées, les enjeux débattus ou non, les méthodes pédagogiques utilisées (discours magistral, découverte, jeu, etc.), il est possible de créer des liens optimaux avec le cours régulier. Les acteurs du milieu sont des partenaires éducatifs de plus en plus au diapason avec les nouvelles méthodes pédagogiques (Lebrun, Larouche et Meunier, 2008).

Il est ainsi possible de faire des demandes spécifiques quant à la forme que prendra l'activité. Il faut chercher à s'informer du contenu et des activités, de la procédure, de la conduite de l'activité. Il est recommandé de demander si le personnel, les guides notamment, est à l'aise avec une approche problématisée du passé, en remplacement d'une simple narration.

Quels types d'apprentissages feront les élèves ? S'exerceront-ils à l'analyse critique des sources ? Pourront-ils manipuler des objets et entrer en interaction avec les lieux ? Quelles nouvelles connaissances sont susceptibles d'être acquises ? Les élèves auront-ils accès à différentes perspectives sur le passé ? De quel point de vue le contenu est-il présenté ? Quels sont les savoirs préalables dont auront besoin les élèves ? Quelles compétences mettront-ils à contribution ? Voilà quelques-unes des questions auxquelles il faudrait pouvoir répondre avant de se lancer plus loin dans la planification de l'activité et afin de dresser l'inventaire des apprentissages possibles. Cet inventaire permet aussi à l'enseignant de constater les limites de l'activité.

Enfin, le fait de clarifier tous ces aspects permet à l'enseignant de déterminer quel sera le meilleur moment dans l'année pour effectuer le projet en fonction de la planification globale de l'année et des contenus abordés.

5.1.2 Considérer les aspects logistiques

L'objectif de cette étape est de rendre l'expérience la plus agréable possible, tout en permettant d'optimiser le temps qui lui est imparti. Une fois choisie la ressource du milieu, et afin de planifier l'activité le plus adéquatement possible, il convient de prendre le maximum d'information sur les lieux à visiter. Il faudrait pouvoir répondre à chacune de ces questions : combien d'élèves peuvent réaliser l'activité au même moment? Devra-t-on diviser le groupe? Aura-t-on besoin d'accompagnateurs? Faudra-t-il les former? Y a-t-il un espace réservé pour les élèves? Auront-ils accès à une aire de repas? Quel sera le fonctionnement général de l'activité? Quels sont les couts associés (billets, transport, etc.)? Quels sont les moyens de transport à notre disposition?

Il faut savoir qu'au Québec, le ministère de l'Éducation, du Loisir et du Sport – conjointement avec le ministère de la Culture et des Communications – a mis sur pieds un programme intitulé «La culture à l'école». Ce programme contribue au financement des activités intégrant les ressources du milieu. Les enseignants peuvent ainsi obtenir des fonds pour réaliser leurs projets, à condition qu'ils s'y prennent suffisamment à l'avance. Ce même programme met également à disposition des enseignants un répertoire en ligne de ressources disponibles selon les disciplines et les niveaux scolaires.

5.1.3 Clarifier l'intention pédagogique et les apprentissages visés

Une fois les contenus et l'approche pédagogique connus, l'enseignant est en mesure de déterminer la façon dont l'activité s'insère dans le parcours global du cours. Il est rarement faisable de couvrir 100% des possibilités offertes par une activité, il faut faire des choix et se concentrer sur des objectifs spécifiques en fonction du programme (quelles compétences, quels apprentissages, etc.), de l'avancement des élèves dans la maitrise des compétences et des connaissances, etc.

Tableau 16.1

Exemple de grille de précision de l'intention pédagogique

1er cycle sec.	Réalité sociale: Reconnaissance des libertés et des droits civils Repères culturels liés au thème «privation des libertés et des droits»		
	Liens avec les prescriptions ministérielles	**Ce que doivent maitriser les élèves <u>avant l'activité</u>**	<u>**Intention pédagogique**</u> — **Résultat escompté au terme de cette activité...**
Partie 1	Progression des apprentissages Compétence «Interroger une réalité sociale dans une perspective historique»	Identifier les connaissances préalables: par exemple, contexte de la Deuxième Guerre mondiale, principaux acteurs et enjeux centraux Définir les concepts principaux (ceux du programme et d'autres permettant de mieux saisir le contenu de l'exposition, par exemple: génocide, racisme, etc.)	Développer des connaissances spécifiques Prendre connaissance de la diversité des points de vue sur l'évènement, dont celui des Juifs victimes de génocide, etc. Comprendre le processus du génocide Saisir les contours de l'idéologie nazie Etc.
Partie 2	Compétence «Interpréter une réalité sociale à l'aide de la méthode historique»	S'exercer à l'analyse critique des sources et à l'interprétation des faits	Approfondir sa maitrise des méthodes d'analyse de documents historiques et d'interprétation
Partie 3	Compétence «Construire sa conscience citoyenne à l'aide de l'histoire» Compétence «Interroger une réalité sociale dans une perspective historique»	Élaborer des questions de recherche ou de réflexion et pouvoir y répondre de manière complexe et nuancée	Développer un point de vue critique sur la représentation muséale de l'évènement Saisir l'impact de l'idéologie raciste et de la dictature sur les droits civils et libertés des individus

Il convient alors de se poser la question suivante : au terme de cette activité, qu'auront appris les élèves qu'ils ne savaient pas déjà (Partoune, 2002)? Afin de fournir une réponse qui soit pertinente pour la formation des élèves, il faut faire le point sur les acquis des élèves sur le plan des connaissances et des compétences liées au sujet et se servir des documents ministériels pour identifier les prescriptions réalisables.

Le tableau 16.1 présente un exemple de clarification des choix que pourrait faire un enseignant ayant décidé d'intégrer une visite au musée commémoratif de l'Holocauste à Montréal à son cours d'*Histoire et éducation à la citoyenneté* du premier cycle du secondaire. Après avoir visité les lieux et pris connaissance des méthodes pédagogiques privilégiées au musée, cet enseignant a décidé d'opter pour une méthode combinant la visite guidée et des tâches à réaliser en équipes.

5.1.4 Établir les liens entre le cours et l'activité hors classe

Un va-et-vient entre cette étape et la précédente peut être nécessaire pour assurer la cohérence du projet. Il s'agit ici d'imaginer les contenus précis à couvrir et les questionnements possibles, afin de préparer les élèves à la visite et aux tâches qu'ils auront à réaliser. C'est aussi à cette étape que l'on construit ou rassemble les documents et le matériel utiles à la réalisation du projet.

L'enseignant devrait revenir au tableau précédent et le détailler davantage, notamment quant à son opérationnalisation concrète. Il devrait identifier les tâches qui seront données aux élèves, concrètement, avant, pendant et après l'activité hors classe.

Reprenons notre exemple pour les deux premières parties du tableau précédent. Imaginons que l'enseignant décide de créer des équipes d'experts sur une thématique ou sur une question précise. Il lui faut identifier ces thématiques et questions. Ce qui pourrait se faire de manière chronologique :

- la vie des Juifs d'Europe et la vie en Allemagne avant la guerre,
- la période de l'entre-deux-guerres,
- la montée du nazisme (l'idéologie),
- la résistance au nazisme,
- la prise de pouvoir d'Adolf Hitler et du parti nazi,
- les premières mesures antisyndicales, antijuives, homophobes, etc.,

- le déclenchement de la guerre,
- le processus génocidaire,
- les actions et réactions des alliés,
- etc.

ou de manière thématique, avec des thèmes qui transcendent toute la période, par exemple :

- les étapes du processus génocidaire,
- l'implantation et l'application de l'idéologie nazie,
- les actions et réactions des Juifs,
- les actions et réactions du Canada et des Canadiens (ou des alliés ou collaborateurs en général, y compris les lignes de fracture idéologique à l'intérieur de chacun des pays évoqués, les intérêts politiques, économiques et sociaux des différents acteurs, etc.),
- etc.

Après une étape de collecte des informations contextuelles de base, chaque équipe aurait à faire des schémas conceptuels – ou autres types d'organisateurs graphiques – leur permettant de saisir rapidement les éléments centraux de leur thématique, incluant le contexte historique et les connaissances acquises sur la période. Chaque équipe devra ensuite compléter ses schémas pendant ou après la visite.

Afin de travailler la méthode d'analyse des sources, l'enseignant peut choisir de se servir du site Web de l'institution (www.mhmc. ca) qui présente quelques-uns des artéfacts de la collection qui se trouvent exposés. Les élèves sont ainsi amenés à faire l'analyse d'objets ou documents en lien avec leur thématique et d'en faire ressortir la signification et la pertinence historiques pour le phénomène à l'étude (voir le chapitre 10) (Landry, 2012 ; Larouche, 2010 ; Larouche et coll., 2012). L'équipe compile les informations recueillies pour chaque source analysée et formule une série d'hypothèses découlant de cette analyse. Au musée, ils vérifient leurs hypothèses, si possible, et analysent la manière dont l'institution a choisi d'intégrer l'objet à la narration globale, relevant du coup les similitudes et les différences par rapport à leur propre analyse. Ils devront fournir un bilan de cette activité une fois de retour en classe. Cette dernière étape permet aux élèves de développer leur esprit critique à l'égard des discours historiques auxquels ils sont soumis (Larouche, 2010; Marcus et Levine, 2011). En effet, ils sont en mesure d'évaluer le travail d'interprétation réalisé par l'institution muséale en combinant leur connaissance de la mission de l'établissement, de l'origine des sources de la collection et des contraintes liées à la production d'un discours historique. Les élèves développent un regard informé et critique.

6. Intégrer l'activité dans le parcours scolaire régulier

Pour que l'activité ait un sens et une portée plus durable, il est impératif de l'insérer dans le cours régulier, en prévoyant des phases de préparation, de réalisation et de réinvestissement ou d'évaluation (Ailincai et Bernard, 2010; Martineau, 2010; Mérenne-Schoumaker, 2012).

6.1 Solliciter les connaissances antérieures des élèves et leurs représentations sociales à l'égard des objets qui seront vus

Afin de solliciter les connaissances antérieures et les représentations sociales des élèves, un moyen simple est de les questionner: que connaissent déjà les élèves sur les thèmes qui seront abordés lors de l'activité? Quels films ont-ils vus? Quels livres ont-ils lus? Il convient aussi d'établir un lien explicite avec les thématiques et concepts de la réalité sociale à l'étude: que savent-ils sur les droits et libertés des individus? Sur la façon dont ils sont choisis, octroyés, protégés? Etc. Quelles sont leurs représentations sociales à l'égard de la Deuxième Guerre mondiale, de la guerre tout court, des Juifs, du génocide, etc.?

6.2 Introduire l'activité

Les élèves doivent connaitre les informations utiles à la réflexion et au questionnement, notamment sur le type d'institution qui sera visité, la nature du savoir qui y est transmis, la mission de l'institution.

6.3 Problématiser l'activité

Il s'agit ici d'inviter les élèves à résoudre un problème, un questionnement ou un enjeu lié au thème ou à la nature de la ressource du milieu choisie, afin de susciter l'intérêt et la curiosité des élèves pour le sujet et la mission, mais également pour les engager dans une démarche réflexive et méthodologique riche (voir le chapitre 7)

(Bouhon, 2012 ; Gosselin, 2011). Les problèmes proposés peuvent être scientifiques et porter sur la nature du savoir élaboré ou sur l'un des thèmes abordés précédemment comme la mémoire et l'histoire, le témoignage, les silences et la signification des archives. Ce peut aussi être des problèmes sociaux, liés aux diverses interprétations des différents acteurs ou à des enjeux présents trouvant leurs origines dans le passé ou pouvant être éclairés par celui-ci (Gérin-Grataloup, Solonel et Tutiaux-Guillon, 1994).

La problématisation permet notamment de familiariser les élèves avec mode de construction des discours, des expositions et des savoirs présentés, afin de leur permettre de développer leur jugement critique (Bourgeois-Viron et Rebiffé, 2012 ; Dalongeville, 2007) et de percevoir la multicausalité et les diverses perspectives (Boix-Mansilla, 2000).

6.4 Clarifier le déroulement de l'activité

Il convient par la suite d'expliquer le déroulement concret de l'activité et clarifier le rôle que chaque élève devra jouer.

6.5 Réaliser des tâches préparatoires à l'activité

Il est ensuite temps de faire réaliser les tâches conçues pour les élèves en préparation à la visite (point précédent).

6.6 Prévoir un retour sur l'activité

Il est essentiel de prévoir un retour sur l'activité, afin de mesurer l'appréciation globale de l'activité par les élèves – les points forts, les points faibles de l'activité – et d'effectuer le travail amorcé avant la visite. Il s'agit donc, par exemple, de revenir sur les distinctions entre mémoire et histoire, sur la nature interprétative du savoir historique, etc. Il faut également planifier de nouvelles activités et tâches, qui s'inscrivent dans l'intention pédagogique choisie et qui valident les savoirs scolaires autant que l'expérience vécue lors de la sortie. Ces activités peuvent prendre la forme d'une enquête complémentaire ou d'une synthèse des apprentissages visant à répondre aux questions formulées au tout début de la séquence. Ce peut aussi être un bon moment pour proposer une tâche d'évaluation inspirée de l'expérience vécue.

7. Pendant l'activité (hors classe)

Quelle que soit la formule choisie par l'enseignant, il est nécessaire de s'assurer que les élèves sont actifs cognitivement pendant l'activité. L'attention des élèves peut être orientée vers une «microanalyse»: une question à répondre. L'activité peut aussi constituer un projet de plus grande envergure, comme dans notre exemple, impliquant la pratique d'une technique propre à la discipline, comme l'analyse de documents écrits, d'objets ou de vidéos. L'analyse peut également avoir une portée plus «macro» en s'arrêtant, par exemple, à la narration proposée par un musée, un témoin ou autre.

8. Après l'activité (en classe)

L'enseignant peut revenir sur l'activité en classe, faire un suivi, une activité de réinvestissement: un projet, la poursuite de la recherche sur d'autres hypothèses, d'autres facettes, etc. Il fait réaliser les tâches planifiées à l'étape 6.

9. Conclusion

L'enseignement de l'histoire ne peut faire l'économie d'une formation qui insiste sur la distinction entre histoire, mémoire et commémoration. (Voir chapitres 1, 12 et 14.) Il est en effet primordial de se pencher sur les caractéristiques de chacun de ces discours sur le passé, sur leurs points de divergence et de convergence, afin de saisir la spécificité de l'histoire, mais aussi de comprendre les enjeux sociaux liés à ces manifestations. De même, la complémentarité qui existe entre ces trois formes de rapport au passé, à certains égards, n'est porteuse que lorsqu'elle est prise en considération de manière formelle et critique. Dans ce cas, les activités mobilisant les ressources du milieu deviennent de véritables occasions de formation à la pensée historienne. Elles doivent être soigneusement planifiées et s'insérer dans un parcours à plus long terme pour lequel les apprentissages souhaités et les moyens de les atteindre sont bien identifiés. Les moyens intellectuels et méthodologiques de l'histoire permettent d'insérer les ressources du milieu dans une démarche intégrée, de légitimer les savoirs scolaires et d'instituer une pratique critique des lieux sociaux. Il serait dommage de se passer de telles occasions.

Pour en savoir plus

Carter, R. G. S. (2006). Of Things Said and Unsaid: Power, Archival Silences, and Power in Silence. Archivaria. The Journal of the Association of Canadian Archivists, 61. http://journals.sfu.ca/archivar/index.php/archivaria/article/viewArticle/12541 Consulté le 28 avril 2013.

Cet article présente les limites et le potentiel des archives en focalisant plus spécifiquement sur les groupes non représentés dans la documentation, mais aussi sur les silences laissés volontairement par les auteurs de documents.

Charland, J.-P. (2003). *Les élèves, l'histoire et la citoyenneté: Enquête auprès d'élèves des régions métropolitaines de Montréal et de Toronto*. Québec; Canada: Les Presses de l'Université Laval.

Cet ouvrage présente les résultats d'une recherche mesurant notamment la conscience historique d'élèves québécois et ontariens, de même que les habitudes pédagogiques dominantes dans les classes d'histoire. Il en ressort entre autres que les jeunes aiment l'histoire et que les musées d'histoire ont leur faveur.

Charland, J.-P., Éthier, M.-A., Cardin, J.-F. et Moisan, S. (2010). Premier portrait de deux perspectives différentes sur l'histoire du Québec enseignée dans les classes d'histoire et leur rapport avec les identités nationales: recherche sur la conscience historique des adolescents canadiens-français et amérindiens. In J.-F. Cardin, M.-A. Éthier et A. Meunier (Eds.), *Histoire, musées et éducation à la citoyenneté* (pp. 183-211). Québec: Éditions MultiMondes.

Cet article présente les résultats d'une recherche empirique menée auprès d'adolescents, afin de connaitre leur rapport au passé québécois et de mesurer l'usage qu'ils font ou non des compétences historiques lorsqu'ils réfléchissent à des enjeux contemporains.

Conrad, M., Létourneau, J. et Northrup, D. (2009). Canadians and Their Pasts: An Exploration in Historical Consciousness. *The Public Historian, 31*(1), 15-34.

Cet article présente les résultats d'une vaste enquête menée auprès des Canadiens, afin de mesurer leur conscience historique et leurs habitudes à l'égard du passé et de l'histoire.

Daignault, L. (2011). *L'évaluation muséale. Savoirs et savoir-faire*. Québec: Presses de l'Université du Québec.

Cet ouvrage présente les nouvelles orientations de la muséologie historique en matière de prise en compte des représentations sociales du public. L'auteure présente une méthode d'évaluation de ces représentations et des effets des expositions sur elles.

Gosselin, V. (2011). Historical Thinking in the Museum: Open to Interpretation. In P. Clark (Ed.), *New Possibilities for the Past. Shaping History Education in Canada* (pp. 245-263). Vancouver; Toronto: UBC Press.

Ce chapitre expose les nouveaux questionnements guidant la pratique muséale, qui démontrent une préoccupation grandissante pour la prise en compte de la pensée historienne dans l'élaboration des expositions et l'interaction avec les visiteurs.

Joutard, P. (1983). *Ces voix qui nous viennent du passé*. Paris : Hachette.

L'un des pionniers et principaux chercheurs en histoire orale présente sa réflexion sur la mémoire et le témoignage.

Larouche, M.-C. (2010). Faire des collections numérisées un lieu d'enquête et de partage des visions plurielles de l'histoire. Les nouvelles technologies et Internet, entre l'école, les musées et la société. *Les sciences de l'éducation – Pour l'Ère nouvelle*, *3*(4), 49-75.

Cet article présente une initiative conduite par le musée McCord et ses partenaires visant à rendre accessibles en ligne les archives de sa collection, afin que les élèves du primaire et du secondaire s'exercent à l'enquête historique. Des travaux d'élèves témoignent des apprentissages et de la motivation qu'une telle approche a suscitée chez eux.

Moisan, S. (2011). Naviguer entre mémoire, histoire et éducation. Le périple d'un musée d'histoire de l'Holocauste au Québec. *Le cartable de Clio* (11), 101-108.

Cet article présente les liens unissant la mémoire et l'histoire et les moyens de les mobiliser dans un enseignement de l'histoire de l'Holocauste fructueux en matière de formation historique et citoyenne. L'article démontre le potentiel de cet évènement majeur de l'histoire du 20e siècle pour un enseignement différent de l'histoire nationale québécoise et canadienne.

Moisan, S., Andor, E. et Strickler, C. (2012). Stories of Holocaust Survivors as an Educational Tool – Uses and Challenges. *Oral History Forum d'histoire orale, 32* (Special Issue "Making Educational Oral Histories in the 21st Century"), 1-15.

Cet article présente les ressources d'histoire orales offertes par le Musée commémoratif de l'Holocauste à Montréal et les enjeux liés à l'intégration du témoignage d'un survivant dans un cours d'histoire. La nature du témoignage, comme mode de rapport au passé, est explorée et la distinction entre le témoin et l'historien est développée.

Moisan, S., Licop, A. (2013). La guerre peut-elle faire l'histoire au musée? La Seconde Guerre mondiale, entre morale et histoire, au Musée canadien de la guerre et au Musée commémoratif de l'Holocauste à Montréal. In J. Mary et F. Rousseau (Ed.), *Entre Histoires et Mémoires. La guerre au musée. Essais de Muséohistoire* (2) (pp. 235-246). Paris : Michel Houdiard Éditeur.

Ce chapitre propose une analyse critique de la représentation historique de la Deuxième Guerre mondiale et de l'Holocauste dans deux musées canadiens. Les auteures montrent, entre autres choses, la manière dont ces institutions ont choisi de gérer la tension entre moralisation et explication historique de l'évènement.

Nora, P. (1992). L'ère de la commémoration. Dans P. Nora (Ed.), *Les lieux de mémoire III. Les France, 3, de l'archive à l'emblème* (pp. 975-1012). Paris: Gallimard.

Cet ouvrage classique illustre l'importance de la commémoration dans les sociétés occidentales au 20e siècle et les enjeux que cela induit.

Todorov, T. (2000). *Mémoire du mal, tentation du bien. Enquête sur le siècle.* Paris: Robert Laffont.

Cet ouvrage analyse les grands courants idéologiques ayant traversé le 20e siècle. Un chapitre est consacré à la distinction à établir entre l'historien, le propagandiste et le témoin. Une réflexion fort utile pour la classe d'histoire.

Trudel, M. (2006). *Mythes et réalités dans l'histoire du Québec.* Montréal: Bibliothèque québécoise.

Ce livre présente différents mythes de l'histoire du Québec, qui ont toujours une présence tenace dans l'imaginaire québécois. D'autres tomes du même auteur existent également.

Tutiaux-Guillon, N. (2011). Témoin, témoignage, mémoire... Quel statut dans l'enseignement et l'apprentissage de l'histoire? *Histoire géographie et éducation civique au collège et lycée* 1-16. Repéré à http://histoire-geo-ec. ac-amiens.fr/?Temoin-temoignage-memoire-Quel

Cet article discute des enjeux liés à l'utilisation des témoignages en classe d'histoire, comme la question de l'équilibre entre l'empathie et de la distance critique ou celle des différents registres de vérité avec lesquels il faut jongler lorsque la mémoire et l'histoire se rencontrent.

17 – Récit de pratique: une visite au musée Boréalis dans le cadre du cours d'Histoire et éducation à la citoyenneté de troisième secondaire

Geneviève Goulet

1. Sortir de la classe pour enseigner l'histoire

Les visites dans des musées permettent d'intégrer les ressources patrimoniales aux activités pédagogiques liées à la pratique de l'enseignement de l'histoire. Plusieurs bénéfices, dont la dimension affective des apprentissages ciblés (Larouche, 2011), sont intimement associés à l'exploitation de ces ressources. L'observation directe des sources primaires est motivante pour les élèves en contexte d'éducation à l'extérieur de l'école (Barton, 2008). Elle a également un impact positif sur la rétention des connaissances historiques (Cormier et Savoie, 2011). Dans son programme d'*Histoire et éducation à la citoyenneté* (HÉC) du deuxième cycle du secondaire, le ministère de l'Éducation, du Loisir et du Sport du Québec (Gouvernement du Québec, 2007b) encourage les enseignants à effectuer des sorties éducatives dans des musées ou des centres d'interprétation avec leurs élèves. Ces sorties éducatives permettent de donner accès à une diversité de ressources utiles au développement de compétences chez les élèves. Dans ma pratique de l'enseignement de l'histoire, j'ai noté que les visites de musées riches en ressources favorisent le développement, par les élèves, de leur compétence à interroger les réalités sociales dans une perspective historique. Le présent récit pratique, portant sur une visite au musée Boréalis à Trois-Rivières, présente le contexte, les conditions de mise en œuvre et le déroulement d'une activité pédagogique réalisée par mes élèves de troisième secondaire, activité ayant pour thème l'histoire de l'industrie papetière au Québec.

2. L'organisation de la sortie

D'un point de vue organisationnel, il n'est pas simple pour les enseignants d'histoire au secondaire d'effectuer des sorties dans les musées. Les élèves suivent plusieurs cours différents dans une journée et l'horaire n'est pas adapté à la réalisation de sorties à l'extérieur de l'école. Or, à l'école secondaire Horizon Jeunesse à Laval où j'enseigne le cours de HÉC, un projet intitulé *Connaissances et ouverture sur le monde* (.COM) existe et permet la réalisation de sorties et de voyages éducatifs et culturels. Les élèves de troisième secondaire qui s'inscrivent au projet sont regroupés dans mon cours d'histoire. Ce contexte me permet donc d'établir des liens étroits avec ces derniers et m'aide à répondre davantage à leurs besoins. L'activité pédagogique au musée Boréalis s'est déroulée dans le cadre du projet .COM. La visite visait à faire comprendre l'importance de l'industrie des pâtes et papiers dans l'histoire du Québec. Les comportements attendus de la part de mes élèves étaient le respect du temps, l'implication et le savoir-vivre durant le déroulement de l'activité. De plus, pour compléter l'organisation de la sortie, le guide pédagogique du musée s'est avéré un outil fort pertinent. Ce document offre différentes activités préparatoires (avant la visite) ou de prolongement (après la visite), en plus d'indiquer le temps du déroulement des activités au musée, soit environ une demi-journée.

3. La préparation de la visite au musée

La phase de préparation est cruciale, puisqu'elle sert en grande partie à juger de la qualité de l'engagement de l'élève. En guise d'introduction à un métier relié à l'industrie papetière, afin de susciter la motivation de mes élèves et de leur faciliter un premier contact avec l'objet d'apprentissage, ils ont écouté un court métrage produit par l'ONF, *La Drave*. L'auteur-compositeur Félix Leclerc y raconte l'aventure des draveurs qui, chaque printemps, supervisent la descente de milliers de billots de bois sur une rivière, depuis le camp des bucherons jusqu'à l'usine de traitement du bois. À la suite de la diffusion de ce court métrage illustrant le métier de draveur dans son contexte historique, les élèves ont manifesté spontanément leurs impressions sur les dangers de cette activité forestière, plus particulièrement sur l'utilisation de la dynamite pour briser les embâcles. Plusieurs élèves se demandaient si la drave était encore pratiquée au Québec. Je leur ai indiqué que cette question était très pertinente et qu'elle devait être posée au guide du musée.

Puisque l'école n'est pas l'unique lieu d'apprentissage de l'histoire, Wineburg (2001) propose de s'intéresser plutôt à ce que les jeunes connaissent de l'histoire qu'à ce qu'ils en ignorent. Afin d'activer les connaissances antérieures qu'ont les élèves de l'histoire de l'industrie des pâtes et papiers, je leur ai demandé la définition de certains mots du vocabulaire forestier que l'on trouve dans le guide pédagogique du musée. Sur le tableau numérique interactif, j'ai noté les bonnes et mauvaises réponses des élèves et j'ai enregistré le fichier pour partager mes réactions avec eux plus tard. En définissant de façon improvisée les mots *godendart* ou *tourne-billes*, les élèves ont alors pris conscience du besoin d'en connaitre davantage sur le vocabulaire lié à l'industrie papetière et de la pertinence d'aller visiter le musée.

Par la suite, j'ai présenté aux élèves de façon interactive le musée Boréalis, le déroulement de la visite et le but poursuivi par cette activité. Cette étape a permis de diminuer le niveau d'anxiété des élèves et a facilité un déroulement harmonieux de la séquence d'apprentissage. Par exemple, dans une activité durant laquelle j'ai fait circuler des photos, des cartes et des documents écrits, mes élèves ont appris que le musée Boréalis est à la fois un centre d'interprétation comprenant des artéfacts et un lieu historique puisque situé dans une ancienne usine de filtration de l'eau, l'eau étant nécessaire pour la fabrication du papier. Les élèves ont également localisé le musée sur une carte de Trois-Rivières. Il s'en est suivi une discussion avec eux portant sur le déroulement de la visite : l'arrivée en autobus, la formation des groupes, l'heure du lunch, la tenue vestimentaire, etc. Pour terminer, j'ai expliqué à mes élèves mes attentes face à leur participation aux différentes activités d'apprentissage offertes par le musée.

4. Les activités au musée

4.1 «Papetiers recherchés»

La visite au musée s'est déroulée en deux temps. La première partie s'intitulait *Papetiers recherchés*. Elle consistait en une visite de l'exposition permanente, visite accompagnée d'une animation offerte par une guide. Cette activité avait pour but d'en apprendre davantage sur l'importance de l'industrie papetière dans l'histoire de la ville de Trois-Rivières, capitale mondiale du papier journal dans les années 1920, et également de comprendre le processus de fabrication du papier. Tout au long de la visite, l'approche privilégiée par la guide était l'exposé magistral et interactif. Mon rôle en tant qu'enseignante consistait à superviser le groupe et à maintenir un climat d'apprentissage harmonieux. La guide a posé de nombreuses questions aux élèves, ce qui a encouragé une participation active. À titre d'exemple et pour bien illustrer l'importance de l'eau dans l'industrie papetière, la guide a demandé aux élèves de déterminer le pourcentage d'eau qui entre dans la pâte de bois servant à la fabrication du papier. Elle leur a aussi demandé pourquoi il fallait filtrer l'eau avant que celle-ci ne soit utilisée dans le processus de fabrication du papier. Afin d'exploiter pédagogiquement les différents artéfacts présents au musée, la guide a lancé un défi aux élèves. Elle leur a demandé s'ils pouvaient identifier, parmi plusieurs artéfacts, lequel servait à calculer les distances. Cette question était assez difficile puisque, de prime abord, aucun objet n'avait cette fonction première. À la suite de plusieurs tentatives infructueuses, un élève a identifié la pipe comme étant un instrument de mesure. Les bucherons calculaient les distances en fonction du nombre de fois où ils devaient allumer leur pipe en marchant. Puis, les élèves ont eu l'occasion de tenir une gaffe, soit un crochet fixé au bout d'un long manche de bois, crochet utilisé pour remuer ou diriger le bois dans l'eau. Ils ont pu embarquer sur une plateforme supportée par une demi-sphère, le tout afin de reproduire le travail du draveur sur un billot de bois. Cette activité illustrait bien les dangers que représentait la drave, la plupart des élèves ayant eu de la difficulté à maintenir leur équilibre. Comme la majorité des draveurs du début du 20e siècle ne savaient pas nager, les élèves ont vite compris que plusieurs d'entre eux sont morts noyés. La visite s'est poursuivie et les élèves ont pu apprendre, entre autres, le fonctionnement de la machine à papier. Ils ont également pu entendre des témoignages d'anciens draveurs ou d'ouvriers d'usine dont les récits s'avèrent révélateurs de l'histoire industrielle de la ville de Trois-Rivières. Les élèves ont finalement profité d'un moment pour visiter librement l'exposition et pour poser individuellement des questions à la guide.

4.2 Un «black-out dans les voûtes»

La seconde partie de la visite s'intitulait *Black-out dans les voûtes* et consistait à répondre à un jeu-questionnaire. Dans l'ancien réservoir d'eau, des projections audiovisuelles étaient diffusées et il était possible, à l'aide d'une lampe de poche, de faire apparaitre sur les murs ou sur le plafond des réponses inscrites à l'encre invisible. D'après le guide pédagogique du musée, cette activité a pour but de faire découvrir aux élèves l'ancienne fonction du réservoir d'eau et de les sensibiliser à l'importance de l'eau comme ressource naturelle à préserver. Cette activité a également pour objectif d'amener les élèves à réfléchir au rôle qu'a joué l'eau dans l'histoire de Trois-Rivières et à l'importance de conserver le patrimoine industriel de la ville.

5. Le prolongement de la visite au musée

À la suite de la sortie éducative au musée Boréalis, j'ai ouvert en classe le fichier portant sur les mots liés à l'industrie forestière. Les élèves ont d'abord pris conscience des apprentissages réalisés au musée, étant désormais capables de définir aisément ces mots. À l'aide de différents documents explicatifs remis aux élèves, nous avons ensuite discuté en plénière des possibilités de métiers actuels, métiers liés au secteur de l'industrie papetière. Pour clore cette démarche d'apprentissage, mes élèves se sont exprimés sur les aspects qu'ils ont appréciés de leur visite et sur ce qu'ils ont appris ou auraient aimé apprendre lors de cette sortie éducative à Trois-Rivières. Parmi les points positifs de la visite, points discutés avec les élèves, soulignons le dynamisme de la guide et la possibilité de voir concrètement des artéfacts. Quant à ce dernier aspect, il est rarement possible de le faire en classe.

6. La continuité

À la suite de la visite au musée, les commentaires exprimés par mes élèves de troisième secondaire étaient très positifs et la grande majorité des élèves souhaitait refaire des visites liées au cours d'histoire. Ce récit de pratique portait sur une visite réalisée par des élèves du secondaire, mais cette visite pourrait aisément s'adapter à des élèves du primaire ou d'adaptation scolaire. Le musée offre également la possibilité de fabriquer du papier en atelier, ce qui est fort intéressant pour des groupes plus restreints et plus jeunes. Les explications données par les guides peuvent aussi être simplifiées et adaptées suivant la clientèle visée. En terminant, la visite au musée Boréalis fut un réel succès et sera certainement reprise l'an prochain.

http://www.borealis3r.ca

18 – Lire le son et l'image mobile: intégration du film, du documentaire et de la chanson en classe

Vincent Boutonnet

1. Le contexte général

De nombreux chercheurs, issus de différents pays (Blake et Cain, 2011; Briand, 2010; Duquette, 2008; Marcus, Metzger, Paxton et Stoddard, 2010; Poyntz, 2008; Woelders, 2007), s'entendent pour dire que la question importante quant à l'intégration du film ou du documentaire en classe d'histoire et de géographie n'est pas *devrait-on utiliser ces ressources en classe*, mais plutôt *comment bien les utiliser*? La chanson est une ressource moins courante en classe, pourtant, en tant que source historique, elle peut être une ressource tout aussi utile. Ce chapitre abordera les usages des ressources filmiques à l'école afin de proposer un modèle général d'intégration et nous examinerons, de manière plus succincte, l'usage de la chanson. Nous discuterons de l'évolution de ces usages, des différentes méthodes disponibles ainsi que des limites, des avantages et des obstacles didactiques liés à l'intégration de ces ressources en classe.

1.1 Les exigences curriculaires

Le curriculum actuel propose de considérer le domaine général de formation, *Médias*, dont l'intention didactique est: «amener l'élève à faire preuve de sens critique, éthique et esthétique à l'égard des médias et à produire des documents médiatiques respectant les droits individuels et collectifs» (Gouvernement du Québec, 2006c, p. 27). Bien que la deuxième partie de cette intention (la production) ne concerne pas directement ce chapitre, il faut signaler la requête d'exercer l'esprit critique des élèves face aux médias. Il est d'ailleurs précisé que «l'école est concurrencée par les médias à plusieurs égards» (p. 27),

273

dont la transmission de valeurs culturelles. C'est pourquoi l'analyse et la critique des médias, de leurs contenus, de leurs codes, de leurs influences sur la société sont nécessaires à leur compréhension et à leur intégration effective dans la classe. Le discours est identique pour l'ordre primaire et évoque les mêmes finalités (Gouvernement du Québec, 2006a).

Si nous examinons les compétences disciplinaires, des liens similaires sont à considérer entre l'usage des médias et leur critique. Par exemple, pour le secondaire, les trois compétences en histoire visent la lecture et l'analyse de divers documents, incluant les films, les documentaires et les chansons. Cela dit, le visionnement n'est pas la seule activité sous-entendue, mais aussi le questionnement, l'établissement des faits, la comparaison, l'analyse de discours, le débat d'enjeux de société, etc. (Gouvernement du Québec, 2006a). La liste des activités requises par l'exercice de la méthode historique et par le développement de la conscience citoyenne est longue et nous y reviendrons plus loin. Or, nous pouvons déjà remarquer que, quels que soient la discipline, l'ordre d'enseignement ou les compétences disciplinaires à développer, la mission éducative proposée par le programme est d'intégrer les ressources médiatiques de manière intelligente et critique.

1.2 Les exigences scientifiques

Au même titre que n'importe quelle autre ressource, le film, le documentaire et la chanson véhiculent un message, défendent des valeurs et présentent une vision sur un thème spécifique. Les ressources utilisées en classe supportent une médiation culturelle qui contribue à former l'identité d'un individu ou d'une collectivité (Wertsch, 1997). Ces médiateurs informatifs illustrent des récits en classe d'histoire qui ont souvent le statut d'autorité (Bain, 2006; Paxton, 2002; Wineburg, 2001). De plus, en tant qu'objet culturel, le film et le documentaire sont des productions de leur temps supportant le plus souvent le courant idéologique de l'époque (Ferro, 1993, 2003; Rosenstone, 1995). Cela ne devrait pas surprendre, puisque même l'historien propose des questions et des interprétations selon ses préoccupations du moment (Carr, 1988/1961; Marrou, 1975; Pomian, 1999; Prost, 1996). Que l'histoire serve à des justifications partisanes, à conforter une mémoire collective ou à favoriser le débat d'interprétations conflictuelles (Laville, 2004; Lee, 2004; Seixas, 2000), il devient nécessaire de considérer l'apport de l'esprit critique pour juger et discriminer les récits (sous toutes leurs formes) qui nous sont présentés.

Considérer le film ou la chanson comme un produit culturel contemporain est primordial avant de vouloir l'utiliser en classe. Par exemple, comment expliquer l'évolution de la représentation des autochtones – du sauvage à la victime – dans différents films tels que *La prisonnière du désert* (Ford, 1956) et *Il danse avec les loups* (Costner, 1990)? La question est d'autant plus importante si les élèves ont tendance à consommer le récit d'un film plus récent comme étant une vision fixe et non problématique telle une fenêtre directe sur le passé (Seixas, 1993, 1994). Pourtant, «le cinéaste ne fait pas son film en pensant aux enseignants qui pourraient l'utiliser» (Briand, 2010, p. 10). Le film de fiction reste souvent une entreprise commerciale. En conséquence, la narration, la succession d'images, l'ambiance sonore, les personnages, les symboles, les codes cinématographiques contribuent à former un produit complexe qui requiert des habiletés de lecture et de décodage particulières (Metzger, 2007; Poyntz, 2008).

2. L'évolution et les usages actuels du film

De nouvelles plateformes proposant du contenu audiovidéo sont en croissance: *Youtube, Netflix, Tou.tv, Dailymotion, Vimeo, Hulu*, etc. Si Internet offre de plus en plus de ressources filmiques en ligne, leur accès n'est pas toujours gratuit. Cependant, avant même l'apparition de ces nouveaux médias, plusieurs remarquaient que le film et le documentaire entraient en compétition avec la classe d'histoire en ce qui a trait à la transmission d'un récit historique particulier (Marcus et coll., 2010; Rosenstone, 1995; Seixas, 1993; Wineburg, 2001). Les récentes têtes d'affiche au cinéma donnent encore une belle place aux superproductions hollywoodiennes de film historique: il convient de se demander si elles ne remplacent pas effectivement le cours d'histoire (Boutonnet, 2013c; Chouinard, 2013; Lévesque, 2013).

Pourtant, au Québec, peu de recherches se sont intéressées à l'usage du film en classe d'histoire. L'une d'entre elles nous indique que 57% des enseignants d'histoire au secondaire déclarent utiliser parfois le film et 41% recourir souvent au documentaire (Boutonnet, 2013b). Nous ne disposons pas de résultats similaires pour l'ordre primaire. De plus, peu de résultats empiriques décrivent les pratiques enseignantes ou les tâches d'élèves en lien avec l'usage du film en classe. Une recherche exploratoire nous montre que les élèves ont tendance à se référer autant à un film de fiction qu'à un texte comme source d'informations pour résoudre un problème historique: les élèves n'ont pas le réflexe de faire la distinction entre divers documents et ils ne jugent pas de leur validité (Éthier, Lefrançois et Moisan, 2010). Ainsi, pour le Québec, il faut surtout compter sur des réflexions théoriques, des propositions d'intégrations ou des critiques de films (Duquette, 2008; Éthier, 2000; Richard, 1997).

En France, les documents audio et vidéo sont importants pour 37% des enseignants d'histoire et de géographie au secondaire, alors que 46% de leurs élèves déclarent ne jamais travailler avec de telles ressources (Braxmeyer, 2007). En Grande-Bretagne, l'usage du film historique semble routinier, mais les raisons principales déclarées par les enseignants qui justifient leurs usages sont surtout d'ordre pédagogique, c'est-à-dire pour attirer l'attention des élèves ou proposer une variété de documents (Blake et Cain, 2011). Aux États-Unis, plusieurs recherches ont décrit un usage encore plus important: entre 69% et 90% des enseignants l'utilisent au moins une fois par semaine (Marcus et coll., 2010; Marcus et Stoddard, 2007; Metzger, 2007). Si ces usages semblent importants dans différents contextes, il importe de revenir à la question du *comment bien utiliser les ressources vidéo*?

3. Une méthode pour une intégration complexe et efficace

Les recherches empiriques sur l'intégration du film ou du documentaire sont plus rares, mais les articles ou les livres proposant des modèles et des réflexions théoriques sont plus nombreux. Le modèle de Russell (2007) rappelle que l'intégration des ressources filmiques doit être pensée au-delà de l'activité de visionnement. Bien qu'il ne soit pas le seul à le suggérer (Duquette, 2008; Marcus et coll., 2010; Poyntz, 2008), ce modèle propose une planification simple en quatre phases: la préparation; le prévisionnement; le visionnement; l'intégration.

Figure 18.1
Phases de Russell (2007)

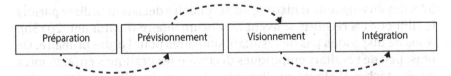

3.1 La préparation

La phase de préparation vise à identifier et préciser son intention didactique: Quel film choisir? À quelle(s) fin(s)? Quel est le lien avec le programme? Quelles questions seront soulevées avec les élèves?

Existe-t-il un meilleur moyen d'atteindre ce but? Il est possible de se poser davantage de questions, mais le principe est de se donner une intention de lecture et d'intégration de la ou les ressource(s) choisie(s).

Le choix de la ressource est essentiel. Toutes les ressources fil-miques n'illustrent pas la même chose et ne permettent pas d'aborder les mêmes questions. Quelle ressource sera la plus appropriée? Nous pouvons suggérer quelques critères de sélection. Tout d'abord: film de fiction ou film documentaire? Ces deux types sont très différents dans leur structure et leur contenu. Pourtant, si les enseignants reconnaissent facilement les biais présents dans un film de fiction (Blake et Cain, 2011; Marcus et coll., 2010), plusieurs considèrent le documentaire comme objectif et, par conséquent, moins soumis à la critique (Hess, 2007; Marcus et Stoddard, 2010). Or, le documentaire, bien que plus argumenté qu'un film, vise le plus souvent à convaincre son auditoire. Par exemple, le style documentaire de Michael Moore est très convaincant dans sa structure argumentative et est délibérément subjectif et provocant (Marcus et Stoddard, 2010). En fait, peu de documentaires présentent un enjeu sans trancher le débat pour l'auditeur, comme si le débat était clôt et qu'il ne pouvait exister qu'une seule position face à cet enjeu. Dès lors, il faut prendre autant de précautions dans le choix du documentaire qui est aussi interprétatif qu'un film de fiction et à ce titre devrait être également examiné et critiqué.

Un autre critère à considérer est l'ancienneté du film: le film le plus récent est peut-être plus populaire auprès des élèves, mais n'est pas nécessairement le plus pertinent selon l'intention de l'enseignant (Marcus et coll., 2010). Cependant, il faut remarquer que des films plus anciens sont moins accessibles à l'achat ou à la location et présentent aussi des scénarios moins adaptés à ce que les élèves sont habitués (par exemple des films muets). Pourtant, si l'intention de lecture est claire et explicite auprès des élèves, le visionnement d'un film en noir et blanc est possible. Un exemple familier serait de choisir *Les temps modernes* (Chaplin, 1936) pour son lien évident avec l'industrialisation, alors que c'est un film muet.

La validité du contenu présenté par les films est un autre critère nécessaire, mais non exclusif. Par exemple, *Pearl Harbor* (Bay, 2001) a été largement critiqué pour son scénario qui se permettait beaucoup de liberté par rapport aux faits historiques (Marcus et coll., 2010). *Le patriote* (Emmerich, 2000) présente le personnage principal comme pacifiste et antiesclavagiste alors qu'il serait basé sur un personnage réel qui possédait et maltraitait des esclaves (Poyntz, 2008). D'ailleurs, la question de l'esclavagisme est largement sous-traitée par ce film alors que c'est un des éléments essentiels du contexte historique. De manière moins évidente, si *Malcolm X* (Lee, 1992) est une biographie plutôt fidèle, il est à noter que le film ne traite pas de l'évolution de la pensée de Malcolm X sur l'émancipation des femmes, l'impérialisme des États-Unis et le rôle des travailleurs «blancs» dans la lutte contre le racisme anti-noirs (Barnes, 2010). Si des erreurs factuelles, plus ou moins évidentes, sont inhérentes aux films, puisqu'ils proposent une interprétation et opèrent des choix, cela peut être positif selon l'intention de visionnement. En effet, traiter d'erreurs ou d'omissions est possible en utilisant des films qui en illustrent. «Pourquoi *Le patriote* (Emmerich, 2000) ne traite-t-il pas de l'esclavagisme?» est une problématisation hautement pertinente en lien avec les habiletés de critique et d'analyse.

La morale ou la dimension éthique du récit est aussi importante. Quels liens peut-on établir entre les personnages, la portée de leurs actions ou la morale du film? Quelles minorités sont omises par le récit? Quels genres sont sous-représentés? La présence de symboles ou de personnages caricaturés faciles à discerner et à exploiter peut aiguiller l'enseignant dans son choix. Par exemple, dans *Il danse avec les loups* (Costner, 1990), le personnage principal chevauche les bras tendus à l'image du Christ au début du film (Poyntz, 2008). Cette figure messianique se retrouve souvent dans la perspective héroïque d'un personnage principal se présentant en agent salvateur ou bienfaiteur. D'autres exemples sont notables: *La mission* (Joffé, 1986), *Cœur vaillant* (Gibson, 1985), *Le Royaume des cieux* (Scott, 2005), etc.

Même si le scénario ne met pas en évidence un contenu historique, la ressource peut être utilisée comme une analogie et ainsi aborder une question historique par un autre angle d'entrée (Russell, 2012). L'enjeu du traitement injuste des minorités pourrait être examiné par le film *La planète des singes* (1968 ou 2001), dans lequel les hommes sont traités injustement par les singes. Bien que cette suggestion de Russell (2012) soit intéressante, nous ne pensons pas qu'elle soit la plus efficace. Par contre, si l'intention de l'enseignant est de débattre d'enjeux historiques ou contemporains, choisir un film pour son analogie est envisageable, mais le choix doit être bien réfléchi.

Il ne faut pas oublier que le visionnement se fera dans un cadre scolaire et donc avec des jeunes: l'autorisation parentale (ou celle de l'école) sera donc requise pour certains films. Plusieurs ressources, en particulier sur Internet, permettent de faire un choix éclairé à partir des synopsis, des critiques ou des forums de discussion. Le problème de la violence ou de contenu sensible à l'écran est à examiner (Marcus et coll., 2010). En effet, peut-on vraiment rendre compte des horreurs de la Shoah ? De la violence de la guerre ? De l'injustice de l'esclavage ? Pourtant, si l'intention de visionnement vise l'empathie historique ou l'identification de la perspective d'un groupe particulier, des films violents ou difficiles à voir comme *Amistad* (Spielberg, 1997), *Il faut sauver le soldat Ryan* (Spielberg, 1998) ou *La liste de Schindler* (Spielberg, 1993) sont des choix pertinents, malgré leur contenu sensible. Ainsi, comment ne pas utiliser *Amistad*, si l'on veut illustrer les conditions d'esclaves depuis leur départ d'Afrique ? Ou comment ne pas utiliser la scène du débarquement dans *Il faut sauver le soldat Ryan*, pour rendre compte de l'intensité du moment et des ressources mobilisées ?

Au-delà de l'étape de la préparation, plusieurs modèles théoriques (Joubert, 2003 ; Marcus et coll., 2010 ; Metzger, 2007 ; Poyntz, 2008 ; Russell, 2012) suggèrent des pistes d'intégration communes comme le montre le tableau 18.1.

Tableau 18.1
Piste d'intégration du film dans l'enseignement

	Russell (2012)	Marcus *et al.* (2010)	Metzger (2007)	Poytz (2008)	Joubert (2003)
Problématiser	Utiliser la ressource comme déclencheur pour susciter l'intérêt, le questionnement et le débat	Enseigner à l'aide de questions socialement vives	Discuter du positionnement culturel de la narration	Évaluer la signifiance du film	Utiliser la ressource comme un déclencheur
Développer l'empathie historique	Mise en scène d'une atmosphère	Identifier une perspective historique et/ou développer un sentiment d'empathie	Développer l'empathie historique	Identifier une perspective historique	Raconter le pouvoir des images
Transmettre des informations	Considérer la ressource comme un manuel	Considérer la ressource comme une source secondaire que l'on peut analyser	Décrire le contexte historique (*content knowledge*)	Identifier la continuité et le changement et/ou identifier les causes et les conséquences	Mettre en évidence un fait ou une notion historique
Développer des habiletés d'analyse et d'interprétation	Considérer la ressource comme une source historiographique d'une époque	Considérer la ressource comme une source première que l'on peut analyser	Analyser la narration et/ou identifier l'irruption de présentisme	Considérer le film comme une source première que l'on peut analyser et/ou juger de la dimension morale et éthique	Réfléchir sur un débat historiographique

En effet, les phases suivantes de prévisionnement, de visionnement et d'intégration sont liées à des activités générales que nous pouvons synthétiser ainsi: problématiser; développer l'empathie historique; transmettre des informations; développer des habiletés d'analyse et d'interprétation. La distinction de ces activités ou finalités est nécessaire puisque, selon l'intention de visionnement, certaines de ces activités seront plus pertinentes que d'autres.

3.2 Le prévisionnement

La phase de prévisionnement permet de présenter la ressource choisie aux élèves, de la mettre en contexte et surtout de rendre explicites les objectifs d'apprentissages liés au visionnement. Cela est nécessaire pour au moins deux raisons: engager les élèves dans un problème à résoudre ou une question à répondre à partir de leurs connaissances et de leurs représentations; préparer les élèves au visionnement en donnant une tâche précise pendant le visionnement pour ne pas faire des élèves des observateurs passifs.

La mise en contexte de la ressource devrait aborder des thèmes comme l'intention du réalisateur, le synopsis, la réception du film par le public et la critique, le contexte socioculturel contemporain de la ressource choisie, etc. Soulignons que certains de ces éléments pourraient être discutés pendant la phase d'intégration; toutefois, la phase de préparation permet de situer le film et peut susciter un plus grand intérêt de la part des élèves. En outre, il peut aussi être utile de distribuer une liste des concepts, des personnages ou des évènements historiques importants qui sont illustrés par la ressource filmique (Marcus et coll., 2010).

Tous les modèles théoriques s'accordent pour dire que la problématisation est essentielle avant le visionnement (Briand, 2010; Joubert, 2003; Marcus et coll., 2010; Metzger, 2007; Poyntz, 2008; Russell, 2012). Cette problématisation permet non seulement de donner une intention de visionnement aux élèves, mais elle prépare aussi les élèves à un mode critique de visionnement. Que la ressource soit utilisée comme déclencheur pour faire réagir les élèves ou qu'elle soit utilisée pour poser un problème, il faut partir de ce que savent les élèves. Plusieurs moyens sont envisageables pour faire émerger les représentations des élèves: poser des questions sur leurs opinions, demander de représenter un concept par une carte conceptuelle, demander de représenter un évènement par une image figurée, faire sélectionner des images qui représentent un concept pour les élèves, etc.

De manière plus formelle, se donner une intention de visionnement peut s'apparenter à se donner une intention de lecture (Cartier et Manon, 2004; Vacca et Vacca, 2002). Pour la lecture, se donner une intention vise à guider la tâche de lecture des élèves et surtout à bien décortiquer un texte. Se donner une intention de visionnement vise les mêmes finalités: examiner la ressource filmique de manière critique. Certaines stratégies suggérées en lecture comme le résumé, le soulignement, l'organisateur graphique, l'insertion, etc. (Cartier et Manon, 2004), doivent être adaptées pour le visionnement.

Une telle adaptation est justifiable pour deux raisons: le format du film est différent de celui du texte, bien que les deux soient un récit; la finalité du visionnement est l'analyse et la critique. C'est ce que propose Woelders (2007) en examinant deux stratégies très connues qui sont issues du domaine de la lecture adaptée au contexte de la classe d'histoire: le KWL (*Know-Want-Learned)* et le guide d'anticipation.

Tableau 18.2
KWLC selon Woelders (2007)

CE QUE JE SAIS	CONFIRMÉ*	SOURCE?	CE QUE JE VEUX SAVOIR	CE QUE J'AI APPRIS	CONFIRMÉ*	SOURCE?

*Pour confirmer une information, le recours à au moins deux sources est nécessaire.

Le KWL incite les élèves à écrire dans un tableau ce que les élèves savent (*Know*), veulent savoir (*Want*) et ont finalement appris (*Learned*) sur un thème spécifique (Cartier et Manon, 2004; Vacca et Vacca, 2002). Selon Woelders (2007), si l'intention première du visionnement de la ressource filmique en histoire est d'analyser et de critiquer l'interprétation, le format traditionnel du KWL n'est pas suffisant. Il serait en effet préférable de l'adapter pour le KWLC: C représentant *ce que l'élève peut confirmer.* Confirmer permet d'habituer les élèves à soutenir leurs inscriptions par un extrait de la ressource ou d'une autre ressource complémentaire: c'est en fait le recours à la preuve qui est propre à la méthode historique.

Le guide d'anticipation est un peu plus complexe à élaborer puisqu'il faut au préalable énoncer une dizaine de phrases dont les élèves devront juger si elles sont vraies ou fausses. Les phrases doivent évidemment se référer au contenu de la ressource filmique, mais peuvent aussi viser le contenu historique ou le contexte socioculturel contemporain de la ressource. L'élaboration de ces phrases n'est pourtant pas si simple : il ne suffit pas de proposer une opposition vrai/faux, mais de susciter un conflit à contrepied des représentations des élèves (Woelders, 2007). Comme pour le KLWC, la référence à une ressource pour justifier leur réponse est importante. De plus, après le visionnement, il est recommandé de retourner aux réponses des élèves pour les comparer, individuellement ou en petits groupes, avec ce qu'ils auraient appris.

3.3 Le visionnement

La phase de visionnement devrait rendre l'élève actif pendant la projection en lui donnant une tâche précise. Cette phase est intimement liée à celle de préparation et, en particulier, à la problématisation. Sans problématisation, il ne peut y avoir de conceptualisation, car les élèves ne peuvent pas réaliser l'écart qui pourrait exister entre leurs représentations et la réalité sociale à l'étude.

La gestion du visionnement est importante. Devrait-on présenter un film dans son entièreté ? Choisir des extraits ? Aiguiller les élèves pendant le visionnement ? Nous pouvons en fait répondre par l'affirmative à toutes ces questions, mais pour différentes raisons : cela dépend principalement de l'intention didactique de l'enseignant.

Si celle-ci est d'utiliser la ressource comme déclencheur pour susciter un questionnement, l'extrait ou le clip vidéo est probablement la meilleure option. Avec un lecteur DVD ou une ressource en ligne, il est aisé de naviguer avec les chapitres et avec les fonctions *avancer, reculer* ou *mettre sur pause*. S'il préfère mettre l'accent sur une tâche de collecte d'informations ou identifier la récurrence de symboles particuliers, l'enseignant peut faire regarder la ressource dans son entièreté. Par contre, le nombre de périodes utilisées par ce type de visionnement peut rapidement être chronophage. Il faut s'assurer qu'un visionnement aussi long soit vraiment pertinent et nécessaire. De plus, que la projection soit complète ou partielle, l'enseignant pourrait juger pertinent d'intervenir par une pause ou un commentaire durant le visionnement. Cela est tout à fait convenable pour préciser un contenu historique et attirer l'attention des élèves sur un symbole ou un anachronisme qui aurait pu leur échapper. Cependant, si l'intention est de laisser les élèves s'imprégner d'une ambiance spécifique liée au paroxysme d'une scène, l'intervention de l'enseignant est moins nécessaire.

Hormis ces dernières considérations plus techniques, les stratégies du KWLC et du guide d'anticipation (Woelders, 2007) sont deux activités qui peuvent se prolonger aisément pendant le visionnement. Les élèves peuvent en effet vérifier leurs réponses initiales avec ce qui leur est présenté par la ressource filmique. Deux autres éléments sont à considérer pendant le visionnement: l'empathie historique et la collecte d'informations.

Utiliser le film pour développer l'empathie historique est un objectif pertinent, si le contexte d'apprentissage le soutient effectivement. Cet objectif pourrait se décliner en deux options: soit identifier la perspective d'un groupe ou personnage particulier, soit développer un sentiment d'empathie (Barton et Levstik, 2004; Marcus et coll., 2010). La distinction est nécessaire puisque la première vise à cerner pourquoi et comment certaines actions ont été posées en lien avec le contexte socioculturel de l'époque historique, alors que la deuxième vise à faire ressentir des sentiments d'identification, d'empathie et de compassion pour certains groupes ou personnes. En effet, les images, les ambiances sonores et musicales, les plans rapprochés permettent de susciter chez l'auditeur une telle identification, le plus souvent au personnage principal: le film crée une atmosphère réaliste et permet de visionner le passé (Duquette, 2008; Joubert, 2003; Poyntz, 2008; Russell, 2012).

Un autre moyen d'engager les élèves pendant le visionnement est la collecte d'information. La ressource peut être utilisée à titre de source première ou de source secondaire (Briand, 2010; Marcus et coll., 2010; Metzger, 2007).

La ressource filmique est un produit de son temps et propose une interprétation en lien avec le moment de la réalisation du film: elle est une source première. Il faut alors davantage travailler sur le discours sous-entendu du film à partir des symboles, des omissions, des erreurs et de la représentation erronée de certains groupes ou personnages. Rappelons la différente représentation des autochtones entre *La prisonnière du désert* (Ford, 1956) et *Il danse avec les loups* (Costner, 1990).

Ensuite, la ressource filmique peut être considérée comme un manuel ou une référence afin de dresser le portrait du contexte historique d'une réalité sociale particulière : elle est une source secondaire (Joubert, 2003 ; Poyntz, 2008 ; Russell, 2012). C'est un usage usuel du film ou du documentaire historique. Il faut rappeler que les ressources sont des interprétations et, par conséquent, loin d'être une représentation fidèle de la réalité historique. Cependant, certains films font preuve de rigueur historique : *Alamo* (Hancock, 2004), *La liste de Schindler* (Spielberg, 1993) ou le diptyque *Mémoire de nos pères* (Eastwood, 2006)/*Lettres d'Iwo Jima* (Eastwood, 2006).

3.4 L'intégration

La phase d'intégration devrait viser à réinvestir l'information recueillie durant le visionnement dans une tâche plus complexe comme un résumé critique, un débat, un jeu de rôle, etc. Le principal objectif de cette phase est de développer des habiletés d'analyse et d'interprétation.

Plusieurs options s'offrent à l'enseignant pour exercer cette compétence. La dimension morale ou empathique d'une ressource filmique peut le conduire à retravailler un scénario. Par exemple, est-il possible d'envisager une autre fin pour un film ? Peut-on réécrire le scénario pour inclure davantage les voix de minorités écartées ? C'est ce que pensent plusieurs chercheurs (Marcus et coll., 2010 ; Poyntz, 2008). *Il danse avec les loups* (Costner, 1990) pourrait servir à examiner les relations entre Québécois et autochtones aujourd'hui (Duquette, 2008) : les élèves auraient pour tâche d'adapter le scénario de ce film à un enjeu contemporain. *Le patriote* (Emmerich, 2000) pourrait être retravaillé du point de vue des esclaves qui sont largement ignorés par ce film.

La collecte d'informations pourrait servir à évaluer et à confirmer le contenu du film par d'autres ressources (des sources premières, le récit du manuel, des articles d'encyclopédie, etc.). Si certaines ressources filmiques peuvent servir de référence en termes de contenu historique, ce n'est pas le cas de tous les longs métrages. Juger de la validité d'une ressource est liée étroitement à la méthode historique et permet d'élaborer une solution à un problème historique : une seule source d'informations ne suffit pas. Par exemple, *15 février 1839* (Falardeau, 2001) relate les dernières vingt-quatre heures de prisonniers avant leur pendaison pour acte de trahison, dont le patriote de Lorimier. L'intérêt de ce film, au-delà de son contenu historique, est le commentaire audio du réalisateur, Pierre Falardeau, qui rend explicites ses choix pour le scénario, parfois motivés par des raisons dramatiques et parfois par des raisons politiques. Le contenu du film pourrait être mieux problématisé en proposant d'autres ressources comme le testament de Chevalier de Lorimier, l'acte d'accusation, la notice biographique, etc. Toutes ces ressources confrontées les unes aux autres permettront aux élèves de réaliser la nécessité d'examiner un récit, aussi réaliste soit-il (Boutonnet, 2013d).

Au-delà de la collecte de l'information, susciter un débat sur un enjeu historique ou contemporain est aussi important. La phase de prévisionnement devrait permettre de problématiser un contenu particulier en posant une question assez complexe pour que les élèves s'engagent dans une démarche d'enquête. Le documentaire est probablement le plus facile à utiliser pour cet objectif, puisque la structure même de cette ressource est argumentative et donc porteuse de débats (Hess, 2007 ; Marcus et Stoddard, 2010). La ressource filmique devrait servir à alimenter le débat et des ressources complémentaires permettraient de nuancer et de critiquer l'interprétation présentée par la ressource filmique. Le film de fiction est aussi utilisable pour les débats historiographiques qu'il soutient. Pour reprendre l'exemple de *15 février 1839* (Falardeau, 2001), analyser les choix du réalisateur pour des raisons politiques permet d'exercer les habiletés interprétatives et argumentatives des élèves sur les usages publics de l'histoire. Nous pouvons noter qu'à Montréal, l'avenue Colborne est devenue l'avenue de Lorimier en 1883 (De Lorimier, 1988). Les raisons qui ont motivé ce choix pourraient être examinées par les élèves, surtout que l'ironie de ce changement est vraiment évidente (le général Colborne a réprimé les rébellions de 1837-1838 et a ordonné l'exécution de de Lorimier). Ainsi, l'activité suivant le visionnement devrait permettre aux élèves de réinvestir les informations collectées pendant la projection et exercer la méthode historique.

3.5 L'intégration de la musique en classe

Cette partie est moins exhaustive en raison du manque relatif et provisoire de recherches empiriques sur l'intégration de la musique en classe. Cependant, si la ressource filmique doit être considérée comme une représentation culturelle contemporaine d'une époque, il en va de même avec la musique. En effet, les chansons, au-delà de la trame sonore, transmettent un message par l'intermédiaire de leurs paroles. Que ces paroles traitent d'un évènement particulier, dénoncent une injustice, racontent une histoire ou soient tout simplement racistes, haineuses et sexistes, la chanson véhicule toutes sortes de valeurs. Tout comme le film, la chanson s'allie à une trame sonore qui accentue le caractère dramatique ou émotionnel de ce message : le rythme, le style musical, les instruments, les tonalités, les accords s'allient pour créer une ambiance sonore unique. C'est probablement une des raisons qui expliquent la popularité de la musique encore aujourd'hui – elle nous fait ressentir quelque chose.

Dès lors, il n'est pas difficile d'imaginer l'intégration de la chanson en classe, même si cela requiert une bonne préparation et un choix raisonné de la ressource. Les paroles peuvent servir à analyser un point de vue particulier sur un sujet ou à problématiser un contexte historique – la chanson devient alors une source première de l'époque. Il faut d'ailleurs noter que la musique est souvent liée à des mouvements culturels et sociaux plus larges : l'antimilitarisme des années 1970, l'ère swing des années 1930-1945 sous fond de tensions raciales aux États-Unis, le blues noir issu des traditions orales dans les champs de coton du Mississippi, etc. Aujourd'hui, la musique est encore plus diversifiée avec l'apparition de nouveaux styles, mais aussi la prolifération de nouveaux artistes sur la nouvelle tribune qu'offrent Internet ou les téléréalités.

Ainsi, le choix ne manque pas lorsque l'on s'intéresse à un sujet en particulier. Par exemple, la chanson *G8* de Tryö (2003) dénonce les travers de la mondialisation et les « machinations » du G8. Bruce Springsteen a écrit *Born In the USA* (1984) qui aborde l'évènement douloureux de la guerre du Vietnam et surtout la réinsertion difficile des vétérans aux États-Unis. Tiken Jah Fakoly chante généralement la libération, l'autonomie et la fierté de l'Afrique : *Françafrique* (2002) dénonce la politique néocoloniale de la France et du soutien de dictateurs ou de la protection d'intérêts économiques. J. B. Lenoir a souvent dénoncé la ségrégation persistante dans le sud des États-Unis, *Alabama Blues* (1965) est aussi un exemple incontournable. Le Québec n'est pas en reste avec des artistes engagés tels que Loco Locass, les Cowboys Fringants ou des chansonniers célèbres comme La Bolduc, Gilles Vigneault ou Félix Leclerc. Que leurs chansons abordent la vie quotidienne, l'amour, la défense du français, le souverainisme québécois, plusieurs thèmes sont faciles à aborder en classe et ont l'avantage d'être en français.

Décortiquer les paroles d'une chanson permet non seulement d'examiner un point de vue, mais aussi de s'intéresser à un contexte historique : qui est l'auteur ? Quel message est transmis ? Existe-t-il des symboles dans ses paroles? Pourquoi l'auteur a-t-il écrit cette chanson? Comment la chanson a-t-elle été reçue par le public? Il est important de rappeler que, quelle que soit la chanson choisie, elle est une interprétation et qu'elle doit, à ce titre, être analysée et confrontée à d'autres sources.

4. Un modèle général et ses limites

Nous avons souligné que l'intégration d'une ressource filmique ou musicale dépend d'une planification minutieuse. La description des différentes phases précédentes soutient une approche complexe quant à l'usage efficace de ces ressources en classe d'histoire et de géographie, afin de réaliser différents types d'activités: problématiser; développer l'empathie historique; transmettre des informations; développer des habiletés d'analyse et d'interprétation (voir tableau 18.3). Nous voulons maintenant réfléchir à un modèle général qui synthétise ce que nous avons abordé jusqu'ici.

Ce modèle général reprend les phases suggérées par Russell (2007), voire Lenoir et Laforest (1988) ou Saint-Onge (1992), et conçoit l'intégration dans une perspective holistique: il ne faut pas penser seulement au visionnement, mais à tout ce qui entoure et soutient l'apprentissage des élèves. Soulignons que ce modèle n'est pas une recette, puisque l'intégration doit reposer sur le niveau des élèves et leur habitude à exercer les habiletés liées à la méthode historique.

C'est pourquoi l'apprentissage doit être régulé et adapté. En effet, des élèves du primaire ne travailleront pas de la même manière que des élèves du secondaire. Cependant, le modèle est adaptable à leur niveau tant que l'intention de visionnement est bien explicitée et que les consignes sont claires pour les élèves. Le principe reste le même: distinguer la fiction de la réalité et examiner les enjeux qui entourent l'usage public de l'histoire par le film de fiction, le film documentaire ou la chanson.

En outre, il est conseillé de recourir au modelage lors de la première intégration d'une ressource, quel que soit l'ordre enseigné. Le modelage consiste à dire à haute voix ce que l'on fait avec une première ressource: Que regardez-vous? Quelles questions vous posez-vous? Comment sélectionnez-vous l'information pertinente? etc. L'enseignant guide (pratique guidée) ensuite les élèves avec une autre ressource, afin qu'ils reprennent la démarche présentée à haute voix. Lorsque les élèves ont compris ce que l'enseignant attend d'eux, une pratique autonome sera plus simple à mettre en place. Toutefois, quelques suggestions distinctes s'imposent au primaire et au secondaire.

Tableau 18.3
Synthèse d'un modèle général

	Description	Exemples d'activités
Préparation	Définir son intention: quel film choisir? À quelle(s) fin(s)? Quel est le lien avec le programme? Quelles questions seront soulevées avec les élèves? Existe-t-il un meilleur moyen d'atteindre ce but?	Critères pour la sélection de la ressource: fiction *vs* documentaire; ancienneté; validité du contenu historique; dimension morale et éthique; analogie; contenu sensible.
Prévisionnement	Susciter un problème, un questionnement: faire émerger les représentations des élèves.	Présentation et mise en contexte de la ressource filmique; questions sur les représentations; élaboration d'une représentation figurée; sélection d'images correspondantes aux représentations des élèves; KWLC; guide d'anticipation.
Visonnement	Proposer une tâche pendant la projection.	Vérifier le KWLC ou le guide d'anticipation; identifier la perspective d'un groupe particulier; ressentir l'empathie envers un groupe particulier; collecte d'informations (ressource comme source primaire ou secondaire).
Intégration	Proposer une tâche afin de réinvestir l'information collectée pendant la projection.	Revenir sur la problématique présentée à la phase de prévisionnement; retravailler un scénario plus inclusif; comparer et analyser la ressource principale avec des ressources complémentaires; créer une situation de débat et de discussion sur un enjeu historique ou contemporain.

4.1 L'intégration à l'ordre primaire

Nous proposons, pour l'ordre primaire, un travail plus succinct, basé davantage sur des extraits que sur un film entier. Le curriculum invite principalement à lire l'organisation d'une société sur un territoire et à décrire les changements qui s'opèrent dans le temps (Gouvernement du Québec, 2006a). L'intégration d'une ressource filmique devrait servir à visionner le passé et s'imprégner de la perspective d'un groupe particulier. Le recours à des représentations figurées, à des cartes conceptuelles, au KWLC ou au guide d'anticipation permet de bien cerner ce que savent et pensent les élèves sur une réalité sociale.

Par exemple, l'enseignant peut demander aux élèves de travailler sur les conditions de vie des autochtones à l'époque de la Nouvelle-France: les élèves peuvent écrire en petits groupes sur des fiches cartonnées des conditions et des activités selon ce qu'ils savent ou ce qu'ils émettent comme hypothèses; l'enseignant invite les élèves, lors de la tâche de préparation, à coller leurs fiches cartonnées sur un tableau afin que sa classe cerne les différentes conditions (rappelons qu'il n'est pas utile à ce moment-ci de corriger les erreurs puisque l'objectif est de faire émerger les représentations des élèves). La sélection d'extraits de film, comme *Robe noire* (Beresford, 1991), permettra une première collecte d'informations pendant la phase de réalisation pour vérifier ce qui a été préalablement collé sur le tableau. La tâche d'intégration devrait inviter les élèves à comparer la ressource filmique à des ressources complémentaires: l'enseignant pourrait demander à la fin de rédiger un court texte en exigeant de confirmer leurs informations en citant leurs sources.

La place de la critique et de la problématisation n'est pas non plus à négliger sous prétexte que les élèves sont trop jeunes pour cela. En fait, plusieurs recherches démontrent les habiletés d'élèves du primaire à manipuler des concepts et à problématiser en histoire (Cooper et Capita, 2004; Cooper et Dilek, 2007; Demers, Lefrançois et Éthier, 2010). Il faut remarquer que certains films peuvent se prêter plus facilement que d'autres à l'exercice de la critique. Pendant un visionnement, il est aisé d'encourager les élèves à se questionner sur ce qu'ils voient: Qui est le réalisateur? Que connait-on sur lui? Quand le film a-t-il été tourné? Quel est le message du film ou de la scène? etc.

4.2 L'intégration à l'ordre secondaire

Les compétences disciplinaires au secondaire sont différentes du primaire, mais la finalité de l'intégration des ressources reste la même: analyser et critiquer les ressources médiatiques. Les tâches devraient être autant graduelles et régulières qu'au primaire en précisant que la problématisation et le développement d'habiletés d'analyse et d'interprétation seront des activités privilégiées. Comme suggéré, le modelage est nécessaire pour les élèves qui ne sont pas habitués à visionner et à décortiquer une ressource filmique de manière autonome. En effet, les élèves, tout comme les auditeurs adultes, ont généralement l'habitude de consommer les ressources filmiques dans un mode de divertissement et non de réflexion.

Pour donner un exemple, au-delà de visionner le passé, la ressource filmique devrait servir à débattre d'un enjeu historique ou contemporain. Ainsi, si nous prenons le diptyque *Mémoire de nos pères* (Eastwood, 2006)/*Lettres d'Iwo Jima* (Eastwood, 2006), la comparaison et l'analyse de ces deux perspectives sont probablement l'intégration la plus pertinente à faire de ces deux films. En effet, les deux scénarios racontent la bataille d'Iwo Jima à la fin de la Seconde Guerre mondiale : le premier illustre une perspective étatsunienne, le second illustre une perspective japonaise. La problématisation évidente à formuler à partir de ces deux ressources serait de se demander pourquoi ce même évènement est vécu si différemment selon la perspective d'un groupe. Cela permet de travailler à fois le débat historiographique entourant cette bataille (en particulier l'histoire entourant la fabrication de la photographie des soldats étatsuniens avec le drapeau), la validité du contenu historique, l'interprétation qui en est présentée par le réalisateur, le fait que les deux visions soient présentées par le même réalisateur, la représentation des vainqueurs par rapport à celle des vaincus et la dimension morale du film. De plus, il serait aussi intéressant de comparer ces films avec *Le héros d'Iwo Jima* (Mann, 1961) qui raconte l'histoire de Ira Hayes, soldat autochtone qui figure sur la célèbre photographie du drapeau planté, et sa déchéance au retour de la guerre. Ce dernier film traite de la propagande militaire, mais surtout de la ségrégation autochtone aux États-Unis.

Une telle intégration vise en effet plusieurs des activités suggérées par les différents modèles théoriques et vise à développer des habiletés de lecture, d'analyse, de comparaison et d'interprétation. La tâche d'intégration pourrait conduire à un débat sur le rôle des médias dans le façonnement de l'opinion publique, à un résumé critique présentant les deux perspectives ou même à une réflexion sur l'objectivité du réalisateur qui tente de présenter deux perspectives.

4.3 Des limites et obstacles

Nous avons encore peu abordé la question des limites et des obstacles liés à une intégration critique de ressources filmiques ou musicales. Le premier problème qui se pose est l'accès à ces ressources. En effet, la location ou la diffusion peut être restreinte dans les établissements scolaires, en raison des droits à la diffusion et à la reproduction.

La présence de projecteurs ou de téléviseurs n'est pas nécessairement répandue dans toutes les classes et il faut parfois réserver le matériel ou le local. La question du contenu sensible est aussi à considérer. Même si l'intention de visionnement vise à «vivre» un évènement historique, le contenu est parfois violent, explicite et probablement inapproprié pour un public jeune. Les paroles de certaines chansons sont aussi délicates et explicites. L'autorisation parentale et celle de la direction de l'établissement concerné sont souvent nécessaires.

Il faut aussi considérer le temps utilisé à préparer, à sélectionner et à écouter la ressource choisie. C'est pourquoi il faut aussi se poser la question suivante: existe-t-il un meilleur moyen de réaliser notre intention? En effet, l'intégration du film peut très bien se remplacer par l'analyse de documents textuels ou iconographiques qui servira aussi à la problématisation d'un savoir historique. La sélection d'extraits est probablement la meilleure solution pour réduire le temps de visionnement. Une projection en projet parascolaire est aussi envisageable, à moins de solliciter le visionnement à la maison comme devoir. Quelle que soit la formule choisie, il faut garder l'élève actif dans son visionnement en demandant une trace écrite de son activité (un tableau, un schéma, un résumé, etc.).

D'un point de vue épistémique, plusieurs recherches rapportent que les élèves ont tendance à voir la ressource filmique comme une fenêtre sur le passé et à la considérer comme réaliste et véridique (Éthier et coll., 2010; Marcus et coll., 2010; Metzger, 2007; Seixas, 1993, 1994; Wineburg, 2001). Bien que le réalisme de certaines productions soit indéniable, cela n'exclut pas les erreurs, les omissions et les biais d'interprétations dus à des motivations partisanes ou socioculturelles du moment.

Il faut d'ailleurs remarquer que ce dernier obstacle épistémique provient probablement de l'habitude des élèves à ne pas être confrontés à des activités intégrant une démarche historique d'enquête et de critique en classe d'histoire (Boutonnet, 2013b; Demers, 2012; Éthier et coll., 2010; Lebrun, 2006, 2009; Moisan, 2010). La raison qui explique ce faible exercice peut être en partie imputable à la formation des enseignants et à leurs représentations (Baquès, 2005; Bouhon, 2009; Chowen, 2005; Kohlmeier, 2003; Martineau, 1999; Monte-Sano, 2008). C'est pourquoi une réflexion sur l'intégration de ces ressources est nécessaire afin de proposer des situations d'apprentissage complexes et problématisées. Toutes les propositions de ce chapitre doivent être pesées et adaptées au contexte d'une classe en gardant en tête les contraintes mentionnées.

La projection d'un film documentaire ou fictif ne se limite donc pas à un visionnement passif. Les différentes étapes suggérées, la préparation, le prévisionnement, le visionnement et l'intégration permettent d'utiliser la ressource filmique de manière problématisée et critique. Que ce soit au primaire ou au secondaire, le principe reste le même : ce type de ressource est un produit culturel et recèle différents niveaux d'informations qu'il importe de mettre en évidence par une interprétation élaborée à l'aide de ressources complémentaires.

Pour en savoir plus

Briand, D. (2010). *Enseigner l'histoire avec le cinéma.* Caen: CRDP de Basse-Normandie.

Une ressource pédagogique qui s'adresse aux enseignants. Un modèle général d'intégration est expliqué avec simplicité et clarté au travers de différents chapitres. Plusieurs exemples de films sont exploités. Le livre s'intéresse exclusivement au film de fiction, mais plusieurs pistes peuvent être réutilisées pour le film documentaire.

Duquette, C. (2008). L'utilisation des films pour enseigner les compétences : un défi à relever. *Traces*, 46 (4), 1-6.

Une référence récente et québécoise sur l'usage des ressources filmiques en classe d'histoire. L'article publié dans la revue professionnelle *Traces* est accessible et fait le tour d'horizon de quelques recherches permettant de réfléchir sur l'intégration d'une ressource filmique.

Ferro, M. (1993). *Cinéma et Histoire.* Paris: Gallimard.

Une référence incontournable. Ce court livre décrit les liens visibles et invisibles entre le cinéma et l'histoire. Bien que cette œuvre pionnière ne présente pas explicitement un modèle d'intégration, plusieurs pistes de réflexion sont proposées.

Marcus, A. S., Metzger, S. A., Paxton, R. J. et Stoddard, J. D. (2010). *Teaching History With Film. Strategies For Secondary Social Studies.* New York: Routledge.

Probablement le livre le plus exhaustif sur l'usage du film et du documentaire en classe d'histoire. Cette ressource s'adresse autant aux futurs enseignants, aux enseignants débutants, qu'aux enseignants expérimentés. Au travers de plusieurs études de cas de pratiques enseignantes authentiques, un modèle général d'intégration du film nous est présenté dans un style concis et clair. Plusieurs films sont décrits et analysés en lien avec leur modèle.

Ressources en ligne

AlloCiné: http://www.allocine.fr

C'est l'équivalent francophone de *IMDb* ou *Rotten Tomatoes*. Des informations générales et détaillées sont disponibles pour les films, réalisateurs et acteurs recensés sur le site. Une section *Saviez-vous que* est aussi disponible, mais est moins exhaustive qu'*IMDb*. Cependant, le site est en français et pourrait faciliter l'usage pour certains.

Cinéclub de Caen: http://www.cineclubdecaen.com/analyse/cinemaethistoire. htm

Ce site regorge de critiques de films de différents registres et pays. Une section particulière est consacrée au film historique avec des suggestions de films pour différentes périodes historiques. La grande majorité des films suggérés proposent un lien vers une description et une critique approfondie. Bien que le site ne propose pas une intégration explicite du film en classe, l'information présentée peut permettre de bien choisir un film, mais aussi d'alimenter une discussion en classe.

CineHig: http://www.cinehig.clionautes.org

Un site se spécialisant dans l'intégration des ressources filmiques dans la classe d'histoire. Des critiques et des pistes d'intégration sont proposées par divers usagers pour différentes époques historiques. Bien que la qualité de ces intégrations soit inégale, le site a le mérite de proposer des réflexions et des outils pour un meilleur usage du film en classe. Ce site pourrait donner des idées.

Histgeobox: http://lhistgeobox.blogspot.ca/

Une ressource en français sur l'usage de la musique en classe de sciences humaines. Ce site, entretenu par des enseignants, propose des fiches pour plusieurs chansons liées à un enjeu historique ou géographique. Ces fiches présentent le contexte, la traduction de la chanson, le lien vers *YouTube* et des informations sur l'auteur de la chanson. Certaines fiches sont plus détaillées que d'autres, mais l'ensemble est à ne pas manquer.

International Movie Database (IMDb): http://www.imdb.com

Un site incontournable pour se renseigner sur les films, les réalisateurs, les acteurs, les documentaires, les séries télévisées, etc. Bien que ce soit en anglais, c'est une véritable mine d'informations. Pour chaque film, la section *Did You Know*? recense des anecdotes sur le tournage du film, des erreurs factuelles, des extraits de dialogue, des références à d'autres ressources, etc. Cette section est la plus intéressante pour penser l'intégration du film en classe, mais aussi pour permettre aux élèves de proposer une meilleure critique des films.

Office national du film du Canada: http://www.onf.ca

Propose plus de 2 000 productions (films, documentaires, extraits) qui s'interrogent sur des enjeux importants comme l'environnement, les conflits, les droits de la personne, etc. Une section éducation propose des ressources pédagogiques avec un abonnement. La variété des ressources filmiques permet de toucher à plusieurs thèmes, mais aussi à plusieurs époques.

. Rotten Tomatoes : http://www.rottentomatoes.com

Un autre site qui recense la plupart des films avec leurs critiques. L'originalité de ce site provient des commentaires et des critiques des usagers de ce site, mais aussi des critiques de film réputés (c.-à-d. du *Time Magazine, Globe and Mail, New York Observer*, etc.). Les bandes-annonces ainsi que les détails généraux de la production du film sont aussi disponibles.

Filmographie

Les titres de films suivants correspondent aux titres du Canada français qui sont parfois différents des titres provenant des États-Unis ou de la France.

Bay, M. (2001). *Pearl Harbor* [Film]. États-Unis : Touchstone Pictures et Jerry Bruckheimer Films.

Beresford, B. (1991). *Robe noire* [Film]. Canada, Australie, États-Unis : Alliance Communications Corporation et Samson Productions Pty. Ltd.

Chaplin, C. (1936). *Les temps modernes* [Film]. États-Unis : Charles Chaplin Productions.

Costner, K. (1990). *Il danse avec les loups* [Film]. États-Unis, Grande-Bretagne : Tig Productions et Majestic Films International.

Eastwood, C. (2006). *Lettres d'Iwo Jima* [Film]. États-Unis : Warner Bros.

Eastwood, C. (2006). *Mémoire de nos pères* [Film]. États-Unis : Paramount Pictures.

Emmerich, R. (2000). *Le patriote* [Film]. Allemagne, États-Unis : Columbia Pictures Corporation, Centropolis Entertainment, Mutual Film Company et Global Entertainment Productions GmbH.

Falardeau, P. (2001). *15 février 1839* [Film]. Canada : ACPAV, Canadian Television Fund, Films Cinépix, SODEC, Super Écran et Téléfilm Canada.

Ford, J. (1956). *La prisonnière du désert* [Film]. États-Unis : Warner Bros. et C.V. Whitney Picture.

Gibson, M. (1985). *Cœur vaillant* [Film]. États-Unis : Icon Productions, Ladd Company et B.H. Finance C.V.

Hancock, J. L. (2004). *Alamo* [Film]. États-Unis : Touchstone Pictures et Imagine Entertainment.

Joffé, R. (1986). *La mission* [Film]. Grande-Bretagne : Warner Bros., Goldcrest et Kingsmere.

Lee, S. (1992). *Malcolm X* [Film]. États-Unis, Japon: Largo International N. V. et JVC Entertainment Networks.

Mann, H. (1961). *Le héros d'Iwo Jima* [Film]. États-Unis: Universal International Pictures.

Scott, R. (2005). *Le Royaume des cieux* [Film]. États-Unis: Twentieth Century Fox Film Corporation et Scott Free Productions.

Spielberg, S. (1993). *La liste de Schindler* [Film]. États-Unis: Universal Pictures.

Spielberg, S. (1997). *Amistad* [Film]. États-Unis: Dreamworks SKG.

Spielberg, S. (1998). *Il faut sauver le soldat Ryan* [Film]. États-Unis: Dreamworks SKG et Paramount Pictures.

Musicographie

Fakoly, T. J. (2002). Françafrique. *Françafrique* [CD]. France: Barclay.

Lenoir, J. B. (1965). Alabama Blues. *Alabama Blues* [CD]. États-Unis: J+R Records.

Springsteen, B. (1984). Born In the USA. *Born In the USA* [CD]. États-Unis: Bruce Springsteen.

Tryö (2003). Grain de sable. *G8* [CD]. France: La Tribu.

19 – Étudier en sixième année primaire les évènements ayant marqué la société québécoise entre 1905 et 1980 par le son, le mouvement et l'écrit

Isabelle Laferrière et Virginie Martel

Bien que le document écrit soit un support informatif essentiel en univers social (US), il est fondamental d'utiliser des supports qui convoquent d'autres modes d'appréhension du réel. Une telle ouverture permet d'approcher l'US par le biais des outils contemporains de communication comme la radio, la télévision, les films documentaires ou de fiction, la chanson et la bande dessinée (BD).

1. Le contexte et les conditions de mise en œuvre de l'expérience

Adaptée pour la sixième année du primaire, cette situation d'apprentissage vise le développement de la compétence *Interpréter le changement dans une société sur son territoire* au moyen de l'étude de la société québécoise entre 1905 et 1980. Six évènements permettant de mieux comprendre l'évolution de la société québécoise à cette époque sont ciblés : la Première Guerre mondiale, la Crise économique, la Deuxième Guerre mondiale, l'électrification rurale, la Révolution tranquille et le Référendum de 1980.

Dans cette situation, les élèves doivent identifier les causes et les conséquences de chacun de ces évènements, puis réfléchir à la façon dont ils ont pu façonner la société québécoise de 1980. Une connaissance de base de l'organisation de la société québécoise vers 1905 est souhaitable. Des textes, des extraits de BD, des extraits filmiques et radio, ainsi que des chansons sont utilisés comme sources d'information. Pour présenter ces dernières, la classe doit être munie d'un accès WEB et d'un moyen de projection; certaines sources, par exemple les paroles d'une chanson, peuvent être polycopiées. Les textes permettant de soutenir la collecte d'information sont ceux du matériel *Sur les Rails – 3e cycle (2e année)* (Boulette, 2012); un chapitre de ce matériel est articulé autour des six évènements retenus pour cette situation d'apprentissage.

La situation s'échelonne sur dix semaines réparties en 26 périodes. Elle s'articule autour d'une démarche de travail et de réflexion répétée pour chacun des évènements étudiés. Cette répétition est intentionnelle; elle vise la modélisation des habiletés nécessaires à la réalisation des tâches. La situation inclut la rédaction d'un texte explicatif présentant un des six évènements étudiés. Cette production écrite permet d'évaluer en US l'utilisation appropriée des connaissances et les opérations intellectuelles suivantes: déterminer des changements; mettre en relation des faits; établir des liens de causalité.

2. Le déroulement

Le déroulement de la situation est présenté en fonction des trois phases de la démarche d'apprentissage-enseignement.

2.1 La préparation

La phase de préparation s'échelonne sur trois périodes. La première période commence avec l'annonce du projet. Afin de contextualiser le travail demandé, il est nécessaire de présenter la compétence ciblée, les concepts de «cause» et de «conséquence» et les opérations intellectuelles qui y sont attachées. Pour ce faire, il est possible de se référer à des outils, disponibles notamment sur le site du récit (www.recitus.qc.ca), qui décrivent les opérations intellectuelles attendues et les concepts travaillés.

Afin d'enclencher un premier travail réflexif, l'enseignant propose aux élèves l'analyse de dossiers d'images (projetées ou photocopiées). Les élèves ont à explorer des extraits de BD évoquant différents aspects (éducation, santé, électricité, etc.) du Québec de 1905 (Loisel et Tripp, 2006; 2009) et de 1980 (Rabagliati, 2005; 2009; 2011). De même, quelques photographies d'époque sont insérées dans les dossiers. En équipe, les élèves sont invités à décrire oralement le contenu des images (par ex. «je vois que la maison est éclairée à la chandelle») pour ensuite noter dans un tableau les ressemblances et les différences visibles entre les deux époques. L'étape de description est essentielle, car elle permet aux élèves de mettre en mots leurs observations, ce qui facilite le travail de lecture d'images et la réflexion quant à la comparaison dans le temps.

À la troisième période, l'enseignant demande aux élèves d'identifier les différences observées dans les images. En utilisant une ligne du temps, l'enseignant présente six évènements ayant contribué à ces différences. Les évènements sont identifiés par l'enseignant, car l'expérience illustre que les élèves du primaire n'ont pas les acquis nécessaires pour les identifier. S'ensuit un échange sur les connaissances que les élèves possèdent déjà au sujet de ces évènements. Cela fait, la question de recherche est énoncée et affichée: comment ces évènements ont-ils façonné la société québécoise de 1980? Les élèves émettent des hypothèses que l'enseignant note et conserve afin de pouvoir y revenir en fin de projet.

Avant d'entamer la collecte de l'information, une discussion sur les sources disponibles est réalisée. Cette dernière permet de revenir sur les types de sources (primaires et secondaires) et leurs biais possibles (habituellement identifiés par les élèves les plus engagés). De même, elle permet de présenter les sources convoquant l'étude du son (par exemple la chanson) et du mouvement (par exemple le film). Dès le primaire, une démarche générale d'analyse et d'interprétation de ces sources doit être présentée aux élèves.

2.2 La réalisation

La phase de réalisation de la situation s'échelonne sur six semaines (une semaine par évènement et deux à trois périodes par semaine). Pour chacun des évènements, la même démarche de travail est utilisée.

Ces périodes débutent par le rappel de la question de recherche, des opérations intellectuelles interpelées, des questions permettant l'analyse des sources et par la présentation de l'évènement à étudier. Dans l'ensemble, les deux premières périodes de la semaine sont consacrées à l'étude d'une chanson et d'un extrait vidéo et/ou radio. Chaque fois, un objectif est donné. Ce dernier est essentiel, car il donne une intention d'écoute aux élèves (voir tableau 19.1). Essentiellement, il s'agit d'effectuer une première exploration de l'évènement grâce à un support informatif non écrit. Après chaque écoute et/ou visionnement, une mise en commun de l'information relevée est réalisée. À noter: l'utilisation des sources, notamment le recours aux chansons, suscite un vif intérêt; il est par contre essentiel de rappeler la tâche attendue afin d'éviter le simple divertissement. De même, les élèves doivent apprendre que, dans ce genre de travail, plusieurs observations sont recevables et qu'il n'y a donc pas qu'une seule réponse possible.

Tableau 19.1

Exemples de sources (disponibles en ligne) pour chaque évènement

Évènement	Sources	Intention d'étude
Première Guerre mondiale	L'épisode *C'est pas sorcier, la guerre de 14-18* du magazine télévisuel *C'est pas sorcier* (Productions Riff International, depuis 1994)	Situer le conflit dans un contexte plus large.
Crise économique	L'extrait *La Crise de 1929* du court-métrage *Vingt ans de problèmes économiques, 1919-1939* (Société Nouvelle Pathe Cinema, 1959)	Apprendre sur la réalité des populations touchées par la crise.
Seconde Guerre mondiale	La chanson *L'adieu du soldat* (Soldat Lebrun, 1942)	Se représenter la place et le rôle des Canadiens pendant la guerre.
	L'extrait *Tous pour l'effort de guerre* de l'émission radio *Ernest Lapointe* (Société Radio-Canada, 1941)	Apprendre sur le rôle des Québécois et Québécoises dans l'effort de guerre.
Électrification rurale	Le chant de célébration chrétienne *Hosanna*	Se représenter un aspect de la réalité des Québécois à l'époque: la place de leur religion.
	L'épisode *Histoire du Québec 24 – Le temps de Duplessis*, de la série documentaire historique *Épopée en Amérique* (Imavisions Productions, 1997)	Apprendre sur le contexte historique de l'électrification rurale: l'époque de Duplessis.
Révolution tranquille	La chanson *C'est le début d'un temps nouveau* (Renée Claude, 1970)	Se représenter la réalité des Québécois pendant la Révolution tranquille: l'effervescence sociale.
	L'épisode *L'Effervescence, 1960-1966* de la série documentaire historique *Une Révolution tranquille* (Imavisions Productions, 2001)	Apprendre sur le contexte historique/les conséquences de la Révolution tranquille.
Référendum de 1980	La chanson *L'indépendantriste* (Robert Charlebois, 1992)	Réfléchir à l'enjeu de l'indépendance du Québec: la séparation d'avec le Canada.
	Les extraits des discours de Charles de Gaulle de l'émission télévisuelle *Visite présidentielle de Charles de Gaulle* et de René Levesque de l'émission télévisuelle *La Réponse* (Société Radio-Canada, 1967 et 1980)	Se représenter un aspect de la réalité des Québécois à l'époque: l'effervescence politique.

C'est pendant la troisième période de la semaine que les élèves complètent leur collecte de données par la lecture d'une source écrite (les textes du matériel ciblé). L'objectif est d'identifier l'essentiel de l'évènement, ses causes et ses conséquences pour la société québécoise. Chaque évènement doit être décrit dans un tableau (voir tableau 19.2) élaboré pour guider les élèves dans leur prise de notes. Par la suite, ou d'entrée de jeu selon les besoins, une mise en commun en grand groupe est fondamentale puisque les concepts de «cause» et de «conséquence» demeurent complexes pour les élèves du primaire. Conséquemment, la modélisation par l'enseignant ou par les élèves les plus engagés est nécessaire.

Tableau 19.2
Un canevas pour la collecte d'information

(Le nom de l'évènement)		
Avant Les causes	*Pendant* L'évènement	*Après* Les conséquences

À la fin de la séance de travail, il est très formateur de revoir les hypothèses formulées en phase de préparation par rapport à l'évènement à l'étude.

2.3 L'intégration ou le réinvestissement

La phase d'intégration/réinvestissement de la situation débute avec le rappel de la question de recherche et des évènements étudiés. Les six tableaux réalisés peuvent alors être consultés. Les élèves sont ensuite invités à choisir l'évènement qui, selon eux, a façonné de façon la plus importante la société québécoise. L'enseignant qui le désire peut modéliser la production écrite attendue en prenant comme thématique la Révolution tranquille, car cet évènement est plus complexe à traiter pour les élèves. En fonction de l'évènement choisi, les élèves forment des groupes. Ils ont comme tâche de relire les notes prises à propos de l'évènement et de réfléchir ensemble aux retombées de leur évènement sur la société québécoise de 1980. Cette discussion collective nourrit la réflexion individuelle de chacun. Elle contribue également à aider les élèves plus faibles. Par la suite, ils planifient individuellement le contenu du texte explicatif à rédiger. Pour faciliter le travail de rédaction, un texte troué peut être proposé.

Lorsque le texte est réalisé, les élèves présentent le fruit de leur travail. Ils discutent ainsi de leurs réponses à la question de recherche de départ. En guise de conclusion, il est intéressant de présenter deux extraits de films de fiction (*Les filles de Caleb* et *1981*) grâce auxquels les élèves peuvent vivre le chemin parcouru entre 1905 et 1980.

3. Conclusion

Cette situation peut être modifiée et bonifiée en fonction de besoins spécifiques. Par exemple, la sélection des sources peut être différente, d'autres évènements peuvent être retenus en fonction de la société à l'étude, la production finale attendue peut être différente, etc.

Quels que soient les choix réalisés, il faut garder à l'esprit que le recours aux sources qui convoquent le son et le mouvement (par l'image) permet aux élèves d'appréhender l'US au moyen d'outils de communication qui sont contemporains à leur époque. L'histoire, dès lors, se nourrit des outils d'information d'aujourd'hui, ce qui est un atout. Ce recours, notamment en ce qui concerne les sources de fiction, ne doit par contre pas être exclusif: c'est l'étude d'une variété de sources qui garantit une compréhension juste et rigoureuse du passé.

Pour en savoir plus

Les séries télévisées *Épopée en Amérique* et *Le Canada, une histoire populaire* (disponibles en ligne). Ces deux séries présentent l'histoire du Québec et du Canada de manière riche et vivante.

Chamberland, R. et Gaulin, A. (1994). *La chanson québécoise. De la Bolduc à aujourd'hui.* Québec: Nuit Blanche éditeur.

Cette anthologie présente plus de 181 chansons regroupées selon quatre périodes: 1930-1959, 1960-1968, 1968-1978, 1978 à nos jours (l'année de publication étant 1994). Cet ouvrage permet de trouver des chansons (disponibles en ligne) pouvant être utiles à l'étude de thèmes variés.

Loisel, R. et Tripp, J.L. (2009). *Magasin général: Montréal.* Bruxelles: Casterman.

Loisel, R. et Tripp, J.L. (2006). *Magasin général: Marie.* Bruxelles: Casterman.

Ces deux tomes de la collection *Magasin général* offrent des représentations justes et fidèles du Québec, rural et urbain, du début du siècle.

Rabagliati, M. (2011). *Paul au parc.* Montréal: Éditions La Pastèque.

Rabagliati, M. (2009). *Paul à Québec.* Montréal: Éditions La Pastèque.

Rabagliati, M. (2005). *Paul dans le métro.* Montréal: Éditions La Pastèque.

Les œuvres de Rabagliati offrent des représentations intéressantes et fidèles du Québec moderne (de 1960 à aujourd'hui). Elles permettent d'appréhender, entre autres par l'image, des réalités très diversifiées.

20 – L'intégration des jeux vidéos : entre jeux sérieux et jeux traditionnels

Vincent Boutonnet,
Alexandre Joly-Lavoie
et Frédéric Yelle

1. Le contexte général

L e déploiement des ordinateurs portables et des tablettes numériques dans certaines écoles comme nouveaux outils d'apprentissage offre des perspectives qui paraissaient impossibles quelques années plus tôt. Dans la foulée de ces innovations technologiques, l'apprentissage par le jeu vidéo suscite un intérêt renouvelé de la part des chercheurs. Cela est en partie dû au développement sans précédent des possibilités qu'offrent les jeux vidéos des dix dernières années : ils sont de plus en plus réalistes, complexes, ouverts et immersifs. Grâce à la tablette, au téléphone intelligent et à l'ordinateur portable, l'intégration du jeu vidéo dans la classe n'a jamais été aussi réalisable. Dans ce contexte, il nous apparait nécessaire d'évaluer la pertinence des jeux vidéos comme outils didactiques. Ce chapitre abordera les apprentissages réalisables à l'aide des jeux vidéo, leur utilité, leur usage en contexte éducatif. Il synthétisera la recherche empirique actuelle, puis proposera un modèle général d'intégration pour le primaire et le secondaire en prenant soin de souligner obstacles et limites.

1.1 La pertinence de cette approche

En quoi le jeu vidéo, comme outil didactique, peut-il répondre aux exigences curriculaires ? Le Programme de formation de l'école québécoise (PFÉQ) met de l'avant non seulement le développement de compétences, mais aussi l'appropriation et la manipulation de concepts historiques qui doivent être mobilisables et transférables pour soutenir l'élève dans des situations nouvelles au cours de sa vie

(Gouvernement du Québec, 2006c, p. 295). À ce sujet, certaines études (Charsky et Mims, 2008; McMichael, 2007; Squire, 2006; Wastiau, Van der Berghe et Kearny, 2009) illustrent le potentiel de conceptualisation à l'aide de jeux vidéos comme *Civilization* ou *Pharaon*. Il faut rappeler que la conceptualisation est indissociable d'une conception socio-constructiviste de l'histoire (Bugnard, 2011; Dalongeville et Huber, 2000; Jadoulle, Bouhon et Nys, 2004; Martineau, 1999; Wineburg, 2001) qui pourrait être soutenue par l'emploi du jeu.

Quant à l'importance de développer des compétences disciplinaires (par exemple, CD1 : *interroger les réalités sociales dans une perspective historique*) liées à la méthode historique, Squire (2005) a démontré qu'en rejouant l'histoire à leur manière, grâce à *Civilization III*, ses élèves se sont mis à questionner l'histoire sous un nouvel angle. De plus, les jeux vidéos sont pertinents pour problématiser le savoir et favoriser sa (co)construction plutôt que sa consommation passive (Sánchez et Olivares, 2011; Watson, Mong et Harris, 2011), un principe pédagogique important du PFÉQ et de l'exercice de la pensée historienne.

Finalement, un autre aspect important du curriculum québécois réside dans le développement de la métacognition chez les apprenants. Le jeu vidéo a l'avantage de fournir une rétroaction immédiate, contrairement à une situation d'apprentissage classique; il s'agit d'un aspect métacognitif inhérent à l'utilisation de certains jeux (Wastiau et coll., 2009).

Puisque les apprentissages peuvent être multiples, l'intégration du jeu vidéo devrait dépendre d'une intention didactique réfléchie. Les types de jeu feraient l'objet d'usages variés et mèneraient à des apprentissages différents.

1.2 Le jeu et les jeux : définition des grands types

Étant donné qu'il est difficile, pour un néophyte, de déterminer quels jeux sont utiles à l'enseignement, il convient d'examiner les deux principaux types susceptibles d'être intégrés en classe.

Le premier type est le jeu commercial. Ces jeux, disponibles sur les tablettes des magasins et sur des plateformes en ligne, ont comme but premier de divertir et d'amuser (Charsky et Mims, 2008). On retrouve, entre autres, des séries telles qu'*Assassin's Creed* ou *Sid Meier's Civilization*. Ces dernières n'étant pas conçues pour l'usage en classe, il importe de créer et planifier des «moments enseignables» (*teachable moments*) à partir des situations présentées par ces jeux (Watson et coll., 2011).

Les jeux sérieux (*serious games*) forment le deuxième grand type. Ils ont pour objectif initial d'offrir un outil de formation professionnel et d'apprentissage dans un contexte ludique (Mandart, 2010). Fruits de l'évolution des jeux ludoéducatifs, en vogue durant les années 1990, les jeux sérieux se déclinent sous de nombreuses formes et leur utilisation ne se limite pas à l'enseignement scolaire (Natkin, 2009). Par exemple, de grandes compagnies, telles que la pétrolière Chevron (voir le jeu *Energyville*, http://www.energyville.com/), proposent des jeux sérieux comme outil markéting afin de soigner leur image (Boutonnet, 2013a). Enfin, Klopfer, Osterweil et Salen (2009) proposent de définir le jeu sérieux destiné à l'enseignement comme étant des jeux d'apprentissages typiquement associés à des milieux d'éducation formels (comme l'école) et informels (par exemple, les musées).

2. L'évolution et l'usage actuel des jeux vidéos

On retrace le premier usage du jeu comme outil didactique il y a 1500 ans en Inde (Maidement et Bronstein, 1973). Ainsi, quoique les jeux vidéos soient des nouveaux venus dans les écoles, les jeux traditionnels (jeux de table, de rôle, simulation, etc.), eux, ne le sont pas. Les jeux traditionnels et les jeux vidéos partagent en fait de nombreuses caractéristiques, notamment la capacité de faire vivre des situations fictives ou encore de simuler des modèles simplifiés de la réalité. En fait, les jeux vidéos peuvent être considérés comme une nouvelle incarnation (un avatar) des jeux traditionnels: ils permettent de vivre des situations professionnelles authentiques et d'expérimenter des simulations réalistes (Gee, 2005; Pagnotti et Russell III, 2012; Squire, 2006).

2.1 L'usage actuel des jeux vidéos

Au Québec, les jeux vidéos ne sont encore utilisés que de façon marginale en classe d'histoire et d'éducation à la citoyenneté (HÉC). Ainsi, dans le cadre d'une étude sur l'usage des TIC au primaire et au secondaire, les jeux vidéos ne représenteraient que 2% de l'utilisation des technologies dans les cours de sciences sociales (Grenon et Larose, 2009). Toutefois, les auteurs soulignent que la présence des jeux est plus marquée au secondaire qu'au primaire. De plus, 74% des enseignants des disciplines de l'univers social au secondaire déclarent n'utiliser jamais, ou rarement, le jeu ou la simulation en classe (Boutonnet, 2013b).

Les jeux utilisés en classe varient énormément selon les différents programmes. Citons ici quelques exemples ayant fait l'objet de recherches empiriques : *Civilization III* (Squire, 2004), *Europa Universalis II* (Egenfeldt-Nielsen, 2006; McMichael, 2007), *Sim City* (Tanes et Cemalcilar, 2010), *Making History* (Watson et coll., 2011). De plus, les enseignants de sciences sociales ont plus tendance à utiliser le jeu vidéo en classe (Devlin-Scherer et Sardonne, 2010), peut-être parce que ces jeux de stratégie historiques permettent de faire vivre aux élèves des situations plus réalistes.

Toutefois, il faut souligner un manque important de données empiriques sur l'usage et les effets des jeux vidéos, dans le cadre des cours de HÉC au Québec. Ces données sont également encore peu nombreuses aux États-Unis et ailleurs. Ces dernières recherches empiriques sont d'ailleurs parfois critiquées sur le plan méthodologique (Egenfeldt-Nielsen, 2006; Girard, Ecalle et Magnan, 2012). Il importe donc de bien réfléchir à l'intégration du jeu vidéo en classe.

3. Une méthode pour une intégration complexe et efficace

L'intégration en classe des jeux vidéos représente un défi de taille. Il convient de s'intéresser aux recherches empiriques abordant différentes approches afin d'intégrer efficacement les jeux vidéos en classe. Nous présenterons les recherches en trois temps. Dans un premier temps, nous nous arrêterons à la phase de préparation d'une situation d'apprentissage. Dans un deuxième temps, nous nous intéresserons plutôt à la phase de réalisation. Dans un troisième temps, nous présenterons différentes méthodes que l'on peut adopter dans le cadre de la phase d'intégration.

3.1 *La préparation de l'enseignant*

Avant d'envisager l'usage des jeux vidéos au cours d'une leçon, il est essentiel de se questionner sur différents facteurs qui faciliteront et permettront l'intégration des jeux vidéos. Tout d'abord, l'école dispose-t-elle des ressources nécessaires (ordinateurs performants, connexion Internet fiable à haut débit, etc.) permettant la tenue d'une activité avec des jeux vidéos? Sinon, il faudra considérer la préparation d'activités qui pourront se réaliser en devoir à la maison (McMichael, 2007). D'ailleurs, Klopfer, Osterweil et Salen (2009) soulignent que cette approche peut aussi être une solution facilitant l'intégration des jeux vidéos, car l'espace scolaire conserve sa dimension réflexive. De plus, en procédant ainsi, l'enseignant est en mesure de discuter davantage du jeu pendant les heures de classe avec les élèves et de revenir ainsi sur ce qui est retenu par ces derniers. McMichael (2007), par exemple, utilise le temps de cours pour évaluer ses étudiants de deux façons. Il forme des groupes de discussion et exige des essais qui doivent comparer la narration des jeux à celle d'autres sources (livres, sources premières et documents divers).

Ensuite, s'il s'avère que les ressources nécessaires à l'intégration des jeux vidéos sont disponibles, il est recommandé de contacter les responsables de l'informatique à l'école ou à la commission scolaire afin d'obtenir les différentes autorisations requises à l'installation des logiciels. En outre, il est avisé d'informer la direction d'école et les parents pour prévenir toute surprise liée à l'utilisation d'un jeu vidéo en classe (Charsky et Mims, 2008), en plus de motiver ce choix didactique.

Afin d'éviter une expérience de jeu stérile, il est vital pour l'enseignant d'identifier une intention didactique, comme pour toute autre situation d'apprentissage. Charsky et Mims (2008) soulignent qu'une bonne préparation permet non seulement de bien intégrer les jeux dans la leçon, mais aussi de convaincre la direction du bienfondé de son projet. Ainsi, l'enseignant qui désire intégrer les jeux vidéos devra se questionner sur les apprentissages précis que les élèves devront retirer de l'expérience de jeu, et ce, en lien avec les exigences curriculaires (McMichael, 2007). De plus, il peut être pertinent d'envisager le jeu moins comme un vecteur de connaissances précises (même s'il peut l'être, à l'occasion) que comme étant un outil permettant à l'enseignant de développer différentes techniques liées aux sciences humaines et pouvant être transférables dans d'autres activités qui ne sont pas reliées aux jeux vidéos (Arnseth, 2006). À cet effet, Sánchez et Olivares (2011) soulignent que l'usage des jeux vidéos sérieux peut contribuer à développer des techniques de résolution de problèmes ainsi que le travail coopératif.

Par la suite, l'enseignant devra réfléchir au choix du jeu qui permettra de réaliser au mieux l'intention didactique identifiée au préalable. Jeu sérieux, commercial, de stratégie, d'aventure ou encore de tir: les possibilités sont aussi nombreuses qu'il y a de jeux disponibles sur le marché. Le tableau suivant identifie les principaux genres de jeux utilisables dans le cadre de cours d'histoire ou de géographie, en plus de citer quelques exemples représentatifs du genre.

Tableau 20.1
Types et exemples de jeux les plus fréquents
pour l'apprentissage de l'histoire et de la géographie

Type de jeu	Description	Exemples représentatifs
Jeu de stratégie en temps réel (STR)	Le STR est un jeu de stratégie où le joueur doit atteindre une série d'objectifs. Très souvent, il s'agit de jeux où le joueur doit construire une civilisation ou une armée afin de dominer le monde et/ou l'adversaire.	*Age of Empires III (2005), Empire Earth (2001), Pharaon (1999), Starcraft 2 (2010), Warcraft III (2002)*
Jeu de stratégie au tour par tour	Semblable au STR, le rythme des jeux au tour par tour est dicté par le joueur, évitant ainsi la victoire ou la défaite basée uniquement sur la rapidité. Ces jeux sont souvent plus complexes étant donné que l'on peut prendre autant de temps que l'on désire avant de passer au tour suivant.	*Civilization V (2010), Europa Universalis IV (2013), Making History: The Calm and the Storm (2007)*
Jeu de gestion	Les jeux de gestion offrent la possibilité aux joueurs de créer et de gérer des villes, des parcs d'attractions ou encore des îles paradisiaques. On remarquera toutefois l'absence de dimension guerrière.	*Sim City (2013), Rollercoaster Tycoon 3 (2004), City Life (2007), Cities XL (2011)*
Jeu de rôle	Inspiré des traditionnels jeux d'aventure de table, les jeux de rôle entraînent le joueur dans des univers ouverts où, à l'aide de compagnons, il doit compléter différentes missions dans un environnement de type fantastique.	*Dragon Age II (2011), The Elder Scrolls V, Skyrim (2011), Neverwinter Nights II (2006)*
Jeu de rôle en ligne massivement multijoueur (MMORPG)	Très semblable au jeu traditionnel, à l'exception que l'ensemble du jeu se déroule en ligne en temps réel.	*World of Warcraft (2004), EVE Online (2003)*
Jeux d'aventure à caractère historique	Semblable au jeu de rôle, le jeu d'aventure s'en distingue principalement par le rythme de jeu plus rapide axé sur l'action. Il existe d'ordinaire une quête principale, souvent accompagnée de quêtes secondaires, le tout se déroulant dans un environnement historique réaliste.	*Assassin's Creed III (2013), Red Deal Redemption (2010), Mafia II (2010), God of War: Ascension (2013)*

Avant de faire ce choix, il faut analyser la configuration requise pour chaque jeu. En effet, la plupart des jeux commerciaux récents requièrent des ordinateurs puissants pour fonctionner efficacement, alors qu'un jeu en ligne, généralement accessible par l'intermédiaire de son fureteur Internet, ne nécessite qu'une connexion Internet à haut débit (Félicia, 2009). Enfin, lors de l'intégration de jeux commerciaux, il faudra prendre en considération le prix d'achat, les jeux plus récents pouvant couter 50 $ et plus, tandis qu'il est possible de trouver des jeux usagés ou moins récents à bien meilleur marché (Charsky et Mims, 2008; McMichael, 2007).

Une fois le jeu choisi, plusieurs auteurs s'entendent pour dire qu'il est essentiel pour l'enseignant d'y jouer abondamment afin d'être en mesure de bien guider les élèves lors de l'activité en classe (Charsky et Mims, 2008; Devlin-Scherer et Sardonne, 2010; Egenfeldt-Nielsen, 2012; McMichael, 2007; Pagnotti et Russell III, 2012; Squire, 2011). D'autres (Klopfer et coll., 2009) proposent de faire des élèves des experts en identifiant les plus habiles, ce qui permet d'utiliser le temps en classe pour faire un retour sur l'expérience de jeu. Enfin, avec l'arrivée massive des plateformes mobiles (téléphones intelligents, tablettes, etc.), il peut aussi être pertinent de considérer les jeux sérieux mobiles comme une option valable (Sánchez et Olivares, 2011). Permettant aux élèves de sortir de la classe, ces jeux pourraient être avantageux pour l'enseignement de la géographie. De plus, Thomas, Schott et Kambouri (2004) soulignent que les jeux sérieux mobiles permettent aussi de stimuler différents domaines de l'intelligence. Cela peut contribuer à rejoindre un plus grand nombre d'élèves par l'entremise de l'activité planifiée.

La plupart des jeux présentent des limites conceptuelles, disci-plinaires ou encore des inexactitudes, ce qui, au fond, est inévitable. Certains auteurs (Charsky et Mims, 2008; McCall, 2012; Minassian et Rufat, 2008) proposent d'en faire des *moments enseignables*. Par exemple, lors de l'utilisation de *Sim City*, il faut tenir compte des représentations sous-jacentes au développement urbain et à la protection de l'environnement que présente le jeu. Dans ce cas-ci, le jeu met de l'avant une vision très fonctionnaliste de la nature et n'aborde pas sa valeur sociale ou encore l'importance de la biodiversité (Minassian et Rufat, 2008), les modes et rapports de production ni les organisations et luttes sociales. Il importe donc de transformer les limites inhérentes aux jeux en moments de discussions et de réflexions et, par le fait même, d'amener les élèves à considérer l'expérience vécue sous un angle critique. Il faut donc prévoir le temps nécessaire et les mécanismes métacognitifs permettant cette réflexion chez les élèves. Squire (2011) et McMichael (2007) soulignent qu'il est possible d'utiliser les moments enseignables pour développer la pensée historienne chez les élèves par l'entremise de réflexions et de discussions évoquées plus haut ou encore par la rédaction d'un essai critique. Cependant, notons que l'expérience de McMichael (2007) était menée auprès d'étudiants universitaires : il souligne que, malgré leur niveau de scolarité, ils ont de la difficulté à se départir de la mémorisation d'un récit historique au lieu de s'engager dans une réflexion de plus haut niveau. L'auteur émet l'hypothèse que cette posture serait attribuable à une conception épistémologique particulière de l'histoire, mais les conclusions de l'expérience ne permettent pas de l'affirmer. Ainsi, il importe que l'enseignant fasse preuve de flexibilité et ne craigne pas de déroger à sa planification initiale pour exploiter à son plein potentiel les moments enseignables qui pourraient surgir au cours d'une période de jeu, en particulier si elle s'étend sur plusieurs séances (Lee et Probert, 2010).

3.2 Préparer adéquatement les élèves

Avant l'usage du jeu en classe, il est important de s'assurer que les objectifs de la session de jeu soient clairs. À ce propos, Félicia (2009) propose d'en imprimer une liste ou un résumé accompagné du guide d'aide du jeu qu'on distribuera aux élèves avant de débuter. Puisqu'il ne suffit pas de laisser jouer instinctivement les élèves, une période de modelage devrait assurer la compréhension du travail demandé (Devlin-Scherer et Sardonne, 2010 ; Félicia, 2009). De plus, Sánchez et Olivares (2011) suggèrent de commencer la situation d'apprentissage, dans laquelle les jeux sont intégrés, par une séance classique (magistrale ou autre) présentant explicitement les concepts manipulés lors de la période de jeu afin que les élèves établissent des liens plus apparents entre le jeu et l'objectif d'apprentissage. Notons aussi l'importance de rattacher la session de jeu à une situation problème authentique. Cette problématisation devrait se baser sur les obstacles d'apprentissage (conceptuels et épistémiques) que l'enseignant anticipe chez les élèves et être déclenchée par un conflit cognitif entre les préconceptions des élèves et la représentation du jeu.

Par ailleurs, si l'enseignant a pu tester le jeu, il faut aussi offrir cette occasion aux élèves en classe ou hors classe, d'autant plus que le temps de classe est limité. À ce titre, Charsky et Mims (2008) relèvent qu'il faut prévoir environ quinze heures de jeu afin que les élèves maitrisent un jeu complexe tel que *Civilisation*, alors que Engefeldt-Nielsen (2012) remarque la même chose pour *Europa Universalis II*. Par maitrise, nous entendons une phase où l'élève teste le jeu, ses limites, ses stratégies et les règles implicites de son univers. Cette prise en main est essentielle si l'on veut utiliser les mécanismes du jeu comme source d'apprentissages. Par exemple, *Civilisation V* propose de se plonger dans des situations historiques telles que le mouvement colonialiste du 19ᵉ siècle en Afrique ou les croisades du Moyen Âge. Bien que la plus récente version de *Civilisation* ne prétende pas à un réalisme historique, les mécanismes du jeu permettent de réfléchir sur des enjeux authentiques entourant le contrôle de ressources, les alliances entre nations, le développement technologique, les obstacles géographiques, l'influence de la religion, etc. L'action du joueur et ses choix sont déterminants dans la réussite de ces scénarios. Or, pour permettre une réflexion avancée sur ces mécanismes, il faut avoir beaucoup joué, mais la prise en main du jeu peut être longue. Étant donné le nombre restreint d'heures attribuées aux programmes d'études, c'est une des limites des jeux commerciaux qui sont conçus pour des parties longues afin de satisfaire le joueur, sans oublier la familiarisation complexe de certains titres (entre autres, les séries *Europa Universalis* ou *Crusader Kings*).

L'essai du jeu est donc essentiel pour exploiter tout le potentiel de la ressource dans le cadre d'une situation d'apprentissage et en tirer des abstractions ou des conceptualisations qui ne relèvent pas de la malchance, de la maladresse ou d'incompréhensions techniques (Charsky et Mims, 2008). Watson et Mong (2011) ont noté que l'utilisation d'une *démo* (une portion du jeu souvent disponible gratuitement sur Internet) ou d'un tutoriel d'entrainement, pour réduire le temps de prise en main, n'est pas toujours nécessaire, appréciée ou perçue comme utile par les élèves. Il faut donc faire preuve de jugement, mais aussi s'adapter à la complexité du jeu en rapport avec la situation d'apprentissage conçue et l'habileté des élèves. En outre, Charsky et Mims (2008) suggèrent de s'intéresser au contexte historique du jeu avant d'y jouer. En histoire, on pourrait demander à l'élève de répertorier les figures historiques connues dans le jeu, d'identifier des lieux, des périodes historiques ou encore de construire une ligne du temps. L'objectif est d'approcher le jeu avant d'en faire un usage plus élaboré.

3.3 Jouer au jeu

Lors de l'expérience de jeu, plusieurs auteurs soulignent que le rôle de l'enseignant doit être celui d'un guide : en posant des questions, en liant le contenu du jeu à la réalité, en confrontant les expériences que les élèves vivront dans le jeu ou en fournissant des outils complémentaires au jeu (Charsky et Mims, 2008 ; Devlin-Scherer et Sardonne, 2010 ;

Félicia, 2009; Watson et coll., 2011). De plus, l'enseignant sera sans doute amené à jouer aussi le rôle de «facilitateur technique», en étant disponible pour résoudre les problèmes liés à l'usage pratique du jeu, permettant ainsi aux élèves de se concentrer sur les objectifs préalablement identifiés par le maitre (Lee et Probert, 2010). Ainsi, la phase de réalisation d'une situation d'apprentissage à l'aide du jeu vidéo se caractérise par une «décentralisation» de l'apprentissage: toute l'attention n'est plus portée sur l'enseignant, mais plutôt sur l'expérience vécue par les élèves (McMichael, 2007; Squire, 2005; Watson et coll., 2011). Dans cette perspective, l'enseignant supervise une multitude de *micro-enquêtes* historiques que les élèves réalisent, seuls ou en petites équipes. Ces enquêtes s'intéressent à des contextes précis et particuliers permettant de mieux examiner le récit historique traditionnel. Les tenants de cette approche postulent qu'il est possible, en examinant des évènements précis à petite échelle, de poser des questions d'envergure que l'on peut alors étudier sous différentes perspectives et sous le plus d'angles possibles. Selon Kee (2009), cette approche permet aux élèves et au groupe classe de découvrir l'histoire selon différentes perspectives et de travailler leur empathie historique. Enfin, Kee (2009) et Squire (2011) soulignent que rejouer (ou plutôt, réécrire) l'histoire pousse les élèves à se construire leur propre trame historique.

Lors de la séance de jeu, l'enseignant doit circuler pour venir en aide aux élèves, préparer des interventions en grand groupe autour de moments enseignables, lorsque ceux-ci se manifestent, ou encore faire des activités de *synthèse* (Charsky et Mims, 2008; Félicia, 2009; Pagnotti et Russell III, 2012). Ces synthèses doivent servir à analyser les évènements du jeu, à les comparer entre eux (car ils peuvent varier d'une expérience de jeu à une autre, pensons notamment à *Making history* ou *Civilization*) ou à les confronter à l'historiographie. On peut aussi se servir d'une expérience de jeu pour préparer une critique du contenu historique qu'il présente, tel qu'il est suggéré pour l'intégration d'un film à caractère historique (Charsky et Mims, 2008) et accompagner la séance de jeu d'un essai, d'une critique, d'une recherche ou d'une discussion (en grand groupe ou en petites équipes) à caractère historique et géographique (McMichael, 2007). De plus, lors de cette synthèse, il est possible que les discussions informelles mènent à l'émergence de conflits entre les élèves (différence de point de vue au sujet d'une stratégie, véracité d'un fait par rapport à un autre, etc.). Lee et Probert (2010) suggèrent d'utiliser ces désaccords comme tremplin pour la discussion formelle qui suit la séance de jeu.

Au-delà de l'apprentissage de faits, de la comparaison d'interprétations divergentes de l'histoire et de l'analyse de modèles ou de systèmes, McCall (2012) propose de voir les jeux comme des espaces-problèmes à partir desquels on peut utiliser le jeu pour recréer un contexte historique problématique. Être confronté à des limites de ressources (monétaires, humaines, naturelles, temporelles), c'est être obligé de faire des choix qui auront des conséquences dans le déroulement du jeu, comme les décisions du passé en ont eu sur l'histoire de l'humanité. Selon McCall (2012) les jeux sont des systèmes en eux-mêmes, ils permettent donc, mieux que les textes et les autres types de document, d'étudier des systèmes historiques de nature géographique, politique, militaire ou encore économique. Dans la série *Civilization* par exemple, le joueur doit faire ce type de choix et prioriser l'économie, l'exploitation des ressources, l'armée, la culture, la religion ou la diplomatie et chaque choix qui est fait a des retombées à long terme sur la façon dont sa civilisation évolue ainsi que sur les relations qu'elle entretient avec les autres civilisations (amies ou ennemies). Ces mécanismes peuvent agir comme outil de conceptualisation.

Tanes (2010) a mené une étude auprès de 248 élèves turcs de 7e année, laquelle tend à démontrer que l'utilisation de *Sim City* permet d'améliorer la compréhension géographique de l'espace urbain par les élèves (ou du territoire, pour faire référence au programme de formation actuel). À l'aide d'un prétest et d'un posttest, les résultats de la recherche montrent que les élèves avaient, après avoir joué à *SimCity*, une meilleure conscience des enjeux urbains. L'étude documente aussi un changement dans la perception des apprenants quant au rôle des autorités locales. Certes, jouer à *SimCity* convainc de l'importance de payer ses taxes, mais cela rend aussi le joueur plus critique lorsqu'il s'agit d'évaluer les actions réellement posées par les autorités municipales en opposition à celles qui *devraient* être posées pour le bien des citoyens.

3.4 Le retour sur la session, l'intégration et l'évaluation

En eux-mêmes, les jeux vidéos ne proposent pas d'outils permettant de faire un retour sur l'expérience des élèves, ce qui peut rendre difficile, pour les enseignants, l'évaluation des apprentissages réalisés. C'est pourquoi, afin de formaliser les concepts, il peut être pertinent de faire un résumé des objectifs initiaux avec les élèves, tout en vérifiant directement avec eux ce qui a été retenu. À cet effet, il est suggéré de demander aux élèves de verbaliser leur expérience de jeu (Félicia, 2009).

Il est nécessaire d'encourager les élèves à formuler des critiques ou encore des questions en lien avec le contenu historique des jeux auxquels ils auront joué. Ainsi, McCall (2012) conseille une recherche à l'aide de sources premières et secondaires pour formuler des critiques appuyées sur des faits historiques, et ce, à partir des questions formulées par les élèves. L'enseignant tisse ainsi un lien entre le réel et le modèle historique que le jeu vidéo simule, tout en revenant sur les apprentissages à réaliser (Félicia, 2009). Squire (2004) suggère d'agréger les données des séances de jeu de chaque élève ou sous-groupe, afin d'en faire l'analyse avec tout le groupe. Ainsi, on suppose qu'il sera plus facile pour les apprenants d'identifier les concepts sous-jacents à leur expérience. Toutefois, cette technique suppose une approche récursive, dans laquelle le jeu est employé à plusieurs reprises pour permettre aux élèves de tester différents scénarios.

Dans un cadre temporel plus restreint de l'usage d'un jeu de stratégie comme *Civilization*, Pagnotti et Russell III (2012) proposent d'amener les élèves à commenter leurs résultats pour la séance de jeu afin d'expliquer et justifier, à l'aide d'une affiche, leurs choix. Une autre recherche examine la manière dont des créateurs de scénarios pour *Civilization* échangent à propos du réalisme historique et des valeurs eurocentrées du jeu axées sur le développement technologique et scientifique (Owen, 2011). Bien que cette recherche s'intéresse aux réflexions de joueurs adultes (c'est-à-dire les créateurs de scénarios mentionnés plus haut), il est intéressant de constater que les valeurs du jeu peuvent être examinées, voire contestées, par des joueurs, tout en proposant des critiques argumentées et des modèles de développement alternatifs. Certes, des élèves du primaire, et même du secondaire, ne développeront pas des argumentations aussi complexes. Cependant, cela reste une avenue pertinente à explorer concernant la critique du jeu et de ses modèles explicatifs.

Évaluer les résultats concrets d'une séance de jeu peut s'avérer un défi complexe et délicat. C'est pourquoi il est généralement suggéré de délaisser les méthodes d'évaluation traditionnelles (questionnaire à choix multiples, examens de connaissances, etc.) au profit d'évaluations portant sur la maitrise des concepts (Lee et Probert, 2010). Dans le cas des programmes de HÉC, cela peut se traduire par un essai critique. De plus, dans le cadre de leur étude, Watson et coll. (2011) constatent que l'enseignant utilise l'évaluation non comme un baromètre des connaissances acquises par l'élève, mais comme une façon de garder les élèves à la tâche. Cette évaluation se basant plutôt sur l'effort que sur les résultats concrets s'assure ainsi de ne pas pénaliser les élèves ayant plus de difficultés à maitriser le jeu d'un point de vue technique. Cette suggestion de Watson et coll. (2011) pourrait peut-être compenser une faiblesse que relèvent Lee et Probert (2010) dans leur étude sur la participation active variable des élèves à travers le groupe. Lors de cette dernière recherche, l'utilisation du jeu *Civilization* se réalise par séance de 25 minutes en moyenne par cours à l'aide d'un projecteur et d'un tableau numérique interactif. Cette méthode a, selon l'enseignant participant, causé un certain décalage entre l'implication du groupe (n=12) et celle d'un noyau de cinq élèves qui ont rapidement pris le contrôle de la partie.

Cela dit, les méthodes d'évaluations plus traditionnelles ne sont pas à exclure pour autant. Les recherches empiriques disponibles ayant employé cette technique offrent des avis divergents. Ainsi, Mandart (2010) constate qu'il y a corrélation entre les résultats des élèves dans le groupe ayant joué à un jeu sérieux, qui sont légèrement supérieurs au groupe n'ayant pas joué, alors que de leur côté Watson et coll. (2011) ne constatent aucune différence notable dans les résultats.

En fait, il est difficile de poser un jugement sur le mode d'évaluation le plus approprié lors de l'usage des jeux vidéos en classe. En effet, le nombre restreint de recherches empiriques disponibles ne nous permet pas d'exclure une méthode d'évaluation au profit d'une autre. L'enseignant devra se questionner, lors de la préparation d'une leçon, sur la nécessité d'une évaluation sommative. Cependant, il est évident que la phase d'intégration est essentielle pour faire ressortir ce que les élèves ont appris. Le retour en plénière est, à notre sens, incontournable, même si cela se limite à une simple discussion.

4. Le modèle général et ses limites

Au même titre qu'une autre ressource, le jeu vidéo requiert une planification minutieuse pour une intégration réussie et porteuse d'apprentissages durables. La pertinence du jeu vidéo en classe dépend directement de l'intention didactique fixée par l'enseignant. C'est pourquoi un modèle général suivant les phases de préparation, de réalisation et d'intégration est nécessaire.

4.1 L'intégration à l'ordre primaire

Les jeux ludoéducatifs sont possiblement les plus populaires à l'ordre primaire. Que ce soit pour apprendre à compter, à écrire, à repérer des informations ou résoudre certains problèmes, ces jeux favorisent effectivement divers apprentissages. Cependant, les sciences sociales sont probablement les parents pauvres de cet ordre d'enseignement. En effet, peu de jeux sérieux ou commerciaux s'adressent à de jeunes élèves, si ce n'est des jeux en ligne qui testent leurs connaissances historiques ou géographiques (par exemple repérer un pays ou bien placer une date). Si l'on se réfère au recensement du site http://www.logicielseducatifs.qc.ca, seulement quelques titres sont recommandés pour le premier cycle, alors que le troisième cycle rassemble davantage de choix et que l'ordre secondaire est majoritairement représenté. Dès lors, il peut être plus difficile d'imaginer une intégration du jeu vidéo avec des titres comme *Civilization* ou *Sim City* qui requièrent une prise en main plus difficile et des habiletés de lecture trop avancées pour l'ordre primaire. Cependant, certaines pistes sont envisageables.

La préparation d'une séance devrait servir au choix du jeu, à la délimitation des objectifs et à la sélection des ressources complémentaires, si nécessaires. La phase de réalisation devrait permettre aux élèves de manipuler le jeu individuellement ou en petits groupes. Dans cette phase, il importe de bien expliciter les objectifs d'apprentissage et de préciser les aspects du jeu les plus importants à examiner. L'intégration devrait viser à faire un retour en plénière pour discuter des difficultés rencontrées, du but du jeu, des stratégies employées, des acteurs principaux ou encore des principaux enjeux abordés par le jeu.

Par exemple, se situer dans le temps fait partie intégrante du PFÉQ pour l'ordre primaire. Que ce soit pour représenter sa vie sur une ligne du temps au premier cycle ou pour comparer la société québécoise entre 1900 et 1980 au troisième cycle, un jeu pourrait être utilisé afin de construire sa représentation du temps. Au Québec, la ligne du temps du service Récitus propose ce type de scénarios, cependant l'aspect ludique est moindre par rapport à un jeu sérieux ou commercial. Le travail en petites équipes permettrait certainement une meilleure interaction entre les élèves tout en favorisant l'aspect ludique de l'activité.

4.2 L'intégration à l'ordre secondaire

Pour l'ordre secondaire, l'intégration est plus facile, principalement en raison des ressources qui s'adressent davantage à cette tranche d'âge. Or, si plus de jeux vidéos sérieux ou commerciaux sont disponibles, cela ne favorise pas nécessairement des apprentissages plus complexes et authentiques.

La phase de préparation est identique à celle du primaire – la sélection du jeu en lien avec l'intention didactique est primordiale. La phase de réalisation est aussi la même, sauf qu'il faudra probablement consacrer plus de temps à la prise en main du jeu et à la manipulation de différents scénarios dans un même jeu pour réaliser des apprentissages conceptuels plus avancés. La phase de réalisation devrait examiner le but du jeu, les scénarios testés, les concepts abordés, les acteurs représentés, le réalisme du jeu, la faisabilité des stratégies employées en contexte réel, l'interprétation historique présentée par le jeu, etc.

Un exemple intéressant et récent concerne la dernière expansion de *Civilization V, Brave New World*. Un nouveau scénario simule le colonialisme en Afrique au 19e siècle. Le joueur peut incarner au choix une population indigène ou une puissance européenne. Les conditions de victoire sont plutôt contraignantes, mais ont pour effet de rendre la simulation plus réaliste: le joueur qui accumule le plus de points après 100 tours remporte la partie. Les Européens peuvent naviguer, construire des rails, découvrir des artéfacts ou des merveilles et ne peuvent se déclarer la guerre entre eux. Les indigènes ont seulement des bonus de points selon leur possession d'or ou de culture selon la région et ne peuvent se déclarer la guerre entre eux. Il est facile de constater que le conflit armé entre indigènes et Européens est presque inévitable. De plus, le contrôle des ressources, du territoire et la construction des voies commerciales vers les métropoles sont essentiels (les Européens reçoivent un bonus pour les voies ferrées). Le potentiel éducatif de ce scénario est tout à fait impressionnant, car l'expérience de jeu varie énormément selon la civilisation choisie, mais permet au joueur d'expérimenter différentes stratégies. Le jeu permet en théorie de réécrire l'histoire, mais les conditions de victoire nous ramènent bien vite à des enjeux authentiques liés au colonialisme. C'est pourquoi la phase d'intégration est nécessaire pour discuter et tirer des apprentissages pertinents en lien avec le PFÉQ: l'importance des liens avec la métropole, des ressources, de la situation géographique, du poids militaire, des relations diplomatiques ou des voies commerciales.

4.3 Les limites et obstacles

Le potentiel didactique des jeux vidéos semble prometteur. Néanmoins, avant de considérer l'utilisation de cette approche en classe il importe d'être conscient des obstacles et des limites de cet outil.

La capacité des équipements technologiques à la disposition de l'enseignant est une première limite. En effet, il convient de vérifier la présence du matériel requis dans son établissement. Il est possible que les ressources soient insuffisantes ou incomplètes. Le cas échéant, il faudra évaluer les ressources financières disponibles afin de pallier le manque ou encore considérer des ajustements à la situation d'apprentissage (Watson et coll., 2011).

Le deuxième obstacle majeur est le temps. Il faut parfois prévoir beaucoup de temps pour mener à bien ses objectifs didactiques à l'aide du jeu vidéo (Egenfeldt-Nielsen, 2012; Squire, 2008; Watson et coll., 2011). Cela peut s'avérer un obstacle important, surtout lorsqu'un enseignant est contraint de respecter les exigences curriculaires et le temps qui lui est imparti en classe. Nous rappelons qu'une solution serait de travailler en parascolaire ou de proposer des tâches en devoirs, lorsque tous peuvent les réaliser à la maison.

Ensuite, choisir le bon jeu peut aussi poser problème, car il faut considérer plusieurs facteurs, notamment les aspects techniques – comme la sauvegarde (qui doit pouvoir se faire facilement), la puissance requise du matériel, le paramétrage technique (vitesse du jeu, niveau de difficulté, paramètre lié à la jouabilité ou au réalisme) qui sont souvent relativement limités (Rufat et Minassian, 2012; Watson et coll., 2011) – et la possibilité de créer ou d'utiliser des scénarios adaptés précisément aux besoins de l'enseignement. Par exemple, un jeu sérieux est plus court et plus souvent facile à prendre en main qu'un jeu commercial.

Il est aussi essentiel de prendre conscience des limites didactiques des jeux vidéos. Bien qu'ayant l'avantage de permettre une construction active du savoir historique, une prise de décision, une considération de perspectives multiples, ainsi qu'un développement d'habiletés liées à la résolution de problèmes, il ne faut pas oublier que l'industrie du jeu répond à des impératifs commerciaux et n'a pas pour mission d'éduquer ou d'offrir des jeux pédagogiques. Il s'agit, bien souvent, d'une simple valeur ajoutée dont nous pouvons profiter dans les classes de sciences sociales. Il est donc naturel que les concepteurs de jeux vidéos proposent des titres divertissants (ludiques, stimulants) et relativement simples, afin d'éviter la frustration et le découragement chez les joueurs (McCall, 2012), qui après tout, ne cherchent qu'à s'amuser.

Ce constat nous conduit à examiner des biais de simplification: possibilités et solutions limitées offertes par le jeu, simplifications trompeuses ou encore présentation d'un modèle conceptuel unique. Minnassian et Rufat (2008) relèvent ce genre de problèmes avec les jeux *Civilization* (dont le conflit armé, bien que facultatif, occupe une place importante) et *Sim City* (dont le seul modèle de développement urbain en est un de centre/périphérie, sans considérer les aspects sociaux ou géographiques). Par ailleurs, ces deux jeux favorisent le déterminisme géographique, la prépondérance de la politique internationale ou municipale sur l'environnement et la suprématie des technologies pour résoudre les problèmes de l'homme (Rufat et Minassian, 2012). De surcroit, ces modèles et ces biais idéologiques peuvent rarement être évités dans les jeux de gestion et de stratégie puisqu'ils fonctionnent ainsi. Au mieux, nous pouvons prendre conscience de leur existence et discuter de leur valeur en classe, mais comme ces titres sont programmés selon un modèle de simulation prédéterminé, nous pouvons difficilement dévier de la route qu'ils tracent vers la victoire (Minassian et Rufat, 2008; Rufat et Minassian, 2012).

Nous avons aussi abordé la possibilité qu'offrent les jeux vidéos de réécrire l'histoire, toutefois cela peut s'avérer contreproductif. En effet, l'élève peut ainsi se créer un récit historique en décalage avec ce qui s'est vraiment passé (McCall, 2012). Par exemple, si nous réussissons, en simulant la colonisation de l'Amérique, à repousser le colonisateur européen en développant la poudre à canon chez les civilisations incas, maya ou aztèque, il faut éviter d'en rester là avec les élèves. D'où l'importance de bien se préparer pour tenter d'anticiper ces biais d'interprétations afin de les transformer en *moments enseignables.*

En outre, le plaisir stimulé par l'usage des jeux vidéos génère aussi de la distraction qui ne doit pas entrer en conflit avec la tâche d'apprentissage (McCall, 2012; St-Pierre, 2010). Ainsi, l'intégration des jeux vidéos dans le cadre scolaire favorise une perception souvent négative: il s'agit d'une perte de temps, car «jouer n'est pas apprendre». Faire valoir, auprès de la direction, des collègues et des parents, la valeur du jeu comme outil didactique n'est pas chose facile (Klopfer et coll., 2009; St-Pierre, 2010). L'opposition peut même venir des élèves dans certains cas, les élèves ayant fait valoir, au début d'une intégration de *Civilization IV*, qu'ils ne croyaient pas qu'un jeu vidéo puisse contribuer à leur apprentissage de l'histoire (Pagnotti et Russell III, 2012). Dans le même ordre d'idées, McMichael (2007) souligne que la perception d'un travail scolaire ne change pas, même si ce travail se réalise à l'aide d'un jeu. Il faut donc éviter de penser que les jeux vidéos offrent une solution miracle.

Finalement, cette formule pédagogique n'est peut-être pas adaptée pour tous. Squire (2005) indique qu'il semble que les élèves moins doués dans les situations d'enseignement classique connaissent plus de succès lorsqu'ils utilisent *Civilization*, alors que ceux qui, au contraire, excellent dans le cadre des formules traditionnelles n'y trouvent pas toujours leur compte. En outre, Lee et Probert (2010) remarquent que les jeux vidéos commerciaux sont souvent très centrés sur les intérêts des garçons, mais négligent ceux des filles.

5. Conclusion

Remarquons que ces limites n'en sont que dans la mesure où le jeu vidéo est présenté comme un savoir fixe ou une vérité dogmatique. Certaines de ces limites peuvent être surmontées par une planification rigoureuse, ce qui rappelle que l'intégration des jeux vidéos en classe doit procéder d'une intention didactique précise et réfléchie. Les recherches empiriques disponibles nous portent à croire que le potentiel des jeux vidéos est bien présent lorsqu'ils sont utilisés de façon réfléchie par l'enseignant. Cependant, le nombre restreint de recherches empiriques sur les jeux et à fortiori sur les jeux dans le cadre de l'enseignement de l'univers social au Québec, incite malgré tout à la prudence. Les recherches des années à venir continueront de nous éclairer sur l'intégration de cette ressource en classe.

Pour en savoir plus

Académie de Créteil – Éducation + jeux vidéo: http://jeuxserieux.ac-creteil.fr/
    Ce site de l'Académie de Créteil présente, sous la forme de billets de blogue, des ressources ainsi que des retours sur les expériences qui sont menées dans le cadre des différents projets du programme «Éducation + jeux vidéos». Une sous-section de l'onglet «pratiques et ressources» concerne exclusivement l'enseignement de l'histoire et de la géographie.

Education arcade: http://education.mit.edu/
    Scheller Teacher Education Program (STEP) est un programme du Massachusetts Institute of Technology (MIT) qui offre de la formation pour les enseignants de mathématiques et de sciences, mais comportant surtout un volet de recherche et de développement sur l'apprentissage (autant à l'école qu'à l'extérieur) au moyen des nouvelles technologies et des jeux.

Félicia, Patrick. (2009). Les jeux électroniques en classe: manuel pour les enseignants. In European schoolnet (Ed.), *Quel usage pour les jeux vidéos en classe?* Belgique.

Ce guide pratique pour enseignant est basé sur les résultats d'une étude européenne. Il offre une réponse à la question «pourquoi utiliser les jeux vidéos», mais surtout, il propose des conseils d'applications et d'utilisation des jeux vidéos, principalement avec les enfants en bas âge (primaire).

Free Col: http://www.freecol.org/

Ce site propose un jeu gratuit, *Free Col*, qui propose un système de jeu très similaire à la série *Civilization*, mais se limite à la colonisation de l'Amérique. Bien que ce titre soit moins attrayant en termes de graphisme, il est facile à installer sur des ordinateurs moins performants et ne requiert aucun achat.

Games for Change: http://www.gamesforchange.org/learn/

Site anglophone qui propose des liens vers plusieurs jeux sérieux. Chaque jeu possède une fiche descriptive avec parfois certaines critiques. L'originalité de ce site provient principalement de sa mission à proposer des ressources examinant des enjeux civiques.

Historiagames: http://www.histogames.com/index.php

Un site en français qui se spécialise dans les jeux de stratégie à caractère historique. Vous y retrouverez des fiches critiques très détaillées pour de très nombreux titres de cette catégorie. De plus, une section *Chronique* examine des thèmes historiques ou propose des réflexions quant au réalisme historique de certains jeux.

Jeux vidéo.com: www.jeuxvideo.com

Il s'agit d'un site francophone qui agit à titre d'*encyclopédie* des jeux vidéos. Ce site offre des critiques sur les jeux commerciaux, mais aussi sur les jeux sérieux (par exemple, *Making History, Civilization, Europa Universalis*, etc.). Il peut être utile pour explorer les différents titres disponibles avant de se lancer dans la préparation d'une situation d'apprentissage.

McCall, Jeremiah (2011). Gaming the past: Using video games to teach secondary history. New York: Routledge.

Serious-game: http://www.serious-game.fr/

Un autre site francophone qui recense et critique plusieurs jeux sérieux. Vous pouvez retrouver différents titres classés en catégories telles que *défense, politique, environnement*, etc.

Serious game classification: http://serious.gameclassification.com/FR/

Ce site francophone permet d'effectuer des recherches selon des critères précis afin de découvrir des jeux sérieux. Chaque jeu possède sa fiche qui décrit ses caractéristiques principales (intention, marché, public, type), ce qui permet de se faire une idée d'un jeu en un coup d'œil.

Squire, Kurt. (2011). *Video games and learning: Teaching and Participatory Culture in the Digital Age*. New York: Teachers College Press.

Kurt Squire est l'un des chercheurs les plus importants sur l'usage des jeux vidéos dans l'enseignement de l'histoire. Son livre résume l'essentiel de ses recherches des dernières années sous une forme conviviale et accessible. À noter toutefois que les chapitres 1 à 6 sont les plus pertinents pour les enseignants qui veulent en savoir plus sur l'usage des jeux en classe.

Ce livre présente des exemples concrets d'intégration de jeux en classe (même s'il se limite au programme de *social studies* étatsunien) dont plusieurs peuvent s'intégrer dans des leçons en HÉC.

21 – Le procès de Duplessis

Gaëtan Jean

L'activité présentée, *Le procès de Duplessis*, a été développée il y a près d'une dizaine d'années dans le cadre du programme par objectifs ayant eu cours jusqu'en 2008. Elle s'est avérée tout aussi efficace avec le nouveau programme. Elle combine jeu de rôle, travail d'équipe, participation de l'enseignant et une part d'improvisation, contrôlée, qui m'aura réservé quelques belles surprises de la part d'élèves qui, autrement, ne disent mot. De plus, et cela n'est pas sans intérêt, elle permet une évaluation *in situ*.

1. Le contexte et les conditions de mise en œuvre

Cette activité se déroule dans le cadre de la réalité sociale *Pouvoir et pouvoirs*, du programme d'*Histoire et éducation à la citoyenneté* de la quatrième secondaire, dont l'angle d'entrée est *La dynamique entre groupes d'influence et pouvoir*. La compétence visée est la deuxième : interpréter les réalités sociales à l'aide de la méthode historique.

Ce thème propose l'étude des interactions entre le pouvoir officiel, celui de l'État, dépositaire des lois, et le contrepouvoir, c'est-à-dire l'ensemble des groupes d'influence défendant leurs propres intérêts. Cet angle d'entrée représente un défi pour les élèves. Ils doivent, en effet, non seulement s'approprier les mécanismes du pouvoir de l'État à différentes époques de l'histoire du Québec, mais également caractériser un nombre considérable de groupes d'influence issus de la société civile. L'analyse des interactions entre ces protagonistes et leurs effets sur l'ensemble d'une société s'avère d'une grande complexité.

L'activité porte plus précisément sur la période duplessiste, soit de 1936 à 1939, puis de 1944 à 1959. Cette période représente un exemple éloquent d'affrontements entre le pouvoir de l'État, traditionaliste, et de nombreux groupes d'influence qui préfigurent déjà la Révolution tranquille. Certains groupes d'influence, telle l'Église catholique, profitent au contraire des largesses de l'État. L'idée généralement admise – notamment par les élèves –, selon laquelle le gouvernement de Duplessis – rétrograde et par trop conservateur – retarderait le développement du Québec, mérite cependant peut-être d'être nuancée.

L'angle d'entrée de ce thème, complexe, implique de placer les élèves en action. En effet, si ceux-ci doivent porter une attention particulière à l'étude de la dynamique entre ces groupes, quoi de mieux que de les placer eux-mêmes en situation d'interactions dynamiques et réalistes? Voilà l'intérêt de l'activité : utiliser un jeu de rôle où les élèves doivent faire face à une situation problème tout à fait pertinente et, j'ose le croire pour l'avoir plus d'une fois observée, efficace. Maurice Duplessis fut-il un bon premier ministre? Voilà une question qui mérite d'être entendue...

L'activité prend la forme d'un procès et l'enseignant pourra, selon ses intérêts, y recréer les éléments constitutifs d'une réelle cour de justice. Il pourra, par exemple, exiger ou non un costume de circonstance, comme la toge des avocats ou un uniforme correspondant aux différents rôles. Évidemment, cet aspect n'est pas indispensable à la réussite de l'activité. Il peut, s'il le désire, utiliser le marteau de juge pour diriger le procès. Le juge étant évidemment l'enseignant, je peux affirmer par expérience que cet outil est fort utile!

Certains rôles exigent de la part des élèves une capacité de réaction relativement rapide. C'est le cas des avocats. Certains sujets sont plus complexes et exigent, de la part des élèves, selon leur rôle, un travail de préparation plus minutieux. Les rôles inhérents au clergé ou au monde de l'agriculture s'avèrent peut-être plus faciles à certains égards. En ce sens, l'enseignant pourrait distribuer les rôles selon les caractéristiques de ses élèves. Les élèves un peu moins timides et qui aiment généralement prendre la parole en classe font habituellement de bons avocats. Ces rôles sont d'ailleurs assez populaires chez les élèves. Certains se destinent réellement à cette profession et veulent l'expérimenter. D'autre part, l'enseignant pourra distribuer de manière stratégique un rôle plus facile à un élève plus timide ou ayant des difficultés d'expression orale, de manière à le motiver, tout en prenant soin de voir à un travail de recherche tout aussi pertinent de sa part.

L'activité occupe quatre périodes de 75 minutes. Elle nécessite des manuels de classe, des ordinateurs, sept dossiers contenant de l'information pour les sept équipes et un lutrin pour les avocats. Pour accélérer la recherche, j'ai compilé des articles que j'ai imprimés et classés par sujet dans sept chemises qui demeurent en classe pour tous les groupes. Ces mêmes articles servent, pour plusieurs, depuis dix ans. Je ne laisse pas les dossiers entre les mains des élèves, n'ayant qu'une série en classe. Au fil du temps, les élèves ont ajouté des articles au dossier.

2. Le déroulement de l'activité

2.1 La préparation (cours 1 et 2)

La mise en situation consiste à questionner les élèves sur des éléments notionnels vus en troisième secondaire sur le gouvernement de Maurice Duplessis. L'enseignant peut, par exemple, rappeler la création de l'Union nationale durant la crise des années 1930, les élections québécoises de 1939 et de 1944, son conservatisme et son soutien à l'Église catholique. Il peut aussi les questionner sur l'homme lui-même : que connaissent-ils de Maurice Duplessis ? Fut-il un bon premier ministre ? Qu'est-ce que « les enfants de Duplessis » ?

L'enseignant présente ensuite le projet rappelant que Maurice Duplessis demeure, en effet, un personnage controversé. Mais, qu'en est-il exactement ? Son gouvernement a-t-il favorisé le développement du Québec d'après-guerre ou l'a-t-il freiné ? Son conservatisme était-il si mal accueilli à son époque ? Quel est l'héritage de son gouvernement ? Quels sont les différents points de vue par rapport à ces questions, qui y adhérait et pourquoi ?

L'enseignant présente ensuite le projet, soit la reconstitution d'un procès, celui de Maurice Duplessis lui-même. Procès, précisons-le, qui n'a jamais réellement eu lieu. L'enseignant décline le principal chef d'accusation de l'Histoire : Duplessis est accusé d'être le principal responsable de la Grande Noirceur, époque d'après-guerre durant laquelle le gouvernement Duplessis aurait tenu la société québécoise sous la coupe d'un conservatisme religieux. Lors d'une période, un jeu de rôle permettra de juger le règne de Maurice Duplessis et d'identifier les groupes d'influence de cette époque.

Pour le jeu, les « crimes » reprochés à Maurice Duplessis sont :

- Noyer le développement intellectuel du Québec dans des valeurs religieuses rigoureuses et ultramontaines.

- Abattre le mouvement syndical en favorisant le patronat et les investissements étrangers.

- Étrangler la société dans des valeurs agriculturistes et issues d'un repli traditionaliste sur le monde rural.

- Empoisonner les relations fédérales-provinciales par un refus de coopérer.

L'enseignant présente ensuite les sept groupes sujets à l'aide du tableau prévu à cet effet (voir Annexe 1). Ainsi, la classe sera divisée en sept équipes ayant à leur tête un avocat. Quatre groupes témoigneront en faveur de Duplessis. Les trois autres témoigneront pour la couronne afin de l'incriminer. Un rôle est prévu pour Maurice Duplessis avec l'Union nationale. Celui-ci pourra être contre-interrogé et devra lire à la toute fin une dernière déclaration.

Une fois les équipes constituées, l'enseignant demande aux élèves de choisir leur personnage en inscrivant leur nom dans la case appropriée (voir Annexe 2). Certains sont fictifs, d'autres ont réellement existé. Les avocats gardent leur propre nom. Il sera très important d'expliquer que le but de la recherche sur leur personnage n'est pas de rapporter exactement ce que ce personnage aurait dit à l'époque, puisque le procès n'a jamais eu lieu. L'opinion exprimée par les personnages durant le procès sera celle du groupe qu'ils représentent. L'enseignant remet la chemise d'information aux équipes avec une lettre de mise en situation (voir Annexe 3). Les équipes prennent connaissance des documents et préparent leur stratégie. Le travail de recherche s'amorce.

2.1.1 Pour les témoins

Les témoins doivent préparer trois questions et leurs réponses en fonction de leur groupe, selon les informations issues des dossiers mis à leur disposition et d'une courte recherche sur Internet. Ces questions, à réponse élaborée, doivent incriminer ou disculper Duplessis, selon leur groupe. Lors de la première phase du procès, leur avocat leur posera ces trois questions et le témoin devra y répondre de manière convaincante. Il n'aura droit à aucun autre document écrit. Son avocat aura le dossier, avec les questions et réponses, qu'il peut déposer sur un lutrin pendant le procès. Le groupe pourrait produire des pièces à conviction que le témoin peut lire ou expliquer (photos, citations, statistiques, etc.).

2.1.2 Pour les avocats

Les avocats préparent des questions destinées au contreinterrogatoire, lequel se déroulera quand tous les témoins de la classe auront témoigné. En secret, les avocats choisissent un témoin d'un groupe adverse auquel il destine ses questions. Sept élèves, à tour de rôle, devront témoigner à nouveau. Toutefois, un témoin ne pourra être contre-interrogé qu'une seule fois. Maurice Duplessis peut aussi être contre-interrogé. Lors du contreinterrogatoire, seuls les avocats sont évalués.

2.1.3 Pour Maurice Duplessis

Maurice Duplessis ne témoigne pas dans la première partie du procès. Il peut cependant être contre-interrogé. Cet élève prépare une déclaration qu'il fera à la toute fin du procès. Il doit effectuer une courte recherche pour préparer cette déclaration qui sera en fait un bilan (positif bien sûr!) de son gouvernement.

2.2 La réalisation (Cours 3)

La réalisation de l'activité nécessite de disposer la classe en tribunal de circonstance. L'enseignant regroupe sept ilots de bureaux. Idéalement, les groupes devraient être placés face à face, comme le démontre le tableau de l'Annexe 1. Sur chacun des ilots, l'enseignant dépose le dossier-groupe. À l'avant, il place un bureau tourné vers la classe pour les témoins, en face duquel est disposé le lutrin pour les avocats. Maurice Duplessis est avec l'équipe de l'Union nationale. Le bureau de l'enseignant devient celui du juge.

2.2.1 Le procès

La première partie est consacrée aux témoignages (et à l'évaluation des témoins, voir Annexe 5). À tour de rôle, les avocats questionnent tous leurs témoins, selon un ordre préétabli et le temps alloué (voir Annexe 4). La deuxième partie est consacrée cette fois à l'évaluation des avocats. À tour de rôle, ces derniers contre-interrogent un seul témoin de la partie adverse. En tout temps, les avocats peuvent s'opposer afin de protéger leur témoin. Le juge reçoit ou non ces objections. L'enseignant évalue les avocats (voir Annexe 5). Duplessis a droit à une dernière déclaration. L'enseignant évalue Maurice Duplessis (voir Annexe 5).

3. L'intégration (Cours 4)

S'il y a lieu, l'enseignant termine le procès. Celui-ci peut prendre plus qu'une période. Le juge prononcera la sentence après avoir fait la moyenne des notes de chacune des deux parties (voir Annexe 5), soit la défense et la poursuite. L'intégration des informations est parachevée par un résumé synthèse préparé sur PowerPoint, contenant des photographies de l'époque et d'autres sources, résumé que les élèves peuvent compléter et lier à l'activité vécue. Les élèves remplissent le document qu'ils utilisent normalement en classe, que nous appelons *Fiches de travail*, et dans lequel ils réalisent un tableau synthèse. L'enseignant résume les éléments essentiels et peut faire de nombreuses références au procès. Une objectivation des apprentissages peut être réalisée.

4. Conclusion

Le procès de Duplessis propose à l'élève non seulement de s'investir dans une recherche liée à un groupe d'intérêt, mais aussi à entrer dans la peau d'un personnage et de le rendre crédible. À mon sens, le jeu de rôle est efficace : il soulève l'intérêt pour un personnage d'une autre époque, conférant ainsi un visage plus concret à l'histoire et, du coup, favorisant le développement d'une perspective historienne. En se liant ainsi, beaucoup d'entre eux (il serait évidemment invraisemblable et utopique de croire à l'unanimité) ont ce sentiment d'importance et de responsabilité qui suscite peut-être une forme de motivation supplémentaire.

De toute évidence, ne serait-ce que par l'évaluation en direct et le jugement des pairs, beaucoup s'investissent. Je l'ai souvent observé, particulièrement avec les avocats. La possibilité de s'opposer donne une tournure d'improvisation qui, si elle n'est pas toujours facile à gérer pour le juge en herbe que je suis, donne un ton souvent surprenant au procès et un échange où les élèves, témoins comme avocats, doivent connaitre leur dossier pour s'en sortir. On ne le dira jamais assez : comment l'élève peut-il démontrer ses compétences, ici celle d'interpréter l'histoire, sans de solides connaissances ? Et comment évaluer ces compétences, sinon dans l'action ? Et autrement que par l'écrit ? L'élève n'aura pas tort d'investir autant d'effort, sinon davantage, dans la recherche d'informations que dans sa prestation en classe.

La préparation de l'activité suscite de nombreuses questions de la part des élèves. En ce qui me concerne, voilà déjà une réussite. Ne sont-elles pas en effet plus que pertinentes dans ces circonstances ? Pendant le procès, il n'y a pas moyen de se défiler. La grille de correction permet de noter la capacité d'intégration des contenus notionnels directement liés au programme, en direct et le tout déjà consigné. Voilà pour l'efficacité. Et, à terme, la présentation magistrale sert davantage ici à consolider et institutionnaliser les acquis qu'à les démontrer. L'activité sert la «réalité» historique, et non l'inverse. Des exemples tirés de l'expérience, comme un rapprochement entre tel témoignage et un réel personnage historique, pourront assurément rendre plus concrète et plus intéressante cette histoire d'une autre époque, a priori sans intérêt pour l'élève.

ANNEXE 1

Groupes-sujets en faveur de Maurice Duplessis	Groupes-sujets en opposition à Maurice Duplessis
Duplessis et le Parti de l'Union nationale (Pouvoir politique en tant que gouvernement)	**L'opposition politique** (Pouvoir politique en tant que membres de l'opposition ou membres du gouvernement canadien)
Le patronat (groupe d'influence)	**Le syndicat** (groupe d'influence)
Le clergé catholique (groupe d'influence)	**Le mouvement intellectuel** (groupe d'influence)
Le monde rural (groupe d'influence)	

ANNEXE 2

GROUPES-SUJETS

Les élèves choisissent leur rôle et inscrivent leur nom dans la case appropriée.

Duplessis et le Parti de l'Union nationale

Avocat de la défense	• •
Maurice Duplessis, chef de l'Union nationale	• •
M. Paul Sauvé, ministre, Union nationale	• •
M. Onésime Gagnon, ministre, Union nationale	• •
M. Jos Bégin, ministre, Union nationale	• •

L'opposition politique

Avocat de la Couronne	• •
M. Joseph-Irénée-René Hamel, député du Parti libéral du Québec	• •
M. Louis Saint-Laurent, premier ministre du Canada (1948-57)	• •
M. George-Émile Lapalme, chef du Parti libéral du Québec	• •
M. Adélard Godbout, ex-premier ministre libéral du Québec, sénateur	• •

Le syndicat

Avocat de la Couronne	• •
M. Michel Chartrand, syndicaliste	• •
M. Jean Marchand, secrétaire général de la C.T.C.C.	• •
Mme Madeleine Parent, syndicaliste et féministe	• •
M. Léo Dussault, gréviste	• •

Le patronat

Avocat de la défense	• •
M. Jules Timmins, président de Hollinger Consolidated	• •
M. Lewis H. Brown, président de la Canadian Jonhs-Manville	• •
M. Hilaire Beauregard, chef de la Police provinciale	• •

Le mouvement intellectuel

Avocat de la couronne	• •
M. Paul-Émile Borduas, artiste	• •
M. André Laurendeau, journaliste et politicien	• •
Mme Thérèse Casgrain, féministe	• •
M. Pierre-Elliott Trudeau, avocat et journaliste	• •

Le clergé catholique

Avocat de la défense	• •
Mgr Joseph Charbonneau, archevêque	• •
Mgr Paul-Émile Léger, archevêque	• •
Père Joseph (fictif)	• •
Sœur Marie-Rose (fictif)	• •

Le monde rural

Avocat de la défense	• •
M. Laurent Barré, fondateur de l'U.C.C et ministre de l'Agriculture de l'Union nationale	• •
M. Roger Dufoin, agriculteur (fictif)	• •
Mme Adrienne Laterrière, agricultrice (fictif)	• •

ANNEXE 3

Exemple de lettre déposée dans les sept dossiers remis aux élèves à titre d'introduction à l'activité.

Ministère de la Justice
Province de Québec

Montréal, le 10 avril 1958

Monsieur Michel Chartrand
Monsieur Jean Marchand
Madame Madeleine Parent
Dirigeants syndicaux

Objet: Convocation de la Cour Supérieure du Québec

Messieurs,
Madame,

Cette dite lettre est pour exiger votre présence en tant que témoin clef dans l'affaire Duplessis. La Cour Supérieure de la Province de Québec accuse Maurice Duplessis, premier ministre du Québec, d'avoir plongé le Québec dans la Grande noirceur au cours de son long règne. Vous êtes des témoins privilégiés qui ont vu l'accusé agir à l'encontre du Québec. C'est pourquoi nous vous réclamons, pour que vous puissiez témoigner pour l'Histoire.

Nous vous convoquons donc au tribunal, mardi le 26 juillet à 2 heures p.m., dans la salle de conférence du Palais de Justice de Montréal, 26, rue Dubreuil.

Recevez, Messieurs, Madame, l'assurance de nos meilleurs sentiments.

Le Procureur Général,

Jacques Lemelin

ANNEXE 4

Alternance des équipes et du temps alloué (en minutes)

Équipes-sujets	Temps alloué
1. Opposition politique (Défense)	12 min
2. Pouvoir politique (Poursuite)	12 min
3. Les syndicats (Poursuite)	12 min
4. Le patronat (Défense)	10 min
5. Mouvement intellectuel (Poursuite)	12 min
6. Le clergé (Défense)	8 min
7. Le monde rural (Défense)	8 min
Contre-interrogatoires	
8. Les 7 avocats	35 min
Déclaration du premier ministre du Québec 9. Maurice Duplessis	3 min

ANNEXE 5

Exemple de grille de correction. Une feuille par groupe-sujet est nécessaire. Les objections des avocats, même rejetées, peuvent servir à les évaluer dans la colonne «argumente à partir de faits».

Groupe-sujet: Duplessis et l'Union nationale	Critères d'évaluation CD 2 Rigueur du raisonnement	Attente de fin de cycle	Notes
Personnage et nom			
Avocat:	Établit des **faits**	Met en relation des **concepts** et des faits	**Argumente** à partir de faits
Maurice Duplessis	Établit des **faits**	Met en relation des **concepts** et des faits	**Argumente** à partir de faits
Paul Sauvé	Établit des **faits**	Met en relation des **concepts** et des faits	**Argumente** à partir de faits
Onésime Gagnon	Établit des **faits**	Met en relation des **concepts** et des faits	**Argumente** à partir de faits
Jos D. Bégin	Établit des **faits**	Met en relation des **concepts** et des faits	**Argumente** à partir de faits

ANNEXE 5

Exemple de grille de correction d'une feuille par groupe-sujet est nécessaire. Les objections des avocats du mis en reste peuvent servir à les évaluer dans la colonne « argumente à partir de faits ».

Groupe-vert Diagnosis ou l'Union nationale CD7 Personnage et rôle	Critères d'évaluation CD7 Rigueur du raisonnement	Attente de fin de cycle	Notes
Avocat	Établit des faits	Met en relation des concepts et des faits	Argumente à partir de faits
Marthe Duplessis	Établit des faits	Met en relation des concepts et des faits	Argumente à partir de faits
Paul Sauvé	Établit des faits	Met en relation des concepts et des faits	Argumente à partir de faits
Onésime Gagnon	Établit des faits	Met en relation des concepts et des faits	Argumente à partir de faits
Jos D. Bégin	Établit des faits	Met en relation des concepts et des faits	Argumente à partir de faits

22 – Le Web 2.0 et l'histoire

Lyonel Kaufmann et Alexandre Lanoix

C e chapitre s'intéresse aux possibilités du Web 2.0 dans l'enseignement et l'apprentissage de l'histoire. Si l'histoire n'a pas été la discipline la plus encline à adopter rapidement les technologies, le mouvement est certainement enclenché, comme en témoigne la thématique technologique du congrès 2010 de l'Association québécoise pour l'enseignement en univers social (AQEUS). Luc Guay et François Guité (2011) y rappelaient que l'histoire doit s'intéresser aux possibilités des technologies, sous peine de perdre de plus en plus de sa pertinence. L'efficacité des technologies dans le développement des compétences en histoire est également constatée par les chercheurs (Larouche, Meunier et Lebrun, 2012). Si l'argument d'utiliser des outils d'enseignement qui interpellent les élèves est pertinent (Lévesque, 2011), les possibilités pédagogiques et didactiques des outils eux-mêmes rendent les technologies de plus en plus incontournables.

Les recherches montrent de manière constante que l'intégration pédagogique des TIC à l'école a un impact significatif sur la motivation des élèves (Karsenti et Collin, 2013). Autre facteur important, les élèves apprécient la rapidité d'accès à l'information qu'offrent les TIC. Les recherches révèlent également que «ce sont les usages des technologies en éducation qui font la différence, et non les technologies elles-mêmes» (Karsenti et Collin, 2013, p. 97). En d'autres mots, les TIC offrent un grand potentiel et peuvent véritablement soutenir l'apprentissage et favoriser la réussite scolaire, mais il ne suffit pas d'acheter des ordinateurs ou des tablettes pour que les élèves réussissent.

En outre, si on cherchait anciennement des contenus à consommer (vidéos, visites virtuelles de musées ou textes historiques), les élèves et les enseignants peuvent désormais utiliser une panoplie d'outils permettant de créer, de partager et de s'organiser. Par ailleurs, Churches (2009) affirme que le simple fait de placer une page Internet dans les favoris de son navigateur est une forme de collecte de données permettant d'acquérir des connaissances et que l'action de créer un lien hypertexte représente une forme d'analyse puisque l'élève crée des rapprochements, établit des parallèles entre des contenus. Le détournement de logiciels et de sites Internet à des fins pédagogiques est d'ailleurs bien engagé chez les enseignants adeptes des TIC (Depover, Quintin et Strebelle, 2013).

Conséquemment, nous tenterons avant tout de présenter des approches exploitant le Web 2.0, à défaut de présenter des outils spécifiques. Nous souhaitons centrer notre propos sur les démarches d'apprentissage en lien avec l'histoire plutôt que de tomber dans la fascination pour l'outil.

1. Apprendre grâce au Web 2.0

Si le Web 2.0 s'appuie sur un certain nombre de technologies parti-culières, il est défini avant tout par son *contenu* et ses usages. Dans cette vision, tout le monde est en mesure non seulement de lire les pages Web, mais de les modifier, d'apprécier le contenu (à l'exemple du «j'aime» de Facebook), de déposer un commentaire, etc. Ainsi, les wikis permettent-ils à plusieurs rédacteurs de corédiger une page et les blogues à une personne de publier un article et aux autres de laisser des commentaires ou une appréciation.

Au cœur du dispositif du Web 2.0 se place l'internaute qui, «grâce aux outils mis à sa disposition, [devient] une personne active sur la toile» (Wikipédia, 2013f). La technologie s'effacerait donc devant les usages. De plus, chaque personne étant potentiellement productrice de ressources, une décentralisation du savoir serait opérée et empêcherait une forme de contrôle de l'information. Néanmoins, une telle conception nécessite que chacun puisse et sache utiliser Internet.

Anderson (2007) regroupe les services et applications du Web 2.0 dans les catégories suivantes : blogues, wikis, services de référencement sociaux (Delicious, Diigo, Pinboard, Digg), services de partage de contenus multimédias (Flickr, YouTube), outils de podcast (iTunes), outils d'agrégation de contenus (flux RSS).

En la rapportant au domaine éducatif, l'une des caractéristiques communes à tous les usages du Web 2.0 réside dans la notion de participatif ou de collaboratif. Que ce soit sur Wikipédia, un blogue, un wiki, YouTube ou Google Earth, l'utilisateur peut interagir avec le contenu. C'est le Web dit social (Wikipédia, 2012).

Figure 22.1
Web social

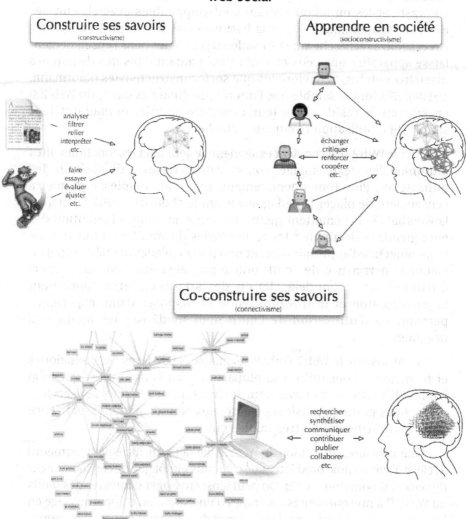

Source : http://www.francoisguite.com/2007/10/constructivisme-socioconstructivisme-et-connectivisme

1.1 Les fondements en apprentissage

Ce Web 2.0 se prêterait particulièrement bien à un enseignement basé sur le constructivisme, le socioconstructiviste ou le connectiviste

(Guité, 2007). En reprenant la taxonomie digitale de Churches (2009), adaptant celle de Bloom aux usages technologiques, le tableau est plus contrasté et les outils du Web 2.0 sont compatibles avec chacun des niveaux taxonomiques des plus basiques (savoir) au plus complexes (créer). Notre recherche sur l'utilisation des blogues dans l'enseignement laisse apparaitre que ceux-ci sont utilisés autant dans des démarches magistrocentrées, béhavioristes que socioconstructivistes (Kaufmann, 2010a). Dès lors, il semble que l'intérêt principal des outils du Web 2.0 en éducation réside dans leur caractère souple, nomade et leur simplicité d'utilisation (Wikipédia, 2013a).

Pour le Web 2.0, il convient également de souligner les fonctionnalités multimodales (texte, image, son et vidéo), mises à disposition des utilisateurs. Plus fondamentalement, une telle souplesse permet à l'enseignant de placer la pédagogie avant le choix de l'outil. Dunlap et Lowenthal (2011) émettent quatre recommandations à l'intention des enseignants : sélectionner les technologies du Web 2.0 en fonction de leurs objectifs d'apprentissage, et non parce qu'elles seraient « cools », établir la pertinence de l'outil utilisé par leurs étudiants en rapport à leurs études et au-delà, définir des attentes claires concernant la participation et le travail attendu et disposer d'une expérience personnelle d'utilisation de l'outil pour modéliser les meilleures pratiques.

Ajoutons que le Web 2.0 abaisse plusieurs barrières technologiques et financières. Pour utiliser la plupart des outils dont il est question ici, il suffit d'avoir un navigateur Internet à jour. Si tous les services ne sont pas gratuits, plusieurs d'entre eux sont disponibles en licence libre, gratuitement ou à très faible cout.

Pour conclure, l'utilisation du Web 2.0 devrait principalement permettre à l'élève d'agir comme producteur de contenus plutôt que de consommateur de ceux-ci (Kaufmann, 2012). On peut ainsi envisager d'intégrer des outils du Web 2.0 à presque toutes les étapes d'une situation d'apprentissage en Univers social. Les fonctions de partage et de collaboration caractéristiques du Web 2.0 nous apparaissent particulièrement pertinentes pour la phase d'intégration des apprentissages où l'élève communique et partage le résultat de ses recherches.

2. Constuire l'histoire avec Wikipédia ou un wiki

Techniquement, Wikipédia est un wiki (Wikipédia, 2013g), soit un site Web dont les pages sont modifiables par les visiteurs afin de permettre l'écriture et l'illustration collaborative des documents numériques qu'il contient. Wikipédia repose sur la pratique du travail collaboratif, la neutralité de point de vue, qui consiste à présenter impartialement les idées et les faits rapportés par des sources extérieures vérifiables et notoires, et un modèle organisationnel, basé sur le laissez-faire et un égal droit de participation pour tous. La participation du plus grand nombre et l'autorégulation doivent assurer sa fiabilité et son amélioration continue. Cette philosophie est à la source des critiques sur la qualité et la fiabilité de son contenu. Des chercheurs des États-Unis et d'Europe ont montré que, malgré certaines faiblesses des articles historiques, Wikipédia ne souffre pas de la comparaison avec d'autres encyclopédies, manuels scolaires ou d'autres ouvrages historiques (Cornette, 2008; Kaufmann, 2008; Rosenzweig, 2006; Vandendorpe, 2008). Au final, «les procédures de vérification et de contrôle mises en œuvre par Wikipédia s'inspirent largement des pratiques en vigueur dans les milieux scientifiques, telles que l'évaluation par les pairs ou le débat scientifique» (Langlais, 2013).

Dans le domaine scolaire, une enquête récente conduite auprès d'enseignants étatsuniens du secondaire débouche sur le constat que les technologies numériques sont devenues essentielles à leur enseignement, notamment à la préparation de leurs cours. Cependant, tout en y recourant et bien que leurs élèves y recourent également à la maison pour réaliser des tâches scolaires, ils interdisent ou restreignent l'utilisation de Wikipédia en classe (Purcell, Heaps, Buchanan et Friedrich, 2013). La situation parait donc paradoxale puisque les enseignants, tout en l'utilisant, semblent manquer de naturel ou être réservés sur la manière d'y recourir en classe, voire préfèrent ignorer que leurs élèves l'utilisent hors la classe pour des tâches scolaires. Quelles sont, dès lors, des pistes possibles d'utilisation de Wikipédia en classe d'histoire?

2.1 L'utilisation en classe

Dans le cadre des cours du domaine de l'Univers social, il est attendu des élèves qu'ils appliquent une démarche de recherche qui les amène à se questionner, à prélever de l'information et à communiquer le résultat de leurs travaux. À cet effet, les technologies de l'information et de la communication sont à privilégier tant comme outil de recherche que comme support de leurs productions.

En tenant compte de la place prise par Wikipédia dans les recherches d'informations effectuées par les internautes et des particularités de son mode de production, les articles de Wikipédia peuvent être interrogés à l'aide de la méthode historique, comme tout document ou source historique, sous l'angle du support, du type de document, de leur contenu, des sources et des usages.

Figure 22.2
Analyse de Wikipédia à l'aide des euristiques historiennes

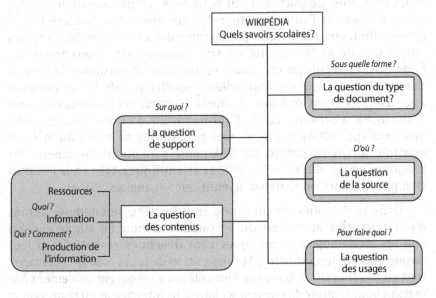

Source : Pascal Duplessis (2008).

En ce sens, les activités réalisables à l'aide de Wikipédia se rattachent aux trois compétences du Programme d'histoire, mais plus particulièrement à la compétence deux («interpréter les réalités sociales»). Celle-ci demande aux élèves de recueillir de l'information dans des documents qu'ils sélectionnent et analysent rigoureusement, d'éviter les généralisations hâtives et de considérer, au deuxième cycle du secondaire, les différents points de vue relativement à une situation historique et à ses acteurs.

Concernant les activités à faire réaliser par les élèves ou les étudiants, Vandendorpe (2008) en dressait déjà une première liste fort intéressante : vérifier la présence de sources crédibles, comparer divers états d'un article, comparer la version française avec des versions rédigées dans d'autres langues, faire des recherches complémentaires dans d'autres sources, numériques ou imprimées.

Depuis 2012, l'Académie de Toulouse coordonne un «Wikiconcours» sur l'amélioration d'articles de Wikipédia en classe. Il est proposé de comparer Wikipédia avec une encyclopédie académique (qui écrit? qui corrige? droits d'auteurs, etc.), puis de sélectionner trois articles (un article controverse, un article ébauche et un article manquant de sources) pour faire émerger les critères liés à un article de qualité (exhaustivité/complétude, pertinence, neutralité, citation des sources, respect du droit d'auteur, actualité). Après avoir identifié les éléments problématiques, les élèves devront améliorer un article de l'encyclopédie, savoir rechercher et évaluer de l'information, rédiger sous la forme d'une écriture encyclopédique et coopérer entre eux et avec des contributeurs de Wikipédia.

Pour notre part, nous avons conçu une activité à propos des causes et responsabilités concernant la Première Guerre mondiale. Nos étudiants devaient évaluer différents documents issus de Wikipédia, ainsi que des sources numériques ou papier (Kaufmann, 2007). Après avoir décrit succinctement chaque document, les étudiants indiquaient lesquels ils utiliseraient en classe pour traiter du sujet. Transposant la démarche en classe, les élèves feront un choix limité de documents sur les causes et les effets d'un conflit, comme la guerre de la Conquête ou les Rébellions de 1837-38, et justifieront leurs choix. Ils choisiront des documents contradictoires ou défendant le point de vue de l'un des belligérants. Un débat sera ensuite organisé avec des élèves présentant et défendant un point de vue britannique, français, amérindien ou autre. Chaque élève rédigera enfin une synthèse sur les causes et les effets du conflit. L'exemple présenté ici permet d'intégrer un wiki aux différentes étapes du processus d'apprentissage (préparation, réalisation, intégration, évaluation). Outre Wikipédia, Vikidia (http://fr.vikidia.org/), Wikimini (http://fr.wikimini.org/) ou Wikiversité (http://fr.wikiversity.org) peuvent être utilisés.

2.2 Les aspects collaboratifs des wikis

Pour conclure, les wikis sont emblématiques du Web 2.0, car ils diffusent des contenus en ligne (texte, audio ou vidéo) et nombre d'internautes collaborent aux mêmes contenus. En sciences sociales, cet outil offre des possibilités fort intéressantes en matière de communication du travail des élèves. D'abord, les travaux de ceux-ci sont diffusés à l'extérieur de la salle de classe, ce qui peut augmenter leur signifiance. Ensuite, le travail collaboratif permet à tous les élèves de s'impliquer dans le travail. Enfin, la souplesse et la simplicité de l'outil (un navigateur Internet) ne nécessitent pas l'installation de lourdes et couteuses applications. L'enseignant devra accepter de travailler « sans filet», en responsabilisant les élèves sur la qualité du contenu diffusé. Il ne faudra pas perdre de vue que certains projets demanderont un important investissement en temps pour les réaliser.

3. Construire l'histoire multimédia

À l'ère numérique, les adolescents vivent à l'heure de la culture du «remix». Cette culture encourage la réalisation d'œuvres dérivées combinant ou modifiant les matériaux existants pour concevoir de nouveaux produits (Lessig, 2008). Les outils technologiques actuels permettent de créer et partager très facilement des productions originales sur Internet. Des sites comme YouTube comportent des fonctions de commentaires et de partage, voire d'annotations. (Le service VideoAnt de l'Université du Minnesota (ant2.cehd.umn.edu) permet en effet d'ajouter des notes aux vidéos.) Ainsi, l'élève peut interagir avec son producteur, que celui-ci soit un collègue de classe, l'archiviste d'une chaine de télévision ou un conférencier suisse.

Les films hollywoodiens notamment participent à cette culture du remixage en adaptant des bandes dessinées et des romans, en revisitant d'anciens films tels les films historiques ou en combinant les deux. Il en est ainsi du film *Marie-Antoinette* de Sofia Coppola. Celui-ci appuie son propos sur le roman éponyme de Fraser (2008) et sur un film réalisé en 1938 par Woodbridge S. Van Dyke (Wikipédia, 2013d). (La bande-annonce du film illustre fort bien ce rapport à l'adolescence et à sa culture : http://www.sonypictures.com/movies/marieantoinette/site/.) La culture télévisuelle n'est pas en reste, comme en témoigne une série comme *Gossip Girl*, transposant l'univers visuel de Coppola et la cour de Versailles dans la vie huppée d'adolescents new-yorkais (Le Genissel, 2010). Les adolescents ne s'y trompent pas et certains reprennent même la bande-annonce du film de Coppola pour la coller sur un montage d'images reprises de la série *Gossip Girl* (10THINGSROX, 2010).

Un site est le dépositaire privilégié de cette culture du «remix». Il s'agit de YouTube. Certains enseignants étatsuniens d'histoire créent eux-mêmes des «remix» d'évènements historiques, diffusés sur leur chaine *HistoryTeachers*. Ils se sont spécialisés dans la réalisation de vidéos musicales, utilisant les chansons préférées des adolescents et détournant les paroles. C'est ainsi que la chanson *Bad Romance* de Lady Gaga est mobilisée dans le but d'évoquer et d'expliquer la Révolution française aux élèves.

Avec YouTube, il y a pour l'enseignant d'histoire un défi important à relever. Il se rattache très concrètement à la première compétence du programme d'histoire «Interroger le passé dans une perspective historique». En effet, si l'enseignant ignore ces matériaux du «remix», son cours d'histoire prend le risque d'être vite remplacé par le contenu consommé par ses élèves sur YouTube. À l'inverse, si l'enseignant veut intégrer ces contenus à son enseignement, il ne pourra pas le faire sans, d'une part, décortiquer ces matériaux et reconstituer leurs différents emprunts et, d'autre part, réintroduire un questionnement de nature historique, car, dans le cas contraire, son enseignement ne sera qu'aimable divertissement.

3.1 Appliquer la méthode historique aux sources audiovisuelles du Web

3.1.1 Le film

Pour dépasser la puissance évocatrice et séductrice de cette histoire vulgarisée, le contenu pris sur YouTube doit être mis en relation avec d'autres documents et sources historiques, pris sur Internet ou non. On lui appliquera les euristiques de l'histoire notamment sous l'angle de l'étude du contexte du document, des motivations présidant à la confection d'une telle production ou du public visé par ce produit. Pour les élèves, il s'agira d'évaluer ce contenu sous l'angle des libertés prises par ses auteurs relativement à la science historienne et d'expliquer les raisons pour lesquelles ces libertés furent prises.

En reprenant le film *Marie-Antoinette* de Coppola, nous avons ainsi développé une démarche reprenant le concept de société de Cour, développé par Nobert Elias, pour l'appliquer au film (Kaufmann, 2011). Sur la base d'éléments présents dans le film, un questionnement est proposé aux élèves: suffit-il d'être une icône de la mode et une célébrité pour être reine de France en 1774? Où sont et que font les 98% de la population française qu'on ne voit pas dans le film? Quelle place la vérité historique occupe-t-elle dans le film de Coppola?

3.1.2 La baladodiffusion

Si la vidéo est le média qui nous interpelle en premier, il ne faut pas négliger le média audio, car la radio connait une véritable renaissance depuis l'arrivée des baladeurs numériques et de la baladodiffusion (Wikipédia, 2013e). La particularité de cette nouvelle forme de radio est qu'elle peut être produite et diffusée avec des moyens très modestes, ainsi qu'être écoutée dans une variété d'environnements et sur de multiples supports (Campbell, 2005).

Les universités américaines ont été parmi les premières institutions d'enseignement à s'intéresser au potentiel d'apprentissage du balado (Caron, Caronia et Weiss-Lambrou, 2007). Au primaire et au secondaire, le véritable intérêt de la baladodiffusion est de faire produire des émissions ou des contenus audionumériques historiques par les élèves. Mentionnons le travail fait dans l'école primaire Wilfrid-Bastien de Montréal, où des élèves enregistrent des capsules radio sous la forme de sketchs humoristiques, de voyage dans le temps pour explorer une société du passé ou encore la réalisation de reportages dans un format plus traditionnel. Le collège Paul Éluard de Châtillon (2011), en France, met également en ligne des balados produits par les élèves sous une variété de formats et auxquels des images ont été ajoutées à la trame audio. Pour sa part, le concours Culture à l'écoute invite tous les élèves du Québec à produire des audioguides sur des éléments du patrimoine urbain québécois. Enfin, le Récit national du domaine de l'univers social (2009) propose un guide complet sur l'intégration du balado en classe.

La création d'un balado ou d'une vidéo nous apparait être un moyen efficace pour l'élève de communiquer le résultat de ses recherches, étape essentielle de la démarche de recherche en histoire. La diffusion en ligne d'œuvres attrayantes visuellement et l'interaction qui s'ensuit présentent des avantages pédagogiques et didactiques. L'élève produit d'abord pour le monde. Il se sert d'un média utilisé quotidiennement par des millions de personnes. Cela rend sa production beaucoup plus signifiante. De plus, l'intégration de matériaux issus de YouTube et des balados s'appuie sur la culture médiatique des élèves tout en évitant le simple effet de mode pour construire les connaissances et la culture historiques de nos élèves.

4. Faire écrire l'histoire aux élèves et en débattre en ligne

Écrire, collaborer, échanger et débattre font partie des éléments constitutifs de la science historique et d'une société démocratique. Il s'agit de compétences essentielles du programme d'*Histoire et éducation à la citoyenneté* et, plus particulièrement, de sa troisième compétence «Consolider l'exercice de sa citoyenneté à l'aide de l'histoire» (Gouvernement du Québec, 2007b, p. 22). Le programme d'études demande de débattre pour cerner notamment les enjeux de société, fonder et faire valoir son opinion et admettre qu'autrui a le droit de diverger d'opinion. Pour l'enseignant d'histoire, il s'agit de trouver des formes d'échange et de participation favorisant l'implication de tous.

Parallèlement, Seilles précise que la création de nombreux sites Internet, blogues et autres outils d'échange en ligne donne progressivement vie à une forme de démocratie électronique, proche de la démocratie directe (Seilles, 2012, p. 12). Cependant, il s'agit pour ce citoyen 2.0 de naviguer dans une grande quantité d'informations et d'acteurs dont il convient d'évaluer la pertinence et la légitimité. Néanmoins, parallèlement à une hyperconnaissance de l'usage des outils de l'Internet de la part de bien des jeunes, nés avec lui, «se développe une hyperméconnaissance de ses fondements» (Seilles, 2012, p. 16). Seilles note aussi que l'apprentissage de ces outils «se base sur une suite d'essais et d'erreurs créant une habitude de l'expérimentation et parfois au détriment de la réflexion» (Seilles, 2012, p. 16-17). Enfin, il faut encore tenir compte des oubliés de l'Internet (Seilles, 2012, p. 17). À cela s'ajouterait encore, dans les usages des jeunes, l'absence de sensibilisation et de connaissance des problèmes de confidentialité, des données personnelles publiques et privées ou des droits de la propriété intellectuelle. En recourant aux outils numériques pour travailler des questions et des problématiques historiques, l'enseignant doit intégrer ces dimensions d'éducation aux médias.

4.1 La place du blogue: écriture et débat autour de l'histoire

Dans ce contexte, le blogue permet aux élèves de publier et d'échanger sur des productions substantielles. De son côté, l'enseignant, via un blogue, met à disposition ses cours, du matériel, des exercices, des révisions ou des plans d'activités. Intégrant des ressources multimodales (texte, images, sons, vidéos), le blogue se rattache néanmoins prioritairement à la culture de l'écrit. Par certains côtés, le blogue renouvèle la pratique du journal de classe, de l'atelier d'écriture ou d'expression libre. Par ailleurs, le blogue ne se centre pas sur une seule approche pédagogique (Kaufmann, 2010b).

Sa souplesse permet à l'enseignant d'adapter son utilisation d'une année sur l'autre. Ainsi, en 2008, le blogue *Jacobhistgeo* du professeur Brun fournissait des informations ou des documents complémentaires aux élèves et rappelait les échéances du cours. Depuis, tout en gardant sa fonction d'assurer un lien entre le professeur, les élèves et leurs parents, on y trouve désormais des projets menés par l'enseignant et ses élèves. En 2012-2013, le projet porte sur la mémoire de la Guerre d'Algérie et, après appel à témoin, des témoignages y sont publiés. On y lit également un bilan des actions menées par la classe et intégrant des propos d'élèves.

On trouve aussi des projets réalisés à plusieurs classes y compris de pays, voire de continents, différents. Depuis 2008, des classes françaises et maghrébines dialoguent au travers d'un blogue pour élaborer une histoire commune entre la France et le Maghreb. Pour sa part, Lamarche a créé le blogue, intitulé *L'internationalisation à Félix-Leclerc* (Lamarche et Lanoix, 2012). Depuis février 2011, ce blogue est «l'endroit où les élèves du monde entier peuvent partager leurs opinions avec ceux de l'école secondaire Félix-Leclerc» (Lamarche, 2011).

La rédaction du blogue permettra à l'élève, comme à un groupe d'élèves, d'exposer ses hypothèses, de rendre compte de son travail de recherche ou de poser des questions et de demander de l'aide. Ses camarades ou des tiers commenteront, compléteront et évalueront les hypothèses formulées ou le résultat de la recherche. Au terme de son travail de recherche, l'élève communiquera ses résultats de recherche, illustrera son travail à l'aide de documents et de liens renvoyant vers ses sources, intègrera du matériel multimédia, réalisé par lui-même ou pris sur la toile, et exposera son point de vue. Il validera ou invalidera ses hypothèses initiales et intègrera les remarques faites par ses pairs ou des tiers. Ces derniers pourront à nouveau commenter les résultats publiés et donner leur point de vue. Élèves et classe formeront, à leur échelle, une communauté scientifique en sciences humaines et sociales.

Concernant les avantages du blogue, Bachand (2009) souligne la formalisation des idées des élèves par l'écriture et son aspect ludique. Beach, Anson, Breuch et Swiss (2008) relèvent les aspects motivationnels et la dimension de communication à destination des pairs et d'un public autre que le seul enseignant. D'autre part, les blogues développent la pratique réflexive des élèves pour un apprentissage en profondeur. De plus, le blogue facilite l'accompagnement et l'évaluation du travail réalisé par les élèves. Au final, il est possible d'amorcer des réflexions individuelles et collectives facilitant également l'acte d'apprendre. Cela aidera au développement de l'esprit critique chez les élèves. Les blogues favorisent également la discussion, y compris pour les élèves les plus timides n'osant pas s'insérer dans une discussion sous sa forme habituelle.

4.2 Des défis relatifs aux blogues à relever

Beach, Anson, Breuch et Swiss (2008, p. 133-136) retiennent trois inconvénients liés au blogue. Premièrement, la nécessité d'écrire sur une base régulière implique du temps et les élèves peuvent avoir le sentiment de n'écrire que pour l'enseignant. Pour y remédier, ils préconisent que l'enseignant publie également sur le blogue pour engager les élèves dans leurs productions et développer une conversation sociale véritable. Deuxièmement, il y a les questions de sécurité, de préservation de la vie privée et de contenus offensants ou inappropriés. Il convient de s'assurer que les élèves n'utilisent que leur prénom et de modérer préalablement les commentaires. L'enseignant peut aussi choisir de travailler à l'aide de traitements de texte collaboratifs (Juin, 2013). Des règles de langages peuvent être émises à l'intention des élèves pour leurs écrits. Troisièmement, les questions sur l'utilisation de ressources respectant les droits d'auteurs et le plagiat se posent également. C'est l'occasion de faire travailler les élèves sur les règles et modes de citation ou de s'arrêter sur les aspects des contenus sous licences libres (Wikipédia, 2013c) ou Creative Commons (Wikipédia, 2013b).

Associé à un blogue, Twitter permet, en 140 caractères, de partager des ressources, de poser et de répondre à des questions et de donner son avis à ses proches ou à ses camarades d'études comme à des personnes géographiquement éloignées. Parry (2008) en a recensé les usages possibles en milieu éducatif. Dans le cadre plus spécifique de l'utilisation de Twitter en classe d'histoire, ce dernier est principalement utilisé pour reconstituer une situation historique ou faire endosser aux élèves le rôle d'un personnage historique (Juin, 2013b; Lessard, 2009; Thouny, 2012; Eisenmenge, 2009). De plus, la plupart des enseignants utilisent Twitter comme complément d'un autre support numérique (blogue, tableau numérique interactif ou espace numérique de travail) et quatre domaines d'utilisation se dégagent: la valorisation des activités des élèves, les échanges avec d'autres classes, la lecture et l'écriture collaboratives et enfin l'amélioration de l'expression écrite (Marquié, 2012, p 48). Par ailleurs, la rédaction en 140 caractères travaille plus particulièrement la capacité de synthèse des élèves. Dunlap et Lowenthal (2009) soulignent que Twitter oblige à écrire de manière claire et concise et qu'il permet d'être en contact avec des spécialistes du sujet travaillé en classe. Concernant les inconvénients de l'outil, Grossek et Holotescu (2008) notent que Twitter peut être chronophage, addictif et peut encourager une mauvaise syntaxe en raison de sa limitation à 140 caractères.

5. Conclusion

Les technologies sont devenues un aspect incontournable de l'enseignement et l'apprentissage auquel l'histoire et les sciences sociales n'échappent pas. Les didacticiens de l'histoire ne s'y trompent pas et consacrent des chapitres spécifiques à cette question dans leurs ouvrages de synthèse (Grenon et Larose, 2009 ; Lalongé, 2006) ou publient des articles sur ces technologies (Éthier et Lefrançois, 2008a, 2008b). On mentionnera également la contribution de Luc Guay (Guay, 2007, 2009, 2011), intéressé depuis longtemps à l'intégration et à l'impact des TIC sur l'enseignement et l'apprentissage de l'histoire dans les écoles du Québec.

Sur le terrain, les technologies font de plus en plus partie du quotidien des élèves et des enseignants. L'utilisation des technologies par les enseignants a certainement été favorisée par l'achat massif de tableaux blancs interactifs (Beaupré, 2011), mais elle était bien en marche depuis plusieurs années. Les écoles et les commissions scolaires sont nombreuses à expérimenter de nouveaux outils technologiques, comme les tablettes tactiles (Miller, 2012). Si la qualité et l'accessibilité du matériel s'améliorent, il reste encore du chemin à parcourir pour exploiter le plein potentiel des technologies (Quirion, 2013).

Sur le plan de l'accompagnement, le Québec dispose d'un excellent bassin de personnes-ressources regroupées dans le Réseau pour le développement des compétences par l'intégration des TIC (RÉCIT). Dans chaque commission scolaire, ce réseau se compose d'intervenants locaux aidant les enseignants. Le RÉCIT possède également des équipes spécialisées dans l'intégration des technologies dans toutes les disciplines. Des scénarios, des logiciels et des approches sont développés par le RÉCIT en univers social. Parmi les ressources offertes, on notera un logiciel de lignes du temps virtuelles, un logiciel de cartographie et des dossiers sur les blogues, la baladodiffusion et le GPS.

À l'issue de ce bref panorama, il nous apparait que toute réflexion sur l'histoire à l'école ne peut plus faire l'économie de l'impact de l'enseignement au et par le numérique. Le Web 2.0 doit être au cœur de cette réflexion. Les exemples d'utilisation présentés dans ce chapitre illustrent de quelle manière les fonctionnalités du Web 2.0 développent des processus mentaux complexes chez l'élève.

Ressources en ligne

Apprendre par, pour et avec Wikipédia : http://www.c2ndp.fr/crdp-toulouse/ spip.php?article21987.

Ce projet vise à évaluer en quoi Wikipédia est susceptible de développer chez les élèves des compétences informationnelles, disciplinaires et liées aux technologies de l'information et de la communication.

La iClasses : http://zoom.animare.org/zoom/medias/4940

On peut visionner cette capsule vidéo présentant l'usage du balado en univers social sur le site Internet Zoom pour avoir une idée de ce qu'il est possible de faire en classe.

Le détournement de *Bad Romance* de la chanteuse Lady Gaga à l'aide de YouTube : http://www.youtube.com/watch?v=wXsZbkt0yqo

Il s'agit d'un exemple de production destinée à YouTube qui utilise la culture populaire adolescente pour présenter certains aspects historiques aux élèves. Certains pourraient y voir une récupération complaisante du magistral.

Les services du Service national du RÉCIT, domaine de l'univers social : www. recitus.qc.ca

Comme abordé dans le texte, les services du RÉCIT sont accessibles sur leur site.

Usage du blogue : http://www.youtube.com/watch?v=JkOq9FJR43Y&feature=s hare&list=UUF-LpZFBZERg4XBx2SUWZNQ

Dans une vidéo publiée sur YouTube, Michel Lamarche explique les raisons qui l'ont amené à utiliser le blogue dans ses classes ainsi que l'impact que cela a eu sur l'apprentissage des élèves.

23 – La création d'une encyclopédie virtuelle

Jean-François Lévesque

Lors de mes premières années de formation en enseignement des disciplines de l'univers social, j'ai rapidement eu un intérêt envers la simulation et l'approche par le jeu (*serious games*). Par contre, dans le début des années 2000, peu de ressources informatiques étaient en mesure de répondre à mes besoins pédagogiques. Jean-Luc Trussart et moi avons développé une vision du programme de formation en histoire basée sur la simulation et la situation problème (grandement inspirée des travaux du chercheur Alain Dalongeville) dans laquelle les élèves devaient fortifier leur propre civilisation en effectuant des choix réfléchis pour leur propre développement. Nous nous sommes rapidement heurtés aux problèmes de la coopération entre élèves, de la diffusion des données et aussi de la présence d'une connexion adéquate pour travailler sur Internet dans nos écoles. Nous avons donc développé une version papier de Projet-civ, attendant de trouver un outil pouvant faciliter le travail des élèves. La vie étant ce qu'elle est, de nombreux projets nous ont conduits à cesser le développement de Projet-civ (toujours disponible et utilisé : www.projet-civ.com), mais l'idée demeure présente dans nos esprits.

L'arrivée de plateformes de travail conçues pour l'enseignement, comme Didacti ou Edmodo, a permis enfin de développer de réelles situations d'apprentissage encourageant la coopération, le partage et la diffusion de l'information entre nos élèves. Outre les activités du quotidien, ces plateformes permettent un suivi constant du travail des élèves, un peu comme l'évolution d'un Wiki personnel ou d'un groupe-classe. Je présenterai, ici, un exemple d'une activité synthèse qu'il est possible de réaliser en classe.

1. Le contexte et les conditions de mise en œuvre

L'objectif du projet est la création d'une encyclopédie de groupe qui synthétise les connaissances et les savoir-faire développés en classe.

L'activité décrite s'adresse aux élèves de première secondaire en *Histoire et éducation à la citoyenneté*, mais elle peut très bien s'adapter à tous les niveaux du secondaire, voire du primaire. Cette activité de synthèse se place à la fin de l'étude d'une réalité sociale, afin de s'assurer de la compréhension et de l'assimilation de certains concepts importants. Il est donc nécessaire que les élèves puissent avoir des références, tirées de sources primaires (textes, images, lettre, objets, etc.) préalablement étudiées en classe. Pour les élèves du deuxième cycle du secondaire, il est possible d'offrir un choix de bonnes et mauvaises sources afin de rendre encore plus signifiant le travail.

Pour les besoins de ce texte, nous nous limitons au premier projet de l'année, réalisé dans le cadre la réalité sociale *La sédentarisation*. Par contre, il est possible d'intégrer ce travail dans chacune des réalités sociales, afin que les élèves puissent se bâtir une véritable synthèse de toutes les notions étudiées en classe. Tous les concepts de la réalité sociale seront travaillés dans le cadre de cette activité.

Pour rendre accessible ce projet au plus grand nombre possible d'élèves, je présente une version sans plateforme et une autre avec plateforme. Dans le cadre de cette activité, la plateforme utilisée est celle de Didacti. Elle est disponible gratuitement sur Internet, pour les enseignants et leurs élèves, mais demande une connexion Internet en tout temps pour le travail.

2. Le déroulement de l'activité

2.1 La création du contenu

D'abord, il faut séparer les contenus de la réalité sociale entre les élèves. Pour ma part, j'utilise la subdivision de la progression des apprentissages en histoire et les concepts rattachés au thème. Afin de mieux structurer les capsules par la suite, les élèves doivent inscrire le numéro du contenu dans le titre de leur réalisation. Cette division est déjà présente dans leur cahier de notes de cours. Voici le contenu:

La sédentarisation

A. Concepts importants

Société, Division du travail, Échange, Hiérarchie sociale, Pouvoir, Production, Propriété, Territoire, Individu

1. Sédentarisation et organisation de la vie en société

1.1 Situer sur une carte

1.2 Situer sur une ligne du temps

2. Mode de vie et rapports sociaux

2.1 Vestiges des sociétés sans écriture qui permettent de connaitre leur organisation sociale

2.1.1.1 Peintures rupestres

2.1.1.2 Mégalithes

2.1.1.3 Sépultures

2.2 Activité des sociétés du Néolithique

2.2.1 Chasse et cueillette

2.2.2 Élevage

2.2.3 Agriculture

2.3 Facteurs naturels qui ont favorisé la sédentarisation

2.4 Caractéristiques des sociétés sédentaires

2.5 Conséquences de l'agriculture sur les sociétés du Néolithique

3. Activités économiques liées à la sédentarisation

3.1 Procédés artisanaux qui se développent au Néolithique

3.1.1 Pierre polie

3.1.2 Poterie

3.1.3 Métallurgie

3.2 Apparition de surplus agricoles

3.3 Explications de l'apparition des échanges dans les sociétés du néolithique

4. Rapports entre l'individu et la société, aujourd'hui

4.1 Les grands secteurs de l'activité économique associés à la division du travail

4.1.1 Secteur primaire :

4.1.2 Secteur secondaire :

4.1.3 Secteur tertiaire :

4.2 Éléments de changement et de continuité par rapport au mode de vie des sociétés sédentaire du Néolithique

4.2.1 Trouvez la définition de changement et de continuité

4.2.2 Trouvez deux autres éléments de changement:

4.2.3 Trouvez deux autres éléments de continuité:

Les élèves doivent écrire un texte entre 100 et 200 mots pour bien définir le contenu. De plus, ils doivent trouver au moins cinq images en lien avec leur sujet, avec au moins trois sources primaires (les photographies d'objets sont acceptées).

2.2 La rétroaction des pairs à l'aide d'une plateforme de travail

Je ne réalisais pas cette étape avant d'utiliser Didacti comme plateforme de travail en ligne avec mes élèves. Grâce à cette étape, les élèves déposent directement leur texte et leurs images dans leur compte et les élèves du groupe d'un élève peuvent commenter sa réalisation. J'impose aux élèves de commenter la production de cinq élèves (de leur classe) préalablement identifiés. Certains élèves ne se limitent pas à cinq.

2.3 La correction de l'enseignant

Selon les moyens disponibles dans l'établissement, les élèves remettent une version papier ou informatique du document. Cette étape est très importante, car l'élève ne doit pas faire d'erreur dans sa capsule. L'objectif du travail est de donner un outil de plus aux élèves pour leur étude. Avec l'utilisation d'une plateforme comme Didacti et d'une tablette, il est possible d'enregistrer notre correction de façon audio, tout en ajoutant des commentaires écrits directement en ligne. Cela simplifie grandement la correction de ce type de projet. Pour la grille de correction, les élèves peuvent la consulter sur Didacti, où se trouvent les explications du travail.

2.4 La création de la capsule

La capsule n'est qu'un moyen de rendre accessible aux élèves le contenu vu en classe. Plusieurs logiciels gratuits existent sur Internet. Lors de mes premières années d'enseignement, les élèves enregistraient seulement des extraits audios. Ils utilisaient le logiciel Audacity, gratuit et très simple d'utilisation. Par la suite, j'ai trouvé pertinent d'ajouter des images dans la création de l'élève. Il existe plusieurs logiciels de montage gratuits, mais, pour ma part, j'utilise Windows Movies Maker, disponible sur les ordinateurs de mon école. Cette étape est énormément simplifiée lorsque les élèves disposent d'un ordinateur portable ou d'une tablette.

2.5 L'évaluation des pairs et de l'enseignant

Afin de m'assurer de l'écoute des capsules, je demande aux élèves de compléter une grille d'appréciation. Outre le fait d'écouter les capsules, les élèves doivent, lors cette étape, en valider le contenu. Ils doivent confirmer et/ou modifier les réalisations de leurs pairs. Cela leur permet, pour une dernière fois, d'avoir un regard critique sur la matière travaillée et vue en classe. De plus, il s'agit d'une très bonne révision pour les examens en cours d'année et celui à la fin de l'année. Les élèves apprécient beaucoup!

Depuis que j'utilise cette méthode d'enseignement inversé avec les élèves, je remarque une plus grande maitrise du contenu pour la plupart d'entre eux. Lors des évaluations, cela me permet de pousser plus loin les liens possibles entre les diverses notions historiques. Au départ, la réalisation des capsules pose certains problèmes (conception, organisation de la remise, etc.), mais, à la suite de la première réalité sociale, les élèves comprennent rapidement comment faire. Ils utilisent constamment, dans leur vie privée, de semblables technologies. En tant qu'enseignant, il ne faut pas avoir peur que nos élèves nous en apprennent sur le monde de l'informatique!

3. Conclusion

L'avènement des technologies de l'information et de la communication (TIC) a permis de faciliter le partage, la collaboration et le réinvestissement des notions. L'utilisation de plateforme en ligne permet de rendre plus actif et concret le travail à faire. La facilité des rétroactions, autant de la part des pairs que de l'enseignant, permet de cerner rapidement les forces et les faiblesses des élèves. Il faut évidemment s'adapter à cette nouvelle réalité, qui exige un renouvèlement des approches et de l'encadrement. Selon moi, l'avenir de l'éducation passe par une bonne utilisation des TIC. Les enseignants, comme les institutions scolaires, devront s'adapter rapidement à cette réalité, car de plus en plus de nos élèves naviguent déjà, depuis leur naissance, dans ce nouveau monde!

24 – La différenciation pédagogique en sciences sociales

Catherine Duquette et Paul Zanazanian

Les enseignants doivent composer avec de nombreuses demandes sociales, au nombre desquelles se trouvent le succès académique et économique, mais aussi la formation de citoyens capables de résoudre des problèmes, de se forger une opinion de manière autonome, critique et basée sur des justifications bien raisonnées, ainsi que de s'adapter aux changements, de s'ouvrir à la diversité (notamment culturelle) qui les entoure et d'apprendre d'une manière indépendante et continue. Certes, comme l'indique le Gouvernement du Québec, l'école québécoise :

> [...] a le mandat de préparer l'élève à contribuer à l'essor d'une société voulue démocratique et équitable. [...] Mais elle se voit également confier le mandat de concourir à l'insertion harmonieuse des jeunes dans la société en leur permettant de s'approprier et d'approfondir les savoirs et les valeurs qui la fondent en les formant pour qu'ils soient en mesure de participer de façon constructive à son évolution (Gouvernement du Québec, 2006a p. 3).

Cependant, même si la démocratisation de l'éducation progresse, il reste bien du chemin à parcourir pour que la réussite et l'équité scolaires deviennent une réalité pour tous. La démocratisation du système scolaire est un défi encore plus important chez les enseignants en univers social. Par exemple, comment rendre les jeunes conscients de l'importance de la démocratie et des obstacles à son épanouissement si les enseignants emploient des stratégies pédagogiques par lesquelles les «meilleurs» s'en sortent, alors que les «faibles» sont condamnés à une série d'échecs? Afin de corriger cette situation, de plus en plus d'enseignants se tournent vers la différenciation pédagogique comme piste de solution.

Ce chapitre cherche à offrir aux enseignants une vue d'ensemble des principales théories et applications de la différenciation pédagogique en univers social. Pour ce faire, il sera tout d'abord question de l'origine de la différenciation et de ses principaux modèles, puis de différentes stratégies de différenciation dans le contexte particulier des sciences sociales seront fournies. Il se terminera avec une illustration, afin de constater comment la différenciation pédagogique permet de démocratiser la classe d'univers social.

1. Appréhender la différence en classe

La meilleure façon de comprendre la différenciation pédagogique est de la voir comme un processus ou une approche systématique fondée sur une prédisposition ou une mentalité, voire une philosophie de l'éducation, qui cherche à assurer que les visées académiques, techniques, sociales et civiques du programme scolaire répondent de manière équitable aux différents besoins des élèves. En d'autres mots, la différenciation pédagogique se veut l'alternative à des enseignements qui se sont déjà faits et qu'il ne faut pas faire, «un enseignement inefficace, totalement magistral, *tout-le-monde-en-même-temps, et la-même-chose, de la-même-manière* et un enseignement individualisé, *chacun-servi-individuellement, là-où-il-en-est-et-à-sa-manière-à-lui*» (Bolduc et Van Neste, 2002, p. 25). La différenciation met en place des dispositifs permettant aux élèves de partager la richesse des savoirs transmis, afin qu'ils puissent réussir dans la vie et contribuer positivement à leur société d'appartenance.

Un enseignant mettant en œuvre la différenciation reconnait et prend en compte, dans ses pratiques, la diversité des moyens d'apprentissage, habiletés et intérêts de ses élèves. Ceux-ci possèdent différentes capacités, rythmes, préférences et raisons de s'approprier la matière scolaire et ses compétences concomitantes. Par conséquent, cet enseignant se montrera certes sensible aux différents effets de l'enseignement sur l'apprentissage, mais aussi aux contextes et environnements changeants et évolutifs de ces processus. L'enseignant doit développer un réflexe d'écoute et un souci de réponse à l'appel de ses élèves pour bien combler leurs divers besoins académiques, tout en assurant l'équité envers la classe entière. Dans ce processus, l'enseignant doit être conciliant, constant et résolu à la fois dans ses convictions et méthodes.

En tant que processus ou approche, la différenciation nécessite une planification des activités pédagogiques adaptées à la diversité des élèves, afin d'optimiser l'apprentissage de chacun. En demandant une attitude proactive et flexible de la part de l'enseignant, la différenciation requiert une adaptation de l'instruction afin d'offrir des défis ajustés aux différents niveaux de compréhension et d'apprentissage des élèves. Compte tenu de la centralité des élèves dans toute activité éducative et de l'impossibilité qu'un élève puisse connaitre tout ce qu'il y a à savoir dans le monde, la différenciation réclame une appropriation du curriculum pour que les efforts pour combler les besoins et pour développer l'apprentissage des jeunes soient aussi efficaces et systématiques que possible. C'est pour cette raison que certains spécialistes conçoivent la différenciation comme un outil d'*apprentissage* plutôt qu'un outil *pédagogique* (Tomlinson et Cunningham-Eidson, 2003).

2. Le but, la pertinence et l'importance de la différenciation

Suivant la logique des propos retrouvés dans la section précédente, il est possible d'affirmer que le but de la différenciation est de maximiser le potentiel et le rendement de l'apprenant en lui enseignant, avec des moyens qui comblent ses faiblesses, à relever les défis associés à sa capacité d'apprentissage, et ce, tout en lui permettant de s'épanouir le plus rapidement possible (Tomlinson et Cunningham-Eidson, 2003, p. 3).

La pertinence et l'importance de la différenciation reposent donc sur sa capacité d'amener des changements positifs chez les élèves, leur permettant ainsi d'atteindre une certaine forme de réussite aux plans académique et personnel. Elle ouvre la voie à une atmosphère plus équitable dans la salle de classe qui contrecarre les préjugés et la discrimination inéluctable pouvant surgir dans les contextes de pédagogie conventionnelle.

2.1 Pourquoi les enseignants utilisent-ils la différenciation?

Conséquemment, le recours à une philosophie et à une approche associées à la différenciation par les enseignants se résume par un souhait de motiver et d'engager les jeunes, de tous les styles d'apprentissage, d'habiletés et d'intérêts, à réaliser les savoirs, savoir-faire, et savoir-être contenus dans le *Programme de formation de l'école québécoise*. L'enseignant qui pratique la différenciation cherche à exercer une influence et un impact positifs sur les perspectives et les attitudes des jeunes envers le processus d'apprentissage, envers l'expérience éducationnelle en général et surtout envers leur estime de soi en tant qu'apprenants, mais aussi en tant que futurs citoyens capables de contribuer à la société de manière autonome et authentique.

3. Un bref historique de la différenciation

La popularité de la différenciation s'est amplifiée lors des années 1990, non seulement à cause de l'aggravation des inégalités sociales induite par le néolibéralisme et de la diversification des effectifs scolaires renforcée par la croissance des flux migratoires internationaux, mais aussi à cause d'une sensibilisation accrue aux besoins des gens issus de cultures minoritaires, des communautés historiquement subalternes ou des milieux socioéconomiques défavorisés. Avec le changement et la reconnaissance éventuelle du nouveau visage des effectifs scolaires, une ouverture envers la diversité des jeunes a augmenté.

Aux États-Unis, Tomlinson (2003) associe la montée de l'enthousiasme pour la différenciation à la croissance du nombre d'apprenants d'anglais présents en classe, à la quête pour l'amélioration de la réussite scolaire des jeunes issus de groupes minoritaires, à la quête de la meilleure intégration des élèves ayant des difficultés d'apprentissage et au défi de stimuler les élèves doués qui perdent facilement leur motivation.

C'est pendant les années 1990, lorsque les enseignants ont commencé à s'intéresser aux troubles d'apprentissage et autres difficultés qui nuisaient à l'épanouissement et au rendement de leurs élèves, que des stratégies pour remédier aux difficultés scolaires, dont la différenciation, émergent dans la littérature. Les enseignants pratiquaient déjà la différenciation, mais c'est à partir de ces années qu'ils ont commencé à reconnaitre le concept et à en parler plus ouvertement (Coffey, 2011).

Selon Coffey (2011), les pratiques pédagogiques conventionnelles mettent l'enseignant au centre de tout projet éducatif. Ces pratiques perçoivent les jeunes comme des récipients à connaissances qu'il faut remplir. Par conséquent, l'apprentissage est un processus linéaire par lequel les «bons» élèves retiennent les savoirs que les «mauvais», non motivés, ne captent pas. Ainsi, il était généralement admis que les différences entre les jeunes étaient immuables et que la meilleure façon de procéder était de les séparer selon leurs capacités.

Aujourd'hui, de plus en plus de praticiens acceptent que les élèves procèdent de différentes manières afin de parvenir au même apprentissage. De plus, ils constatent que les pratiques pédagogiques conventionnelles renforcent le statu quo de la culture dominante. C'est pourquoi, selon eux, la différenciation semble être le meilleur moyen pour prendre en compte les différentes capacités des élèves et favoriser l'apprentissage. Aujourd'hui, il appert que les connaissances et les compétences peuvent se construire à travers des processus éducatifs interpersonnels et structurels (Coffey, 2011) où les différents styles d'apprentissage ne sont pas un obstacle, mais bien un atout au développement.

Selon O'Meara (2010), la différenciation sème la confusion parmi certains enseignants et les intimide. Contrairement à Coffey, elle place l'origine du concept dans les années cinquante, période durant laquelle il était plutôt question d'une instruction individualisée. L'auteur soutient que les deux approches sont encore aujourd'hui confondues. Or, comme O'Meara (2010) et Perrenoud (2002) l'expliquent, la différenciation n'est pas une forme d'instruction individualisée. Au contraire, il s'agit d'une pratique qui implique l'ensemble du groupe classe. Elle n'exige pas de l'enseignant qu'il complète 30 planifications parce qu'il a 30 élèves dans sa classe. En ce sens, elle est beaucoup plus facilement réalisable que l'on ne le pense. Qui plus est, la différenciation pédagogique n'est pas de la différenciation des apprentissages (Legendre, 2005), car il est difficile de différencier l'apprentissage qui est, au final, le propre de l'élève, sans compter le caractère injuste, fataliste ou complaisant que cette différenciation illusoire pourrait avoir.

4. Quelques approches pour pratiquer la différenciation

Cette section présente et explique trois approches permettant de pratiquer la différenciation dans la salle de classe, ainsi que les étapes à suivre pour les mettre en application : d'abord le modèle de O'Meara (2010), puis celui de Coffey (2001) et enfin celui de Tomlinson (Tomlinson et Cunningham-Eidson, 2003 ; Tomlinson, 2003), le modèle dominant et le plus polyvalent.

4.1 *L'approche de O'Meara (2010)*

Pour mieux comprendre l'approche de O'Meara, un bref survol des catégories de connaissances de Taba (1966) est indispensable, puisqu'elle s'y réfère constamment. Selon O'Meara, les décisions pédagogiques doivent en effet être basées à la fois sur les capacités des élèves et sur les objectifs d'apprentissage à atteindre. Aussi une différenciation adéquate implique-t-elle de commencer par identifier les différents niveaux de connaissances que l'on cherche à transmettre et les rapports que les élèves entretiennent avec les savoirs. Selon O'Meara, les cinq catégories de savoirs Taba sont les suivantes :

- Les faits – les exemples, les détails que l'on peut vérifier;

- Les compétences – les capacités/habiletés et les outils dont nous nous servons pour utiliser la connaissance;

- Les concepts – l'idée générale permettant de comprendre un phénomène;

- Les principes et les généralisations – les vérités fondamentales;

- Les attitudes et les dispositions – son rapport à la compréhension de nouvelles informations et connaissances selon ses propres croyances et sa conception du monde.

O'Meara croit que la catégorisation des concepts selon Taba constitue un meilleur point de départ pour la différenciation que les connaissances ou les compétences. Se concentrer sur les concepts à apprendre faciliterait à la fois l'apprentissage des connaissances et des compétences, puisque les concepts permettent de faire le pont entre les savoirs et les savoir-faire. Par ailleurs, O'Meara croit que l'apprentissage des connaissances et des compétences peut être difficile pour les élèves qui ont des troubles d'apprentissage. Les concepts correspondent mieux aux réalités des apprenants que les faits seuls. Ainsi, privilégier l'enseignement des concepts permettrait d'aider les élèves à donner un sens à leurs apprentissages.

Cette position amène O'Meara à développer un processus de différenciation en dix étapes:

1. Examiner les normes et les objectifs à enseigner, puis cerner les types de savoirs qui permettront d'atteindre ces normes et ces objectifs.

2. Établir les concepts associés aux connaissances et aux compétences à construire.

3. Déterminer le niveau d'aisance requise des élèves pour apprendre les connaissances et compétences désirées.

4. Créer des activités d'apprentissage interdépendantes pour les élèves afin qu'ils parviennent aux objectifs désirés. Inclure quelques idées d'accommodements pour les élèves qui ont besoin de plus d'aide.

5. Identifier les liens entre les savoirs à construire et les ressources pédagogiques disponibles.

6. Effectuer une préévaluation des savoirs des élèves (connaissances, compétences, motivations, attitudes, etc.).

7. Déterminer les stratégies à employer en tenant compte des niveaux d'apprentissage différents comme les travaux pratiques, représentationnel (graphique ou visuel), ou abstrait (intellectuel) afin de s'assurer que les stratégies adoptées rejoignent les résultats convoités.

8. Déterminer le déroulement des activités pédagogiques complétées individuellement, en petits groupes et en groupe classe.

9. Établir des repères permettant d'observer le progrès des élèves et des stratégies d'évaluation continue.

10. Développer des critères pour un projet sommatif qui reflètera les résultats recherchés par la séquence d'enseignement.

O'Meara offre aussi des conseils pour pratiquer la différenciation :

• Déterminer les niveaux d'aisance et automatisme requis – quelles compétences doivent être préalablement maitrisées afin de réaliser l'apprentissage désiré ?

• Enseigner des connaissances et des compétences à travers l'enseignement explicite et la modélisation.

• Procéder avec la méthode de l'échafaudage. La quantité de consignes et de supports qui seront requis variera d'élève en élève. L'échafaudage comprend le support offert aux élèves selon leurs besoins particuliers pour les aider à atteindre leurs objectifs.

• Après l'enseignement explicite, assurer que l'élève ait la responsabilité de maitriser davantage la compétence développée.

• Lors de l'évaluation de la compétence, ne pas chercher à voir si les élèves ont eu la bonne réponse ou non après un délai prédéterminé. Chercher plutôt à identifier les nombres de questions, de tâches, ou d'exercices qu'ils étaient capables de maitriser dans le délai fourni.

• Effectuer une évaluation formative afin de pratiquer la différenciation. Une évaluation formative permet de déterminer quels élèves maitrisent parfaitement la matière, lesquels ont des bonnes réponses, mais manquent d'aisance dans l'accomplissement de la tâche et lesquels ne possèdent ni la maitrise ni l'aisance.

Grâce à l'évaluation formative, il est possible de déterminer les besoins pédagogiques pour chacun des groupes.

- Utiliser des outils pédagogiques différents pour les élèves qui ont besoin d'améliorer leurs connaissances et leurs compétences en privilégiant des outils tels que les cartes éclair, les lectures en répétition, les enregistrements en répétition.

- Ne pas répéter le même type de travail lorsque les apprenants montrent une maitrise des connaissances et des compétences. Plutôt, leur donner des défis de plus haut niveau et leur offrir des activités qui font en sorte qu'ils appliquent les connaissances et les compétences pour créer des concepts et des théories.

4.2 L'approche de Coffey (2011)

Selon Coffey, la différenciation se résume à une pratique par laquelle l'enseignant offre des défis personnalisés aux élèves pour que chacun d'entre eux puisse vivre plusieurs petits succès. L'enseignant doit chercher à maintenir l'intérêt des élèves et leur engagement envers la matière enseignée. Il ne s'agit pas d'un enseignement individualisé, mais plutôt d'une méthode visant à encourager la collaboration et le support entre pairs. Selon Coffey, la différenciation met l'accent sur l'aspect social et interactionnel de l'apprentissage.

Toujours selon cet auteur, il serait possible de pratiquer la différenciation selon trois niveaux différents : le niveau d'apprentissage des élèves, leur rythme d'apprentissage, le type d'apprentissage désiré.

4.2.1 Le niveau d'apprentissage

L'enseignant doit offrir des activités qui respectent les capacités des élèves sans que ces tâches soient trop simples. Si le travail est trop difficile, les élèves risquent de décrocher et d'abandonner. Il est donc important que l'enseignant structure son enseignement pour assurer que les tâches demandées respectent le niveau des élèves. En revanche, si la tâche est trop simple, les élèves risquent aussi de décrocher, puisqu'ils ne verront pas, dans l'accomplissement de celle-ci, un défi à relever. La différenciation est essentiellement une question d'équilibre où l'enseignant doit identifier des tâches ou des exercices de niveau adapté, pour soutenir la motivation et l'intérêt de ses élèves. Un rapprochement peut être fait avec le concept de « zone de proche développement ».

4.2.2 Le rythme d'apprentissage

Chaque élève apprend à son propre rythme. Par conséquent, le temps et le support dont il a besoin pour accomplir une tâche particulière diffèrent d'un élève à un autre. Dans le cadre de la différenciation, l'enseignant doit respecter ces différences en offrant des explications et des supports répondant aux besoins des élèves. Par exemple, un enseignant en univers social peut faire preuve de différenciation lorsqu'il attribue les objets de recherche : les élèves ayant une quelconque facilité dans ce domaine pourront se voir attribuer un sujet plus complexe, tandis que ceux qui éprouvent une certaine difficulté reçoivent un sujet plus simple. Bien que les objets de recherche soient différents, les demandes de l'enseignant et les objectifs d'apprentissage restent les mêmes pour tous. Selon Coffey, il faut offrir des tâches appropriées au rythme d'apprentissage des élèves afin de respecter les capacités de chacun et leur offrir un environnement dans lequel ils pourront s'accomplir.

4.2.3 Le type d'apprentissage

L'enseignant doit être clair quant au type d'apprentissage qu'il souhaite entreprendre dans la salle de classe. Les élèves doivent avoir les mêmes chances de réussite. En ce sens, l'enseignant doit planifier des activités qui valorisent les différents styles d'apprentissages et les modes de participation préférés des élèves. Ainsi, un enseignant pratiquant la différenciation varie ses approches en proposant tour à tour du travail individuel, du travail d'équipe, des discussions en grand et petit groupe, des exposés, etc.

Coffey croit qu'il est aussi possible de pratiquer la différenciation en classe en différentiant les tâches offertes et les résultats souhaités.

4.2.4 La différenciation selon les tâches

Dans ce cas-ci, la différenciation s'effectue en offrant des tâches différentes aux élèves de la même classe. Des tâches différentes peuvent être également offertes aux groupes selon leurs besoins particuliers, toujours dans l'optique qu'ils atteignent les objectifs d'apprentissage fixés par les programmes en vigueur. De nombreuses méthodes de différenciation s'offrent alors aux enseignants. Ils peuvent, entre autres, demander un travail préliminaire à une activité, avoir en réserve des activités obligatoires et optionnelles ou agir sur la division de la classe en privilégiant des groupes ou des postes de travail avec des types d'activités ayant des niveaux de difficulté variés.

Coffey souligne que les tâches ou le travail proposés aux élèves doivent varier en termes de qualités, et non pas nécessairement en terme de quantités. Ainsi, les élèves qui terminent leur tâche avant les autres doivent en recevoir une autre de même calibre qui permet néanmoins d'enrichir ce qu'ils ont déjà maitrisé.

4.2.5 La différenciation selon les résultats souhaités

Dans ce cas-ci, l'ensemble des élèves d'une même classe doit accomplir le même travail, c'est la nature du résultat qui peut varier. Par exemple, après avoir réalisé une recherche sur les Filles du Roi, une gamme de choix s'offre aux élèves. Ils peuvent illustrer leurs résultats dans une bande dessinée, dans un texte suivi ou dans une saynète. Encore une fois, les objectifs d'apprentissage sont les mêmes pour tous, seule la présentation des résultats change.

Coffey croit que cette manière de différencier est la plus efficace. En effet, il explique qu'elle favorise grandement l'apprentissage des élèves, puisqu'ils ont tous la même chance de réussite. Il note cependant que l'enseignant doit s'assurer que les élèves comprennent bien les objectifs à atteindre, pour que leurs productions satisfassent les exigences.

En terminant, Coffey indique qu'interagir avec les élèves permet aussi de mettre en marche une forme de différenciation. Pour ce faire, l'enseignant doit poser de nombreuses questions afin de stimuler la pensée des élèves de différentes manières. En alternant les questions ouvertes et fermées (de type oui ou non), en ciblant des élèves ou en reformulant des questions pour encourager la discussion, l'enseignant parvient à une différenciation des interactions en classe permettant à chaque élève de développer son plein potentiel.

4.2.6 Le modèle dominant de Tomlinson

Tomlinson est reconnue comme une spécialiste incontournable de la différenciation (O'Meara, 2010). Elle offre une explication et une méthode de mise en pratique très claires de la différenciation.

Selon Tomlinson, la différenciation est fondée sur six préceptes de base. L'enseignant doit:

1. travailler avec un curriculum cohérent, invitant et réfléchi;
2. proposer des tâches engageantes, invitantes et qui amènent à réfléchir;

3. offrir du soutien adéquat aux différents besoins de ses élèves ;

4. être flexible lorsqu'il met les élèves au travail en variant le type d'activité qu'il met en place ;

5. évaluer constamment, l'évaluation étant comprise comme un processus continu et non pas comme un évènement ponctuel s'effectuant au terme de la séquence d'apprentissage ;

6. évaluer un élève selon sa croissance personnelle et pas seulement selon s'il est parvenu au niveau désiré par le programme.

Christiane Pilote (2012) s'inspire du modèle de Tomlinson. Elle explique qu'il existe trois niveaux de différenciation possible. Le premier niveau est la flexibilité pédagogique. À ce niveau, l'enseignant offre un choix aux élèves, sans qu'il ne touche à la difficulté de la tâche ou au type d'évaluation proposé. Par exemple, lorsqu'il fait preuve de flexibilité pédagogique, l'enseignant peut donner le choix aux élèves de présenter le résultat d'une recherche sur les Filles du Roy sous la forme d'une bande dessinée, d'un texte ou d'une vidéo. La grille de correction et la difficulté reliée à la recherche historique ne sont pas modifiées. Le second niveau est celui de l'adaptation. Il s'adresse aux élèves ayant des besoins particuliers et vient ajuster le déroulement d'une séquence d'apprentissage, sans toucher à la difficulté de la tâche ou les critères de correction. Pour continuer avec notre exemple, dans le cas de l'adaptation, l'enseignant donnera peut-être plus de temps pour effectuer la recherche aux élèves éprouvant de la difficulté. Encore une fois, la difficulté de la tâche et les critères de corrections ne sont pas affectés par la différenciation. Enfin, le troisième niveau de différenciation est celui de la modification qui amène des changements dans les attentes ou les exigences d'une activité que doivent réaliser les élèves. Contrairement aux deux autres niveaux, la modification devient nécessaire lorsque les élèves ont des besoins particuliers. Ainsi, lors d'une recherche sur les Filles du Roy, un enseignant devant procéder à la modification devra, par exemple, diminuer le nombre de sources historiques à citer ou encore en augmenter le nombre selon les besoins de l'élève.

Selon le modèle de Tomlinson, la différenciation peut être appliquée à cinq éléments de la pratique pédagogique des enseignants, soit

1. le contenu : l'information que l'enseignant offre aux élèves et la manière dont il la rend accessible (à travers des vidéos ou des textes, par exemple) ;

2. le processus: la manière dont les élèves comprennent et s'approprient les savoirs, savoir-faire et savoir-être;

3. les produits: la démonstration de l'appropriation des savoirs de la part des élèves;

4. l'affectivité: le lien entre les pensées et les sentiments dans la salle de classe;

5. l'environnement: le fonctionnement et l'organisation de la salle de classe.

4.2.7 La différenciation du contenu à enseigner

La différenciation du contenu à enseigner s'effectue lorsque l'enseignant classe le contenu à apprendre selon une échelle d'importance et s'interroge sur les moyens dont il dispose pour aider les élèves à comprendre et à s'approprier le contenu. Il réalise cela à travers une planification flexible et basée sur les besoins des élèves. Elle s'effectue également lorsque l'enseignant s'assure en classe que les élèves aient tous la même chance de réussite, quelles que soient leurs forces et faiblesses. En ce sens, l'enseignant s'assure, à l'aide des outils pédagogiques dont il dispose, que tous les élèves puissent accéder aux nouveaux savoirs.

4.2.8 La différenciation du processus d'apprentissage

La différenciation du processus demande que les élèves soient actifs dans leurs apprentissages, et non qu'ils écoutent l'enseignant d'une oreille plus ou moins attentive. L'enseignant différencie le processus d'apprentissage lorsqu'il propose aux élèves des activités pédagogiques variées, comme le travail en groupe, le travail individuel, la discussion, le débat, etc. Ce type de différenciation permet de susciter et de conserver l'intérêt des élèves vis-à-vis des connaissances et les compétences à construire. Ainsi, en diversifiant ses processus, l'enseignant offre des activités qui tour à tour conviennent le mieux aux différents types d'élèves retrouvés dans sa classe.

4.2.9 La différenciation des produits

Les produits doivent être compris ici comme les résultats de l'apprentissage ou les moyens par lesquels il est possible d'observer le développement des élèves. L'enseignant fait preuve de différenciation des produits lorsqu'il varie la forme dont prend l'évaluation. Comme nous l'avons mentionné plus tôt dans le texte, l'enseignant peut accepter que les résultats d'une recherche historique soient présentés sous diverses formes telles que le rapport écrit, la bande dessinée, la présentation orale, etc. Il importe d'encourager les élèves à travailler de manière rigoureuse afin qu'ils puissent démontrer leur compréhension des savoirs développés lors de l'activité. Obliger un élève qui a de la difficulté en écriture à démontrer sa compréhension de concepts en univers social par la composition d'un essai est contreproductif puisque l'enseignant n'évalue pas la compréhension de l'élève en univers social, mais bien son français écrit.

4.2.10 La différenciation selon l'affectivité

La différenciation selon l'affectivité demande aux enseignants d'être proactifs en classe et de prendre autant de mesures que possible pour que chaque élève se sente inclus et accepté avec ses forces et faiblesses, tant par l'enseignant que le reste de la classe. Qui plus est, il doit s'assurer que chaque élève a la possibilité de développer une plus grande ouverture d'esprit en construisant sa pensée critique. Cela peut s'avérer possible lorsque l'enseignant associe la communication avec le sentiment d'appartenance. Plus concrètement, l'enseignant parvient à différencier selon l'affectivité en favorisant, par exemple, un enseignement qui amène les élèves à examiner plusieurs perspectives différentes ou en les aidant à mieux résoudre des problèmes.

4.2.11 La différenciation de l'environnement d'apprentissage

L'enseignant différencie l'environnement d'apprentissage lorsqu'il s'interroge sur les manières qu'il peut employer afin d'aider ses élèves à s'épanouir autant que possible, tout en donnant leur maximum lors de leur séjour dans sa salle de classe. Une approche efficace est d'inclure les élèves dans la prise de décisions quant à l'organisation de l'espace, les matériaux à employer et le temps consacré aux différentes activités. Il est par conséquent essentiel que les élèves soient au courant de la manière dont l'environnement d'apprentissage est organisé et qu'ils sachent qu'ils ont un rôle à jouer dans la prise de décision à ce niveau.

5. Quelques limites de la différenciation

Bien que bénéfique à l'enseignement et à l'apprentissage, la différenciation comporte également des limites. En effet, elle demande une planification qui peut être plus complexe qu'une planification traditionnelle. Puisqu'il faut considérer la classe non pas comme un milieu homogène, mais bien hétérogène (Bolduc et Van Neste, 2002), la planification devra tenir compte de cette hétérogénéité. Par conséquent, cela demande à l'enseignant une excellente connaissance de ses élèves, ce qui n'est pas toujours possible en tout début d'année ou lorsque l'enseignant est amené à remplacer un collègue pour une courte période.

Une autre limite de la différenciation émerge lorsque cette dernière s'applique aux tâches et aux résultats escomptés (Abbott, 2011). La limite pour la différenciation selon la tâche est que l'enseignant risque de créer des stéréotypes en classe où, par exemple, deux élèves seront connus pour recevoir un travail plus facile que les autres. Même s'il faut attribuer aux élèves des tâches qui leur conviennent, il faut éviter de faire émerger un sentiment d'injustice. Du côté des résultats, il faut s'assurer que ceux-ci se valent en ayant en main des critères de correction suffisamment polyvalents pour s'adapter aux différentes productions des élèves.

Finalement, il demeure difficile de différencier dans l'absolu puisque le fait d'apprendre demeure, au final, le propre de l'élève. Un enseignant ne pourra jamais être certain à 100% de l'impact que la différenciation aura eu sur le véritable apprentissage effectué par les apprenants (Legendre, 2005).

6. Quelques stratégies de différenciation en univers social

Diverses méthodes de différenciation ayant été présentées, les moyens de différencier le contenu, le processus, le produit, l'affectivité et l'environnement proposés par l'une de ces méthodes, celle de Tomlinson, seront présentés et adaptés aux trois disciplines de l'univers social, c'est-à-dire l'histoire, la géographie et l'éducation à la citoyenneté.

6.1 Le contenu

Le contenu en univers social est classé en deux grandes catégories selon le MELS: les connaissances à faire apprendre et les compétences à enseigner (Gouvernement du Québec, 2006c). La différenciation du contenu peut s'appliquer à la fois aux deux. Cependant, puisque les compétences sont aussi de nature procédurale, elles seront traitées sous l'angle de la différenciation du processus.

Les connaissances dans les programmes ministériels en vigueur se divisent en faits et en concepts. Parmi les concepts retrouvés en univers social, il y a, entre autres, les concepts de temps, d'espace, de démocratie, de synchronie et de diachronie (Gouvernement du Québec, 2006c). Le caractère abstrait de ces concepts les rend souvent difficiles à construire par les élèves. Par exemple, le concept de temps et de durée est particulièrement abstrait et les jeunes élèves s'en font souvent une idée imprécise. Cette difficulté à conceptualiser les amène à croire, parfois, que leurs grands-parents vivaient au temps de la colonie de Nouvelle-France. Afin de les aider à complexifier leur compréhension du concept de temps, il est possible de différencier les types de temps (Wilschut, 2012). En d'autres mots, le temps peut se diviser en temps cyclique représenté par les mois de l'année, les saisons et les jours de la semaine; en temps personnel qui se compose des souvenirs des élèves; en temps physique qui peut être comptabilisé en heures, en secondes et en minutes; en temps historique qui se réfère au passé (Wilschut, 2012). Ainsi, un enseignant pourra privilégier le développement d'un type de temps, selon les besoins de ses élèves.

Une autre difficulté reliée à l'apprentissage du contenu en univers social est en lien avec l'intérêt des élèves et la perspective employée lors de l'enseignement. En effet, l'histoire et la géographie peuvent être abordées selon différentes perspectives: sociale, culturelle, politique, féministe ou économique. La différenciation du contenu permet à l'enseignant d'aborder une époque ou un phénomène géographique selon celle qui répond le mieux aux besoins des élèves. Par exemple, dans une classe composée en majorité de filles, un enseignant pourra privilégier une approche féministe pour les conscientiser. Il pourra par la suite changer d'approche, toujours dans l'optique de varier le contenu de ses cours, et ainsi répondre aux différents intérêts de ses élèves.

6.2 *Le processus*

La différenciation par le processus demande aux enseignants de varier leurs pratiques pédagogiques pour rendre les élèves les plus actifs possible dans leurs apprentissages, et ce, quelle que soit la discipline enseignée: des méthodes comme la résolution de problème, la simulation, le débat et bien d'autres peuvent être employées dans plusieurs disciplines. Cependant, dans le cadre de ce texte, il s'agit d'appliquer la différenciation aux sciences sociales. Pour ce faire, il faut se tourner vers les compétences disciplinaires. Au Québec, le programme d'univers social au primaire est construit autour de trois compétences qui sont :

- Lire l'organisation d'une société sur son territoire.

- Interpréter le changement dans une société et sur son territoire.

- S'ouvrir à la diversité des sociétés et de leur territoire (Gouvernement du Québec, 2006a).

À cause de leur nature procédurale, chaque compétence peut être différenciée selon le processus.

La première compétence (lire l'organisation d'une société sur son territoire) peut être abordée de diverses manières. Ainsi, l'enseignant peut proposer des cartes de natures différentes : topographiques, historiques, hydrographiques, politiques, touristiques. Outre les cartes, il peut employer des sources écrites ou iconographiques permettant aux élèves de relever les caractéristiques de l'organisation d'une société sur son territoire. De plus, l'enseignant peut varier l'origine de ses sources qui peuvent provenir du manuel employé, de sites Internet, d'informations archivées sur disque compact, etc. Ainsi, les élèves peuvent déduire l'organisation sociale de la société iroquoienne à l'aide de plans d'organisation de villages, d'images provenant de leur manuel scolaire ou d'une carte historique. En multipliant et en variant les sources et leur origine, l'enseignant s'assure de proposer aux élèves différentes manières de développer leur compétence. Ainsi, un élève ayant plus de difficulté en lecture sera peut-être plus apte à interpréter une carte et vice versa, l'important étant ici de donner la même chance d'apprendre à tous les élèves.

La seconde compétence (interpréter le changement dans une société et sur son territoire) demande aux élèves d'établir une comparaison entre la même société à deux moments différents de son histoire, afin d'y déceler des éléments de continuité, mais surtout de changement. La différenciation du processus s'applique donc aux méthodes pédagogiques employées pour aider les élèves à effectuer la comparaison demandée. Encore une fois, il est possible de diversifier les sources comparées pour offrir à l'ensemble des élèves un accès égal à la compréhension. Une autre méthode est de varier les outils de comparaisons (comme des grilles, tableaux en « T » ou listes de vérification), tout en variant le mode de fonctionnement de la classe : activités en grand groupe, en petit groupe, en dyade ou individuel.

La troisième compétence (s'ouvrir à la diversité des sociétés et de leur territoire) a pour but que l'élève s'ouvre à la diversité en comparant deux sociétés contemporaines. Ainsi, le programme indique qu'il faut comparer la société des Incas en 1500 avec les sociétés iroquoienne et algonquienne à la même époque. Encore ici, la différenciation peut s'effectuer en modifiant les outils pédagogiques et les sources employés pour favoriser la comparaison. De plus, le concept de diversité peut être mis en valeur à l'aide de débats, discussions, communautés philosophiques ou de toutes autres stratégies pédagogiques qui amènent les élèves à réfléchir et à discuter autour de ce concept.

En somme, quels que soient les moyens employés pour différencier à partir du processus, l'essentiel est que l'élève soit actif dans ses apprentissages et que l'enseignant varie le plus possible ses méthodes d'enseignement.

6.3 Le produit

L'une des façons les plus aisées de différencier en univers social est de varier le type de production attendue par les élèves. Ces productions peuvent ainsi représenter la véritable compréhension des élèves, et non une faiblesse dans une autre discipline. Par exemple, un élève qui éprouve des difficultés à rédiger des textes a peut-être très bien compris la matière vue dans son cours d'univers social, mais sera incapable de le montrer lors de la rédaction d'un texte. La différenciation du produit permet donc de s'assurer que ce sont bien les apprentissages en lien avec l'univers social qui sont évalués, et non les apprentissages associés à d'autres matières, tels le français ou l'éthique et la culture religieuse.

Une myriade de moyens permettant de différencier le produit existe en univers social. Comme mentionné, il est possible de décliner les évaluations des élèves en différentes productions. Par exemple, les travaux écrits peuvent prendre la forme de rapports de recherche, de lettres, de récits, de bandes dessinées, d'affiches, d'articles de journaux, etc. Les élèves peuvent aussi être amenés à présenter leurs résultats à l'oral à partir d'une présentatique, en réalisant des saynètes, en participant à un débat et bien plus encore. Cependant, cette large variété peut poser problème à l'enseignant, car elle complexifie l'évaluation. Pour que la différenciation soit efficace, il importe que le choix des productions acceptées par l'enseignant soit équivalent, c'est-à-dire que leur complexité soit de niveau équivalent et qu'elles répondent tous aux mêmes critères de correction.

6.4 L'affectivité

La différenciation selon l'affectivité implique des modifications à la fois au sentiment d'appartenance des élèves et à leur ouverture d'esprit. En univers social, cela se traduit par la diversification du concept de culture (Duquette et Côté, 2007) et par le développement d'une compréhension de l'histoire, de la géographie et de l'éducation à la citoyenneté comme une interprétation de la société.

En univers social, le sentiment d'appartenance se développe habituellement autour du concept de culture. Les élèves en s'intéressant à l'histoire de leurs ancêtres ainsi qu'au territoire qu'ils habitent développent un sentiment d'appartenance à leur société. Toutefois, il n'est guère simple d'arriver à un consensus sur la culture québécoise. Le contexte multiculturel des grands centres urbains, les sociétés autochtones et les groupes plus homogènes de certaines régions de la province complexifient encore plus ce débat. La différenciation par l'affectivité est peut-être le moyen par excellence pour introduire cette controverse en classe, sans, toutefois, perdre le contrôle, car elle est centrée sur l'acceptation de la diversité. Ainsi, un enseignant verra à promouvoir les différences, mais également les similarités entre ses élèves pour les aider à développer à court terme un sentiment d'appartenance à la classe et au long terme à leur société.

Du côté de l'ouverture d'esprit, les sciences sociales sont probablement l'un des champs disciplinaires qui permettent de la développer le plus efficacement. En effet, les sciences sociales sont fondées sur des interprétations de sources diverses. Ces interprétations sont nombreuses et souvent contradictoires. L'exemple classique en histoire du Québec est, bien sûr, les interprétations très différentes des effets de la Conquête britannique sur les colons français et leurs descendants, provenant de l'école de Québec (Trudel, Hamelin, Oullet) et celle de Montréal (Brunet, Frégault, Séguin). Du côté de la géographie, des questions portant sur l'utilisation de l'énergie nucléaire, par exemple, sont également source de controverses et d'interprétations variées. C'est en présentant ce genre de dilemme en classe qu'il est possible de différencier par l'affectivité, puisque l'élève est amené à s'ouvrir à différentes interprétations d'un même évènement, à les analyser, à prendre position et à justifier cette dernière à l'aide des sources disponibles.

6.5 L'environnement

La différenciation de l'environnement demeure toujours un peu plus générique puisqu'il est question ici de l'environnement de la classe et de la possibilité de prise de décision des élèves. Puisque cet environnement sera peu influencé par la discipline enseignée, il demeure difficile de parler d'un environnement de classe particulier pour les sciences sociales qui ne serait pas également valable pour les autres disciplines.

Ce qui distingue les disciplines du champ des sciences sociales des autres disciplines est peut-être leur utilisation de sources écrites et iconographiques nécessaires à l'interprétation des sociétés et de leur territoire. Ainsi, un enseignant peut offrir la possibilité aux élèves de choisir les sources étudiées en classe. Les thèmes étudiés peuvent également être choisis par les élèves. Par exemple, l'étude de la société québécoise en 1905 peut être déclinée à différentes sauces : la vie quotidienne, les festivités «comment les gens fêtaient Noël à la ville et à la campagne?», les droits des femmes et des hommes, etc. Les élèves peuvent ainsi choisir en groupe le thème qui sera abordé. Enfin, une dernière façon de différencier l'environnement de la classe en sciences sociales est de donner aux élèves le droit de choisir la question de recherche qui chapeautera l'étude d'une société et d'un territoire. Par exemple, un enseignant propose deux ou trois questions relatives à la société iroquoienne en 1745 telles que :

- Quelles sont les différences entre la société iroquoienne de 1500 et celle de 1745?

- Quelles sont les relations entre les Iroquoiens et les Français en 1745?

- Quel est l'impact de la colonisation du territoire chez la société iroquoienne de 1745?

Les élèves, à la suite d'une discussion en classe, voteront pour le problème qu'ils désirent résoudre. Il ne s'agit donc pas d'offrir une question personnalisée à chacun des élèves, mais bien de sélectionner une question qui sera étudiée par l'ensemble des élèves. Encore une fois, la différenciation n'est pas du tutorat ou de l'enseignement individualisé, mais bien une prise en compte des forces, faiblesses et intérêts des élèves afin de bonifier leur implication et apprentissage en salle de classe.

7. Une étude de cas

Maintenant que les stratégies de différenciation en univers social ont été présentées, il est possible d'éclairer comment les différents aspects de la différenciation sont mis en place dans le contexte de la classe. Les prochaines lignes les illustreront en présentant un cas fictif basé sur les demandes du Programme de formation et de réelles activités de classe.

Transportons-nous dans la classe de 5e année de Mme Brunet. Mme Brunet met en place, quelques semaines après le début de l'année scolaire, une situation d'apprentissage et d'évaluation (SAÉ) dont l'objectif est d'identifier le mode de vie des ouvriers dans les centres urbains du Québec en 1905. Selon les demandes du programme, elle doit développer la première compétence (lire l'organisation d'une société sur son territoire) et construire des concepts tels que le syndicalisme, l'industrialisation et l'urbanisation (Gouvernement du Québec, 2006a, p. 183). Pour y parvenir, elle demande à ses élèves de réaliser une recherche à partir de sources retrouvées principalement dans leur manuel scolaire. Les élèves doivent illustrer trois concepts (urbanisation, industrialisation et syndicalisme) à l'aide de deux exemples historiques. La recherche se fait individuellement et le travail à remettre prend la forme d'un rapport écrit.

À la fin de l'activité, Mme Brunet est surprise de constater que le taux de réussite de ses élèves varie fortement. D'une part, certains élèves terminent rapidement l'activité en copiant et collant les informations retrouvées dans leur livre. Une fois qu'elle les a interrogés, Mme Brunet réalise qu'ils ne semblent pas comprendre ce qu'ils ont écrit. Ils étaient à la recherche de la bonne réponse. Ces élèves n'ont pas pris la tâche imposée à cœur et n'ont pas cherché une véritable compréhension des concepts à l'étude. D'autre part, les élèves avec des difficultés en lecture et écriture ont trouvé l'activité très difficile. Certains d'entre eux ont abandonné en cours de route, tandis que d'autres ne sont pas parvenus à terminer à temps. Cependant, lorsque Mme Brunet leur demande d'expliquer à l'oral ce qu'est l'industrialisation, les élèves ayant de la difficulté à écrire lui font part d'une définition exacte et nuancée du concept, tandis que certains élèves qui ont bâclé leur travail en sont incapables. À la fin de sa SAÉ, Mme Brunet s'interroge: a-t-elle véritablement évalué le savoir de ses élèves? Ces derniers ont-ils tous eu la même chance de développer leur compétence en univers social? Comment s'assurer que tous les élèves ont la même chance de réussite sans modifier la tâche demandée ni les exigences?

Afin de répondre à ces questions, Mme Brunet se tourne vers la différenciation. Voyons comment celle-ci vient modifier la même activité sans changer la tâche demandée et les critères de correction.

Au début de la SAÉ, Mme Brunet demande à ses élèves s'ils préfèrent travailler sur la vie à la ville en 1905 ou la vie à la campagne (*différenciation de l'environnement*), les deux volets devront être travaillés au cours du module. Mme Brunet laisse le choix de l'ordre dans lequel ces thèmes seront abordés. Les élèves qui habitent un milieu urbain choisissent ce dernier. Profitant de ce fait, Mme Brunet invite les élèves à répondre à la question suivante: «Vivait-on mieux à la campagne ou à la ville en 1905, et pourquoi?». Chaque élève répond individuellement par écrit sur une feuille de papier, puis Mme Brunet leur demande de partager, à l'oral, leur opinion avec le reste de la classe (*différenciation du processus*). Les élèves remettent leur feuille à l'enseignante, afin que cette dernière garde une trace du niveau initial du savoir de ses élèves. Lors de la discussion en grand groupe, les élèves sont étonnés de réaliser qu'ils divergent d'opinion (*différenciation par l'affectivité*). Des élèves se prennent au jeu du débat et désirent prouver aux autres que leur opinion est la plus juste. À cette étape de la SAÉ, les élèves se sentent à la fois impliqués dans le processus d'apprentissage et motivés à en apprendre davantage sur la vie à la ville en 1905.

Une fois cette première étape complétée, l'enseignante soumet aux élèves le projet de recherche dans lequel ils devront illustrer à l'aide d'exemples tirés de sources les concepts d'urbanisation, d'industrialisation et de syndicalisation. Avant de commencer, elle distribue à chaque élève «une perspective», certains élèves devant illustrer les concepts avec des exemples tirés de l'histoire politique, économique, sociale ou culturelle, selon le cas (*différenciation du contenu*). Les élèves commencent l'activité individuellement, mais pourront par la suite se regrouper pour comparer leurs réponses (*différenciation du processus*). De plus, les élèves ne sont pas limités aux sources écrites trouvées dans leur manuel scolaire. Au contraire, ils sont encouragés à étendre leur recherche sur le Web et dans d'autres livres, ainsi qu'à utiliser des sources iconographiques autant qu'écrites (*différenciation du processus*). La forme du travail final n'est plus unique. L'enseignante accepte trois productions, soit une présentation représentant une carte conceptuelle pour chacun des trois concepts, un texte suivi ou une illustration des trois concepts sur une affiche (*différenciation du produit*). Les élèves ayant travaillé la même perspective peuvent s'entraider, mais chacun d'entre eux doit remettre un travail individuel à l'enseignante (*différenciation du processus*). Les élèves qui terminent rapidement leur travail sont invités à revoir les concepts sous une perspective différente. À la fin de l'activité, les élèves n'ont pas encore suffisamment d'information pour revoir leur opinion de départ. Ils sont donc encore suffisamment motivés pour entreprendre le second volet du module : la vie à la campagne.

Cette illustration tend à montrer qu'il est possible de différencier sans modifier la tâche demandée aux élèves ni les critères d'évaluation. En ce sens, les objectifs d'apprentissage restent les mêmes pour l'ensemble de la classe. Ce qui change, ce sont les moyens mis à la disposition des élèves pour réussir à atteindre les objectifs identifiés. Dans le premier exemple, Mme Brunet ne différencie pas, elle propose une voie unique à suivre pour accomplir l'apprentissage désiré. Elle privilégie ainsi un seul type d'élève. Dans le second exemple, les voies pour parvenir à l'apprentissage désiré sont multiples et équivalentes. En diversifiant les moyens pédagogiques, en modifiant l'environnement de travail en y intégrant la coopération et en donnant un certain pouvoir de décision à ses élèves, elle s'assure non seulement qu'ils seront plus motivés et impliqués dans leurs apprentissages, mais aussi que l'ensemble des élèves aura un accès égal à la réussite.

8. Conclusion

En conclusion, il ne faut pas voir en la différenciation une forme de tutorat ou un enseignement individualisé. Dans une classe de plus de vingt élèves, cela relève de l'impossible. Il faut plutôt voir en la différenciation une philosophie d'enseignement visant à mettre à la disposition des élèves les moyens pour favoriser leurs apprentissages multiples, mais équivalents. L'objectif final, et ce, pour tous les auteurs et modèles de différenciation proposés, est que la réussite soit possible pour l'ensemble des élèves.

25 – Différenciation et adaptation – l'exemple du jeu l'Encan des Migrants

Sylvain Larose

L es jeux de simulation permettent un enseignement différencié. En effet, étant donné leur souplesse, ces jeux se déroulent à un rythme adapté à chaque élève, en fonction des capacités de ce dernier et des compétences qu'il peut mobiliser.

Dans ce contexte, l'enseignant n'aura pas le contrôle total sur les connaissances qui seront acquises lors du jeu, mais chaque élève qui y participe développera des compétences.

1. Le contexte et les conditions de mise en œuvre

L'Encan des Migrants a été créé dans le cadre du cours de Monde contemporain en cinquième secondaire.

Les élèves y jouent le rôle de fonctionnaires du ministère de l'Immigration du Québec, responsables des admissions, qui doivent sélectionner les «meilleurs» immigrants pour la province. Chaque immigrant est vendu aux enchères[1].

---

1. Certains élèves voudront peut-être être dispensés de cette activité à cause de son côté en apparence discriminatoire. Il est important de leur expliquer que, si l'on veut dénoncer un système institutionnel, une façon de penser, des valeurs, il n'y a rien de tel que de se mettre dans la peau des gens à qui l'on s'oppose. Comprendre leur point de vue permet de trouver de meilleurs arguments pour débattre avec eux, de déconstruire leurs arguments et d'y répliquer, voire de les faire changer d'idée. Si les élèves éprouvent toujours un malaise à réaliser l'activité, mieux vaut sans doute ne pas les y forcer, mais amorcer une discussion franche sur les sources du malaise. Il importe de faire comprendre aux élèves que la marchandisation des êtres humains est poussée à l'absurde dans cette activité, pour souligner la cruauté inhérente à un système social qui oriente même la mobilité des êtres humains sur la planète. Quant aux élèves issus de l'immigration récente, il faut les encourager, s'ils le désirent, à raconter leur histoire et à critiquer, contester et dénoncer la réalité à laquelle se réfère l'activité.

Ce jeu peut être facilement adapté à tous les niveaux scolaires, y compris le primaire. En effet, il ne nécessite pas de préalables autres que la connaissance du type d'immigrant que la société québécoise préfère accueillir. Il faut aussi comprendre qu'actuellement, le gouvernement du Québec (comme tous les pays occidentaux) sélectionne les immigrants sur la base de divers critères qui ne sont pas neutres. Ceux-ci répondent aux attentes de la classe politique et économique, qui décide seule.

Cette activité dénonce l'inégalité actuelle de la liberté de mouvement selon la classe sociale et l'origine géographique, et l'impérialisme du 21e siècle, qui augmente la concurrence entre les travailleurs de pays néocoloniaux et abaisse la valeur d'usage de leur force de travail. Elle sert également à déconstruire certains préjugés.

Cette activité oblige donc les élèves à se pencher sur le mode de sélection des immigrants qui se fait actuellement au Québec et sur le fait que les pays les plus riches tentent d'attirer les «meilleurs» immigrants dans leur pays: éduqués, jeunes et qui disposent de capitaux.

Il faut prévoir environ 30 minutes pour expliquer le jeu et un ou deux cours pour laisser les élèves, en équipe de deux à quatre, préparer leur encan. Ils ont accès aux fiches signalétiques des 30 immigrants «vendus» aux enchères, ainsi qu'à une série de documents qui expliquent comment le gouvernement du Québec sélectionne les immigrants. Il faut ensuite prévoir au moins 60 minutes pour la vente aux enchères comme telle. Finalement, l'enseignant décide comment faire le retour sur l'activité.

Les élèves doivent mettre sur pied un système de cotation des immigrants. Ce système doit être assez efficace pour pouvoir coter rapidement les *Réfugiés politiques* qui, eux, arrivent durant le jeu, sans que les élèves aient eu leur fiche signalétique avant l'encan. Les élèves doivent être capables d'évaluer les immigrants selon les exigences du Québec actuel. Comme chaque immigrant a une cote définie préalablement (mais tenue secrète par l'enseignant), l'équipe qui gagne est celle qui a le meilleur total de cotes de tous ses immigrants.

2. La préparation

Il devrait y avoir environ dix équipes au total. Après avoir expliqué le jeu, les élèves se placent en équipe et lisent la documentation fournie par l'enseignant.

- Jeune chambre de commerce de Montréal (Janvier 2004). *Quelle politique d'immigration pour le Québec?* http://www.jccm.org/fr/data/jccm_mem_politique_immigration.pdf

- Extrait du ministère de l'Immigration du Québec, *Liste des domaines de formation (2009)*. http://www.immigration-quebec.gouv.qc.ca/publications/fr/divers/liste-formation.pdf

- Maghreb observateur, *Programme québécois des immigrants investisseurs 2000-2007* (11 avril 2008). http://www.maghreb-observateur.qc.ca/news/129/ARTICLE/1172/2008-04-11.html

- Extrait Max Donzella, *Immigrant investisseur Québec* (avril 2012) http://www.vipbusinessimmigration.com/fr/

Ils colligent ensuite l'information pour se construire une grille d'évaluation des immigrants. Par contre, ils ont une idée de la manière dont les cotes ont été données aux immigrants.

Tableau 25.1
Exemple de fiche signalétique

Nom: Owu		Prénom: George	
Pays d'origine:	Ghana	Sexe:	M
Ethnie:	Akan	Âge:	20
Religion:	Hindouisme	État civil:	Célibataire
Langue(s) parlée(s):	Ga, anglais	État de santé:	Bon
Profession(s):	Criminologue	Dernier diplôme obtenu:	Secondaire
Capital disponible pour investir:	400 000,00 $	Famille dans le pays d'accueil:	Oui

Georges veut rejoindre son père parce qu'il y aurait du travail pour lui dans votre pays. Son argent provient en partie de son père, qui le lui a donné pour faciliter son entrée. L'autre partie de l'argent provient de la vente de la maison familiale et sa propriété qui couvrait plusieurs centaines d'acres.

Une cote (qui varie de 0 à 10, sauf pour la catégorie regroupement familial) est attribuée à chaque immigrant pour la catégorie **société** (la facilité d'intégration de ces immigrants dans la société, leurs apports positifs à la démographie, la langue qu'ils maitrisent, leur santé, etc.), **économie** (quantité d'argent qu'ils peuvent investir dans l'économie locale, degré d'instruction, emploi qu'ils occupent, etc.), **regroupement familial** (de 0 à 3) (s'ils ont déjà de la famille dans le pays, leur immigration est facilitée parce que quelqu'un s'occupera d'eux) et **prestige politique** (un politicien qui lutte contre un gouvernement corrompu, un citoyen qui fuit un pays ennemi ou une guerre civile, etc.).

Lorsque les élèves savent comment ils catégoriseront, ils peuvent consulter les 30 fiches signalétiques des immigrants.

Il est impératif de ne pas aider les élèves à coter comme tel. Ils doivent se construire eux-mêmes un système de valeur.

Les élèves doivent ensuite placer les immigrants en ordre de priorité d'achat. Ils doivent, pour finir, estimer combien de points ils sont prêts à investir pour avoir chaque immigrant. Chaque équipe a 20 points pour acheter les immigrants durant l'encan.

La plupart des élèves sont inconfortables à l'idée de coter des humains. Mais, du moment qu'ils commencent à le faire, ils se prennent au jeu et, quelques fois, les tabous tombent. «On le prend pas lui, il est trop vieux!» ou «Un handicapé, ça doit perdre tous ses points, hein, monsieur?».

3. La réalisation

Au début de l'encan, chaque équipe inscrit le nom de son équipe au tableau et le nombre de points qu'elle a (20). Chaque fois qu'une équipe achète un immigrant, on biffe son pointage et on le remplace par le nouveau. Lorsqu'une équipe n'a plus de points, elle ne peut plus miser ni, donc, acheter des immigrants.

L'enseignant prépare un contenant dans lequel il y a les nombres d'un à trente, chaque nombre représentant un immigrant correspondant à son numéro de fiche signalétique.

Lorsque l'encan commence, l'enseignant pige, au hasard, l'ordre dans lequel les immigrants sont mis aux enchères.

Les réfugiés politiques: Les élèves ne reçoivent la fiche signalétique que lorsqu'ils sont pigés à l'encan. Ils ont 15 secondes pour étudier la fiche et le coter. L'encan se poursuit alors normalement.

Le jeu se termine quand il n'y a plus d'immigrants à l'encan ou quand aucune équipe n'a de point disponible.

Pour qu'une équipe puisse miser sur un immigrant, la majorité des élèves de cette équipe (plus de 50%) doit lever la main pour miser. Cela donne lieu à des discussions intraéquipes passionnées.

Cette activité est bruyante, preuve que l'acte d'acheter quelque chose, dans notre société, est un acte valorisé, important, agréable.

4. L'intégration ou le réinvestissement

Lorsque la poussière est retombée, il convient de faire un retour sur l'activité. Selon le but, on peut questionner les élèves sur le fait de coter, ou non, les immigrants, sur la façon dont le gouvernement du Québec cote les immigrants et la légitimité des entraves à la liberté de circulation, sur la concurrence internationale autour des «meilleurs» immigrants ou sur le fait que cette concurrence «vide» les «pays pauvres» de leurs «meilleurs» éléments, sur les intérêts servis par ces entraves et cotations.

Dans tous les cas, plusieurs élèves sont étonnés qu'il existe ce système de cotation. Évidemment, les immigrants de première génération sont plus au courant et certains en ressentent d'ailleurs une certaine gêne, un certain malaise, voire de la colère.

Si les élèves notent, avec raison, qu'il n'existe pas d'*Encan des Migrants*, ils comprennent généralement que la mécanique du jeu est assez semblable à la réalité.

Plusieurs élèves perdent leur illusion sur la «gentillesse» du Québec qui accueille les immigrants à bras ouvert. Ils comprennent que «le Québec» y voit un intérêt et, si cet intérêt diminue, l'immigration risque de diminuer aussi.

Cela peut aussi déboucher sur une question fondamentale qui est rarement discutée au Québec: pourquoi accueille-t-on des immigrants? Pourquoi ne pas tout simplement fermer nos frontières? D'autant plus que certains Québécois disent que les «immigrants» ne veulent pas s'assimiler...

Il ne faut pas, en tant qu'enseignant, éviter ce genre de question. Plusieurs enseignants ne les posent pas, par peur de la réponse de certains élèves. Des réponses qui risquent d'être xénophobes ou carrément racistes.

Il faut, au contraire, les poser, et écouter les réponses, même si elles sont négatives. Si l'on passe sous silence ces questions ou si l'on punit un élève parce qu'il porte un jugement raciste, comment en discuter? Comment éduquer un jeune, s'il sait qu'il ne peut pas exprimer ses idées?

Tant que ce qu'il dit n'est pas une attaque personnelle contre quelqu'un dans la classe ou une incitation à la violence, il faut inciter les élèves à développer leur pensée : l'enseignant n'aura pas de difficulté à faire en sorte que l'élève se rende compte que le racisme, c'est idiot.

5. Conclusion

Plus les élèves sont jeunes, plus ils ont de la difficulté à apprendre, moins il faut leur donner de documentation et de critères pour coter les immigrants.

Dans la version présentée ici, les fiches signalétiques comportent même des incohérences ou, du moins, des apparences d'incohérences. Par exemple, l'immigrant du premier exemple est criminologue, mais il n'a terminé que sa cinquième secondaire (les élèves finissent par comprendre qu'il peut y avoir des fraudes ou des systèmes scolaires très différents de celui du Québec). L'enseignant peut donc facilement corriger l'information pour rendre le jeu plus facile.

Bibliographie

10THINGSROX. (2010). Marie Antoinette – Gossip Girl Style [Vidéo en ligne]. Repéré à http://www.youtube.com/watch?v=hTY8byevFlM

Abbott, C. (2011). Aiming for inclusion: removing barriers and building bridges. Dans J. Dillon et M. Maguire (dir.), *Becoming a teacher: Issues in secondary education* (4e édition, p. 236-248). New York, États-Unis : Open University Press/McGraw-Hill Education

Abrams, L. (2010). *Oral History Theory*. London, Royaume-Uni : Routledge.

Académie Créteil. (2010). Éducation + Jeux vidéo. Repéré à http://jeuxserieux. ac-creteil.fr/

Académie d'Aix-Marseille. (2011). Cartothèque. Repéré à http://www.histgeo. ac-aix-marseille.fr/ancien_site/carto/

Ailincai, R. et Bernard, F.-X. (2010). Apprendre hors de la classe : l'exemple d'une sortie scolaire au Musée de l'Espace de Kourou. Dans R. Ailincai et M.-F. Creuzier (dir.), *Pratiques éducatives dans un contexte multiculturel. L'exemple plurilingue de la Guyane. Le Primaire.* (vol. 1, p. 57-72). Guyane, France : CRDP, IUFM de la Guyanne.

Aird, R. et Falardeau, M. (2009). *Histoire de la caricature au Québec*. Montréal, Canada : VLB.

Allard, M., Larouche, M.-C., Lefebvre, B., Meunier, A. et Vadeboncoeur, G. (1995). La visite au musée. *Réseau* 27(4), 14-19. Repéré à http://www.unites.uqam. ca/grem/

Allard, M. (2002a). La situation des services éducatifs des institutions muséales québécoises. Dans T. Lemerise, D. Lussier-Desrochers et V. Maltais (dir.), *Courants contemporains de recherche en éducation muséale / Contemporary Research Trends in Museum Education*. Québec, Canada : MultiMondes.

Allard, M. (2002b). Le partenariat école-musée : quelques pistes de réflexion. Dans A. Landry et M. Allard (dir.), *Le musée à la rencontre des visiteurs*. Québec, Canada : MultiMondes.

Allard, M., Landry, A. et Meunier, C. (2006). Où va l'éducation muséale? Dans A.-M. Émond (dir.), *L'éducation muséale vue du Canada, des États-Unis et d'Europe : Recherche sur les programmes et les expositions/Education in Museums as Seen in Canada, the United States and Europe: Research on Programs and Exhibitions*. Québec, Canada : MultiMondes.

Allô prof. (2012). Outils de l'histoire : Analyse de documents historiques. Repéré à http://bv.alloprof.qc.ca/histoire/outils-de-l'historien/analyse-de-documents-historiques.aspx

AlloCiné (n.d.). *AlloCiné*. Repéré à http://www.allocine.fr/

Alvermann, D.E. (2001, octobre). *Effective Literacy Instruction for Adolescents. Executive Summary and Paper commissioned by the National Reading Conference*. Communication présentée au National Reading Conference, Chicago Illinois.

Anderson, P. (2007). What is Web 2.0? Ideas, technologies and implications for education. JISC Technology & Standards Watch. Loughborough : Leicestershire.

Ansanay-Alex, G. (2013). Wikipédia, quel outil pour l'historien ? Repéré à http://carpewebem.fr/wikipedia-quel-outil-pour-lhistorien/

Arnoud, P. et Biaggi, C. (2002). Cartes et images dans l'enseignement de la géographie. Dans *Actes du colloque – Apprendre l'histoire et la géographie à l'école*. Paris : France. Repéré à http://eduscol.education.fr/D0126/hist_geo_Arnould.htm

Arnseth, H. C. (2006). Learning to Play or Playing to Learn – A Critical Account of the Models of Communication Informing Educational Research on Computer Gameplay. *Games Studies, 6*(1).

Aron, R. (1965). *Dimensions de la conscience historique*. Paris, France : Plon.

Astolfi, J-P. (2004). *L'école pour apprendre*. Issy-Les-Moulineaux, France : ESF.

Astolfi, J-P. et Develay, M. (1989). *La didactique des sciences*. Paris, France : Presses Universitaires de France.

Astolfi, J.-P., Darot, É., Ginsburger-Vogel, Y. et Toussaint, J. (2008). *Mots-clés de la didactique des sciences. Repères, définitions, bibliographies*. Bruxelles, Belgique : De Boeck.

Atelier de Cartographie de Sciences Po Paris (2013). Faire des cartes. Paris. Repéré à http://cartographie.sciences-po.fr/fr/node/29

Atlas du Canada (2012). Explorez nos cartes. Repéré à http://atlas.nrcan.gc.ca/site/francais/

Atlas du Québec (2004). Vue d'ensemble du Québec. Repéré à http://vuesensemble.atlas.gouv.qc.ca/site_web/accueil/index.htm

Audigier, F. (1995). *Construction de l'espace géographique*. Paris, France. Didactique des disciplines, INRP.

Audigier, F., Auckentaler, Y., Fink, N. et Haeberli, P. (2002). Leçon d'histoire à l'École primaire. *Le cartable de Clio,* (2), 194-217.

Bachand, C.-A. (2009, 19 janvier). Bloguer pour enseigner et apprendre [Billet de blogue]. Repéré à http://www.profweb.qc.ca/fr/publications/dossiers/bloguer-pour-enseigner-et-apprendre/etat-de-la-question/index.html

Badufle, G. (2014). OOo.HG – L'alternative gratuite et libre pour créer facilement tout document Histoire-Géographie. Repéré à http://ooo.hg.free.fr/

Bain, R. (2006). Rounding Up Unusual Suspects: Facing the Authority Hidden in the History Classroom. *Teachers College Record, 108*(10), 2080-2114.

Baquès, M.-C. (2005). Manuels d'histoire et pratiques scolaires en France depuis 1880. Dans J.-L. Jadoulle (dir.), *Les manuels scolaires d'histoire. Passé, présent, avenir* (p. 33-53). Louvain-la-Neuve, France : Université Catholique de Louvain.

Barnes, J. (2010). Evolution of Malcolm X's views on women. *The Militant, 74*(18). Repéré à http://www.themilitant.com/2010/7418/741850.html

Barreau, H. (1996). *Le temps*. Paris, France : Presses Universitaires de France.

Barth, B.-M. (2008). De la pratique à la théorie : apprendre à construire son savoir. Dans C. Leleux, *La philosophie pour enfants. Le modèle de Matthew Lipman en discussion* (p. 161-174). Bruxelles, Belgique : de Boeck.

Barton, K. (2002). "Oh, That's a Tricky Piece!": Children, Mediated Action, and the Tools of Historical Time. *The Elementary School Journal, 103*(2), 161-185.

Barton, K. (2008). Research on students' ideas about history. Dans L. Levstik et C. A. Tyson (dir.), *Handbook of research in social studies education*, (p. 239-258). New York, États-Unis : Routledge.

Barton, K. et Levstik L. (2004). *Teaching History for the Common Good*. Mahwah, New Jersey : Lawrence Erlbaum Associates Publisher.

Battistoni-Lemière, A., Le Fur, A. et Nonjon, A. (2013). *Cartes en main, Méthodologie de la cartographie*. Paris : Ellipses.

Bay, M. (2001). *Pearl Harbor* [Film]. États-Unis : Touchstone Pictures et Jerry Bruckheimer Films.

Beach, R., Anson, C., Breuch, L. et Swiss, T. (2008). *Teaching Writing Using Blogs, Wikis, and Other Digital Tools*. Norwood, États-Unis : Christopher-Gordon Publishers.

Beauchemin, J. et Fahmy-Eid, N. (2014). Rapport final à la suite de la consultation sur l'enseignement de l'histoire – Le sens de l'histoire pour une réforme du programme d'histoire et éducation à la citoyenneté de 3e et de 4e secondaire. Repéré à http://www.mels.gouv.qc.ca/fileadmin/site_web/documents/publications/EPEPS/Formation_jeunes/Programmes/sens_de_lhistoire_VF.pdf

Beaupré, J. (2011, 1 décembre). Les temps changent… et les TBI pleuvent [Billet de blogue]. Repéré à http://www.infobourg.com/2011/12/01/tbi/

Béguin, M. et Pumain, D. (2010). La représentation des données géographiques, Statistique et cartographie. Paris : Armand Colin.

Beresford, B. (1991). *Robe noire* [Film]. Canada, Australie, États-Unis : Alliance Communications Corporation et Samson Productions Pty. Ltd.

Bernèche, F. et Perron, B. (2005). *La littératie au Québec en 2003 : faits saillants, Enquête internationale sur l'alphabétisation et les compétences des adultes (EIACA), 2003*. Québec, Canada : Institut de la statistique du Québec, Direction Santé Québec.

Bertin, J. (2000). La graphique de Jacques Bertin, 2000. Repéré à http://cartographie.sciences-po.fr/fr/la_graphique_jacques_bertin

Bertin, J. (2005). *Sémiologie graphique. Les diagrammes, les réseaux, les cartes.* Paris : École des Hautes Études en Sciences Sociales.

Bibliothèque Nationale de France. (2012). *Histoire de la cartographie.* Repéré à http://expositions.bnf.fr/cartes

Blake, A. et Cain, K. (2011). History at Risk? A Survey Into the Use of Mainstream Popular Film in the British Secondary School History Classroom. *International Journal of Historical Learning, Teaching and Research, 10*(1), 88-98.

Blaz, D. (2006). *Differentiated instruction: A guide for foreign language teachers.* New York, États-Unis : Eye On Education Inc.

Bloch, M. (1950). Critique historique et critique du témoignage. *Annales ESC, 5*(1), 1-8. Repéré à http://www.persee.fr/web/revues/home/prescript/article/ahess_03952649_1950_num_5_1_1781

Bloch, M. (1974/1949). *Apologie pour l'histoire ou métier d'historien* (7e ed.). Paris, France : Armand Collin.

Bloch, M. (1995). *Histoire et Historiens.* Paris, France : Armand Colin.

Boix-Mansilla, V. (2000). Historical Understanding. Beyond the Past and into the Present. Dans P. Stearns, P. Seixas et S. Wineburg (dir.), *Knowing, Teaching and Learning History. National and International Perspectives* (p. 390-417). New York, États-Unis : New York University Press.

Bolduc G. et Van Neste, M. (2002). La différenciation pédagogique : travailler avec des jeunes à la fois semblables et uniques. *Vie Pédagogique, 123*, 23-27.

Booth, M. (1987). Ages and Concepts: A Critique of the Piagetian Approach to History Teaching. Dans C. Portal (dir.), *The History Curriculum for Teachers* (p. 22-38). Londres, Royaume-Uni : The Falmer Press.

Booth, M. (1994). Cognition and History: A British Perspective. *Educational Psychologist, 29*(2), 61-69.

Bord, J.-P. (2012). *L'Univers des cartes. La carte et le cartographe.* Paris, France : Belin.

Bordage, F. (2008). *Contribuer au développement de la pensée critique des élèves en histoire du collégial: la bande dessinée à caractère historique* (Mémoire de maîtrise, Université Laval, Québec). Inédit.

Bouchut, A. (2006). Enseigner la ville à l'école élémentaire: quels dispositifs d'apprentissage pour appréhender l'espace urbain au cycle III? *L'Information géographique, 70*(2), 77-104.

Bouhon, M. (2009). *Les représentations sociales des enseignants d'histoire relatives à leur discipline et à leur enseignement.* (Thèse de doctorat, Université Catholique de Louvain-La-Neuve, Louvain-La-Neuve).

Bouhon, M. (2012). Logiques didactiques et problématisation des contenus dans l'activité de préparation de séquences des enseignants d'histoire. *Nouveaux Cahiers de la recherche en éducation, 15*(1), 69-86.

Boulette, J. (2012). *Sur les Rails – 3ᵉ cycle (2ᵉ année).* Montréal, Canada : Chenelière Éducation.

Bourdé, G. et Martin H. (1983). *Les écoles historiques.* Paris, France : Seuil.

Bourgeois-Viron, R. L. et Rebiffé, C. (2012). Problématiser en classe d'histoire à l'école élémentaire : deux exemples de situations scolaires. *Nouveaux Cahiers de la recherche en éducation, 15*(1), 35-49.

Boutin, J.F. (2012). La multimodalité : mieux comprendre la communication actuelle (et à venir). *Québec Français,* (166), 46-48.

Boutin, J.F. (2012b). De la paralittérature à la littératie médiatique multimodale : une évolution épistémologique et idéologique du champ de la bande dessinée. Dans M. Lebrin, N. Lacelle et J.-F. Boutin (dir.), *La littératie médiatique multimodale : De nouvelles approches en lecture-écriture à l'école et hors de l'école* (p. 33-55). Montréal, Canada : PUQ.

Boutonnet, V. (2009). *L'exercice de la méthode historique proposé par les ensembles didactiques d'histoire du 1ᵉʳ cycle du secondaire pour éduquer à la citoyenneté* (Mémoire de maîtrise, Université de Montréal). Repéré à http://hdl.handle.net/1866/8007.

Boutonnet, V. (2013a, 29 juillet). L'énergie ce n'est pas sérieux... [Billet de blogue]. Repéré à http://thenhier.ca/fr/content/l%E2%80%99%C3%A9nergie-ce-n%E2%80%99est-pas-s%C3%A9rieux%E2%80%A6

Boutonnet, V. (2013b). *Les ressources didactiques : typologie d'usages en lien avec la méthode historique et l'intervention éducative d'enseignants d'histoire au secondaire* (Thèse de doctorat, Université de Montréal). Repéré à http://hdl.handle.net/1866/10105.

Boutonnet, V. (2013c, 15 mars). Vous avez dit historique ? [Billet de blogue]. Repéré à http://thenhier.ca/fr/content/vous-avez-dit-historique

Boutonnet, V. (2013d). Silence, ça tourne ou comment tourner l'usage d'un film à son avantage... [Billet de blogue]. Repéré à : http://thenhier.ca/en/node/9991

Braudel, F. (1966). *La Méditerranée et le monde méditerranéen à l'époque de Philippe II.* Paris, France : Colin.

Braxmeyer, N. (2007). Les pratiques d'enseignement en histoire, géographie et éducation civique au collège. Éducation et formations (Ministère de l'Éducation nationale), 76, 93-104.

Brewer, E. A. et Fritzer, P. (2011). Teaching Students to Infer Meaning Through Material Culture. *The Clearing House, 84,* 43-46.

Briand, D. (2010). *Enseigner l'histoire avec le cinéma*. Caen, France : CRDP de Basse-Normandie.

Briand, D. et Pinson, G. (2008). *Enseigner l'histoire avec des images, École, collège, lycée*. Paris, France : Hachette, collection « Ressources Formation ».

Bruner, J. (2000). *Culture et modes de pensée. L'esprit humain dans ses oeuvres*. Paris, France : Retz.

Brunet, R. (1987). *La carte mode d'emploi*. Paris, France : Fayard-Reclus, 1987.

Brunet, R., Ferras. R. et Théry, H. (2005). *Les mots de la géographie. Dictionnaire critique* (3ᵉ éd.). Paris, France : La Documentation française.

Bugnard, P.-P. (2011). La problématisation en histoire enseignée. *Le cartable de Clio*, (11), 189-203.

Buisson, F. (1911). *Leçon de choses. Dictionnaire de pédagogie de Ferdinand Buisson*. Repéré à www.inrp.fr/edition-electronique/lodel/dictionnaire-ferdinand-buisson/document.php?id=3034

Cadiou, F., Coulomb, C., Lemonde, A. et Santamaria, Y. (2005). *Comment se fait l'histoire. Pratiques et enjeux*. Paris, France : La Découverte.

Campbell, G. (2005). There's Something in the Air Podcasting in Education. *Educause Review, November/December*, 33-46.

Carbonell, C.-O. et Walch, J. (1994). *Les sciences historiques : de l'Antiquité à nos jours*. Paris, France : Larousse.

Cardin, J.-F. (2010). Histoire et éducation à la citoyenneté : une idée qui a la vie dure. Dans M. Mellouki (dir.), *Promesses et ratés de la réforme de l'éducation au Québec* (p. 191-219). Québec, Québec : Presses de l'Université Laval.

Cardin, J.-F. et Tutiaux-Guillon, N. (2007). Les fondements des programmes d'histoire par compétences au Québec et en France : regards croisés. *Les Cahiers Théodile, 8*, 35-64.

Cariou, D. (2004). La conceptualisation en histoire au lycée, une approche par la mobilisation et le contrôle de la pensée sociale des élèves. *Revue française de pédagogie, 147*, 57-68.

Carlot, Y. et Genevois, S. (2005). Des SIG didactiques peuvent-ils favoriser l'apprentissage de la complexité ? *Bulletin de la société géographique de Liège, 45*, 97-105.

Caron, A., Caronia, L. et Weiss-Lambrou, R. (2007). La baladodiffusion en éducation : mythes et réalités des usages dans une culture mobile. *Revue internationale des technologies en pédagogie universitaire, 4*(3), 42-57.

Carr, E. H. (1988/1961). *Qu'est-ce que l'histoire ?* Paris, France : La Découverte.

Carr, M.-A. (2009). *Differentiation made simple: Timesaving tools for teachers*. Waco, Texas : Prufrock Press.

Carter, R. G. S. (2006). Of Things Said and Unsaid: Power, Archival Silences, and Power in Silence. Archivaria. *The Journal of the Association of Canadian Archivists,* 61. http://journals.sfu.ca/archivar/index.php/archivaria/article/viewArticle/12541

Cartier, S. (2007). *Apprendre à lisant au primaire et au secondaire.* Anjou, Canada : Éditions CEC.

Cartier, S., Chouinard, R. et Contant, H. (2011). Apprentissage par la lecture en milieu défavorisé : stratégies d'adolescents ayant une faible performance à l'activité. *Revue canadienne de l'éducation, 34*(1), 36-64.

Cartier, S. et Manon, T. (2004). *L'enseignement des stratégies d'apprentissage par la lecture.* Montréal, Canada : Université de Montréal.

Castagnet-Lars, V. (2013). *L'éducation au patrimoine: de la recherche scientifique aux pratiques pédagogiques.* Villeneuve d'Ascq, France : Septentrion Presses universitaires.

Cavenaille, R. (1996). À la recherche du temps qui passe. L'apprentissage de la chronologie dans l'enseignement fondamental. *Informations pédagogiques,* (30).

Centre régional de documentation pédagogique de l'académie de Toulouse. (n.d.). *Apprendre par, pour et avec Wikipédia*[diaporama]. Repéré à http://www.cndp.fr/crdp-toulouse/spip.php?article21987

Chabrol, J.-P. (2001). *Du bon usage des schémas fléchés.* Repéré à http://www.aix-mrs.iufm.fr/formations/filieres/hge/gd/gdgeographie/notions/systemiq/signedusagittaire.htm

Chamberland, R. et Gaulin, A. (1994). *La chanson québécoise. De la Bolduc à aujourd'hui.* Québec, Canada : Nuit Blanche éditeur.

Chaplin, C. (1936). *Les temps modernes* [Film]. États-Unis : Charles Chaplin Productions.

Charland, J.-P. (2003). *Les élèves, l'histoire et la citoyenneté*: Enquête auprès d'élèves des régions métropolitaines de Montréal et de Toronto. Québec, Canada : Les Presses de l'Université Laval.

Charland, J.-P., Éthier, M.-A., Cardin, J.-F. et Moisan, S. (2010). Premier portrait de deux perspectives différentes sur l'histoire du Québec enseignée dans les classes d'histoire et leur rapport avec les identités nationales: recherche sur la conscience historique des adolescents canadiens-français et amérindiens. Dans J.-F. Cardin, M.-A. Éthier et A. Meunier (dir.), *Histoire, musées et éducation à la citoyenneté* (p. 183-211). Québec, Canada : MultiMondes.

Charsky, D. et Mims, C. (2008). Integrating commercial off-the-shelf video games into school curriculums. *TechTrends, 52,* 38-44.

Chevalier, D. (2004). Une séance de géographie à l'école primaire: usages du langage naturel dans l'appropriation des savoirs géographiques. Dans *Actes du 9e Colloque de l'AIRDF.* Québec, Québec.

Cholette-Pérusse, F. (1981). *Psychologie de l'enfant de zéro à dix ans*. Montréal, Canada: Éditions de l'Homme.

Chouinard, M.-A. (2013, 16 février). Du tableau au grand écran. *Le Devoir*. Repéré à http://www.ledevoir.com/societe/actualites-en-societe/371120/du-tableau-au-grand-ecran

Chowen, B. W. (2005). *Teaching Historical Thinking: What Happened in a Secondary School World History Classroom*. (Thèse de doctorat, Université du Texas, Austin).

Churches, A. (2009). Bloom's Digital Taxonomy. Repéré à https://edorigami.wikispaces.com/Bloom's+Digital+Taxonomy

Ciné club de Caen. (n.d.). *Cinéma et histoire* [document]. Repéré à http://www.cineclubdecaen.com/analyse/cinemaethistoire.htm

Clary, M., Ferras, R., Dufau, G. et Durand, R. (1987). *Cartes et modèles à l'école*. Montpellier: Reclus.

Clio-Ciné (2002). *Clio-Ciné*. Repéré à http://www.cinehig.clionautes.org/

Coffey, S. (2011). Differentiation in theory and practice. Dans J. Dillon et M. Maguire (dir.), *Becoming a teacher: Issues in secondary education* (4e éd., p. 197-209). New York, États-Unis: Open University Press/McGraw-Hill Education.

Collectif Clio. (1992). *Histoire des femmes au Québec depuis quatre siècles* (2e ed.). Montréal, Canada: Le Jour.

Collège Paul Éluard de Châtillon. (2011). Histoire-Géographie – Collège Paul Éluard de Châtillon. Repéré à http://www.podclasses.ac-versailles.fr/users/gekiere/

Collins Block, C. et Parris, S. R. (2008). *Comprehension Instruction: Research-Based Best practices*. New York, États-Unis: Guilford press.

Conrad, M., Létourneau, J. et Northrup, D. (2009). Canadians and Their Pasts: An Exploration in Historical Consciousness. *The Public Historian, 31*(1), 15-34.

Conseil supérieur de l'éducation. (1998). *Éduquer à la citoyenneté*. Québec, Canada: Conseil supérieur de l'éducation.

Cooper, H. et Capita, L. (2004). Leçons d'histoire à l'école primaire: comparaisons. *Le cartable de Clio*, (3), 155-168.

Cooper, H. et Dilek, D. (2007). A Comparative Study on Primary Pupils' Historical Questioning Processes in Turkey and England: Empathic, Critical and Creative Thinking. *Educational Sciences: Theory and Practice, 7*(2), 713-725.

Corbin, A. (1998). *Le monde retrouvé de Louis-François Pinagot: sur les traces d'un inconnu, 1798-1876*. Paris, France: Flammarion.

Cormier, J.-M. et Savoie, H. (2011). De l'influence d'une visite au musée sur la conscience historique des élèves du primaire. *Revue canadienne de recherche sociale, 4*(1), 42-72.

Cornette, J. (2008). Colbert, ministre impeccable sur Wikipédia. Repéré à http://www.books.fr/wikigrill/colbertministre-impeccablesurwikipedia-319/

Costner, K. (1990). *Il danse avec les loups* [Film]. États-Unis, Grande-Bretagne : Tig Productions et Majestic Films International.

D'Almeida-Topor, H. (1995). L'historien et l'image. *Vingtième Siècle, Revue d'histoire* (45), p. 149-151.

Daignault, L. (2011). *L'évaluation muséale. Savoirs et savoir-faire.* Québec, Canada : Presses de l'Université du Québec.

Dalongeville, A. (1998). Construire des situations problèmes en histoire. *L'École Valdôtaine*, (41), 40-42.

Dalongeville, A. (2006). *Enseigner l'histoire à l'école* (2ᵉ éd.). Paris, France : Hachette Éducation.

Dalongeville, A. (2007). *Situations-problèmes pour enseigner l'histoire au cycle 3.* Paris : Hachette Éducation.

Dalongeville, A. et Huber, M. (2000). *(Se) former par les situations-problèmes : des déstabilisations constructives.* Lyon, France : Chronique sociale.

De Certeau, M. (1975). *L'écriture de l'Histoire.* Paris, France : Gallimard.

Degler, C. N. (1980). *At odds: women and the family in America from the Revolution to the present.* New York : Oxford University Press.

De Lorimier, M. (1988). Lorimier, Chevalier de. Repéré à http://www.biographi.ca/fr/bio/lorimier_chevalier_de_7F.html.

De Vecchi, G. et Carmona-Magnaldi, N. (1996). *Faire construire des savoirs.* Paris, France : Hachette-Éducation.

De Vergnette, F. (2006). Peinture d'histoire (XVᵉ-XIXᵉ siècles). Dans L. Gervereau (dir.), *Dictionnaire mondial des images* (795-798). Paris, France : Nouveau monde éditions.

Delacroix, C., Dosse, F., Garcia, P. et Offenstadt, N. (dir.). (2010). *Historiographies, I: concepts et débats.* Paris, France : Gallimard.

Delsalle, P. (2000). *Les documents historiques.* Paris, France : Éditions Ophrys.

Demers, S. (2012). *Relations entre le cadre normatif et les dimensions téléologique,* épistémologique et praxéologique des pratiques d'enseignements d'histoire et éducation à la citoyenneté: étude multicas. (Thèse de doctorat inédite). UQÀM.

Demers, S., Lefrançois, D. et Éthier, M.-A. (2010). Un aperçu des écrits publiés en français et en anglais depuis 1990 à propos des recherches en didactique sur le développement de la pensée historique au primaire. Dans J.-F. Cardin, M.-A. Éthier et A. Meunier (dir.), *Histoire, musées et éducation à la citoyenneté* (p. 213-245). Québec, Canada : MultiMondes.

Depover, C., Quintin, J.-J. et Strebelle, A. (2013). Le Web 2.0, rupture ou continuité dans les usages pédagogiques du Web? *Éducation et francophonie*, 41(1), 173-191.

Desbois, H. (2008). La transition géonumérique. Repéré à http://barthes.enssib. fr/articles/Desbois-colloque-ENSSIB-Goody-2008.pdf

Descamps, F. (2001). *L'historien, l'archiviste et le magnétophone. De la constitution de la source orale à son exploitation.* Paris, France: Comité pour l'histoire économique et financière de la France.

Descamps, F. (dir.) (2006). *Les sources orales et l'histoire. Récits de vie, entretiens, témoignages oraux.* Paris, France: Bréal.

Desrochers, M. (2000). Résultats d'une étude comparative de deux types de visites commentées. Dans M. Allard et B. Lefebvre (dir.), *Musée, culture et éducation/Museum, Culture and Education.* Québec, Canada: MultiMondes.

Desrosiers-Sabbath, R. (1984). *Comment enseigner les concepts. Vers un système de modèles d'enseignement.* Sillery, Canada: Presses de l'Université du Québec.

Destenay T. (n.d.). La géographie: les cartes. Repéré à http://thierry.destenay. pagesperso-orange.fr/site_perso/cartes.htm

Devlin-Scherer, R. et Sardonne, N. B. (2010). Digital Simulation Games for Social Studies Classrooms. *The Clearing House, 83*(4), 138-144. doi: 10.1080/00098651003774836

Dickinson, J. A. (1981). Annaotaha et Dollard vus de l'autre côté de la palissade. *Revue d'histoire de l'Amérique française, 35*(2), 163-178.

Direction de l'information légale et administrative. (n.d.) Cartes. Repéré à http://www.ladocumentationfrancaise.fr/cartes

Dollier de Casson, F. (1992/1672). *Histoire de Montréal.* Montréal, Canada: Hurtubise HMH.

Dosse, F. (1995/1987). *L'histoire en miettes. Des «Annales» à la nouvelle histoire.* Paris, France: La Découverte.

Doty, J.K., Cameron, G.N. et Barton, M.L. (2003). *Teaching reading in social studies – A supplement to Teaching reading in the content areas teacher's manual.* Aurora, Canada: Midcontinent research for education and learning.

Dufault, M. (2001). *Méthodes de discrétisation.* Repéré à http://www.er.uqam. ca/nobel/k22761/geo3072/discretisation.pdf

Dumont, M. (1996). Pour sortir de l'ambiguïté. *Bulletin d'histoire politique, 5*(1), 16-30.

Dumont, M. (2001). *Découvrir la mémoire des femmes. Une historienne face à l'histoire des femmes.* Montréal: Remue-ménage.

Dumont, M. (2013). *Pas d'histoire les femmes! Réflexions d'une historienne indignée.* Montréal, Québec: Remue ménage

Dunlap, J. et Lowenthal, P. (2009). Tweeting the Night Away: Using Twitter to Enhance Social Presence. *Journal of Information Systems Education, 20*(2), 129-136.

Dunlap, J. et Lowenthal, P. (2011). Learning, unlearning, and relearning: Using Web 2.0 technologies to support the development of lifelong learning skills. Dans G. Magoulas (dir.), *E infrastructures and technologies for lifelong learning: Next generation environments* (p. 292-315). Hershey: IGI Global.

Duplessis, P. (2008). Wikipédia, un objet problème en information-documentation. Journée professionnelle de l'ADBEN des Pays de la Loire. 31 mai 2008. *Les Trois Couronnes*. Repéré le 3 juillet 2013 à http://lestroiscouronnes.esmeree.fr/didactique-information/wikipedia-un-objet-probleme-en-information-documentation-journee-professionnelle-de-l-adben-des-pays-de-la-loire-31-mai-2008

Dupuis, P. (2012). Traits pour traits. *Histoire et Caricature, Textes et documents pour la classe* (1029), p. 8-13.

Duquette C. et Côté, H. (2007). Comment penser l'initiation culturelle des élèves dans les classes d'histoire au secondaire? L'approche culturelle dans l'enseignement de l'histoire. *Le cartable de Clio*, 7, 208-219.

Duquette, C. (2008). L'utilisation des films pour enseigner les compétences: un défi à relever. *Traces*, *46*(4), 1-6.

Durand-Dastès, F. (1995). Monde indien. Dans R. Brunet (dir.), *Géographie universelle Afrique du Nord, Moyen-Orient, Monde indien* (p. 245-463). Paris: Belin et Montpellier: Reclus

Eastwood, C. (2006). *Lettres d'Iwo Jima* [Film]. États-Unis: Warner Bros.

Eastwood, C. (2006). *Mémoire de nos pères* [Film]. États-Unis: Paramount Pictures.

Éducation nationale. (2005). *Sciences expérimentales et technologie, histoire et géographie. Leur enseignement au cycle III de l'école primaire* (rapport n⁰ 2005-2012). Paris, France: Inspection générale de l'Éducation nationale.

EducTice (2014). Geomdia.lab – Usages et enjeux des géomédias dans l'enseignement. Repéré à http://eductice.ens-lyon.fr/EducTice/recherche/geomatique/

Egenfeldt-Nielsen, S. (2006). Overview of research on the educational use of video games. *Digital kompetanse, 1*(3), 184-213.

Egenfeldt-Nielsen, S. (2012). Europa Universalis II: Conquest, trading, diplomacy from the Middle Ages to Napoleon. *Well Played, 1*(3), 39-48.

Eisenmenger, D. (2009). Mit Blog und Twitter live aus der Paulskirche. *Lehrer-Online*. Repéré à http://www.lehrer-online.de/paulskirchenprojekt.php?show_complete_article=1&sid=13815932434571623126132163216290.

Emmerich, R. (2000). *Le patriote* [Film]. Allemagne, États-Unis: Columbia Pictures Corporation, Centropolis Entertainment, Mutual Film Company et Global Entertainment Productions GmbH.

EsriFrance. (n.d.). ArcGis Explorer. Repéré à ressources.esrifrance.fr/res_produits_arcexplorer.aspx

Éthier, M.-A. (2000a). *Activités et contenus des ouvrages scolaires québécois d'histoire générale (1985-1999) relatifs aux causes de l'évolution démocratique* (Thèse de doctorat inédite). Université de Montréal.

Éthier, M.-A. (2000b). Le Gladiateur : apologie pour une histoire frelatée. *Traces, 38*(4), 14-17.

Éthier, M.-A. (2006). Analyse comparative des activités et contenus des ouvrages scolaires québécois d'histoire générale relatifs aux causes de l'évolution démocratique. *Canadien Journal of Education, 29*(3), 650-683.

Éthier, M.-A. et Lefrançois, D. (2010). L'enseignement de l'histoire au Québec : perspectives historiques et critiques sur les programmes scolaires. *Le cartable de Clio – Revue suisse sur les didactiques de l'histoire,* 10, 147-165.

Éthier, M.-A. et Lefrançois, D. (2008a). Les TIC et les ressources virtuelles dans le domaine de l'univers social au primaire, 1re partie. *Traces, 46*(2), 35-41.

Éthier, M.-A. et Lefrançois, D. (2008b). Les TIC et les ressources virtuelles dans le domaine de l'univers social au primaire, 2e partie. *Traces, 46*(3), 25-31.

Éthier, M.-A., Lefrançois, D. et Cardin, J.-F. (2011). *Enseigner et apprendre l'histoire : manuels, enseignants et élèves.* Québec, Canada : PUL.

Éthier, M.-A., Lefrançois, D. et Moisan, S. (2010). Trois recherches exploratoires sur la pensée historique et la citoyenneté à l'école et à l'université. Dans M.-A. Éthier, J.-F. Cardin et A. Meunier (dir.), *Histoire, musées et éducation à la citoyenneté* (p. 267-287). Québec, Canada : MultiMondes.

Euratlas. (2001). Cartes de géographie: atlas de l'Europe et atlas du monde. Repéré à http://www.euratlas.net/geography/fr_index.html

Fakoly, T.J. (2002). Françafrique. *Françafrique* [CD]. France : Barclay.

Falardeau, P. (2001). *15 février 1839* [Film]. Canada : ACPAV, Canadian Television Fund, Films Cinépix, SODEC, Super Écran et Téléfilm Canada.

Fastrez, P. et De Smedt, T. (2012). Une description matricielle des compétences en littératie médiatique. Dans M. Lebrun, N. Lacelle et J.-F., Boutin. (dir.), *La littératie médiatique multimodale : De nouvelles approches en lecture-écriture à l'école et hors de l'école* (p. 45-60). Montréal, Canada : PUQ.

Febvre, L. (1952). *Combats pour l'histoire.* Paris, France : Armand Colin.

Félicia, P. (2009). Les jeux électroniques en classe : manuel pour les enseignants. Dans European schoolnet (dir.), *Quel usage pour les jeux vidéo en classe?* Belgique.

Ferland, Y. (1997). Les défis théoriques posés à la cartographie mènent à la cognition. *Cybergéo – Spécial 30 ans de sémiologie graphique.* Repéré à *http://cybergeo.revues.org/499.*

Ferro, M. (1981). *Comment on raconte l'histoire aux enfants à travers le monde.* Paris, France : Payot.

Ferro, M. (1985). *L'histoire sous surveillance. Science et conscience de l'histoire.* Paris, France : Folio Histoire.

Ferro, M. (1993). *Cinéma et Histoire.* Paris, France : Gallimard.

Ferro, M. (2003). *Cinéma, une vision de l'Histoire.* Paris, France : Éditions du Chêne.

Fink, N. (2014). *Paroles de témoins, paroles d'élèves.* Bruxelles, Belgique : Peter Lang.

Fink, N. et Heimberg, C. (2008). Transmettre la critique de la mémoire. Dans C. Hahnel-Mesnard, M. Liénard-Yétérian et C. Marinas (dir.), *Culture et mémoire* (p. 63-71). Palaiseau, France : Éditions de l'École Polytechnique.

Fisher, D. et Ivey, G. (2005). Literacy and languages as learning in content-area classes: A departure form "Every teacher a teacher of reading". *Action in Teacher Education, 27*(2), 3-11.

Flickr (n.d.). FlickrTheCommons. Repéré à www.flickr.com/commons/institutions

Flixster (n.d.). Rottentomatoes. Repéré à http://www.rottentomatoes.com/

Ford, J. (1956). *La prisonnière du désert* [Film]. États-Unis : Warner Bros. et C.V. Whitney Picture.

Forsten, C., Grant, J. et Hollas, B. (2004). *Differentiated instruction: Different strategies for different learners.* Peterborough, New Hampshire: Crystal Springs Books.

Foulon, P., Djaouti, D., Goulamhoussen, R., Lacan, L., Touré, T., Siegel, C., Valle, P., Bertholier, L., Martin, L. et Kolodziejczak, C. (2006). *Serious-game.fr : la référence serious game.* Repéré à http://www.serious-game.fr/

Fraser, A. (2008). *Marie-Antoinette.* Paris, France : Flammarion.

FreeCol. (2002). FreeCol : the colonization of America. Repéré à http://www.freecol.org/

Friedman, W.-J. et Lyon, D.-T. (2005). Development of temporal-reconstructives abilities. *Child Development, 76*(6), 1202-1216

Games for change (2004). *Games for change.* Repéré à http://www.gamesforchange.org

Gee, J. P. (2005). What would a state of the art instructional video game look like? *Innovate: Journal of online education, 1*(6).

Genevois, S. (2003). Les SIG : un outil didactique innovant pour la géographie scolaire? Cartes et Systèmes d'Information Géographique. *Dossiers de l'Ingénierie Educative, CNDP* (44), 10-13.

Genevois, S. (2007). NASA Worldwind, Google Earth, Géoportail à l'école : un monde à portée de clic? *Mappemonde,* 85. Repéré à http://mappemonde.mgm.fr/num13/internet/int07101.html

Genevois, S. (2008). *Quand la géomatique rentre en classe. Usages cartographiques et nouvelle éducation géographique dans l'enseignement secondaire* (Thèse de doctorat, Université de Saint-Étienne, France). Repéré à http://tel.archives-ouvertes.fr/tel-00349413/fr/

Genevois, S. (2011). La cartographie numérique est-elle soluble dans la géographie scolaire? Dans V. Marie et N. Lucas. (dir.), *La carte dans tous ses états* (p. 153-179). Paris, France: Le Manuscrit.

Geoclip. (n.d.). La cartographie intuitive et intelligente. Repéré à www.geoclip. fr/fr/

George Eastman House. (2000). George Eastman House, International Museum of Photography and Film. Repéré à http://www.eastmanhouse.org

Gérin-Grataloup, A.-M. (2012). *La géographie*. Paris: Nathan.

Gérin-Grataloup, A.-M., Solonel, M. et Tutiaux-Guillon, N. (1994). Situations-problèmes et situations scolaires en histoire-géographie. *Revue française de pédagogie, 106*, 25-37.

Gervereau, L. (2004). *Voir, comprendre, analyser les images*. Paris, France: La Découverte.

Gervereau, L. (dir.) (2006). *Dictionnaire mondial des images*. Paris, France: Nouveau monde éditions.

Giasson, J. (2011). *La lecture: apprentissage et difficultés*. Montréal, Canada: Chenelière Éducation.

Gibson, M. (1985). *Cœur vaillant* [Film]. États-Unis: Icon Productions, Ladd Company et B.H. Finance C.V.

Giordan, A. et De Vecchi, G. (1987). *Les origines du savoir. Des conceptions des apprenants aux concepts scientifiques*. Paris, France : Delachaux et Niestlé.

Giorgini, D., Oline, C., Cheveau-Richon, D. et Fleury, S. (2013). *Géographie Terminale, séries L. et ES*. Paris, France: Le Monde.

Girard, C., Ecalle, J. et Magnan, A. (2012). Serious games as new educational tools: how effective are they? A meta-analysis of recent studies. *Journal of Computer Assisted Learning, 29*, 207-219.

Girard, E. (2012). *Les cartes. Enjeux politiques*. Paris: Ellipses.

Gombrich, E. H. (2006). *Histoire de l'art* (traduit par J. Combe, C. Lauriol et D. Collins). Paris, France : Phaidon.

Google (2014a). Google Earth. Repéré à http://www.google.fr/intl/fr/earth/index.html

Google (2014b). Google Map. Repéré à http://geoegl.msp.gouv.qc.ca/golocmsp/

Gosselin, V. (2011). Historical Thinking in the Museum: Open to Interpretation. In P. Clark (dir.), *New Possibilities for the Past. Shaping History Education in Canada* (p. 245-263). Vancouver, Canada : UBC Press.

Gouvernement de la Colombie-Britannique (2014). DataBC. Repéré à http://www.data.gov.bc.ca/

Gouvernement de la République française (2012). Géoportail. Repéré à http://www.geoportail.gouv.fr/accueil

Gouvernement du Canada (n.d.). Bibliothèque et Archives Canada. Repéré à www.collectionscanada.gc.ca

Gouvernement du Québec (1963). *Programme d'études des écoles secondaires.* Québec, Canada: Ministère de l'Éducation.

Gouvernement du Québec (1966). *Rapport de la Commission royale d'enquête sur l'enseignement dans la province de Québec, tome II : Les structures pédagogiques du système scolaire. Les programmes d'études et les services éducatifs.* Québec, Canada: Ministère de l'Éducation.

Gouvernement du Québec (1982). *Programme d'études, Histoire du Québec et du Canada. 4e secondaire.* Québec, Canada: Ministère de l'Éducation.

Gouvernement du Québec (1997a). *Réaffirmer l'école. Rapport du Groupe de travail sur la réforme du curriculum.* Québec, Canada: Ministère de l'Éducation.

Gouvernement du Québec (1997b). *L'école tout un programme. Énoncé de politique éducative.* Québec, Canada: Ministère de l'Éducation.

Gouvernement du Québec (2006a). Programme de formation de l'école québécoise, éducation préscolaire, enseignement primaire. Québec, Canada: Ministère de l'Éducation, du loisir et du Sport. Repéré à http://www1.mels.gouv.qc.ca/sections/programmeFormation/pdf/prform2001.pdf

Gouvernement du Québec (2006b). L'évaluation des apprentissages au secondaire: cadre de référence [version préliminaire]. Québec, Canada: Ministère de l'Éducation, du Loisir et du Sport. Repéré à http://conseil-cpiq.qc.ca/web/doc/nouvelles/cadresecondaire_prelim_2009918115912.pdf

Gouvernement du Québec (2006c). *Programme de formation de l'école québécoise Enseignement secondaire. Premier cycle.* Québec, Canada: Ministère de l'Éducation, du Loisir et du Sport. Repéré à http://www1.mels.gouv.qc.ca/sections/programmeFormation/pdf/prform2001.pdf

Gouvernement du Québec (2007a). Un programme de formation pour le XXIe siècle. Dans *Programme de formation de l'école québécoise, enseignement secondaire, deuxième cycle.* Repéré à http://www1.mels.gouv.qc.ca/sections/programmeFormation/secondaire2/medias/7b-pfeq_histoire.pdf

Gouvernement du Québec (2007b). Histoire et éducation à la citoyenneté. Dans *Programme de formation de l'école québécoise, enseignement secondaire, deuxième cycle.* Repéré à http://www1.mels.gouv.qc.ca/sections/programmeFormation/secondaire2/medias/7b-pfeq_histoire.pdf

Gouvernement du Québec (2008). *Programme de formation de l'école québécoise, Parcours de formation axé sur l'emploi, Géographie, histoire et éducation à la citoyenneté.* Québec, Canada: Ministère de l'Éducation, du Loisir et du Sport. Repéré à http://www.mels.gouv.qc.ca/fileadmin/site_web/documents/publications/EPEPS_ServEns/Programmes/PFEQ_Chap_08.pdf

Gouvernement du Québec (2009). *BAnQ: Bibliothèque et archives nationales du Québec*. Repéré à www.banq.qc.ca

Gouvernement du Québec (2009). *Monde Contemporain. Programme de formation de l'école québécoise. Québec, Canada: Ministère de l'Éducation, du Loisir et du Sport*. Repéré à http://www1.mels.gouv.qc.ca/sections/programmeFormation/secondaire2/medias/08-01202_MondeContemporain.pdf

Gouvernement du Québec (2010). *Progression des apprentissages au secondaire: Histoire et éducation à la citoyenneté, premier cycle*. Québec, Canada: Ministère de l'Éducation, du Loisir et du Sport. Repéré à http://www1.mels.gouv.qc.ca/progressionSecondaire/pdf/progrApprSec_histEducCitoyennete_fr.pdf

Gouvernement du Québec (2011). *Cadre d'évaluation des apprentissages: Histoire et éducation à la citoyenneté – Enseignement secondaire 1er et 2e cycle*. Québec, Canada: Ministère de l'Éducation, du Loisir et du Sport. Repéré à https://www7.mels.gouv.qc.ca/dc/evaluation/pdf/histoire-et-education-a-la-citoyennete-sec.pdf

Gouvernement du Québec (2013). Le Québec géographique. Repéré à http://www.quebecgeographique.gouv.qc.ca/

Gouvernement du Québec (2014). Données ouvertes – Gouvernement du Québec. Repéré à http://www.donnees.gouv.qc.ca/?node=/accueil

Gouvernement du Québec (2014). *Livres ouverts*. Repéré à www.livresouverts.qc.ca

Gouvernement du Québec (n.d.). Vocabulaire de la géomatique. Repéré à http://www.mrn.gouv.qc.ca/territoire/geomatique/geomatique-vocabulaire.jsp

Gouvernement du Québec (n.d.). Gestion des opérations de localisation et de cartographie. Repéré à http://geoegl.msp.gouv.qc.ca/golocmsp/

Grataloup, C. (2011). *Faut-il penser autrement l'histoire du monde?* Paris, France: Armand Colin.

Gregory, R. L. (2000). *L'œil et le cerveau: la psychologie de la vision*. Paris, France: De Boeck Université.

Grenon, V. et Larose, F. (2009). L'intégration des TIC au service de l'enseignement des sciences humaines: pistes et conditions à respecter. Dans J. Lebrun et A. Araujo-Oliveira (dir.), *L'intervention éducative en sciences humaines au primaire. Des fondements aux pratiques* (p. 205-221). Montréal: Chenelière Éducation.

Grosseck, G. et Holotescu, C. (2008, avril). *Can we use Twitter for Educational Activities?* Communication présentée au 4th International Scientific Conference eLSE, Bucharest.

Grossin, W. (1974). *Les temps de la vie quotidienne*. Paris, La Haye: Mouton et co.

Groulx, L. (1924). *Notre maître le passé*. Montréal, Canada: Bibliothèque de l'Action française.

Groulx, P. (1998). *Pièges de la mémoire. Dollard des Ormeaux, les Amérindiens et nous.* Gatineau, Canada : Vent d'Ouest.

Groupe de travail histoire-géographie (n.d.). *Le témoignage, un document comme les autres ? Réflexions théoriques pour une mobilisation raisonnée du témoignage en classe.* Repéré à : http://artic.ac-besancon.fr/lp_lettres/ groupedetravail/temoignage/menuintroductiongenerale.htm

Groupe d'étude des didactiques de l'histoire de la suisse romande et du Tessin (2004). *Le cartable de Clio – Revue romande et tessinoise sur les didactiques de l'histoire*(4).

Groupe régional d'intervention sociale de Québec. (1999). *Carrefour éducation.* Repéré à http://carrefour-education.qc.ca

Guay, L. (2007). Les TIC transforment les pratiques pédagogiques. *Journal of the Association for History and Computing, 10*(1). Repéré à http://hdl.handle. net/2027/spo.3310410.0010.102

Guay, L. (2009). Les impacts des TIC sur l'enseignement de l'histoire : du manuel imprimé au manuel électronique. *Diversité canadienne, 7*(1), 83-87.

Guay, L. (2011). Homo numéricus à l'école d'homo sapiens. *Thèmes canadiens, été*, 60-63.

Guay, L. et Charrette, D. (2009). La bande dessinée : un outil didactique pour enseigner l'histoire. *Traces, 47*(2), 1-7.

Guay, L. et Guité, F. (2011). L'univers social et la révolution TIC. *Enjeux de l'univers social, 7*(1), 21-27.

Guité, F. (2007). Constructivisme, socioconstructivisme et connectivisme. Repéré à http://www.francoisguite.com/2007/10/constructivisme-socioconstructivisme-et-connectivisme/

Hancock, J. L. (2004). *Alamo* [Film]. États-Unis : Touchstone Pictures et Imagine Entertainment.

Harman, C. (1999/2013). *Une histoire populaire de l'humanité. De l'âge de pierre au nouveau millénaire.* Montréal, Canada : Boréal.

Harniss, M.-K., Dickson, S.-V., Kinder, D. et Hollenbeck, K.L. (2001). Textual problems and instructional solutions: Strategies for enhancing learning from published history textbook. *Reading and Writing Quarterly: Overcoming Learning Difficulties, 17*(2), 127-150.

Haskell, F. (1995). *L'historien et les images.* Paris, France : Gallimard.

Hawkey, K. et Prior, J. (2011). History, Memory Cultures and Meaning in the Classroom. *Journal of Curriculum Studies, 43*(2), 231-247.

Heimberg, C. (2002). *L'Histoire à l'école.* Issy-les-Moulineaux, France : ESF éditeur.

Heimberg, C. (2010). L'histoire enseignée et le travail de mémoire. Créer des sources orales dans le contexte scolaire. *Alle Radici dell'Albero Scuola*, 36-48. Repéré à : http://www.unige.ch/fapse/edhice/textesenligne/ textesedhice/Histoire_enseignee_fr.pdf

Hess, D. E. (2007). From "Banished" to "Brother Outsider," "Miss Navajo" to "An Inconvenient Truth": Documentary films as perspective-laden narratives. *Social Education, 71*(4), 194-199.

Hicks, D., Doolittle, P. et Lee, J. K. (2004). Social studies Teachers' Use of Classroom-Based and Web-Based Historical Primary Sources. *Theory and Research in Social Education, 32*(2), 213-247.

Hill, P.C. (1953). *L'enseignement de l'histoire : conseils et suggestions*. Paris, France : Unesco.

Historiagames (2011). *Historiagames*. Repéré à http://www.histogames.com

Historyteachers (2010). *The french revolution* («Bad Romance » by Lady Gaga) [vidéo]. Repéré à http://www.youtube.com/watch?v=wXsZbkt0yqo

Hommet, S. et Janneau, R. (2009). *Quelle histoire enseigner à l'école primaire?* Paris, France : Hachette.

Hooper-Greenhill, E. (1991). Learning and teaching with objects, A long history of teaching with objects. *Musées, 13*(3), 48-52.

Houot A. (2014). Géographie : Le globe. Repéré à http://houot.alain.pagesperso-orange.fr/Geo/geo.html

Hours, J. (1971). *Valeur de l'histoire*. Paris, France : Presses Universitaires de France.

Hudon, G. et Meunier, A. (2002). Utilisation des TIC dans le cadre d'un partenariat école-musée: un exemple d'utilisation de matériel généré par une exposition pour l'enseignement de l'histoire. Dans T. Lemerise, D. Lussier-Desrochers et V. Matias (dir.), *Courants contemporains de recherche en éducation muséale/Contemporary Research Trends in Museum Education*. Québec, Canada : MultiMondes.

Hugonie, G. (1995). *Clés pour l'enseignement de la géographie*. Versailles : CRDP, Collection.

Husbands, C. (1996). *What is History teaching?* Buckingham, Canada : Open University Press.

IMDb (n.d.). *IMDb*. Repéré à http://www.imdb.com/

Inkscape (n.d.). Inkscape: draw freely. Repéré à http://inkscape.org/en/about/

Institut culturel de Google (www.googleartproject.com).

Institut de la statistique – Direction Santé Québec. (2005). *La littératie au Québec en 2003: faits saillants*. Repéré à http://www.stat.gouv.qc.ca/statistiques/education/alphabetisation-litteratie/litteratie-quebec2003.pdf

Institut Géographique National et Ministère de l'Éducation Nationale, de la Recherche et de la Technologie. (2013). Serveur éducatif dédié à l'information géographique. Repéré à http://seig.ensg.ign.fr/

Jadoulle, J.-L. (1998). Vers une didactique «constructiviste»? Dans J.-L. Jadoulle, P. De Theux (dir.), *Enseigner Charlemagne* (p. 73-85). Louvain-la-Neuve: Université Catholique de Louvain. Belgique. Unité didactique et de communication en histoire de l'université catholique de Louvain.

Jadoulle, J.-L. (2002). Apprendre d'histoire au prisme de l'image: repères didactiques. Dans J.-L. Jadoulle,. M. Delwart et M. Masson, *L'histoire au prisme de l'image, II. L'exploitation didactique du document iconographique en classe d'histoire* (p. 11-27). Louvain-la-Neuve, Belgique : Université catholique de Louvain.

Jadoulle, J.-L. (2005). Construire l'histoire: un manuel d'histoire pour demain. Dans J.-L. Jadoulle (dir), *Les manuels scolaires d'histoire. Passé, présent, avenir* (p.167-212). Louvain-la-Neuve, Belgique: Unité didactique et de communication en histoire de l'université catholique de Louvain.

Jadoulle, J.-L., Delwart, M. et Masson, M. (2002). *L'histoire au prisme de l'image*. Louvain-la-Neuve, Belgique : Université catholique de Louvain.

Jadoulle, J.-L., Bouhon, M. et Nys, A. (2004). *Conceptualiser le passé pour comprendre le présent : Conceptualisation et pédagogie de l'intégration en classe d'histoire.* Louvain, Belgique : Université Catholique de Louvain.

Jeuxvidéo.com (n.d.). *Jeuxvidéo.com.* Repéré à http://www.jeuxvideo.com/

Jodelet, D. (1989). *Folies et représentations sociales.* Paris, France: PUF.

Joffé, R. (1986). *La mission* [Film]. Grande-Bretagne: Warner Bros., Goldcrest et Kingsmere.

Johnson, M. (1979). *L'histoire apprivoisée.* Montréal, Canada : Boréal Express.

Joliveau, T. (2007). *Géomatique et géonumérisation* [Billet de blogue]. Repéré à http://mondegeonumerique.wordpress.com/geomatique-et-cie/geomatique-et-geonumerisation/.

Joly, J.-F. et Reineri, R. (1999). La carte ça sert d'abord à enseigner la géographie, *Mappemonde*, 56(4), 10-14. Repéré à http://www.mgm.fr/PUB/Mappemonde/M499/Joly.pdf

Joubert, M. (2003). Quelques pistes pour utiliser un film de fiction en histoire-géographie. Repéré à http://histoire-geo-ec.ac-amiens.fr/?Quelques-pistes-pour-utiliser-un

Journot, M. et Oudot, C. (1997). *Modélisation graphique. Pratiques scolaires en collège et en lycée.* Dijon: CRDP de Bourgogne, Documents, Actes et Rapports pour l'Éducation.

Joutard, P. (1983). *Ces voix qui nous viennent du passé.* Paris, France : Hachette.

Juin, L. (2013, 6 mai). Google Drive en classe: pour collaborer, mutualiser, sociabiliser... [Billet de blogue]. Repéré à http://maonziemeannee.wordpress.com/2013/05/06/google-drive-en-classe-pour-collaborer-mutualiser-sociabiliser/

Karsenti, T. et Collin, S. (2013). Avantages et défis inhérents à l'usage des ordinateurs portables au primaire et au secondaire. *Éducation et francophonie*, 41(1), 94-122.

Kaufmann, L. (2007, 25 septembre). Quels documents pour le cours d'histoire? [Billet de blogue]. Repéré à http://lyonelkaufmann.ch/histoire/2007/09/25/mshis31-quels-documents-pour-le-cours-dhistoire-2e-sance/

Kaufmann, L. (2008). Réflexion sur Wikipédia à partir d'une polémique récente relative à l'article Colbert. *Le Café pédagogique, 98*. Repéré à http://www.cafepedagogique.net/lemensuel/lenseignant/schumaines/histoire/Pages/2008/98_Colbert.aspx

Kaufmann, L. (2010). Blogs pédagogiques : du discours sur leurs usages à la réalité dans leurs pratiques. *Les cahiers pédagogiques, 482*. Repéré à http://www.cahiers-pedagogiques.com/Blogs-pedagogiques-du-discours-sur-leurs-usages-a-la-realite-dans-leurs-pratiques

Kaufmann, L. (2011). Marie-Antoinette? C'est hype! *Le Café pédagogique, 119* (janvier). Repéré à http://www.cafepedagogique.net/lemensuel/lenseignant/schumaines/histoire/Pages/2011/119_Lachronique.aspx

Kaufmann, L. (2012). Humanités digitales à l'école : être googlisé ou être acteur? *Le café pédagogique, 136*. Repéré à http://www.cafepedagogique.net/lemensuel/lenseignant/schumaines/histoire/Pages/2012/136_lachronique.aspx

Kee, K., Graham, S., Dunae, P., Lutz, J., Large, A., Blondeau, M. et Clare, M. (2009). Towards a Theory of Good History Through Gaming. *The Canadian Historical Review, 90*(2), 303-326.

Kesteman, J.-P. (1984). *Les débuts du canton d'Ascot et de la ville de Sherbrooke (1792-1818)*. Sherbrooke, Canada : Département d'histoire Université de Sherbrooke.

Kiener, J.-M. (2014). Voyages Virtuels. Repéré à http://voyages-virtuels.eu/

Klopfer, E., Osterweil, S. et Salen, K. (2009). Moving learnin games forward. *The Education Arcade, Massachusetts Institute of Technology.*

Kobrin, D. (1996). *Beyond the Textbook : teaching history using documents and primary sources.* New Hampshire, États-Unis : Heinemann.

Kohlmeier, J. (2003). *Beyond the Novelty of Historical Thinking : a Study of the Historical Thinking of 9th Grade World History Students with the Consistent Use of a Three-step-instructional Mode.* (Thèse de doctorat, Université de Kansas, Lawrence).

La Garanderie de, A. (1995). *L'intuition. De la perception au concept.* Paris, France : Bayard Éditions.

Lacoste, Y. (1976). *La géographie, ça sert d'abord à faire la guerre,* Paris, France : Maspero.

Lalongé, P. (2006). Des technologies à maîtriser. Dans N. Lebrun (dir.), *Moyens pédagogiques et univers social au primaire* (p. 145-163). Montréal, Canada: Éditions nouvelles.

Lamarche, M. (2011). *L'internationalisation à Félix-Leclerc*. Repéré à http://internationalfelix.wordpress.com

Lamarche, M. et Lanoix, A. (2012). Compte-rendu d'une expérimentation d'utilisation des blogues en Monde contemporain. *Enjeux de l'univers social, 8*(3), 32-33.

Landry, A. (2012). Élaboration d'un modèle théorique pour l'évaluation pédagogique des activités éducatives mises en ligne sur Internet par les musées québécois. Dans A.-M. Émond (dir.), *Le musée: entre la recherche et l'enseignement/Rhe Museum Between Research and Education*. Québec, Canada: MultiMondes.

Langlais, P.-C. (2013, 3 juillet). Wikipédia est-elle fiable? [Billet de blogue]. Repéré à http://blogs.rue89.com/les-coulisses-de-wikipedia/2013/03/08/wikipedia-est-elle-fiable-229821

Lanman, Barry A. et Wendling, L. (dir.) (2006). *Preparing the next generation of oral historians. An anthology of oral history education*. Lanham, États-Unis: Altamira Press.

Laparra, M. (1991). Problèmes de lecture posés par l'écriture de textes historiques à visée didactiques. *Pratiques, 51*, 97-124.

Larouche, M.-C. (2010). Faire des collections numérisées un lieu d'enquête et de partage des visions plurielles de l'histoire. Les nouvelles technologies et Internet, entre l'école, les musées et la société. *Les sciences de l'éducation – Pour l'Ère nouvelle, 3*(4), 49-75.

Larouche, M.-C. (2011). Quelle place pour le patrimoine culturel en univers social, au primaire, au Québec? *Thèmes canadiens, revue de l'Association d'études canadiennes, automne 2011*, 40-45.

Larouche, M.-C., Meunier, A. et Lebrun, N. (2012). Ressources muséales, TIC et univers social au primaire: résultats d'une recherche collaborative. *McGill Journal of Education, 47*(2), 171-192.

Laurin, S. (1999). La relation espace-temps dans la formation à l'univers social. Dans J.-L. Klein, et S. Laurin, *L'éducation géographique. Formation du citoyen et conscience territoriale* (p. 9-32). Québec, Canada: Presses de l'Université du Québec.

Lautier, N. et Allieu-Mary, N. (2008). La didactique de l'histoire. *Revue française de pédagogie, 162*, 95-131.

Laville, C. (2004). Historical Consciousness and Historical Education : What to Expect from the First for the Second. Dans P. Seixas (dir.), *Theorizing Historical Consciousness* (p. 165-182). London, Canada: University of Toronto Press.

Leavy, P. (2011). *Oral History. Understanding Qualitative Research*. New York, États-Unis: Oxford University Press.

Lebrun, J. (2006). Les manuels scolaires réformés au primaire: quelle place pour la médiation de l'enseignant et les apprentissages des élèves? Dans J. Lebrun, J. Bédard, A. Hasni et V. Grenon (dir.), *Le matériel didactique et pédagogique: soutien à l'appropriation ou déterminant de l'intervention éducative* (p. 33-54). Québec, Canada: Presses de l'Université Laval.

Lebrun, J. (2009). Des objectifs aux compétences : quelles incidences sur les démarches d'enseignement-apprentissage des manuels scolaires en sciences humaines? *Revue des sciences de l'éducation, 35*(2), 15-36.

Lebrun, J., Lenoir, Y. et Desjardins, J. (2004). Le manuel scolaire «réformé» ou le danger de l'illusion du changement: analyse de l'évolution des critères d'évaluation des manuels scolaires de l'enseignement primaire entre 1979 et 2001. *Revue des sciences de l'éducation, 30*(3), 509-533.

Lebrun, M. (2004). *Les pratiques de lecture des adolescents québécois*. Québec, Canada: MultiMondes.

Lebrun, M., Lacelle, N. et Boutin, J.-F. (2012). De la (r)évolution médiatique en communication à la littératie: la multimodalité. Dans M. Lebrun, N. Lacelle et J.-F., Boutin. (dir.), *La littératie médiatique multimodale: De nouvelles approches en lecture-écriture à l'école et hors de l'école* (p. 1-16). Montréal, Canada: PUQ.

Lebrun, M., Lacelle, N. et et Boutin, J.-F. (2012). *La littératie médiatique multimodale: De nouvelles approches en lecture-écriture à l'école et hors de l'école*. Montréal, Canada: PUQ.

Lebrun, N., Larouche, M.-C. et Meunier, A. (2008). La collaboration d'acteurs des milieux scolaires et muséal dans la proposition de pratiques pédagogiques novatrices. Dans A. Landry et A. Meunier (dir.), *La recherche en éducation muséale: actions et perspectives/Research in Museum Education : Actions and Perspectives*. Québec, Canada: MultiMondes.

Lebrun, N., Meunier, A. et Larouche, M.-C. (2012). Modélisation des pratiques collaboratives au coeur du triangle «musée-école-université». Dans A.-M. Émond (dir.), *Le musée: entre la recherche et l'enseignement/The museum between research and education*. Québec, Canada: MultiMondes.

Lee, J. K. et Probert, J. (2010). Civilization III and Whole-Class Play in High School Social Studies. *The Journal of Social Studies Research, 34*(1), 1-28.

Lee, P. (2004). Understanding History. Dans P. Seixas (dir.), *Theorizing Historical Consciousness* (p. 129-164). London, Canada : University of Toronto Press.

Lee, S. (1992). *Malcolm X* [Film]. États-Unis, Japon: Largo International N. V. et JVC Entertainment Networks.

Le Fur, Anne (2007). *Pratiques de la cartographie*. Paris, France: Armand Colin.

Legendre, M.-F. (2008). La notion de compétence au cœur des réformes curriculaires : effet de mode ou moteur de changements en profondeur.

Dans F. Audigier et N. Tutiaux-Guillon (dir.), *Compétences et contenus, les curriculums en questions* (p. 27-50). Bruxelles, Belgique: De Boeck.

Legendre, M.-F. (2008). La notion de compétence au cœur des réformes curriculaires : effet de mode ou moteur de changements en profondeur. Dans F. Audigier et N. Tutiaux-Guillon (dir.), *Compétences et contenus, les curriculums en questions* (p. 27-50). Bruxelles, Belgique: De Boeck.

Legendre, R. (2005). *Dictionnaire actuel de l'éducation* (3e éd.). Montréal, Canada: Guérin.

Le Genissel, A. (2010). Gossip Girl, la victoire du stupre. Repéré à http://www.slate.fr/story/31825/gossip-girl-luxe-d%C3%A9bauche-royalisme

Le Goff, J. (1996). *Une vie pour l'histoire*. Paris, France: La Découverte.

Le Goff, J., Chartier, R. et Revel, J. (1978). *La Nouvelle Histoire*. Paris: Édition Retz.

Leleux, C. (2008). *Éducation à la souveraineté, T. 3: La coopération et la participation de 5 à 14 ans*. Bruxelles, Belgique: De Boeck.

Le Monde diplomatique. (n.d.). Cartographie. Repéré à http://www.monde-diplomatique.fr/cartes/

Lenoir, J. B. (1965). Alabama Blues. *Alabama Blues* [CD]. États-Unis: J+R Records.

Lenoir, Y. (1991). L'enseignement du concept de région dans le programme québécois de sciences humaines au primaire : éléments d'une approche intégratrice et développementale, *Revue des sciences de l'éducation, 17*(1), 25-56.

Lenoir, Y. et Laforest, M. (1988). Du programme d'études à l'intervention éducative. 1 – Quelques remarques sur la planification de l'enseignement en sciences humaines. *Vie pédagogique, 57*, 4-8

Les musées de la civilisation, Québec. (n.d.). *Les musées de la civilisation*, Québec. Repéré à http://www.mcq.org

Lessard, M. (2009). Un 14 juillet 1789 sur Twitter. *Zero Seconde*. Repéré à http://zeroseconde.blogspot.ch/2009/07/un-14-juillet-1789-sur-twitter.html.

Lessig, L. (2008). *Remix. Making Art and Commerce Thrive in the Hybrid Economy*. Londres, Royaume-Uni: Bloomsbury.

Lettres de la révérende Mère Marie de l'Incarnation (née Marie Guyart), première supérieure du monastère des Ursulines de Québec (1876). Tournai, France: Casterman, 154-166.

Lévesque, F. (2013, 16 février). Raconte-moi une histoire. *Le Devoir*. Repéré à http://www.ledevoir.com/culture/cinema/371150/raconte-moi-une-histoire.

Lévesque, S. (2008). *Thinking historically*. Toronto: Toronto University Press.

Lévesque, S. (2011). Les TIC et l'histoire: partenaires ou rivaux? Quelques leçons à tirer. *Enjeux de l'univers social, 7*(1), 28-33.

Levstik, L. S. et Barton, K.-C. (2008). *Researching History Education. Theory, Method and Context.* New York, États-Unis : Routledge.

Lévy, J. (1998). La carte, enjeu contemporain, Repéré à http://sciences-po. macrocosme.net/lectures/LevyCarteEnjeu.pdf.

Lévy, J. (2002). Un tournant cartographique? Dans B. Debarbieux, M. Vanier, *Ces territorialités qui se dessinent* (p. 129-144), La Tour-d'Aigues, France : De l'Aube.

Lévy, J., Poncet, P. et Tricoire E. (2004). *La carte, enjeu contemporain.* Paris : La Documentation Française, Documentation photographique, n° 8036.

Library of Congress. (2012). *Prints and Photographs Online Catalogue.* Repéré à http://www.loc.gov/pictures/

Linteau, P.-A., Durocher, R., Ricard, F. et Robert, J.-C. (1989). *Histoire du Québec contemporain.* Montréal, Canada : Boréal.

LIMIER. (2014). *Littérautre Illustrée : Médiathèque, Interventions en Éducation et Recherche.* Repéré à http://www.lelimier.com/limier.php

Loisel, R. et Tripp, J.L. (2006). *Magasin général: Marie.* Bruxelles, Belgique : Casterman.

Loisel, R. et Tripp, J.L. (2009). *Magasin général: Montréal.* Bruxelles, Belgique : Casterman.

Loison, M. (2010). *Les obstacles à l'enseignement de l'histoire et à la structuration du temps à l'école primaire.* Repéré à http://www.lille.iufm.fr/IMG/pdf/ Les_obstacles_a_l_enseignement_de_l_histoire_a_l_ecole_primaire.pdf

Loubert, S. et Dubois, N. (2009). *Je m'interroge, tu t'interroges, il s'interroge : comment y arriver?* Repéré à http://vitrine.educationmonteregie.qc.ca/ spip.php ?article1004

Magazine Carto. (n.d.). Le monde en carte. Repéré à http://www.carto-presse. com/?category_name=actualites

Maidement, R. et Bronstein, R.-H. (1973). *Simulation Games – Design and Implementation.* Colombus, Ohio: Charles E. Merril.

Mandart, E. (2010). *Serious Game : L'action et l'émotion comme facteurs d'acquisitions des connaissances.* (Mémoire de maîtrise), Université de Montréal.

Mandell, N. et Malone, B. (2007). *Thinking like a historian – Rethinking history instruction.* Wisconsin, États-Unis: Wisconsin Historical Society Press.

Mann, H. (1961). *Le héros d'Iwo Jima* [Film]. États-Unis: Universal International Pictures.

Mappemonde. (2013). *M@appemonde* revue trimestrielle sur l'image géographique et les formes du territoire. Repéré à http://mappemonde. mgm.fr/

Marcus, A. S. et Levine, T. H. (2011). Knight at the Museum: Learning History with Museums. *The Social Studies, 102,* 104-109.

Marcus, A. S. et Stoddard, J. D. (2007). Tinseltown as teacher: Hollywood film in the high school history classroom. *The History Teacher, 40*(3), 303-330.

Marcus, A. S. et Stoddard, J. D. (2010). The Inconvenient Truth about Teaching History with Documentary Film: Strategies for Presenting Multiple Perspectives and Teaching Controversial Issues. *The Social Studies, 100*(6), 279-284.

Marcus, A. S., Metzger, S. A., Paxton, R. J. et Stoddard, J. D. (2010). *Teaching History With Film. Strategies For Secondary Social Studies.* New York, États-Unis : Routledge.

Marquié, G. (2012). Twitter: un outil éducatif dans le cadre scolaire. *Cahiers de l'action, 36,* 45-52.

Marrou, H.-I. (1954). *De la connaissance historique.* Paris, France : Éditions du Seuil.

Martel, V. (2007). Littérature de jeunesse et éducation à la citoyenneté : un pont à parcourir pour mieux juger de sa solidité. *Enjeux de l'univers social au primaire et au secondaire, 3*(4), 9-13.

Martel, V. (2009). Lire et écrire : deux compétences fondamentales. Dans J. Lebrun et A. Araujo-Oliveira (dir.). *L'intervention éducative en sciences humaines au primaire : des fondements aux pratiques* (p. 177-203). Montréal, Canada : Éditions Chenelière.

Martel, V. (2011). La bande dessinée en classe de «sciences humaines» ou approcher l'histoire par la complémentarité texte-image. *Vivre le primaire, 24*(3), 46-48.

Martel, V. (2012). Approcher l'univers social grâce à l'apport complémentaire des ouvrages documentaires et des œuvres de fiction. *Vivre le primaire, 25*(1), 43-44.

Martel, V. et Boutin, J.-F. (2014). *La classe d'histoire de l'Antiquité : réflexion didactique préliminaire sur les apports et limites du recours à la BD.* Cahiers d'histoire, d'archéologie et de littérature antiques de l'UPPA. À paraître.

Martel, V. et Lévesque, J.-Y. (2010). La compréhension en lecture aux deuxième et troisième cycles du primaire: regards sur les pratiques déclarées d'enseignement. *Revue canadienne de linguistique appliquée, 13*(2), 27-53.

Martel, V., Cartier, S. et Butler, D. (2014). Apprendre par la lecture en sciences humaines au primaire. Dans M.-C., Larouche et A. Araujo-Oliveira, *L'univers social à l'école primaire québécoise : regards croisés sur un domaine d'intervention et de recherche.* Montréal, Canada : PUQ. À paraitre.

Martin, D. et Wineburg, S. (2008). Seeing Thinking on the web. *History Teacher, 41*(3), 305-319.

Martineau, R. (1999). *L'histoire à l'école, matière à penser.* Montréal, Canada : L'Harmattan.

411

Martineau, R. (2010). *Fondements et pratiques de l'enseignement de l'histoire à l'école. Traité de didactique.* Québec, Canada : Presse de l'Université du Québec.

Massachusetts Institute of Technology, S.T.E.P. (2010). *Education Arcade.* Repéré à http://education.mit.edu/

McCall, J. (2012). Navigating the problem space : The medium of simulation games in the teaching of history. *The history teacher, 46*(1), 10-28.

McMichael, A. (2007). PC Games and the teaching of history. *The history teacher, 40*(2), 203-218.

Mérenne-Schoumaker, B. (2002a). *Analyser les territoires. Savoirs et outils.* Rennes : PUR, Coll. Didact Géographie.

Mérenne-Schoumaker, B. (2002b). *Lire les territoires d'ici et d'ailleurs (4). Les villes du Monde,* Bruxelles, Belgique : FEGEPRO.

Mérenne-Schoumaker, B. (2012). *Didactique de la géographie. Organiser les apprentissages.* Bruxelles, Belgique : De Boeck.

Metzger, S. A. (2007). Pedagogy and the Historical Feature Film: Toward Historical Literacy. *Film & History: An Interdisciplinary Journal of Film and Television Studies, 37*(2), 67-75.

Microsoft (2012). Bing. Repéré à http://www.bing.com/maps/

Milgram, S. (2013/1965). *Expérience sur l'obéissance et la désobéissance à l'autorité* (traduit par C. Richard). Paris, France : Éditions La Découverte.

Miller, A. (2012). Tablettes et TBI à la CS de Sorel-Tracy: l'intégration va bon train. Repéré à http://www.infobourg.com/2012/09/25/tablettes-et-tbi-a-la-cs-de-sorel-tracy-lintegration-va-bon-train/

Minassian, H. T. et Rufat, S. (2008). Et si les jeux vidéo servaient à comprendre la gégographie ? *Cybergeo : European Journal of geography.*

Moisan, S. (2010). *Fondements épistémologiques et représentations sociales d'enseignants d'histoire du secondaire à l'égard de l'enseignement de l'histoire et de la formation citoyenneté* (Thèse de doctorat inédite). Université de Montréal.

Moisan, S. (2011). Naviguer entre mémoire, histoire et éducation. Le périple d'un musée d'histoire de l'Holocauste au Québec. *Le cartable de Clio*(11), 101-108.

Moisan, S., Andor, E. et Strickler, C. (2012). Stories of Holocaust Survivors as an Educational Tool – Uses and Challenges. *Oral History Forum d'histoire orale, 32* (Special Issue "Making Educational Oral Histories in the 21st Century"), 1-15.

Moisan, S. et Licop, A. (2013). La guerre peut-elle faire l'histoire au musée ? La Seconde Guerre mondiale, entre morale et histoire, au Musée canadien de la guerre et au Musée commémoratif de l'Holocauste à Montréal. Dans J. Mary et F. Rousseau (dir.), *Entre Histoires et Mémoires. La guerre au musée. Essais de Muséohistoire* (vol. 2, p. 235-246). Paris, France : Michel Houdiard Éditeur.

Monde géonumérique. (2014). Monde géonumérique – Analyser la géonumérisation du monde telle qu'elle va : cartographie, SIG, globes virtuels, cyberespace. Repéré à http://mondegeonumerique.wordpress.com/

Moniot, H. (1993). *Didactique de l'histoire.* Paris, France : Nathan.

Monnier, G. (2006). Fresques, art mural. Dans L. Gervereau (dir.), *Dictionnaire mondial des images* (p. 403-407). Paris, France : Nouveau monde éditions.

Monte-Sano, C. (2008). Qualities of Historical Writing Instruction : A Comparative Case Study of Two Teachers' Pratices. *American Educational Research Journal, 45*(4), 1045-1079.

Morris, R. N. (1995). *The Carnavalization of Politics, Quebec Cartoons on Relations with Canada, England, and France (1960-1979).* Montréal et Kingston : McGill-Queen's University Press.

Mottet, G. (1995). *Images et construction de l'espace. Apprendre la carte à l'école.* Paris, France : INRP.

Moulinier, L. (2008). GeoinWeb. Repéré à http://www.geoinweb.com/

Müller, B. (2013). *Historiens, courants et écoles historiques.* Repéré à http://www.universalis.fr/encyclopedie/histoire-histoire-et-historiens-courants-et-ecoles-historiques/

Muniga, J. (1999). *Massilia – Géographie Muniaga.* Repéré à http://www.geographie-muniga.fr/

Muniga, J. (n.d.). *Croquis spécial BAC.* Repéré à http://www.geographie-muniga.fr/SpeBAC_Accueil.aspx

Musée canadien de l'histoire (n.d.). *Musée canadien de l'histoire.* Repéré à http://www.museedelhistoire.ca/

Musée canadien de la guerre (n.d.). *Propaganda/Propagande : La propagande de guerre au Canada.* Repéré à http://www.warmuseum.ca/cwm/exhibitions/propaganda/index_e.shtml

Musée McCord (2003). Interpréter des artefacts. Repéré à www.musee-mccord.qc.ca/fr/eduweb/interpreter

Musée McCord (2009). Sans rature ni censure ? Caricatures éditoriales du Québec, 1950-2000. Repéré à http://www.mccord-museum.qc.ca/caricatures/page.php?Lang=2&file=156_2.xml&flash=false.

Musée McCord (n.d.). Musée McCord. Repéré à http://www.mccord-museum.qc.ca/fr/

Musée virtuel du Canada (n.d.). Musée virtuel du Canada. Repéré à www.museevirtuel.ca

Nasa (n.d.). Global Maps. Repéré à http://earthobservatory.nasa.gov/GlobalMaps/

National Aeronautics and Space Administration. (2011). *NASA World Wind.* Repéré à http://worldwind.arc.nasa.gov/java/

Natkin, S. (2009). Du ludo-éducatif aux jeux vidéo éducatifs. *Les dossiers de l'ingénierie éducative, 65,* 12-15.

Niclot, D. (2012). La problématisation de la géographie scolaire à travers les introductions de manuels scolaires de 1998 et de 2008. *Nouveaux Cahiers de la recherche en éducation, 15*(1), 51-67.

Nokes, J. D. (2013). *Building Students' Historical Literacies.* New York, États-Unis : Routledge.

Nora, P. (1992). L'ère de la commémoration. Dans P. Nora (dir.), *Les lieux de mémoire III. Les France, 3, de l'archive à l'emblème* (p. 975-1012). Paris, France : Gallimard.

Nora, P. (1992). L'ère de la commémoration. Dans P. Nora (dir.), *Les lieux de mémoire III. Les France, 3, de l'archive à l'emblème* (p. 975-1012). Paris, France : Gallimard.

Noreau, D. et Gagné, P.P. (2005). *Le langage du temps.* Montréal, Canada : Chenelière Éducation.

Northwestern University (n.d.). *Digitized collection.* Repéré à http://digital.library.northwestern.edu/xsearch/

O'Meara, J. (2010). *Beyond differentiated instruction.* Thousand Oaks, États-Unis : Corwin.

OCDE (2010). *Savoirs et savoir-faire des élèves : Performance des élèves en compréhension de l'écrit, en mathématiques et en sciences.*

Office national du film du Canada (n.d.). *Office national du fim.* Repéré à https://www.onf.ca/

Ogle, D., Klemp, R. et McBride, B. (2007). *Building literacy in Social Studies.* Alexandria, États-Unis : ASCD.

OpenStreetMap. (2014). Repéré à http://www.openstreetmap.org/

Oral History Association (n.d.). *Oral History Review.* Repéré à http://ohr.oxfordjournals.org/

Oral History Society (n.d.). *Oral History.* Repéré à http://www.ohs.org.uk/journal.php

Orwell, G. (2009/1950). *1984* (traduit par A. Audiberti). Paris, France : Éditions Gallimard.

Owen, T. (2011). Modding the History of Science: Values at Play in Modder Discussions of Sid Meier's Civilization. *Simulation & Gaming, 42*(4), 481-495.

Pagnotti, J. et Russell III, W. B. (2012). Using Civilization IV to Engage Students in World History Content. *The Social Studies, 103*(1), 39-48.

Parry, D. (2008, 23 juillet). Twitter for Academia [Billet de blogue]. Repéré à http://academhack.outsidethetext.com/home/2008/twitter-for-academia/

Partoune, C. (2002). La pédagogie par situations-problèmes. *Puzzle.* Repéré à http://www.lmg.ulg.ac.be/spip/IMG/sit_pbl_texte.pdf

Partoune, C. et Rouchet, H. (2008). *Organigrammes*. Repéré à http://www. hyperpaysages.be/spip/spip.php?article34

Paxton, R. J. (2002). The Influence Of Author Visibility on High School Students Solving A Historical Problem. *Cognition and Instruction, 20*(2), 197-248.

Pearce, S. M. (2012). Museum Objects. Dans S. M. Pearce (dir.), *Interpreting objects and collections* (p. 9-11). New York, États-Unis : Routledge.

Peltier, P. (2002). *Trésors des récits historiques pour la jeunesse.* Créteil, France : CRDP de l'Académie de Créteil.

Perks, R. et Thomson, A. (2006/1998). *The Oral History Reader.* London et New York : Routledge.

Perrenoud, P. (2002). *Les cycles d'apprentissage, une autre organisation du travail pour combattre l'échec scolaire.* Québec, Canada : PUQ.

Perrot, M. (1984). Préface. Dans M. Perrot (dir.), *Une histoire des femmes est-elle possible?* Paris, France : Rivages.

Piaget, J. (1948). *La naissance de l'intelligence de l'enfant.* Paris, France : Delachaux et Niestlé.

Piaget, J. (1963). *La construction du réel chez l'enfant.* Paris, France : Delachaux et Niestlé.

Piette, J. (2012). Une réflexion sur les mutations de l'éducation aux médias. Dans M. Lebrun, N. Lacelle et J.-F. Boutin (dir.), *La littératie médiatique multimodale : De nouvelles approches en lecture-écriture à l'école et hors de l'école* (p. 241-246). Montréal, Canada : PUQ.

Pilote, C. (2012). *La différenciation pédagogique.* Communication présentée à la Rencontre annuelle des professeurs du module d'enseignement primaire et préscolaire de l'Université de Chicoutimi. Chicoutimi, Québec.

Pirotte, J. (2002). De la séduction à la critique : décoder les images. Dans J.-L. Jadoulle, M. Delwart et M. Masson (dir), *L'histoire au prisme de l'image, I. L'historien et l'image fixe* (p. 13-32). Louvain-la-Neuve, Belgique : Université catholique de Louvain.

Platania, F. (2013). *La Dur@nce.* Repéré à http://www.ac-aix-marseille.fr/ pedagogie/upload/docs/application/pdf/2013-02/ld123.pdf

Pomian, K. (1999). *Sur l'histoire.* Paris, France : Gallimard.

Pouget, F. et Sluse, P. (2004). *GeoRezo.* Repéré à http://georezo.net/

Poyet, J. (2009a). La représentation du temps : dimensions et outils. Dans J. Lebrun, J. et A. Araujo-Oliveira (dir.), *L'intervention éducative en sciences humaines au primaire. Des fondements aux pratiques* (p. 137-152). Montréal : Chenelière Éducation.

Poyet, J. (2009b) *Dimensions de représentations du concept de Temps dans treize classes du préscolaire et premier cycle du primaire au Québec* (Thèse de doctorat inédite). Université de Montréal.

Poyet, J. (2009c). Espace, temps et société: les clés de l'univers social, *Vivre le primaire, 22*(3), 27-28.

Poyet, J. (réd. invitée) (2009d). Dossier spécial «Univers social», *Vivre le primaire, 22*(3), 27-39.

Poyet, J. (2012). Définir le temps dont il est question au premier cycle en univers social. *Vivre le primaire, 25*(4), 50-51.

Poyntz, S. (2008). Images of The Past. Using Film to Teach History. Dans R. Case et P. Clark (dir.), *The Anthology of Social Studies. Issues and Strategies for Secondary Teachers* (p. 336-347). Vancouver, Canada: Pacific Educationnal Press.

Prost, A. (1996). *Douze leçons sur l'histoire*. Paris, France: Seuil.

Pucelle, J. (1972). *Le Temps* (5e éd.). Paris, France: Presses Universitaires de France.

Purcell, K., Heaps, A., Buchanan, J. et Friedrich, L. (2013). How Teachers Are Using Technology at Home and in Their Classrooms. Repéré à http://pewinternet.org/Reports/2013/Teachers-and-technology/Main-Report/Part-2.aspx

QGIS (2014). QGIS – Système d'Information Géographique Libre et Open Source. Repéré à http://www.qgis.org/fr/site/

Quirion, S. (2013, mai). *Constats et solutions pour l'intégration des TIC*. Communication présentée Journée d'étude du Groupe de responsables en univers social (GRUS), Québec.

Quirion, S. et Giguère, M. (n.d.). CartoGraf. Repéré à http://cartograf.recitus.qc.ca/tiki-index.php?page=Accueiletredirectpage=HomePage

Rabagliati, M. (2005). *Paul dans le métro*. Montréal, Canada: Éditions La Pastèque.

Rabagliati, M. (2009). *Paul à Québec*. Montréal, Canada: Éditions La Pastèque.

Rabagliati, M. (2011). *Paul au parc*. Montréal, Canada: Éditions La Pastèque.

Raleigh Yow, V. (2005). *Recording Oral History. A Guide for the Humanities and Social Sciences* (2e éd.). Lanham, États-Unis: Altamira Press.

Raynal, F. et Rieunier, A. (1997). *Pédagogie : dictionnaire des concepts clés. Apprentissage, formation, psychologie cognitive*. Paris, France : ESF.

Récit de l'univers social (2013). *Le blogue en classe de Monte contemporain* [vidéo]. Repéré à http://www.youtube.com/watch?v=JkOq9FJR43Yetfeature=shareetlist=UUF-LpZFBZERg4XBx2SUWZNQ

Récit national du domaine de l'univers social. (2009). Balado et baladodiffusion. Repéré à http://www.recitus.qc.ca/tic/dossiers-tic/balado

Récit national du domaine de l'univers social. (2013). Formations TIC – La cartographie. Repéré à http://www.recitus.qc.ca/formation/nosformationstic/cartographie

Récit national du domaine de l'univers social. (2014). *Récit National de l'Univers Social*. Repéré à http://www.recitus.qc.ca/

Relations des Jésuites en Nouvelle-France, volume 3, année 1660. (1858). Québec, Canada: Augustin-Côté, éditeur-imprimeur. Repéré à http://bibnum2.banq.qc.ca/bna/numtxt/195694-3-(140-281).pdf

Réseau CANOPÉ (n.d.). Centre régional de documentation pédagogique. Repéré à http://www.crdp.ac-versailles.fr/ressources-et-services/Logiciel-Images-Actives

Réunion des musées nationaux-Grand palais et Gouvernement de la République Française (n.d.). *L'histoire par l'image*. Repéré à http://www.histoire-image. org/

Reuter, Y. et coll. (2007). *Dictionnaire des concepts fondamentaux des didactiques*. Bruxelles, Belgique: De Boeck.

Rey, A. (1999). Iconographie. Dans *Le Petit Robert, Dictionnaire de la langue française* (p. 1120). Paris, France: Dictionnaire Le Robert.

Rey, A. (1999). Fresque. Dans *Le Petit Robert, Dictionnaire de la langue française* (p. 973). Paris, France: Dictionnaire Le Robert.

Richard, J.-C. (1997). Enseigner avec «Cinéma et Société». *Traces, 35*(1), 12-16.

Ricoeur, P. (2000). L'écriture de l'histoire et la représentation du passé. *Annales. Histoire, Sciences Sociales, 55*(4), 731-747.

Ritchie, D. A. (2003). *Doing Oral History. À Practical Guide* (2ᵉ éd.). New York, États-Unis: Oxford University Press.

Ritchie, D. A. (dir.) (2011). *The Oxford Handbook of Oral History*. New York: Oxford University Press.

Robert, D. (2010). *Zoom sur l'expertise pédagogique: la iClass* [vidéo]. Repéré à http://zoom.animare.org/zoom/medias/4940

Rosenstone, R.-A. (1995). *Visions of the past: The challenge of film to our idea of history*. Cambridge, États-Unis: Harvard University Press.

Rosenzweig, R. (2006). Can History be Open Source? Wikipedia and the Future of the Past. *The Journal of American History, 93*(1), 117-146.

Rosling, O., Rosling, A. et Rosling, H. (2005). Gapminder. Repéré à http://www. gapminder.org/

Royal Alberta Museum. (2011). The Poster War: Allied Propaganda Art of the First World War. Repéré à http://www.royalalbertamuseum.ca/vexhibit/warpost/french/exhibit.htm

Ruby, C. (1988). *L'Histoire*. Paris, France: Éditions Quintette.

Rufat, S. et Minassian, H. T. (2012). Video games and urban simulation: new tools or new tricks? *Cybergeo : European Journal of geography*.

Russell, W. (2007). *Using film in the social studies*. Lanham, États-Unis: University Press of America.

Russell, W. (2012). The Art of Teaching Social Studies with Film. *The Clearing House: A Journal of Educational Strategies, Issues and Ideas, 85*(4), 157-164.

Saint-Onge, M. (1992). *Moi j'enseigne, mais eux apprennent-ils?* Laval, Canada: Beauchemin.

Samaran, C. (1961). *L'histoire et ses méthodes.* Paris, France: Gallimard.

Sánchez, J. et Olivares, R. (2011). Problem solving and collaboration using mobile serious games. *Computers and Education, 57*(3), 1943-1952.

ScapeToad (2008). ScapeToad. Repéré à http://scapetoad.choros.ch/index.php

Sciences Po (n.d.). Cartes du monde contemporain. Repéré à http://mondecontemporain.recitus.qc.ca/cartes

Sciences Po. Cartothèque. (2010). Repéré à http://cartographie.sciences-po.fr/fr/cartotheque

Scott, J. (1988a). *Gender and the Politics of History.* New York: Columbia University Press.

Scott, J. (1988b). Le «genre»: une catégorie utile de l'analyse historique. *Les cahiers du GRIF, 37-38*, 125-153.

Scott, J. (2009). *Théorie critique de l'histoire. Identités, expériences, politiques.* Paris, France: Fayard.

Scott, J. (2010). Fantasmes du millénaire: le futur du « genre » au 21e siècle. *CLIO – Histoire, femmes et sociétés, 32*, 89-117.

Scott, R. (2005). *Le Royaume des cieux* [Film]. États-Unis: Twentieth Century Fox Film Corporation et Scott Free Productions.

Ségal, A. (1984). Pour une didactique de la durée. Dans H. Moniot (dir.). *Enseigner l'histoire. Des manuels à la mémoire* (pp. 93-111). Berne, Suisse: Peter Lang.

Seilles, A. (2012). *Structuration de débats en ligne à l'aide d'annotations socio-sémantiques. Vers une analyse de réseaux sociaux centrés sur l'interaction* (Thèse de doctorat inédite, Université de Montpellier 2, Montpellier). Repéré à http://www.biu-montpellier.fr/florabium/jsp/nnt.jsp?nnt=2012MON20007

Seixas, P. (1993). Popular Film and Young People's Understanding of the History of Native-White Relations. *The History Teacher, 26*(3), 351-370.

Seixas, P. (1994). Confronting the Moral Frames of Popular Film: Young People Respond to Historical Revisionism. *American Journal of Education, 102*, 261-285.

Seixas, P. (2000). Schweigen! Die Kinder! Or, Does Postmodern History Have a Place in the Schools? Dans P. Seixas, P. Stearns et S. Wineburg (dir.), *Knowing, Teaching and Learning History: National and International Perspectives* (p. 19-37). New York, États-Unis: New York University Press.

Seixas, P. et Morton, T. (2013). *Les six concepts de la pensée historique.* Montréal: Modulo.

Seixas, P. et Peck, C. (2004). Teaching historical thinking. Dans A. Sears et I. Wright (dir.), *Challenges ans prospects for Canadian Social Studies* (p. 109-117). Vancouver, Canada : Pacific Educational Press.

Sensevy, G. (2011). *Le sens du savoir. Éléments pour une théorie de l'action conjointe en didactique.* Bruxelles, Belgique : De Boeck.

Serious Game Classification (n.d.). *Serious game classification.* Repéré à http://serious.gameclassification.com/FR/index.html

Servat, V., Blottière, R., Diedrich, M., Augris, E. et Tribouilloy, R. (2008). *L'histgeobox.* Repéré à http://lhistgeobox.blogspot.ca/

Shanahan, T. et Shanahan, C. (2008). Teaching Disciplinary Literacy to Adolescents: Rethinking Content-Area Literacy. *Harvard Educational Review, 78*(1), 40-59.

SHOW. (2014). SHOW World. Repéré à http://show.mappingworlds.com/world/

Skiffingston Dickson, D., Heyler, D., Reilly, L. G. et Romano, S. (2006). *The Oral History Project. Connecting Students to Their Community, Grades 4-8,* Portsmouth, États-Unis : Heinemann.

Société GRICS (2014a). L'histoire des caricatures politiques, vidéo de la série 1045, rue des Parlementaires – Saison 2 [Vidéo]. http://cve.grics.qc.ca/fr/2301/2/4335/lhistoire-caricatures-politiques?destination=/

Société GRICS (2014b). *Surfaces (fresques). Lignes, formes, couleurs 1* [Vidéo]. Repéré à : http://cve.grics.qc.ca/fr/3373/4/5300/surfaces-fresques?destination=/

Sommer, B. W. et Quinlan, M. K. (2009). *The Oral History Manual* (2e éd.). Lanham, États-Unis : Altamira Press.

Spallanzani, C., Biron, D., Larose, F., Lebrun, J., Lenoir, Y., Masselter, G. et Roy, G.-R. (2001). *Le rôle du manuel scolaire dans les pratiques enseignantes au primaire.* Sherbrooke, Canada : Éditions du CRP.

Spielberg, S (1993). *La liste de Schindler* [Film]. États-Unis : Universal Pictures.

Spielberg, S. (1997). *Amistad* [Film]. États-Unis : Dreamworks SKG.

Spielberg, S. (1998). *Il faut sauver le soldat Ryan* [Film]. États-Unis : Dreamworks SKG et Paramount Pictures.

Springsteen, B. (1984). Born In the USA. *Born In the USA* [CD]. États-Unis : Bruce Springsteen.

Squire, K. (2004). *Replaying history : Learning world history through playing Civilization III.* (Ph. D. Thèse de doctorat, Indiana University, États-Unis).

Squire, K. (2005). Changing the game: What happens when video games enter the classroom. *Innovate: Journal of online education, 1*(6).

Squire, K. (2006). From content to context : videogames as designed experience. *Educationnal Researcher, 35*(8), 19-29.

Squire, K. (2008). Video Game–Based Learning: An Emerging Paradigm for Instruction. *Performance Improvement Quarterly, 21*(2), 7-36.

Squire, K. (2011). *Video games and learning : Teaching and Participatory Culture in the Digital Age*. New York, États-Unis : Teachers College Press.

St-Pierre, R. (2010). Des jeux vidéo pour l'apprentissage ? Facteurs de motivation et de jouabilité issus du game design. *DistanceS, 12*(1), 4-26.

Stairs Studio Inc. (2013). Scribble Maps. Repéré à http://scribblemaps.com/

Stat Planet (2014). Stat Planet Create Interactive Maps. Repéré à http://www.sacmeq.org/interactive-maps/statplanet/StatPlanet.html

Stearns, P. N., Seixas, P. et Wineberg, S. (2000). *Knowing, Teaching and Learning History*. New York, États-Unis : New York University Press.

Steinberg, J. (2002). *Cartographie. Systèmes d'information géographiques et télédétection*. Paris, France : Armand Colin.

Taba, H. (1966). *Teaching strategies and cognitive functioning in elementary school children*. San Francisco : San Francisco State College.

Table régionale : Laval, Laurentides et Lanaudière. (2009). *Scénarios de planification en histoire 1er cycle*. Repéré à http://sites.cssmi.qc.ca/reforme/spip.php?article583

Table régionale : Laval, Laurentides et Lanaudière. (n.d.). *Univers social*. Repéré à http://sites.cssmi.qc.ca/reforme/spip.php ?rubrique26

Tadié, J.-Y. et Tadié, M. (1999). *Le sens de la mémoire*. Paris, France : Gallimard.

Tanes, Z. et Cemalcilar, Z. (2010). Learning from Sim City: An empirical study of Turkish adolescents. *Journal of Adolescence, 33*, 731-739.

Tardif, J. (2006). *L'évaluation des compétences*. Montréal, Canada : Chelenière éducation.

Thomas, S., Schott, G. et Kambouri, M. (2004). *Designing for learning or designing for fun? Setting usability guidelines for mobile educational games*. Paper presented at the Learning with mobile devices: A book of papers, Londres.

Thouny, L. (2012). Comment Twitter aurait pu sauver Jules César. *Le Nouvel Observateur*, 5 août.

Thompson, P. (2000). *The Voice of the Past. Oral History* (3e éd). Oxford, New York : Oxford University Press.

Todorov, T. (2000). *Mémoire du mal, tentation du bien. Enquête sur le siècle*. Paris, France : Robert Lafond.

Tomlinson, C. A. (2003). *Fulfilling the promise of the differentiated classroom: Strategies and tools for responsive teaching*. Alexandria, États-Unis : ASCD.

Tomlinson, C. A. et Cunningham-Eidson, C. (2003). *Differentiation in practice: A resource guide for differentiating curriculum. Grades 5-9*. Alexandria, États-Unis : ACSD.

Tonkin, E. (1992). *Narrating our pasts. The social construction of oral history*. Cambridge, États-Unis : Cambridge University Press.

Trudel, M. (2006). *Mythes et réalités dans l'histoire du Québec.* Montréal, Canada : Bibliothèque québécoise.

Trussart, J.-L. et Lévesque, J.-F. (2011). Projet-civ. Repéré à http://projet-civ. com/

Tryö. (2003). Grain de sable. *G8* [CD]. France : La Tribu.

Tutiaux-Guillon, N. (2002). Histoire et mémoire, questions à l'histoire scolaire ordinaire. *Le cartable de Clio* (2), 89-96.

Tutiaux-Guillon, N. (2006). *Témoin, témoignage, mémoire... Quel statut dans l'enseignement et l'apprentissage de l'histoire?* Repéré à : http://histoire-geo-ec.ac-amiens.fr/?Temoin-temoignage-memoire-Quel

Tutiaux-Guillon, N. (2008). Mémoires et histoire scolaire en France : quelques interrogations didactiques. *Revue française de pédagogie, 165,* 31-42.

Tutiaux-Guillon, N. (2011). Témoin, témoignage, mémoire... Quel statut dans l'enseignement et l'apprentissage de l'histoire? *Histoire géographie et éducation civique au collège et lycée,* 1-16. Repéré à http://histoire-geo-ec. ac-amiens.fr/?Temoin-temoignage-memoire-Quel

Université Laval (2013). Lecture critique en histoire : site de la Faculté des lettres. Repéré à http://www.hst.ulaval.ca/services-et-ressources/guides-pedagogiques/linterpretation-de-temoignage/

Université Laval (2013). Lecture critique en histoire : site de la Faculté des lettres. Repéré à http://www.hst.ulaval.ca/services-et-ressources/guides-pedagogiques/linterpretation-de-temoignage/

Vacca, R. T. et Vacca, A. L. (2002). *Content Area Reading: Literacy and Learning Accross the Curriculum.* Boston, États-Unis : Allyn and Bacon.

Vachon, A. (1964). Valeur de la source huronne. L'affaire du Long-Sault. *La Revue de l'Université Laval, 18*(6), 495-515.

Vachon, A. (1966). Dollard des Ormeaux, Adam. Dans *Dictionnaire biographique du Canada,* Québec/Toronto, Presses de l'Université Laval/University of Toronto Press, (1), 282.

Vadeboncoeur, G. (1997). Le musée et l'école : de la collaboration au partenariat. Dans M. Allard et B. Lefebvre (dir.), *Le musée, un lieu éducatif.* Montréal, Canada : Éditions Musée d'art contemporain.

Valéry, P. (1924). *Regards sur le monde actuel et autres essais.* Paris, Canada : Gallimard Folios Essais.

Van Boxtel, C. et Van Drie, J. (2012). "That's in the Time of the Romans!" Knowledge and Strategies Students Use to Contextualize Historical Images and Documents, *Cognition and Instruction,* 30(2), 113-145. Récupéré à http://dx.doi.org/10.1080/07370008.2012.661813

Vandendorpe, C. (2008). Le phénomène Wikipédia : une utopie en marche. *Le Débat, 148*(janvier-février), 17-30.

Vanvendorpe, C. (2012). De nouveaux horizons de lecture et leurs implications pour l'école. Dans M. Lebrun, N. Lacelle et J.-F. Boutin (dir.), *La littératie médiatique multimodale : De nouvelles approches en lecture-écriture à l'école et hors de l'école* (p. 17-32). Montréal, Canada : PUQ.

Verluise, P. (2007). Les cartes géopolitiques. Repéré à http://www.diploweb. com/cartes/1.htm

Wallén, A. (2013). GeoGuessr : let's explore the world. Repéré à http://geoguessr. com/

Wallenborn, H. (2006). *L'historien, la parole des gens et l'écriture de l'histoire. le témoignage à l'aube du XXIe siècle.* Loveral, Belgique : Editions Labor.

Waniez, Philippe. (2014). Philcarto. Repéré à http://philcarto.free.fr/index2. htm.

Warren, J.P. (2013). Enseignement, mémoire, histoire : Les examens d'histoire de 4e secondaire du secteur de la formation générale au Québec (1970-2012). *Revue d'histoire de l'éducation, 25*(1), 31-53.

Wastiau, P., Van der Berghe, W. et Kearny, C.. (2009). Quel usage pour les jeux électroniques en classe : principaux résultats de l'étude. In European Schoolnet (dir.), *Quel usage pour les jeux électroniques en classe ?* Belgique.

Watson, W. R., Mong, C. J. et Harris, C. A. (2011). A case study of the in-class use of a video game for teaching high school history. *Computers and Education, 56,* 466-474.

Wertsch, J. (2004). Specific Narratives and Schematic Narrative Templates. Dans P. Seixas, (dir.), *Theorizing Historical Consciousness* (p. 49-62). Toronto, Canada : University of Toronto Press.

Wertsch, J. V. (1997). Narrative Tools of History and Identity. *Culture & Psychology, 3*(1), 5-20.

White, H. (1973). *Metahistory. The Historical Imagination in Nineteenth-century Europe.* Baltimore, États-Unis : Johns Hopkins University Press.

Whitman, G. (2004). *Dialogue with the Past. Engaging Students and Meeting Standards through Oral History.* Lanham, États-Unis : Altamira Press.

Wieviorka, A. (1998). *L'ère du témoin.* Paris, France : Hachette.

Wieviorka, A. (2003). *Déportation et génocide. Entre la mémoire et l'oubli.* Paris, France : Hachette.

Wikimapia (2014). Repéré à http://wikimapia.org/

Wikipédia (2012). Web social. *Wikipédia.* Repéré le 28 juin 2013 à http:// fr.wikipedia.org/wiki/Web_social

Wikipédia (2013a). Blog. *Wikipédia.* Repéré le 28 juin 2013 à http://fr.wikipedia. org/wiki/Blog

Wikipédia (2013b). Creative Commons. *Wikipédia.* Repéré le 3 juillet 2013 à http://fr.wikipedia.org/wiki/Creative_Commons

Wikipédia (2013c). Licence libre. *Wikipédia*. Repéré le 3 juillet 2013 à http://fr.wikipedia.org/wiki/Licence_libre

Wikipédia (2013d). Marie-Antoinette (film, 1938). *Wikipédia*. Repéré le 2 juillet 2013 à http://fr.wikipedia.org/wiki/Marie-Antoinette_(film,_1938)

Wikipédia (2013e). Podcasting. *Wikipédia*. Repéré le 2 juillet 2013 à https://fr.wikipedia.org/wiki/Podcasting

Wikipédia (2013f). Web 2.0. *Wikipédia*. Repéré le 28 juin 2013 à http://fr.wikipedia.org/wiki/Web_2.0

Wikipédia (2013g). Wiki. *Wikipédia*. Repéré le 2 juillet 2013 à http://fr.wikipedia.org/wiki/Wiki

Wilschut, A. (2012). *Images of Time: The Role of Historical Consciousness of Time in Learning*. Caroline du Nord, États-Unis: Information Age Publishing.

Wineburg, S. (1991). On the Reading of Historical Texts: Notes on the Breach Between School and Academy. *American Educational Research Journal, 28*(3), 495-519.

Wineburg, S. (1998). Reading Abraham Lincoln: An Expert/Expert Study in the Interpretation of Historical Texts. *Cognitive science, 22*(3), 319-346.

Wineburg, S. (2000). Making Historical Sense. Dans P. N. Stearns, P. Seixas et S. Wineburg (dir.), *Knowing, teaching & learning history: National and International Perspectives* (p. 306-325). New York, États-Unis: New York University Press.

Wineburg, S. (2001). *Historical Thinking and Other Unnatural Acts. Charting the Future of Teaching the Past*. Philadelphie, États-Unis: Temple University Press.

Wineburg, S. (2007). Unnatural and essential: the nature of historical thinking. *Teaching history*, (129), 6-11.

Wineburg, S. et Martin, D. (2004). Reading and Rewriting History. *Educational Leadership, 62*(1), 42-45.

Wineburg, S., Martin, D. et Monte-Sano, C. (2013). *Reading like a historian*. New York, États-Unis: Teachers College Press.

Woelders, A. (2007). "It Makes You Think More When You Watch Things": Scaffolding for Historical Inquiry Using Film in the Middle School Classroom. *The Social Studies, 98*(4), 145-152.

Worldmapper (2006). The Worldmapper archive. Repéré à http://www.sasi.group.shef.ac.uk/worldmapper/

Yassine, R. I. et Harman, C. (2012). Une histoire populaire de l'humanité. De l'âge de pierre au nouveau millénaire. Repéré à http://lectures.revues.org/7198

Zinn, H. (1980/2002). *Une histoire populaire des États-Unis de 1492 à nos jours*, Montréal, Canada: Lux.

Index